PARIS MA BONNE VILLE

Robert Merle est né à Tebessa en Algérie. Il fait ses études secondaires et supérieures à Paris. Licencié en philosophie, agrégé d'anglais, docteur ès lettres, il a été professeur de lycée, puis professeur titulaire dans les facultés de lettres de Rennes, Toulouse, Caen, Rouen, Alger et Paris-Nanterre où il enseigne encore aujourd'hui.

Robert Merle est l'auteur de nombreuses traductions (entre autres Les Voyages de Gulliver *), de pièces de théâtre et d'essais (notamment sur Oscar Wilde). Mais c'est avec* Week-end à Zuydcoote, *prix Goncourt 1949, qu'il se fait connaître du grand public et commence véritablement sa carrière de romancier. Il a publié par la suite un certain nombre de romans dont on peut citer, parmi les plus célèbres,* La mort est mon métier, L'Ile, Un animal doué de raison, Malevil, Le Propre de l'Homme, *et la grande série historique en six volumes* Fortune de France.*

Avec La Volte des vertugadins *et récemment* L'Enfant-Roi, *Robert Merle a donné une suite à* Fortune de France. *Il est rare dans l'édition de voir une saga en plusieurs volumes obtenir pour chacun de ses livres un égal succès.* Fortune de France *fut un de ces cas d'exception où les lecteurs demeurent fidèles de livre en livre aux héros imaginés par l'écrivain.*

Nombreux sont ses romans qui ont fait l'objet d'une adaptation cinématographique ou télévisuelle.

C'est en vain que Pierre de Siorac, en la suite de sa chronique, s'attarde dans le « nid crénelé » de *Fortune de France* et dans le Montpellier de ses *Vertes Années* : un duel qui le met en danger de sa tête le contraint de gagner Paris pour « quérir la grâce du roi ».

En ce début d'août 1572, la capitale étouffe de chaleur et bouillonne de passions frénétiques. La faveur dont jouit le chef des protestants, Coligny, auprès du jeune roi Charles IX, et plus encore, « l'infâme accouplement » de la catholique Margot et d'Henri de Navarre scandalisent l'opinion. Philippe II, le Pape, les Guise, le clergé et tout le peuple de Paris réclament « l'extirpation » par le fer et le feu des « hérétiques » de France.

Dans sa quête d'une grâce difficile, Pierre de Siorac découvre les deux Paris : celui des petites gens qui vivent de quelques sols et le Louvre somptueux et ostentatoire, où il suffit d'une « reprisure » à un pourpoint pour vous barrer l'accès des grands.

(Suite au verso.)

Il côtoie les grandes coquettes « dévergognées » et les ouvrières gagne-petit des Bonneteries et des Étuves; les « muguets » emperlés de la Cour et les grands esprits du temps; les princes magnifiques et les maîtres artisans industrieux et « chiche-face »; Coligny et le Guise; les maîtres d'armes italiens et les capitaines des gardes.

Par une ironie de la fortune il doit davantage à son adresse au jeu de paume qu'à son mérite propre de pouvoir enfin approcher le roi.

L'aide qu'il apporte à Ambroise Paré soignant Coligny blessé dans un attentat jette Pierre de Siorac au creux de la nasse où à l'aube de la Saint-Barthélemy les huguenots vont être pris et massacrés. Il en réchappe après de périlleuses « traverses » au cours desquelles il est traqué de rue en rue par le couteau des assassins.

Tout à la fois portrait du Paris merveilleux et fangeux du XVIᵉ siècle et récit hallucinant d'un événement tragique raconté à la première personne dans une langue savoureuse qui ressuscite l'esprit d'une époque, *Paris ma bonne ville*, intégrant magistralement l'Histoire au roman, confère à la vérité des faits la qualité unique du vécu.

ROBERT MERLE

Fortune de France III

Paris ma bonne ville

ÉDITIONS DE FALLOIS

CHAPITRE PREMIER

D'une chose je suis bien assuré : il en est de nous comme de la mer, la bonace même n'est qu'apparence. Au-dessous tout est branle, tumulte, émeuvement. Ainsi l'homme ne saurait mie être content, ni tenir son âme en repos. Possédé d'un bonheur, un autre lui fault, dont il a appétit.

A mon département du château de M. de Montcalm, si heureux que je fusse après une tant longue absence de retrouver mon père sain et gaillard, et réjoui que j'étais de chevaucher avec lui sur le chemin de Sarlat et de mon bien-aimé Mespech, le cœur me battant à l'idée de le revoir et tous ceux qui vivaient dans ses murs, ma liesse n'était pourtant pas sans mélange. Et je ne laissais pas d'avoir quand et quand le cœur fort serré à laisser derrière moi Angelina de Montcalm et l'incertain bonheur dont nous avions fait le serment et dont je portais le gage au petit doigt de ma main senestre : l'anneau orné d'une pierre bleue qu'elle m'avait baillé dans la poivrière qui flanquait la tour est de Barbentane.

Ha ! pensai-je, huguenot « hérétique » et cadet sans pécunes, n'est-ce pas vouloir forcer fortune que de prétendre à sa main, fût-ce dans le futur, si du moins dans les dents du rechignement de M. de Montcalm, elle consent à m'espérer si longtemps, moi qui ai tous mes grades à passer et devant moi tant d'années de labour avant d'être promu docteur et de m'établir médecin et avoir pain dans la huche assez pour la marier selon son rang et, j'ose le dire aussi, selon le mien.

Havre de grâce ! Que je l'aimais ! Et que rebutante et désespérante la pensée de la perdre ! Et pourtant, quelque fiance que j'eusse en sa foi donnée, ne devais-je pas craindre la tyrannie d'un père, l'importunité d'une mère, l'appréhension de la mignote même de vieillir hors mariage dans une interminable attente dont elle ne pouvait être assurée qu'elle portât ses fruits en ces précaires temps où la vie d'un homme, surtout d'un huguenot, ne pesait pas plus que celle d'un poulet.

Cependant, au sein même de ce souci à me nouer la gorge, ce m'était douceur aussi d'évoquer en ma remembrance sa lente, languide et gracieuse démarche, le regard luisant et tendre de ses yeux de biche, et l'émerveillable bénignité de son âme. Ha certes ! me disais-je, quoi qu'il puisse advenir, je ne me suis pas trompé en mon choix : je ne trouverai mie dans le vaste monde, si bien et si longtemps que je cherche, une femme qui allie tant de cœur à autant de beauté.

Mon père avait voulu qu'on passât par les Cévennes afin que de gagner le Périgord par le chemin de la montagne, ne désirant pas hasarder le facile et riant détour par Carcassonne et Thoulouse. Après la surprise de Meaux où les chefs de la Réforme, Condé et Coligny, avaient failli à se saisir du roi, la guerre, derechef, faisait rage dans le royaume entre huguenots et catholiques et les villes que j'ai dites étant aux mains des papistes, il y aurait eu pour nous péril de mort à les traverser, si bien armés que nous fussions. Mais quoi ! Mon père, les deux cousins Siorac, moi-même, mon demi-frère

Samson, notre valet Miroul, notre Gascon Cabusse, et Jonas le carrier, cela ne faisait que huit — assez pour défaire en chemin les embûches des gueux, mais non pour affronter les milices des officiers royaux.

A Sarlat, certes, et dans le Sarladais, nous étions respectés des papistes eux-mêmes (sauf des plus encharnés) pour ce que mon père était un huguenot loyaliste qui n'avait mie tiré l'épée contre son roi, et aussi parce qu'il avait pendant la peste pourvu aux vivres de la ville et l'avait, après peste, épouillée du Baron-boucher de la Lendrevie et de ses scélérats. Mais à Carcassonne et Thoulouse, nous serions à plein déconnus et tout huguenot étant alors tenu pour rebelle, et dans ces occasions tant saisi tant jugé, c'était courir le risque d'être à la chaude dépêchés.

Dès que la route dans les monts devint trop pentue pour le trot, on mit au pas nos chevaux écumants et mon père, venant au botte à botte avec moi et me voyant tout rêveux et plongé dans la « malenconie » (comme disait ma pauvre Fontanette en son parler du Languedoc), me requit de lui conter ma vie d'écolier-médecin en Montpellier, mais plus au vif et au large que je n'avais fait dans mes lettres, et sans rien pimplocher ni omettre.

— Ha ! Monsieur mon père ! dis-je, si vous voulez un conte véridique et sincère, souffrez que nous devancions un petit notre troupe. Je ne voudrais pas en ma vergogne être ouï de nos cousins Siorac, de nos gens, ni surtout de mon bien-aimé frère Samson dont je craindrais trop de navrer, par mes récits, la colombine innocence.

A quoi mon père rit à gueule bec, et consentit, et, poussant sa monture, prit avec moi quelque peu les devants. De ma vie, de mes labours, de mes amours, des inouïs traverses, bonheurs et périls où je fus en

Montpellier, et à Nismes, je lui dis tout, hormis la très piteuse fin de ma pauvre Fontanette, non que je la voulusse à mon père celer (non plus que la part que j'y avais prise), mais parce que je n'étais pas assuré, la contant, de ne pas éclater en sanglots, comme déjà j'avais fait, à Barbentane, aux genoux de mon Angelina.

— Monsieur mon fils, dit mon père quand je me tus, vous êtes vif, vaillant, prompt à la compassion, à la colère aussi. Vous hasardez trop. Vous voulez toujours rhabiller tout abus, ce qui est noble, mais périlleux. Et combien que vous soyez dans l'acte réfléchi, vous ne l'êtes point assez avant l'acte. Oyez bien ceci : Méfiance, Prudence et Patience sont les mamelles de l'aventure. Si vous voulez vivre longtemps en ce siècle cruel, nourrissez-vous à ce lait-là. Ménagez la fortune, elle vous ménagera. *Nosse haec omnia, salus est adolescentis* [1].

Tandis qu'il parlait ainsi, j'envisageais mon père, tout atendrézi qu'il eût fini son discours, comme je m'y attendais, par une cicéronienne citation, le héros de Cérisoles et de Calais se piquant de son élégant latin, quasi autant que de sa médecine, laquelle fut sa vocation première comme peut-être on se ramentevoit. De belle et allègre taille, droit comme un « i » sur son cheval, la charnure sans graisse, l'œil bleu brillant, et le cheveu grisonnant peu à cinquante ans passés, je le retrouvai tel que je le connus toujours.

— Monsieur mon père, dis-je, vous dites vrai, je vous remercie de vos sages avis et je tâcherai à me corriger de mon peu de prudence. Mais, poursuivis-je avec un sourire, Monsieur le Baron de Mespech, seriez-vous Baron, si vous n'aviez tout hasardé dans votre premier duel, lequel fut cause que vous dûtes abandonner la médecine pour le métier des armes ?

---

1. Il y va du salut des jeunes gens de savoir tout cela.

— Pierre de Siorac, dit mon père en sourcillant, l'honneur le commandait, et l'honneur passe avant la vie. Mais pouvez-vous en dire autant de tous les risques que vous encourûtes ? En premier lieu, n'est-ce pas évidence à crever l'œil qu'on s'expose au cotel d'un truand quand on se frotte à riche ribaude ?

— Mal en a pris à ce mauvais garçon !

— Par bonne chance. Et n'avez-vous pas rompu toutes lois en défouissant avec vos compains ces deux morts en cimetière Saint-Denis afin que de les disséquer ?

— Le grand Vésale l'a fait.

— Et par là, aventuré sa vie. Et, Monsieur, était-ce aux fins de dissection que vous avez embourré une ensorcelante sorcière sur la tombe du Grand Inquisiteur ?

— Il me fallait à force forcée l'évicter du lieu de notre déterrement.

— L'éviter ? dit Jean de Siorac, feignant d'avoir mal ouï. L'éviter en la besognant ? L'étrange évitement que voilà !

A cette petite gausserie il rit et je ris aussi, pensant pourtant qu'à ma place il n'eût fait autrement, n'ayant mie su résister à un cotillon, fût-il diabolique.

— En troisième lieu, Monsieur mon fils, poursuivit-il en sourcillant derechef, quelle mouche vous a piqué que vous ayez arquebusé l'abbé athée Cabassus sur son bûcher ?

— Ma compassion. Il pâtissait beaucoup.

— Et c'est votre compassion, je gage, qui vous fit sauver l'Evêque Bernard d'Elbène à Nismes ?

— Certes !

— Et là vous fîtes bien : l'honneur vous commandait d'arracher un ennemi honnête à vile meurtrerie. Mais pour le défouissement, l'arquebusade et la fornication, point d'excuse. Dans tout cela, où est loi ?

11

Où est raison ? Où est prudence ? Vous agîtes comme fol !

A cela, je ne pipai mot, quoique sans baisser la crête, l'humilité n'étant pas dans ma complexion.

— Monsieur mon fils, reprit Jean de Siorac du ton le plus grave, et se tournant vers moi pour m'envisager œil à œil, j'ai décidé que vous ne retournerez en Montpellier que ne soient terminées nos guerres avec les papistes.

— Mais, Monsieur mon père ! m'écriai-je, plus marri et chagrin que je ne saurais dire, ma médecine ! Ma médecine tout ce temps !

— Vous y labourerez à Mespech avec moi, étudiant diligemment vos livres et avec moi disséquant.

A quoi, ne sachant que répondre, je m'accoisai et combien qu'au clos de mon cœur j'aimasse la châtellenie de Mespech, je ne laissais pas d'être fort dépit et désolé de rester si loin de Montpellier pour une si longue duration, et pourquoi ne pas le dire aussi, de Barbentane.

— Mon Pierre, dit Jean de Siorac, qui de mon pensement avait tout deviné et me parlant d'un ton plus doux, ne vous affligez pas : une grande amour est fortifiée par l'absence. Si elle en meurt, c'est qu'elle n'était point grande assez.

Ce qui, pour être vrai, n'était pas tout à plein consolant.

— Pour moi, dit-il, je n'ai en vue que votre sûreté et c'est pourquoi je veux vous retirer des troubles de Montpellier tant qu'on s'y coupera la gorge entre huguenots et papistes, et chaque camp au nom du Christ. François est mon aîné, reprit-il au bout d'un moment de silence et non sans quelque tristesse en son œil d'ordinaire si vif et si gai : il héritera de Mespech. Et François, poursuivit-il avec un soupir, est ce qu'il est et ce que vous savez. Mais vous, Monsieur mon cadet, vous brillez de tant de vaillance et de talents que je ne doute pas que vous soyez promis à donner un jour un grand lustre au nom que vous portez. Cependant, vous êtes impétueux, imprudent, haut à la main. Et si Dieu le permet, je vous veux en vie garder, car de vie vous n'en avez qu'une et je ne voudrais pas qu'elle soit coupée en sa fleur, ce qui me donnerait amertume et navrure en mon pain de vieillesse. Car, mon Pierre, je vous le dis comme je le sens : je vous prise bien au-dessus de ma Baronnie.

A ceci, qui m'émut excessivement, je me tins coi, le nœud de ma gorge me serrant, et les larmes me coulant sur la face, car mon père ne m'avait jamais tant dit à quel point il m'aimait, si proche que fût pourtant sa parole de son pensement, étant comme je suis et comme il m'a fait, homme de prime saut et ne déguisant rien, sauf à ses ennemis.

Ha ! lecteur ! Si bien accommodé que je fusse à Mespech (où nous parvînmes, en forçant le train et brûlant les étapes, moins de quinze jours après avoir quitté Barbentane) et si heureux que je m'y trouvasse, étant le prince en cette châtellenie, aimé et choyé de tous, maîtres et gens, et les chérissant tous jusqu'au dernier valet, et qui plus est, retrouvant les doux bras de ma bonne nourrice Barberine contre les tétins de qui, le soir venu, je m'ococoulais sans vergogne, cependant, dès que mon père recevait des lettres du Nord (et les nouvelles, pendant les troubles, voyageaient vite de huguenot à huguenot) je ne laissais pas de lui demander de les lire, et incontinent les dévorais, souhaitant, assurément, la victoire de notre parti — et pour l'amour de l'humanité et du royaume, la terminaison de cette sanglante lutte —, mais de toutes forces la désirant aussi pour moi, pour mon retour en Montpellier, pour mon Angelina.

Et certes la fortune de guerre ne nous était pas

ingrate, bien à rebours. Forts de deux mille hommes à peine, Condé et Coligny, en leur incroyable impavidité, s'en étaient venus bloquer dans Paris — ville immense tout entière gagnée aux papistes — les vingt mille soldats du Connétable de Montmorency.

C'était merveille : la mouche assiégeait l'éléphant. Elle faisait pis : elle l'affamait. Pillant les villages (hors ceux de Saint-Denis, de Saint-Ouen, et d'Aubervilliers qu'elle occupait), elle vidait les granges, brûlait les moulins, arrêtait les charrois. Le pain de Gonesse n'entrait plus dans la capitale. Le marché de Saint-Cloud était vide, beurre et chair n'arrivant plus de Normandie.

Les trois cent mille Parisiens, travaillés par la faim et plus encore aigris de haine par leurs stridents prédicateurs, rêvaient de courir sus à cette poignée d'effrontés huguenots dont l'audace moquait leur grand'ville. Mais le Connétable temporisait. Il ne voulait point encore engager le fer, non qu'il ménageât, comme on l'en accusait, Condé et Coligny, lesquels étaient pourtant ses propres neveux (beau symbole de cette guerre fratricide !) mais prudent à l'excès, et très insuffisant dans son outrecuidance, il désirait attendre l'arrivée des renforts espagnols avant que d'attaquer.

Cependant, les Parisiens lui faisant des tumultes l'y contraignirent et, courroucé qu'ils lui eussent forcé la main, le Connétable, pour se revancher, plaça en avant-garde et devant même les Suisses, leurs corps de volontaires, gros bourgeois galonnés d'or et cachant leurs bedondaines sous des armes étincelantes. Coligny et ses maigres hères, vêtus de blanc, se ruèrent sur eux, les bousculèrent, les mirent à vauderoute. Et refluant, nos gros compères jetèrent le désordre dans le rang des Suisses, ce que le Connétable, qui avait l'esprit court, n'avait pas su prévoir.

L'ambassadeur de Turquie, posté pour mieux voir l'action sur la colline du petit village de Montmartre, resta béant de l'audace et vaillance de nos casaques blanches : « Si Sa Hautesse avait ces blancs, dit-il, elle ferait le tour du monde, et rien ne tiendrait devant elle. »

Rien ne tint, en effet, devant Condé, qui à la tête de ses cavaliers poussait droit au Connétable. Le toquement fut rude. Un des compagnons de Condé, l'Ecossais Robert Stuart, cruellement torturé jadis par les papistes, chercha Montmorency et, d'un coup de pistolet, lui cassa les reins.

Le chef des armées royales tué, notre petite armée, trop petite pour vaincre, se retira, invaincue, à Montereau où elle tâcha à étoffer ses rangs, tandis que Paris, léchant les morsures des loups huguenots, travaillait à grossir les siens. Ainsi s'établit une sorte de trêve qui dura tout l'hiver, chacun des deux partis se fortifiant pour l'assaut décisif. Et qu'interminable cet hiver-là me parut en mon nid crénelé ! D'autant qu'il fut tout frimas et tout neige en notre Périgord, cette froidure me glaçant les membres après la douce tiédeur du ciel montpelliérain. J'écrivais à mon « père » le Chancelier Saporta, à Maître Sanche, à Fogacer. J'écrivais tous les jours que Dieu faisait à mon Angelina. Et j'écrivais une fois le mois à Mme de Joyeuse et à la Thomassine.

Celles-là, s'il faut le dire, manquaient à mes sens, comme Angelina à mon cœur. Ha ! Certes ! Ce n'est pas que je ne désirais point rester fidèle, même en pensée, à mon bel ange, mais comment demeurer si longtemps dans le fiel et l'aigreur de la chasteté, moi qui avais tant friandise du suave corps féminin ? Il faudrait pour cela que les esprits animaux nés de nos impérieux organes (qui chacun veut à force forcée accomplir sa mission) ne se pressent pas en telle foule dans les canaux de la cervelle. Mais nos quotidiens plaisirs discontinués, l'abstinence appelle ces esprits-là en grande multitude et nous voilà par nos songeries tyrannisés le jour quand nous sommes désoccupés, et la nuit dès que le sommeil nous fault. C'est ainsi que le pensement devenu pensamor, je ne laissais pas de me ramentevoir les délices où, à l'Aiguillerie et à l'hôtel de Joyeuse, je m'étais quand et quand ventrouillé, ce qui me fâchait bien à la réflexion, car je n'eusse voulu rêver qu'à celles que je me promettais avec Angelina. Hélas, le proverbe périgordin dit vrai : on ne mange pas de rôt à la fumée ; et le bouquet des amours futures ne remplace pas l'humble quignon de pain dont le mérite est d'être là, quand l'estomac est creux et la salive en bouche.

Pour l'heure, à vrai dire, je n'avais rien — ni céleste ambroisie, ni terrestre croûton — étant serré à Mespech comme dans une geôle, avec défense de montrer le nez à Sarlat et même dans nos villages, tant la frérèche (j'entends mon père et Sauveterre) craignait que dans les troubles du temps on n'attentât à notre vie.

J'avais trouvé l'oncle Sauveterre le poil bien blanchi, le col maigri dans sa petite fraise huguenote, traînant beaucoup sa patte navrée, l'humeur au surplus fort rechignée, ne prononçant pas trois mots le jour (et sur ces trois, deux de la Bible) et plus que jamais sourcillant et grommelant sur les faiblesses de Jean de Siorac pour Franchou, l'ex-chambrière de ma défunte mère, encore qu'il aimât assez le bâtard que mon père avait fait à la mignote, lequel avait un an déjà, et comme prénom, David.

Franchou, qui le nourrissait, était grosse à nouveau, et fort aise que le baron lui eût signifié qu'il aimerait autant que ce fût une fille, pour ce que à Mespech, disait-il, avec Jacquou et Anet (mes frères de lait, fils de ma nourrice Barberine) et mon demi-frère David, il y avait des petits mâles à la suffisance, et qu'il voulait, cette fois, un joli minois pour égayer nos vieux murs. Propos qui faisait que la Franchou s'abandonnait sans crainte au plaisir d'être grosse, assurée que son fruit serait dans tous les cas bien accueilli, car pour autant que mon père voulait drolette, a-t-on jamais vu un homme tordre le nez devant un mâle?

Ah! Cet hiver-là, malgré la froidure et la neige, quelle belle tablée nous avions les dimanches à Mespech quand Cabusse venait du Breuil avec sa Cathau; notre carrier Jonas, de sa maison de la grotte avec la Sarrazine; et Coulondre Bras de Fer, du moulin des Beunes avec sa Jacotte — les trois garces fort fraîches dans leur cotillon de fêtes, le bonnet de dentelle bien propret sur le chef, et chacune portant dans ses bras un enfantelet —, pour ne point compter ici la Franchou laquelle pourtant était de toutes en son for la plus fiérote, pour ce que son David était fils de baron. Tant est qu'à la fin le repas (qui était ce jour-là fort succulent) ne se passait pas que l'une ou l'autre des quatre ne délaçât son corps de cotte et n'en tirât un blanc tétin pour nourrir le pitchoune sauf pourtant la Cathau qui se détournait pour ce faire, Cabusse étant jaloux. Mais certes, il y avait bien de quoi avec les trois autres se flatter l'œil et s'attendrir le cœur, et mon père au bout de la table interrompait de la main les graves propos de Sauveterre afin que s'accoisant, il pût mieux savourer la beauté de ces allaitements dont il ne se lassait point tant il aimait la vie. Sauveterre, lui, gardait la paupière baissée, tenant que la femme n'est que piperie et perdition de l'âme, ou au mieux, joie trop courte et souci trop long, mais assez réjoui, cependant, de voir se multiplier à Mespech tant de petits huguenots qui après nous porteraient sur cette terre le flambeau de la vraie religion.

— Ha! disait ma Barberine envisageant Jacotte donner le tétin à son enfantelet, lequel se prénommait Emmanuel et, à la différence de son taciturne père, Coulondre Bras de Fer, était braillard comme oncques n'ouïs en cette maison. Ha! Mon temps est passé! (Elle soupira.) Depuis que Madame n'est plus (elle dit cela en étouffant la voix pour non pas contrister Moussu lou Baron) que fais-je céans? Et à quelle usance suis-je propre, moi qui ne sais que donner mon lait comme pauvre vache en l'étable? Au moins, quand Madame était là, si vite qu'elle connaissait être grosse, j'allais me faire engrosser par mon mari, tant est que Madame la Baronne n'avait besoin que d'une nourrice d'occasion et de raccroc en attendant que je pose, et devienne lachère. Mais ce jour d'hui, que fais-je? Le cœur me fend quand je vois ces jeunes et solides garces donner le tétin à leurs pitchounes tant jolis et mignons et les gaver à tas de leur bon lait comme j'ai fait autrefois du mien pour les petits Siorac. Ha! Pauvrette de moi! A quoi je sers céans? Moi qui ne sais même pas cuire rôt ou pot comme la Maligou, ni ménager maison comme l'Alazaïs.

— Barberine, dis-je, n'est-ce rien d'avoir nourri François de Siorac, qui sera Baron de Mespech? Moi-même qui deviendrai grand médecin en la ville? Et ma petite sœur Catherine qui est belle assez pour marier un jour un haut et puissant seigneur?

A cela, Catherine, rosissant, baissa la paupière sur son œil bleu azur, et prenant en sa vergogne ses deux nattes blondes, s'en mit les deux bouts dans la bouche. Elle avait passé treize ans, tout juste comme la Gavachette (la fille que la Maligou disait avoir eue d'un capitaine des Roumes, lequel, par sortilège, l'avait quinze fois forcée en sa grange), et bien je me ramentois comme ma petite Catherine rageait en sa muette furie quand elle avait trois ans, et que je

18

portais sur mes épaules la Gavachette, laquelle, au jour d'hui, était une vraie femme et ma sœur rien qu'une enfant, n'ayant d'autre beauté que son émerveillable face, toute rose et lys, œil bleu, cheveu doré, bouche cerise et nez mignon. Mais pour le corps, la charnure point encore poussée, la jambe longue mais grêle, la fesse plate, du tétin comme sur ma main.

Bien je m'avisai de cette différence le lendemain quand me trantolant de pièce en pièce, j'entrai en musant dans la salle de la tour est que mon père appelait en se gaussant « les étuves » pour ce qu'il y avait là devant un feu, en ces occasions flambant haut et clair dans la cheminée, un grand baquet de chêne dans lequel Alazaïs, la Maligou et Barberine avaient versé des seaux d'eau fumante apportés des cuisines.

— Ha ! mon Pierre ! s'écria Barberine, ensauve-toi, mon mignon ! Il est maloneste à drole d'espincher les mignotes au bain !

— Quoi ? dis-je, Catherine n'est-elle pas ma sœur ? Et la Gavachette en quelque guise aussi ? Ne les ai-je pas vues nues plus de cent fois en mes enfances ?

Et ce disant, les mains aux hanches, je m'approchai du baquet, fort aise d'envisager ces fraîches fleurs dans leur natureté. Catherine, aussitôt cramoisie, s'enfonça jusqu'au cou dans l'eau mais la Gavachette, diablesse qu'elle était, s'écria tout soudain :

— Je suis propre assez, Barberine !

Quoi dit, sortant du baquet, nue qu'elle était, l'effrontée alla se camper devant le feu flambant, et se mettait là, se mettait ci pour se sécher, battant du cil ce faisant, et son œil noir, immense et liquide, mi-dérobé par ses cheveux de jais, m'envisageant en tapinois. Ce n'était pas la peine assurément que je tournasse autour de la drolette pour la caresser de l'œil : elle se tournait assez, sa peau de sarrazine dorée par le feu clair, la membrature mince et gracieuse et cependant le tétin haut et déjà pommelant, et sous taille plus fine qu'oncques ne vis, la chair des fesses mignardement contournée et rondie, sans qu'elles fussent trop resserrées entre les os ni épanchées en trop de graisse.

— Ha! Vilaine! s'écria ma petite sœur Catherine, son œil bleu s'aigrissant tout soudain. Vilaine! Dévergognée! Ribaude! Veux-tu bien te cacher, fille de Roume! Vilain pruneau! Sais-tu pas que c'est vilain péché, mortel et capital, de laisser voir à homme qui vive ce que tu montres!

— Va! Va! Va! Ma petite perle! dit Barberine en riant, le péché n'est pas dans l'œil, mais dans l'usance. Voir n'est pas lécher. Et lécher n'est pas prendre. Cependant, l'un peut sortir de l'autre, comme bien on sait. Mon beau coq, poursuivit-elle en se tournant vers moi, je te l'ai déjà dit! Ensauve-toi! Je ne sais à qui ni quoi le Moussu destine le joli brugnon que voilà et peu te sied à toi avant de le savoir de lui tournebouler la tête de ton œil si friand.

— Ma bonne Barberine! dis-je, tirant vers elle et la poutounant sur la joue, au col et en haut des tétins (tant pour mon plaisir que pour l'apazimer), je n'y mets pas malice, comme bien tu penses!

— Je me pense le rebours, fripon! s'écria Barberine, mi-riant, mi-fâchée, le feu te sort des naseaux comme étalon au pré et c'est bien pitié que tu ne puisses bailler un peu de cette flamme à ton aîné François, lequel est froid comme hareng en caque.

— Il n'est point si froid, dis-je, il va rêvant à sa Diane de Fontenac.

— Rêver est viande de pauvre suc, dit Barberine, s'il n'y a pas le toucher au bout. Et comment François mariera-t-il la fille du plus mortel ennemi de Mespech?

Mais ceci me ramentevant mon Angelina et la

traverse que faisait à nos doux projets la religion de ses parents (encore qu'ils m'aimassent assez) je me contristai tout soudain et, tout songeard, je quittai les étuves. Mais désirant incontinent me guérir de ma « malenconie », je tirai vers la salle où le Gascon Cabusse donnait sa leçon à François qui de l'épée me salua, mais sans souris ni brillement de l'œil, ayant pour moi fort peu d'amour à la différence de mon demi-frère Samson, lequel, à ma vue, se leva de son escabelle et me donna une forte brassée et plus de dix baisers, bel ange de Dieu qu'il était, et si beau et si fort et si innocent. Je m'assis à son côté et tenant sa main dans la mienne, j'observai François, lequel, à dire le vrai, n'avait rien de laid, n'étant ni estéquit de corps, ni malhabile, tirant fort bien des deux mains, montant à cheval le plus correctement du monde, et point sot non plus, mais en soi remparé, renfermé et serré, dissimulant, rancuneux à l'infini, très entiché de son rang et de sa baronnie future, hautain avec nos gens et, du vivant de ma pauvre petite Hélix, me déprisant de la chérir, préférant quant à lui, à une affection proche et populaire, ses nobles et inaccessibles amours.

Et inaccessibles, certes, elles l'étaient, car le Baron-brigand de Fontenac, dont les terres jouxtaient les nôtres, ne rêvait, ne soufflait, ne respirait que notre destruction, couvrant sa vilainie du manteau de la religion, étant papiste. Il est vrai que son épouse ne lui ressemblait point, étant douce et chrétienne, et que sa fille Diane, disait-on, tenait, Dieu merci, de sa mère. Mais de nul poids pesaient les pauvrettes face à ce furieux sanglier, lequel voulait tout à la fois venger son père que la frérèche avait fait bannir pour ses crimes et, du même coup, mettre la main sur notre beau domaine, lequel, joint au sien, eût fait de lui le plus puissant baron du Sarladais.

Il est vrai qu'on avait cru à Mespech à un accommodement quand Diane tombant malade de la peste, et pas un médecin de Sarlat ne consentant à approcher le château, Fontenac avait demandé par lettre à mon père de la soigner : à quoi mon père avait consenti, à condition que ce fût à Mespech, en une chambre du châtelet d'entrée où, l'ayant isolée, il lui avait apporté si bonne curation qu'elle guérit — mais laissa en partant, au cœur de François, une inguérissable atteinte.

Hélas, ce chien de Fontenac n'avait même pas la gratitude d'un chien : dès que l'intestine guerre entre sujets d'un même roi recommença, nous apprîmes que, prenant langue avec d'aucuns seigneurs de la noblesse catholique du Sarladais, il les avait suscités à se liguer afin de tout soudain courir sus à Mespech et détruire « ce nid d'hérétiques ». Projet partout accueilli à froidureuse face tant la frérèche était hautement prisée et tant ce méchant l'était peu. Puymartin (qui, bien que papiste, était fort notre ami, ayant combattu avec nous contre le Baron-boucher de la Lendrevie) nous avertit le premier de ces menées et remuements de Fontenac, nous invitant à nous bien garder car, n'ayant pas réussi à ameuter ouvertement contre nous, il était à craindre que le scélérat n'essayât, en sous main, de la sape et de l'embûche.

Cet avis, qui nous parvint par chevaucheur le 16 février, redoubla notre vigilance. On sortait peu de nos murs. On sortit moins encore et toujours en nombre et armés en guerre avec morion et corselet, et pistolets dans les fontes de nos montures, dépêchant à l'avant les frères Siorac, grands chasseurs à qui rien n'échappait, ayant l'ouïe fine et l'œil perçant.

Au tomber du jour, bêtes et gens retirés au logis, tout était verrouillé ; l'épaisse porte du châtelet d'entrée barrée de l'intérieur d'une forte bande de fer, la herse derrière elle abaissée et, s'il ne pleuvait pas, les torches enfoncées dans les bobèches des murs afin que de les allumer à la première alerte et de distinguer l'assaillant, son nombre et ses assauts. A Escorgol qui gardait le châtelet d'entrée, la frérèche adjoignit mon valet Miroul (« Miroul les yeux vairons, un œil bleu, un œil marron », chantonnait ma pauvre petite Hélix dans les rémissions de sa longue agonie), afin qu'au premier bruit insolite, Escorgol pût nous l'envoyer pour nous donner l'alarme, Miroul étant à la course plus vif et agile que lièvre.

Mon père visita avec moi et Samson le souterrain qu'il avait fait creuser pendant notre séjour à Montpellier pour relier le château au moulin des Beunes, lequel moulin était le point faible de nos défenses car, si bien que notre carrier Jonas l'eût remparé, faisant les ouvertures petites et pratiquant çà et là des meurtrières coudées, il était à ras de chemin, clôturé en bois, la bâtisse point apte à soutenir un siège contre une vingtaine de gueux résolus, Coulondre et sa Jacotte étant ses seuls défenseurs, et tous deux, certes, fort vaillants, mais Coulondre n'ayant qu'un bras et demi et Jacotte dans les siens un pitchoune.

Or, en ce moulin, d'un bout de l'année à l'autre, il y avait force grains, tout le plat pays s'y faisant moudre, force noix (dont on pressait l'huile) et force porcs, les nôtres et ceux de Coulondre, nourris du beau son frais rejeté des tamis, trésors en ces temps de disette, bien propres à exciter la friandise des gueux! Or ne savions-nous pas que le Fontenac, en l'année 1557 (j'avais six ans), profitant que mon père et nos soldats guerroyaient sous Calais, avait excité, soudoyé et lancé contre Mespech une forte bande de Roumes qui l'avait failli prendre et à qui l'oncle

Sauveterre avait, la mort dans l'âme, rançon payé pour qu'ils consentissent à se retirer.

— Mais, Monsieur mon père, dis-je, ce souterrain, s'il nous permet de secourir le moulin, ne peut-il, le moulin pris, permettre à l'ennemi de nous envahir ?

— Mon Pierre, dit Jean de Siorac, observez d'abord que le souterrain débouche à l'intérieur du mur d'enceinte et que là reste encore à franchir l'étang qui entoure nos murs, ce qui ne peut se faire qu'en s'emparant des deux ponts-levis : celui qui relie le pont à l'île et celui qui relie l'île au logis. En second lieu, le débouché du souterrain est lui-même clos d'une herse fortement barreautée qui ne se peut ouvrir que du dehors. Et qu'enfin, à dix toises en arrière de cette première herse, tombe, à notre commandement, une deuxième, laquelle serre les assaillants en une nasse et les livre à notre merci.

— Et les livre à notre merci comment ? dit mon beau Samson en ouvrant tout grand son œil azuréen et zézayant sur le « merci » comme à l'accoutumée.

— Par cette trappe que vous voyez, dit mon père, on accède en se courbant au toit du souterrain en la partie comprise entre les deux herses et ce toit est fait de planches disjointes par lesquelles on peut d'en haut percer de piques, d'épieux, de lances et s'ils ont cuirasses, d'arquebusades, les ennemis pris au piège.

— N'est-ce pas pitié, dit mon Samson avec un soupir, d'avoir à occire tant de gens ?

— C'est pitié, dit Jean de Siorac, mais pouvez-vous imaginer, s'ils prenaient Mespech, ce qu'ils feraient de nous ? Et des garces de notre maison ?

Ayant dit, il fit jouer les deux herses en leurs logettes pour s'assurer qu'elles s'abaissaient et se relevaient à sa volonté.

Dans la nuit du 24 au 25 février, une semaine à

peine écoulée depuis que Puymartin nous avait fait tenir l'avertissement que j'ai dit, mon père entra dans ma chambre, une lanterne allumée à la main, et me dit d'une voix fort calme de me lever et de m'armer en guerre pour ce qu'il y avait lieu de craindre une surprise, Escorgol ayant ouï quelque remuement du côté de notre moulin des Beunes, et aperçu au-dessus des arbres une clarté comme si un feu y était mis. Incontinent, je lui obéis, je m'armai en guerre et descendis dans la cour. La nuit était froide et brillante et je trouvai là, réunis dans le plus grand silence, tous les hommes du château et tous avec morion sur le chef, corselet sur le torse et pique ou arquebuse au poing.

Mon père, sa lanterne à la main, avait deux pistolets à la ceinture.

— Mon frère, dit-il à Sauveterre, je prends avec moi Pierre, Samson, mes cousins Siorac et Miroul pour la défense de l'enceinte autour de l'étang. Vous aurez Faujanet, François et Petromol pour garder les remparts du logis. N'allumez pas les torches des murs et que personne ne pipe mot. Nous allons étonner ces vilains. Il n'est pire surprise que d'être surpris en croyant prendre.

Je fus bien aise de ne pas quitter mon père, bien assuré qu'à ses côtés, je verrais cette nuit-là quelque action et serais à l'honneur, d'autant qu'ayant franchi les deux ponts-levis, il envoya Samson et les frères Siorac patrouiller sur le chemin de ronde du mur d'enceinte et ne garda avec lui que Miroul et moi, choix qui ne fut pas sans me faire redresser la tête. Sa lanterne à la main, combien qu'elle ne fût pas utile, la lune étant si brillante, mon père tira incontinent vers le souterrain mais là, au lieu que de relever la première herse comme je cuidai qu'il allait faire, il abaissa la seconde.

— Quoi, mon père, dis-je à voix basse, n'allons-nous pas prendre le souterrain et courir prêter la main à Coulondre et à sa Jacotte?

— Le feriez-vous, si vous étiez à ma place?

— Oui-da!

Il sourit et, dans le clair de lune, son œil brilla sous la visière de son morion.

— Et vous auriez grand tort. Savez-vous si l'ennemi n'est pas déjà à l'autre bout?

A quoi je me tus, le bec gelé et fort marri de ma sottise. Et plus béant encore de voir mon père relever la herse du débouché.

— Mon Pierre, dit-il, la lanterne balancée au bout de son bras, quand je serai là-dedans, tu abaisseras cette herse par où je vais entrer mais sans relever la seconde — laquelle tu ne relèveras que sur mon exprès commandement.

— Mais, Monsieur mon père, dis-je effrayé assez, qu'allez-vous faire en cette nasse?

— Me cacher en une niche qui s'ouvre à dextre, grande assez pour un homme, voiler la lanterne, et attendre.

— Attendre qui?

— Jacotte.

— Monsieur mon père, que fais-je pendant ce temps?

— Tiens-toi prêt à relever la herse du débouché et Miroul, à relever et abaisser la seconde. Ne te montre point. La lune est haute.

Je m'agenouillai hors de vue à l'angle droit de la herse, mon œil scrutant le noir d'encre où avait disparu mon père, tapi en sa niche comme renard en son gîte. Sa lanterne, bien qu'elle fût voilée, laissait voir quelque lueur mais il savait merveilleusement s'accoiser et j'eus beau écouter à doubles oreilles, je n'ouïs même pas son souffle. En revanche, j'ouïs fort bien la course précipitée des sabots de Jacotte sur la terre nue du souterrain.

— Qui est là? dit mon père, mais sans du tout sortir de sa cachette, et sans dévoiler sa lanterne.

— Jacotte.

— Seule?

— Avec le pitchoune.

Mon père dit alors ces mots qui m'eussent fort étonné si je n'avais compris, à la guise dont il les prononça, qu'ils étaient convenus à l'avance:

— *Va bien le pitchoune, Jacotte?*

— *Va bien.*

Ce qui sans doute voulait dire que personne ne la pressait, l'épée aux reins, car mon père dévoila sa lanterne et à bout de bras la tendit, mais sans montrer encore le reste de son corps. Je vis alors la Jacotte, debout derrière la seconde herse, soufflant fort de sa course dans le souterrain, l'œil fort effrayé et très pâle. Elle était seule, en effet.

— Miroul, la herse, dit mon père.

Miroul incontinent la releva et, dès que Jacotte avança, l'abaissa derrière elle.

— Pierre, la herse, dit mon père.

Je relevai la herse du débouché, et mon père, prenant la bonne garce par le bras, sortit avec elle du souterrain.

Jacotte était une grande, robuste et résolue mignote qui, d'un petit couteau qu'elle portait à la ceinture, avait deux ans plus tôt occis un des quatre caïmans qui, la surprenant au pré un soir, l'avaient voulu forcer au revers d'un talus. Coulondre Bras de Fer, qui survint là par bonne chance, dépêcha les trois autres: raison pour laquelle elle l'avait marié, combien qu'il eût le double de son âge. Et cependant, si décidée que fût cette forte garce, elle frissonnait comme chienne devant loup, non point pour elle-même mais pour son mari que, sur son commandement, elle avait laissé au moulin.

— Combien sont-ils? dit mon père, à voix étouffée.

— Pas moins de douze et pas plus de vingt.

— Ont-ils des bâtons à feu?

— Oui-da, mais point ne tirent. Et pour vous obéir, Coulondre point davantage. Mais le pauvre, poursuivit-elle d'une voix tremblante, ne peut tenir longtemps, ces gueux ont entassé nos fagots devant la porte et y ont bouté le feu, et encore qu'elle soit en vieux chêne, elle est bien pourtant pour cramer.

— Elle cramera, dit mon père, d'une voix coupante. Et ces vilains n'en pisseront pas plus roide. Miroul, va me chercher Alazaïs! *En correr*, drole! *en correr!*

Miroul partit comme carreau d'arbalète, et le peu de temps qu'il mit à revenir, Alazaïs sur ses talons, mon père, sourcillant, se tira le nez entre le pouce et l'index, sans que j'osasse piper, le voyant dans ses réflexions.

Alazaïs, qui avait, disait mon père, « la force de deux hommes, sans compter la force morale » (étant huguenote sévère et imployable), apparut, son torse que pas un tétin ne bombait couvert d'un corselet, deux pistolets à la ceinture et un coutelas au côté senestre.

— Alazaïs, dit mon père, toi qui cours comme oiseau vole, va prévenir Cabusse au Breuil et Jonas à la carrière qu'ils s'arment et qu'ils veillent. Il se pourrait qu'on les attaque, eux aussi.

— J'y vais, dit-elle.

— Et dis à Escorgol de m'envoyer Samson et mes cousins Siorac. Nous allons prêter la main à Coulondre Bras de Fer.

— Ha! Moussu lou Baron! dit Jacotte d'une voix infiniment soulagée, mais elle ne put en dire davantage, les larmes lui chaffourrant la face.

— Jacotte, dit mon père en lui tapotant des deux mains le gras de l'épaule, va dire à Monsieur l'Ecuyer vers qui je m'en vais tirer, et qu'il ne branle mie avant mon retour. Et pour toi, confie ton pitchoune à la Barberine au logis et reviens céans rabaisser la herse après notre département.

Ce qu'elle fit. Et nous voilà dans le souterrain à courir comme fols, Samson, Miroul, les frères Siorac, moi et mon père, lequel, combien qu'il eût alors cinquante-trois ans, bondissait comme lièvre, la lanterne au bout du bras. Il est vrai que le souterrain était fort pentu et dévalant, Mespech, comme son nom le dit bien, étant dressé sur un pech et le moulin des Beunes dans une combe.

Coulondre fut fort conforté de nous voir apparaître en son moulin, encore que son visage long et triste comme carême n'en laissât rien voir, et qu'il ne dît ni mot ni miette. La salle où le souterrain débouchait était grande assez et sur le côté senestre comportait cette porte où les assaillants tâchaient de bouter le feu, lequel on pouvait ouïr crépiter à travers le chêne. Et sur le côté dextre, une sorte de barrière à claire-voie qui donnait sur la porcherie où truies, porcelets et cochons huchaient tous ensemble à oreilles étourdies, peut-être parce qu'ils sentaient le péril où les flammes les mettaient.

— Moussu lou Baron, dit Coulondre à voix feutrée, allons-nous sauver les bêtes et les pousser dans le souterrain ?

— Non, dit mon père, envisageant la porte derrière quoi on oyait le feu. Le temps nous fault et il y a mieux à faire. Compagnons, poursuivit-il, entassez les sacs de grain afin de nous remparer derrière, la porte du souterrain restant dans notre dos pour fuir, si la nécessité le requiert. N'épargnez pas l'épaisseur, mettez le rempart à hauteur de l'épaule afin que nous puissions, en arrière de ce bouclier, nous dérober aux vues sinon aux arquebusades.

Nous fîmes comme il avait commandé et il nous donna la main, labourant autant et plus vite qu'aucun de nous, la face fort animée et comme joyeux de tant se démener et se battre.

Tout ce branle fit quelque bruit, mais je gage que les gueux n'en purent rien ouïr, les porcs pendant cela menant un vacarme à vous tympaniser. Quoi fait enfin, on se mit tous derrière notre mur de grain, lequel était large d'une demi-toise et haut à poitrine d'homme, avec quelques failles çà et là entre les sacs pour voir l'assaillant. Soufflant alors sur les mèches des arquebuses et vérifiant l'amorce des pistolets, nous attendîmes non sans une certaine fièvre et quelques cognements de cœur, mais cependant bien aises dans le pensement que la porte du souterrain était derrière nous.

— Compagnons, dit mon père, quand je dirai « A Dieu vat ! » sortez la tête, poussez des hurlements étranges et tirez.

— Ah ! Sûr que je vais tirer, dit Coulondre Bras de Fer, et bien, et roide, et pour tuer. Quand je pense que ces vilains me brûlent ma porte avec mes propres fagots !

Il dit cela d'une voix chagrine, mais chagrin il était ou paraissait toujours, étant fort taciturne et n'ouvrant la bouche que pour parler lugubrement, encore qu'il eût mené fort bien sa barque, ayant nos porcs et nos terres des Beunes à compte et demi, et, déjà grison, marié une forte et belle jeunette qui lui faisait bonne usance.

— Ha va, Coulondre ! dit mon père qui l'aimait beaucoup, ayant été son capitaine dans la légion de Normandie. Ha va ! Ne pleure pas ta porte ! J'ai à Mespech du beau chêne sec et bien scié, et Faujanet, à mon commandement, te façonnera une porte neuve, mieux remparée et aspée de fer que celle-ci !

— La merci Dieu et à vous, Moussu lou Baron ! dit Coulondre qui ne s'était plaint que pour qu'on lui fît cette promesse.

Et combien que son œil gris parût triste encore, j'y crus voir quelque contentement. Et pour moi, j'étais content aussi d'être là, le cœur cependant me battant, aux côtés de mon père et de Samson comme au combat de la Lendrevie contre le Baron-boucher, sans compter que l'affaire s'annonçait belle, car ses vilains croyaient le moulin vide et le meunier à la veillée de Mespech, cette nuit-là étant celle du dimanche au lundi, et Coulondre, selon le commandement de mon père, n'ayant ni pipé ni tiré quand le branle avait commencé.

— Mon Pierre, dit Jean de Siorac à voix basse, je vous sais vaillant, ne le soyez pas trop. Et quand vous aurez lâché vos deux coups de pistolet, baissez la tête et remparez-vous sans vergogne.

— Monsieur mon père, dis-je, tout atendrézi de sa grande amour, gardez, je vous prie, le cœur en repos, j'ai appris ma leçon : Patience, Prudence et Méfiance sont les mamelles de l'aventure.

A quoi mon père rit, mais sans faire plus de bruit qu'une carpe, et pour moi, pensant qu'ayant reçu d'aussi sages conseils, le mieux que je pusse faire était de conseiller à mon tour, je poussai du coude mon bien-aimé Samson, et lui dis à l'oreille :

— Monsieur mon frère, ramentevez-vous, je vous prie, de n'être pas si tardif à tirer, comme vous le fûtes par deux fois, au combat de la Lendrevie, et contre les caïmans des Corbières.

— Mon Pierre, je m'en souviendrai, dit Samson avec son charmant zézayement et, comme il disait, la porte du moulin s'enflamma d'un seul coup, éclairant son beau visage et les boucles de ses cheveux de cuivre si gentiment entortillés autour de son oreille. Lui passant alors le bras autour de sa robuste épaule, je lui baisai la joue, ce que voyant mon père, il sourit.

— C'est une grande force, dit-il à voix basse et

l'œil fixé sur la porte en flammes, que deux frères qui s'aiment. Ainsi de Sauveterre et de moi : personne n'a jamais pu nous vaincre et moins qu'un autre, comme vous verrez, ce chien de Fontenac ! Mes compagnons, poursuivit-il, Dieu vous garde ! Nous y voici, je crois !

Quand on pense combien de temps a pris un beau chêne pour croître, n'est-ce pas pitié qu'il brûle si vite comme cette pauvre porte qui, en outre, avait coûté tant de peine pour son façonnement. Mon cœur huguenot criait à voir pareil gâtement et de bel et bon bois, et de labour, sans compter le sac que ces vilains eussent fait de nos porcs, de nos grains et de notre moulin, s'ils avaient réussi. Et m'aigrissant alors de colère contre ces méchants, toute compassion me quitta, et raffermissant mes pistolets en les paumes de mes mains, je n'avais appétit qu'à les dépêcher.

Cependant, à ce feu ardent notre belle porte flambait, tant qu'à la fin, les ferrures cédant, et quelques coups de masse et de bélier ayant raison du reste, la voilà à terre et tirée au-dehors par des fourches et la voie libre. Et libre, certes, les gueux la croyaient, et vide le logis, car ils entrèrent à tas, et comme on dit si bien, « comme dans un moulin », des torches à la main comme s'ils voulaient à tout bouter le feu, et nos porcs, à la vue de ces flammes, huchant aigu à vous péter l'oreille.

— A Dieu vat ! cria mon père d'une voix forte.

A quoi, surgissant de derrière les sacs, nos armes brandies, nous poussâmes des hurlades à déboucher un sourd, ce qui, glaçant tout soudain les caïmans, les laissa béants, et changés en statues de sel comme la femme de Loth. On les tira comme des pigeons, et à part un qui eut l'esprit de se jeter à terre, on les navra ou tua tous.

Coulondre Bras de Fer, se ruant, fit mine de dépêcher le survivant, mais mon père s'y opposa, voulant l'interroger, et commandant qu'on lui liât les mains, le ramena par le souterrain à Mespech.

Ce caïman était un assez beau drole, d'une trentaine d'années, noir de poil et de peau comme un sarrazin, l'œil brillant, la mine fière et bien fendu de gueule à ce qu'il apparut.

On le jeta à terre dans la grande salle de Mespech et mon père, se campant devant lui sur ses jambes, les mains aux hanches, lui dit à sa façon gaillarde et enjouée :

— Ton nom, coquin !

— Capitaine Bouillac, Moussu lou Baron, dit le drole sans baisser la crête et l'œil noir fort vif.

— Capitaine ! dit Jean de Siorac. Le beau capitaine que tu me fais !

— Pour vous servir, Moussu lou Baron.

— Tu me sers peu. Je te vais pendre.

— Moussu lou Baron, dit Bouillac, sans changer du tout de visage, ne peux-je racheter ma vie ?

— Quoi ? dit mon père, accepter d'un gueux des pécunes larronnées !

— Hé ! Toutes pécunes sont bonnes qui sont données, dit Bouillac. En outre, celles-ci sont honnêtes, m'ayant été baillées en récompense de mes bons services.

— J'opine, dit l'oncle Sauveterre en s'avançant dans la salle, sourcillant et claudicant et tous nos gens s'écartant tant ils le craignaient en ses noires humeurs, j'opine qu'on pende ce gueux sans tant languir.

— Voire ! dit mon père. Il n'y a eu chez nous ni mort ni navré.

— J'opine pourtant qu'on le pende.

— Voire ! Bouillac, d'où te viennent ces pécunes ?

— C'est ce que certes je dirai si vous acceptez mon offre.

— C'est ce que certes tu diras si je te mets à la question, dit Sauveterre avec un brillement courroucé de l'œil.

— Oui-da, Moussu, dit Bouillac sans rabattre de sa superbe, mais la question prendra du temps, et le temps vous presse fort. Car pour moi, étant promis à la hart, j'ai devant moi l'éternité.

A cette saillie qui n'était pas sans quelque sel, ni arrière-goût ni intention, mon père rit, aimant assez la vaillance de ce gueux, et fort friand aussi de ce qu'il aurait à révéler.

— Bouillac, dit-il, allons donc au plus bref. Combien offres-tu pour ta vie?

— Cent écus.

Tous ici s'accoisèrent en s'entr'envisageant, tant on était béant qu'un caïman eût tant d'étoffe. Mais au bruit de ces pièces et piécettes, Sauveterre changea de face et dit, le ton coupant comme cotel :

— Deux cents.

— Fi donc, Moussu! dit Bouillac. Barguigner avec un gueux!

— Bon huguenot toujours barguigne! dit mon père en riant.

— Deux cents! dit Sauveterre.

— Ha, Moussu, vous m'étranglez! dit Bouillac.

— Préfères-tu le nœud que tu sais?

— Tope! Tope! dit Bouillac avec un grand soupir, mon cou le veut!

— Affaire faite! dit mon père promptement. Et voyons maintenant ce temps qui me presse si fort.

— Moussu lou Baron, dans le moment où je suis pour occire vos porcs et brûler votre moulin des Beunes, la bande du capitaine Belves court sus au Breuil pour faire carnage de vos moutons.

— Ventre Saint-Vit! cria mon père, je le pensais! Combien sont-ils?

— Sept, avec Belves.

— La merci à toi, Bouillac. Je vais rhabiller cet assaut.

Et sortant à grands pas de la salle, mon père commanda à Miroul, Faujanet, Petromol et les deux frères Siorac de seller incontinent les chevaux et de galoper à brides avalées pour secourir Cabusse, lequel, à vrai dire, n'était pas seul, ayant avec lui l'herculéen Jonas, et peut-être aussi Alazaïs, si du moins la forte garce avait pu parvenir jusqu'à la bergerie : ce dont je ne doutais, la mâtine étant si rusée.

— Bouillac, reprit mon père, qui a payé et machiné cela ?

— Un brigand qui brigande sans sortir mie de son château ni se mouiller le petit doigt.

— Fontenac ?

Bouillac fit « oui » de la tête, mais sans mot piper, et cette réticence-là, bien l'entendit mon père, car il s'accoisa, envisageant Bouillac œil à œil.

— Moussu lou Baron, dit le gueux, suis-je libre ?

— Oui-da, la rançon payée.

— Je cours la quérir, dit Bouillac, pour peu que vous commandiez qu'on me rende mon cheval, mes pistolets, mon braquemart et ma dague, lesquels sont les outils sans lesquels je ne saurais exercer mon art.

— Nenni ! dit Sauveterre, nous te relâchons nu. Si tu veux tes outils, cela te coûtera encore cinquante écus.

— Ha ! Moussu, dit Bouillac, pour le coup, vous me mettez poire d'angoisse en gueule.

— Cinquante écus ou rien, dit mon père.

— Rien ? dit Bouillac, en levant le sourcil.

— Rien, si tu consens à déposer contre Fontenac devant le notaire Ricou.

A quoi Bouillac s'accoisa un temps fort long avant que d'acquiescer. De bien peu de conséquence pourtant fut son témoignage, car la frérèche eut beau sur lui s'appuyer pour accuser Fontenac et porter l'affaire devant le parlement de Bordeaux, si enflammés étaient alors les juges papistes contre les huguenots que rien ne sortit jamais de notre plainte.

Mais j'anticipe. Une heure à peine après la prise de Bouillac, Michel Siorac (qu'on distinguait maintenant de son jumeau à la balafre qu'il avait reçue à la joue senestre lors du combat de la Lendrevie) apparut au pied du châtelet d'entrée de Mespech sur son hongre écumant, et cria à Escorgol qu'au Breuil on avait tout occis ou mis à vauderoute. Mon père se concertant alors avec l'oncle Sauveterre, la frérèche décida qu'après avoir dépêché les navrés, on entasserait les morts des deux bandes sur un char dont on irait — la nuit étant noire encore — déverser le chargement devant le pont-levis de Fontenac.

— Qu'il les enfouisse! dit Sauveterre, puisqu'il les a payés!

Mais avant que de laisser partir le funèbre charroi, mon père fit choix, pour sa maigreur, d'un des morts des Beunes, afin que de le disséquer avec moi à la chaude avant que la roideur le saisît. Alazaïs porta le cadavre seule sur son dos jusqu'à la table de la librairie de Mespech où, l'ayant posé, elle le dévêtit sans vergogne aucune et sans battre un cil, la forte vierge ne faisait pas plus cas d'un mâle que d'une puce, ce qu'elle n'avait d'amour que pour le Seigneur et d'appétit que pour l'Eternité.

Miroul ranima le feu dans l'âtre, alluma un grand nombre de chandelles, et tout suants que nous étions encore du combat, le morion et le corselet à peine ôtés, nous nous mîmes au labour, mon père tenant le cotel et ne déprisant pas de faire lui-même le prosecteur, tâche à laquelle, à l'Ecole de médecine de Montpellier, pas un docteur ordinaire n'eût consenti, se jugeant trop haut pour cette tâche de par je ne sais quelle absurde piaffe qui veut que tout ce à quoi l'homme met la main porte une sorte d'infâme relent des arts mécaniques, lesquels par les doctes sont tenus pour indignes et inférieurs. La conséquence, qui est pitié, c'est que le prosecteur — lequel est à l'accoutumée un barbier-chirurgien — en sait souvent plus long que le médecin pour avoir, de sa main — que l'œil ne remplace point —, tant de fois fouillé et divisé les organes du corps humain.

Ainsi, à la lumière d'un chandelier que Miroul tenait par-dessus son chef, mon père, dans le silence du logis assoupi (Sauveterre lui-même s'étant allé coucher, recru, rompu, et traînant la patte comme un vieux corbeau), mon père taillait dans la poitrine de ce pauvre drole qui ce matin encore était sain et gaillard, et moi-même épongeant afin que de mieux voir.

— Ce gojat, dis-je, avait beaucoup de sang. Il coule fort.

— Ha! dit mon père. Vous dites bien : il coule. Et c'est là le grand mystère de la vie. Le sang coule, certes. Mais pourquoi? Mais comment? Quelle force le fait couler au rebours de sa pente, laquelle est de haut en bas quand nous sommes debout? Observez qu'à ce compte, si le sang coulait comme l'eau des Beunes ou de la Dordogne ou de nos terrestres fleuves, notre tête devrait de sang se vider et nos talons s'emplir dès qu'on se lève le matin. Il n'en est rien. C'est donc que le sang est mû et mis en branle par une force qui lui est propre. Mais laquelle?

— Monsieur mon père, le sait-on?

— On ne le sait pas tout à plein, mais peut-être se trouve-t-on sur le chemin de le savoir. Miroul, approche au plus près ce chandelier. Voyez, mon Pierre, dedans ce cœur que j'ai ouvert, ces petites portes que voilà : Sylvius à Paris, Acquapendente à Padoue les ont fort bien décrites. Portes ce sont, en effet, ou écluses qui, tout à tour ouvertes et fermées, admettent ou refusent le courant du sang. Est-ce donc le cœur, le moteur que nous cherchons ? Servet le croyait qui parle de l'*attraction* que le cœur exerce sur le sang.

— Servet ? dis-je, Michel Servet ? L'illustre médecin que Calvin fit brûler à Genève ?

— Il le brûla pour son hérésie, non pour sa médecine, lesquelles, à vrai dire, Servet exposa côte à côte dans son livre *Christianismi restitutio* dont, hélas, tous les exemplaires furent cramés sur le bûcher qui réduisit son auteur en cendres.

— Tous, Monsieur mon père ? dis-je, le nœud de la gorge me serrant à me remémorer l'abbé athée Cabassus, lequel, sous mes yeux, fut brûlé en Montpellier en même temps que son *NEGO*.

— Tous sauf un, dit mon père, sauf un qui, par bonne chance, tomba du bûcher quelque peu roussi par le feu, mais intact [1]. Je l'achetai à un petit boutiquier juif de Genève lors d'un voyage que j'y fis. Je l'ai toujours.

Et posant son cotel sur le corps, mon père alla quérir le traité de Michel Servet sur les rayons de sa librairie, et non sans quelque trouble de face et brillement de l'œil, l'ouvrit à une page marquée d'un signet. Je n'ai point de vergogne à dire que je retins alors mon souffle, étant possédé du chef à l'orteil par un appétit d'apprendre, lequel était si impétueux qu'il me faisait battre le cœur.

— Voici l'*opus magnum*, dit mon père. (Et j'observai que ses mains tremblaient dans son émeuvement.) Mon fils, j'abhorre la théologie de ce traité, mais j'en prise la médecine au-dessus de tous mes biens périssables, pour ce qu'elle me paraît lumi-

---

1. Cet exemplaire est aujourd'hui à la Bibliothèque nationale. (Note de l'auteur.)

neusement faire entendre la fonction de nos plus nobles organes. Oyez, mon Pierre, oyez à doubles oreilles ce que je vais vous lire car c'est là, en médecine, l'ultime pointe et l'insurpassable cime du savoir humain de notre temps.

LA MASSE DU SANG TRAVERSE LES POUMONS, REÇOIT DANS CE PASSAGE LE BIENFAIT DE L'ÉPURATION, ET LIBRE DES HUMEURS GROSSIÈRES, EST RAPPELÉE PAR L'ATTRACTION DU CŒUR

— Ha! Mon père, dis-je frémissant comme feuille en avril, relisez, je vous prie, ce passage sublime, dont la lumière me dilate le cœur!

Et mon père, la voix fort troublée, relut la phrase que je viens, sur mon papier, de transcrire, la plume tremblante aux bouts de mes doigts, et que j'enfermai alors pour ne la perdre mie dans la gibecière de ma mémoire. Elle y est toujours, entière, intacte, intouchée, comme la plus belle oriflamme plantée par un pacifique conquérant sur les terres inconnues du corps humain.

— Ha! Monsieur mon père, dis-je, d'où vient tout soudain l'éclatante clarté qui illumine l'esprit à ouïr cette phrase? D'où vient qu'on la tient aussitôt pour vraie?

— Pour ce qu'elle s'accorde, dit mon père non sans dans la voix une certaine liesse, avec la raison que Dieu a mise en nous pour reconnaître l'évidence. Vous n'ignorez pas ce que prétendait à propos du cœur cet Aristote dont les papistes ont fait une idole dont toute parole est tenue pour sacrée : à savoir que le cœur étant chaud, et ayant tendance à chauffer trop, les poumons sont des soufflets destinés à lui dépêcher de l'air froid pour le rafraîchir! Billes vezées! cria mon père en levant au bout de son bras le *Christianismi restitutio* de Michel Servet. Billes vezées! Absurdités extrêmes et criantes! Fallaces et tromperies! Doctissime ânerie! car n'est-il pas flagrant qu'en été, par canicule, l'air chaud que le poumon insuffle ne saurait en aucune guise refroidir le cœur! Bien à rebours, Michel Servet a atteint une irréfragable évidence avec la phrase que j'ai dite. Car à quoi, je vous le demande, à quoi servirait d'aspirer l'air par le poumon, si cet air ne devait point nourrir et épurer le sang, et comment le sang quitterait-il le poumon s'il n'était *rappelé* — notez ce mot, s'il vous plaît —, s'il n'était *rappelé* par le cœur?

— Oui-da! criai-je, comme enivré d'avoir bu à la coupe de ce beau savoir, c'est la vérité, cela se sent, c'est l'émerveillable vérité, le secret de toute vie palpite en cette phrase! Car il n'est point de vie sans le sang qui court, serpente et se ramifie en notre corps. Monsieur mon père, pourquoi a-t-il fallu que ce grand esprit périsse sur un bûcher?

— Ha! Mon Pierre, dit Jean de Siorac, le visage chagrin, je ne peux donner tort tout à fait à Calvin; Michel Servet, en sa démente audace, avait osé nier cette autre irréfragable évidence: le mystère de la Sainte-Trinité.

Je n'en voulus point disputer avec mon père, de crainte de le contrister plus avant, mais il ne me semblait pas en mon for que ces deux évidences, la médicale et la théologique, fussent du même ordre, la première se fondant sur l'observation de la nature, et la seconde, j'entends celle de la Sainte-Trinité, sur l'autorité d'un texte sacré, et donc elle-même sacrée, mais si peu intelligible à l'entendement humain qu'il la fallait gloutir sans mâcher et la paupière sur l'œil: ce qui fait que je l'avalai, quant à moi, comme pilule d'apothicaire, sans rien voir ni sentir, et sans la divine illumination que je trouvai à la première.

Mon père, s'étant lavé les mains au vinaigre après sa dissection, et éprouvant enfin quelque fatigue après le remuement de cette nuit, voulut se restaurer avant que de s'aller coucher. A quoi j'acquiesçai avec la plus friande ardeur, mon estomac, en mes vertes années, étant insatiable. Miroul, portant son chandelier devant nous jusque dans la grande salle, nous servit quelques viandes et s'assit avec nous pour les dépêcher. Ce que nous fîmes d'abord en silence, la salive en bouche, et labourant des mâchoires comme bœufs ravis en pâturage, et fort aises d'être là, sains et vifs, les méchants occis qui nous voulaient occire et tous nos biens intacts, hors une porte.

Sanguienne! Que c'était bon de sentir autour de soi les murs hors d'échelle de Mespech, et son vaste étang et son mur d'enceinte. Et au loin s'étendant, ce domaine si bien ménagé dont nous tirions notre vie. Car il n'était rien sur cette table qui ne nous fût baillé par notre terre : le jambon venait de nos porcs des Beunes, le beurre de nos vaches lachères, le pain de froment de nos blés, le beau vin rouge de notre vigne ; la table elle-même, d'un de nos chênes : je l'avais envisagé haut et puissant en mes enfances. Et je l'avais vu, un soir par le vent abattu et à terre gisant, avant qu'on le sciât.

Parmi les merveilles de la nature que Dieu, en sa bonté, a fait innumérables, il faut certes compter le manger, lequel est tout ensemble un délice pour le palais et la meilleure défense qui soit contre la contagion : vérité que je tiens de mon père, lequel la tenait d'Ambroise Paré en son savant traité de la Peste, où j'ai lu qu'un corps bien nourri était comme un logis bien remparé, ayant douves, murs et mâchicoulis. Car tant que veines et artères ne sont pas remplies de mets, elles laissent entrer le venin de l'air, lequel trouvant place vide, s'empare des parties nobles du corps et principalement du cœur, du poumon et des génitales. Aussi, me disais-je en m'emplissant que je me fortifiais d'autant et, à bien interroger mon dedans, je pouvais quasiment sentir pain, vin et viandes courir dans les canaux souterrains de mon corps comme de vaillants petits soldats prêts à bouter hors les méchants intrus, si la contagion les portait jusqu'à mes orifices. Ainsi, les deux jambes jetées et étalées devant moi, épaté d'aise en mon fauteuil, buvant et gloutissant à tas, mon père tant chéri à ma dextre, Miroul à ma sénestre, et avec eux devisant en toute fiance et amitié, je me sentais content, les membres chauds, la rate bonne, et le foie réjoui.

— Monsieur mon père, dis-je enfin en mon allègre humeur, peux-je vous demander à quoi vous destinez la Gavachette?

A cela mon père leva haut le sourcil, son œil bleu scintillant de gausserie cachée.

— Mais, dit-il, à l'état où vous la voyez. N'est-elle pas chez nous chambrière?

— J'entends bien.

Et comme je m'accoisais, mon père reprit, le ton fort innocent, mais le sourcil derechef levé.

— Qu'est cela? Lui voyez-vous une autre usance?

A quoi je décidai de brûler mes vaisseaux.

— Oui-da! dis-je.

— Oui-da? dit mon père. Et laquelle?

— Je me trouve que de penser, repris-je, mais je me bridai court, trop vergogné pour poursuivre.

— Vous pensez quoi?

— Je pense, dis-je, mais je ne pus aller plus loin.

— Ha! dit mon père, Monsieur mon fils, qu'est le pensement sans la parole? Si votre cervelle est grosse d'une idée, accouchez-la!

— Eh bien! dis-je, la gorge me serrant quelque peu, m'est avis que la Gavachette, bâtie comme elle est, est plus propre à défaire les lits qu'à les faire.

A quoi mon père rit à ventre déboutonné, et quant à Miroul, sans qu'il se permît un souris, son œil bleu resta froid, tandis que son œil marron s'égayait.

— Ha! Monsieur mon fils, reprit Jean de Siorac,

ainsi vous avez goût à ce petit serpent et à ses petites pommes ? Et bien faites-vous ! Car plus mignonne belette, mince et ronde, oncques ne vis dans le Sarladais ! Hélas ! A vous parler à la soldate et sans rien pimplocher, j'eusse fort désiré qu'il prendrait fantaisie à votre aîné François d'entrer en ce joli clos pour y faire ses premières armes. Mais votre aîné se hausse étrangement du col, tordant le nez sur nos gens et ne veut sur son coup d'essai que demoiselle noble, laquelle, n'étant point le Roi de France, je ne peux lui bailler. Et le voilà, à son âge, vierge et pucelet, et plus niais qu'un poussin béjaune portant encore sa coquille au cul.

Je m'accoisai, voyant bien que mon père, bien qu'il se gaussât, était fort chagrin et dépit que son aîné fût si tardif à faire l'homme et à lui donner un fils, même en bâtardise, lui qui était à ses propres bâtards si accueillant (comme c'était d'ailleurs la coutume en Périgord, surtout chez les nobles), les traitant en tout comme ses fils véritables et Sauveterre, comme ses propres neveux, car si c'était aux yeux de l'oncle péché d'être paillard, c'était vertu d'être fécond. Raison pour quoi le Fontenac était chez nous tant déprisé, n'ayant pas plus de respect pour son propre sang que pour le sang des autres, et jetant hors ses murs les enfants qu'il avait conçus hors mariage.

— Mais Monsieur mon père, dis-je voyant qu'à la fin le silence durait plus que je n'aurais voulu, avez-vous dit à François ce qu'il en est de la Gavachette ? Peut-être la cuide-t-il à vous-même réservée ? A vos fils interdite ?

A quoi mon père, m'envisageant œil à œil, se mit à rire.

— Voilà, mon Pierre, une question que je dirais habile et chattemite et qui, visiblement, fait d'une pierre deux coups.

A mon interrogation pourtant il ne répondit mie et, se levant d'une façon abrupte et militaire, il fit signe à Miroul de saisir le chandelier et de nous éclairer.

— Monsieur mon fils, dit-il du ton le plus bref, allons au lit !

Je le suivis, la crête bien rabattue, rien n'étant résolu, ni ce jour ni demain quant à l'aigreur de ma solitude. Cependant, comme on atteignait la chambre où le baron de Mespech dormait avec Franchou, tout soudain se tournant vers moi qui le suivais, et m'envisageant avec un brillement de l'œil et un souris, il me donna une forte brassée et me claquant de fortes poutounes sur les deux joues, il me dit à l'oreille :

— *Vale, mi fili; et sicut pater tuus, ne sit ancillae formosae amor pudori* [1].

— Ha ! Monsieur mon père, criai-je, mais je ne dis rien d'autre, ayant la gorge serrée par mon émeuvement.

L'huis refermé sur Jean de Siorac, j'embrassai mon gentil Miroul qui, tout endormi qu'il fût, me sourit, ayant fort bien entendu ce que Moussu lou Baron avait dit, combien qu'il ne sût pas le latin. Il voulut me donner le chandelier mais je le refusai, désirant mes deux mains garder libres et la lune par les fenêtres étant si brillante. Miroul départi, je tirai vers la chambre de la tour ouest où dormaient, dans un lit, Barberine, et dans l'autre Anet Jacquou et la Gavachette. Celle-ci, nue qu'elle était, je saisis dans mes bras et sans qu'elle se réveillât du tout, l'emportai comme larron en ma chambre, le cœur me toquant fort les côtes, et sur mon lit la posant, incontinent, la rejoignis. Et certes, elle dormait d'un

1. — Porte-toi bien, mon fils; et comme ton père, n'aie pas honte d'aimer une belle servante.

tant profond sommeil, le vent et haleine si paisibles, que je fus fort tenté d'essayer de passer pour un rêve. Mais à y penser deux fois, je ne le fis pas, ne voulant pas la réveiller par le pâtiment que je devrais de force forcée lui faire pour qu'elle fût mienne. Me bridant alors, quoi qu'il m'en coûtât, je pris sur moi d'espérer la pique du jour pour qu'elle ouvrît les yeux de soi. La tenant close entre mes bras, mince, polie et pommelante, son enfantine face éclairée par un rayon de lune, ce fut une longue attente, sommeilleuse et songearde qu'à ce jour bien je me ramentois en son incommode délice et davantage même que ce qui suivit, tant est strident l'appétit du fruit, et bref, son dévorement.

Et certes que ce fût gros péché, comme le murmura tout haut Alazaïs, Sauveterre sourcillant et mon père secrètement ébaudi, je n'en disconviens pas. Mais quoi ! N'est-ce pas chattemitesse ruse que dire qu'on se repent sans pour autant discontinuer ? Et comment peux-je de mon créateur mon pardon requérir, quand tant de liesse quotidiennement m'habite qu'Il ait baillé à l'homme cette mignarde et fondante compagne en son Jardin d'Eden ?

L'ardent pensamor que j'avais de mon Angelina, le pâtiment que me donnait son absence n'en furent pas diminués, et Mespech qui me retenait loin d'elle m'était toujours une sorte de geôle, mais une geôle à quoi je trouvai plus facile de m'accommoder. Non que j'aimasse la Gavachette de la tendre amitié que j'avais nourrie en mes enfances pour la petite Hélix. Bien me plaisait, pourtant, cette fille de Roume, souple, sauvage et ondulante chatte, ses petits crocs pointus prompts à mordre, la griffe plus vive encore, l'œil noir fendu noircissant encore en ses colères et piaffante à n'y pas croire tant elle redressait la crête d'être ma garce; fétote, espiègle, plus acaprissat que chèvre, elle aimait à s'apparesser (au lit surtout) et dans le ménage de la maison, elle fuyait à se donner peine, musant prou, labourant peu, rebiquée et rebelle face à Alazaïs, affrontant cette montagne de femme comme un sifflant petit serpent et jamais domptée, combien qu'elle reçût d'elle de soufflets. Avec les hommes (sauf avec Sauveterre) fort aguignante, au moindre regard donnant de la contr'œillade et le corps tout soudain en branle, jouant des épaules, du tétin, de la mince taille, de la ronde croupière; avec les garces, sauf avec Barberine qu'elle aimait, piquante comme guêpe; avec tous, malicieuse à vous damner, sinon que le cœur était bon assez.

Tant rude avait été l'hiver en Périgord que le printemps de l'an 1568 fut beau, avec de la pluie tiède et douce, pour nourrir le sol et du soleil assez pour que tout se gonflât de sève et mûrît, les fleurs apparaissant à mi-mars (et les premiers bourgeons, brillants et vernissés). Par malheur le printemps ne ravivait pas que la sève, il ravivait aussi la guerre que l'hiver avait endormie dans les boues infinies. Notre armée huguenote n'était plus réduite aux deux mille vaillants qui avaient fait si grand-peur à Paris en osant l'assiéger. Grossie des dix mille reîtres et lansquenets que l'électeur Palatin lui avait dépêchés, ayant reçu de conséquents renforts du Rouergue, du Quercy et du Dauphiné, elle était forte de trente mille hommes que Condé et Coligny incontinent lancèrent sur Chartres, grenier et boulevard de la capitale.

Le Connétable mort, la Médicis avait confié à son fils chéri, à son mignon, à son petit cœur, le duc d'Anjou — lequel avait tout juste mon âge — le commandement de l'armée royale. Cependant, le trésor, comme à l'accoutumée, était vide. Et si les huguenots prenaient Chartres, que deviendraient les beaux blés de la Beauce? La Médicis était bonne mère, mais d'un seul fils. N'aimant point son aîné le roi, mais chérissant ce qu'elle tenait de lui : le gouvernement du royaume, elle répugnait à le hasarder, et moins encore la gloire d'Anjou dans le coup de dés d'une bataille incertaine. Elle traita, et Condé, qui n'avait pas un seul sol vaillant pour payer les reîtres d'Allemagne, consentit de signer avec elle la paix de Longjumeau, laquelle n'était qu'une trompeuse trêve, qui eût pu en douter? L'encre du traité avait à peine séché que déjà, dans le royaume entier, les persécutions contre les nôtres, çà et là, recommençaient.

Le traité de Longjumeau fut signé le 23 mars et dans le Sarladais, nous le connûmes dès le 8 avril tant les nouvelles voyageaient vite de huguenot à huguenot pendant les troubles.

— Ha! Monsieur mon père, dis-je en l'allant trouver incontinent en sa librairie, plaise à vous maintenant que la guerre est finie de nous laisser repartir, mon frère et moi, pour Montpellier.

— Et qu'y ferez-vous, dit Jean de Siorac, les lectures finissant à Pâques?

— Les lectures de l'Ecole, mais non point les lectures privées que donnent contre pécunes le Chancelier Saporta et le Doyen Bazin! En outre, si j'arrive à temps, mon « père » Saporta me laissera peut-être aspirer au baccalauréat en médecine, et je pourrai alors visiter les malades et délivrer les ordonnances pour la curation de leurs intempéries.

— Ha! dit mon père avec un soupir, cela est bel et bon, mais les risques et les périls en Montpellier?

— Monsieur mon père, ils ne sont pas plus grands que céans où on ne met pas le nez dehors sans craindre quelque nasarde, ce chien de Fontenac restant impuni. Par surcroît, si j'en crois ce qu'écrit

Mme de Joyeuse, les papistes de Montpellier ne m'ont plus tant en haine et malveillance depuis que j'ai sauvé l'Evêque de Nismes.

— Mais cuidez-vous qu'elle dise vrai ? dit mon père avec un soupir. Il me semble que cette haute dame a grand appétit à vous revoir.

Il disputa ainsi deux jours, fort marri de nous laisser partir Samson et moi, ayant été à grande liesse de nous avoir eus avec lui tout l'hiver à Mespech, mais quoi ! Il fallait bien que nous passions nos grades et que Samson retournât à l'apothicairerie de Maître Sanche hors laquelle il ne pouvait point labourer. Se résignant enfin à notre département — et l'oncle Sauveterre non moins chagrin, combien qu'il le cachât sous ses sourcillements — mon père résolut de nous accompagner avec Cabusse et Petromol.

Hélas ! Pauvre de lui ! Pauvre de nous aussi ! Nous laissant le 28 avril 1568 en Montpellier, il ne nous revit à Mespech qu'en septembre 1570, deux ans et demi plus tard. C'est que la guerre entre les huguenots et les royaux n'avait point failli à se rallumer, la Médicis ayant tâché de faire saisir et occire par traîtrise à Noyers Condé et Coligny. Et la guerre derechef ravageant tout, comment chevaucher sur les grands chemins sans péril courir aux mains des papistes ?

Quand je retournai à Mespech en 1570, mon père n'eut de cesse qu'il me fît lire les courriers qu'il avait reçus, pendant les troubles, de deux amis fort chers, l'un nommé Rouffignac qui combattait dans l'armée huguenote et l'autre qui n'était autre que le vicomte d'Argence, capitaine dans les armées royales, lequel, comme on sait, captura le prince de Condé à la bataille de Jarnac. J'ai lu ces missives avec un zèle infini, et comme elles ne furent mie publiées et ne peuvent plus l'être, leurs auteurs ayant été rappelés par le Seigneur, j'entends en recueillir céans le substantifique suc pour l'instruction du lecteur.

Combien qu'il admirât l'amiral de Coligny, Rouffignac ne cela point dans ses lettres qu'il commit une incrédible erreur en ces occasions. Quand Tavannes (qui commandait, en effet, les royaux du duc d'Anjou) apparut sur la rive droite de la Charente, au pont de Châteauneuf, Condé occupait Bassac et Coligny, Jarnac. Et l'Amiral, au lieu de se rabattre incontinent sur Condé, perdit un temps inouï à rappeler ses coureurs et quand enfin il dut combattre, Tavannes le pressant, il fut à deux doigts d'être accablé sous le nombre et appela Condé à l'aide. « La male heure, écrivit Rouffignac, voulut que ce Prince, en mettant le pied à l'étrier, eût la jambe cassée, le cheval de La Rochefoucauld l'ayant toqué du sabot — et tant cassé que l'os lui saillait hors de la botte. Il n'en voulut pas moins charger ; grimaçant, il se hissa à grand labour sur sa monture. »

— Messieurs, dit-il aux gentilshommes qui l'entouraient (et à La Rochefoucauld, lequel, tout pleurant, cravachait son cheval), Messieurs, voyez en quel état le Prince de Bourbon entre au combat pour Christ et sa patrie !

Ayant dit, il chargea avec sa coutumière impétuosité un ennemi dix fois plus nombreux.

On sait la suite : Condé soulagea fort Coligny, mais enveloppé par les profondes masses des royaux, isolé, son cheval tué sous lui, il s'adossa à un arbre et, jetant ses pistolets inutiles, tira épée et dague, et bec et ongles se battit. « Je le reconnus », écrit d'Argence, et j'accourus.

« — Monseigneur, dis-je en rabattant les épées dont il était entouré, je suis d'Argence que vous avez si grandement obligé. Plaise Votre Altesse de se rendre à moi. Elle ne peut combattre plus avant, l'os de la jambe lui saillant hors la botte. » Et comme il ne répondait pas, je repris : « De grâce, Monseigneur, rendez-vous. Je vous garantis quant à moi la vie sauve. »

« — Quant à toi, d'Argence ! dit le Prince du ton le plus amer en jetant enfin à terre son épée et sa dague.

« Comme il achevait, je vis apparaître, galopant vers nous, les gardes du Duc d'Anjou reconnaissables de loin à leurs mantelets rouges.

« — Voilà, dit Condé sans battre un cil (quoiqu'il pâtît fort de sa jambe), voilà venir les rouges corbeaux qui me vont dépecer !

« — Monseigneur, dis-je, vous voilà, en effet, en immense péril ! Cachez-vous la face que vous ne soyez reconnu !

« Mais il n'y voulut pas consentir, cette mascarade lui paraissant indigne de sa grandeur.

« — Ha ! D'Argence ! dit-il, tu ne me sauveras point !

« Et en effet, à peine Montesquiou qui était capitaine des gardes d'Anjou eut-il ouï le nom du prisonnier qu'il cria :

« — Tue, mordiou ! Tue !

« Je courus à lui qui mettait pied à terre, je lui remontrai que le Prince était mon prisonnier, que je lui avais garanti la vie sauve, mais Montesquiou, marchant à longues jambes, arma son pistolet sans me dire mot ni miette et, passant derrière le Prince, lui cassa la tête, un œil lui pendant hors de l'orbite, la balle étant par là ressortie.

« — Ha ! Montesquiou ! criai-je, un homme désarmé ! Un Prince du sang ! C'est vilainie !

« — C'est vilainie, en effet ! dit Montesquiou et, envisageant le Prince à terre, et les larmes roulant tout soudain sur sa face tannée, il ajouta : Comme vous savez, je ne suis point celui qui l'a commandée.

« Je savais, en effet, poursuit d'Argence, que ce

commandement qui était de dépêcher à la chaude tous les capitaines huguenots capturés, et par-dessus tout, Condé et Coligny s'ils tombaient en nos mains, venait du Duc d'Anjou, lequel ordonna aussi qu'on lui amenât le corps de Condé non point sur un cheval, mais pour plus de honte et rabaissement, sur une ânesse, la tête et les jambes de chaque côté pendant que c'était pitié! Indignité dont le Duc, tout frère du Roi qu'il fût, se trouva, à voix basse, blâmé par plus d'un capitaine royal, le Prince ayant été si vaillant. »

Mon père relisant cette lettre par-dessus mon épaule tandis que j'étais assis à la table de sa librairie, je lui dis :

— N'est-ce pas odieuse meurtrerie ?

— Oui-da! Et par surcroît, une faute! car il eût été plus facile au Roi de s'entendre avec Condé qu'avec Coligny. Je ne sais qui a dit que Condé était :

Ce petit Prince tant joli
Qui toujours chante et toujours rit.

Mais Ventre Saint-Antoine, cela le peint à vif! Le Prince était vaillant au combat, ardent au déduit, haut à la main, pointilleux, coléreux, et — s'il faut le dire enfin — léger. Ayant la tête plus ardente que politique, il a signé deux fois avec la Médicis des traités pour les nôtres fort désavantageux. Mais lisez tout haut ce que dit Rouffignac de Coligny.

« L'Amiral, si j'ose céans l'avouer, n'est point toujours excelse dans la conduite des combats, comme on le vit bien à Jarnac. Mais homme de foi et de fiance, tenace, intouché du désespoir, il ne cuide jamais qu'une bataille peuve perdre la guerre. Aussi excelle-t-il dans les retraites. Et cette fois encore, dérobant son armée après notre triste journée de Jarnac, il la sauva, et put gagner avec elle une place de sûreté. La Reine de Navarre vint l'y rejoindre. Ha, mon ami! l'impavide et imployable huguenote que noùs avons là! Elle présenta aux soldats Condé, le fils du héros mort, et son propre fils, Henri de Navarre, lequel a tout juste seize ans. »

— Ha! dis-je, non sans laisser voir quelque envie, n'est-ce pas pitié? Navarre a deux ans de moins que moi et il sert aux armées!

— Monsieur mon fils, dit mon père en haussant le sourcil d'un air de gausserie. Que dois-je entendre? Etes-vous Bourbon? Etes-vous prince du sang? Hériterez-vous du trône de France si les trois fils de la Médicis meurent sans enfant? Laissez donc Navarre labourer pour son avancement et pour le vôtre labourez céans : c'est la sagesse.

Ainsi tancé et rabattu, mais plus en riant qu'en sourcillant, je poursuivis la lettre de Rouffignac :

« Si l'Amiral a perdu la bataille de Jarnac en encourant l'erreur que j'ai dite, il perdit par la faute de ses reîtres allemands celle de Moncontour.

« Au moment que d'occuper les positions fortes que Coligny leur avait désignées, ne voilà-t-il pas que nos Allemands mettent l'arme au pied et réclament leur solde! Point de pécunes, crient-ils en leur baragouin, point de combat! Ha, mon ami! Quel embarras! Quelle traverse! Et surtout quel funeste retardement! — lequel ne fut à nul autre plus funeste qu'à eux-mêmes. Car surpris en ras pays tandis qu'ils disputaient, les Suisses du Duc d'Anjou les enveloppent, les accablent et par vieille jalousie de métier, les massacrent tous jusqu'au dernier. Et ce fut là tout le salaire que reçurent en cette vie ces pauvres gueux!

« Quant à nous, après Jarnac, nous perdîmes la bataille de Moncontour pour la plus grande gloire du Duc d'Anjou (qui, du reste ne fit rien, Tavannes faisant tout), ce qui ravit d'aise cette vieille chienne de Médicis, charmée que son fils favori se taillât un renom bien au-dessus du Roi. Et cependant cuidez-vous que ce revers abattit Coligny, tout navré qu'il fût, et de surcroît la joue percée d'une balle, et quatre dents brisées ? Nenni ! A Moncontour commence, pour notre débris d'armée, une longue, une incroyable, une tournoyante marche dont peut-être vous avez déjà quelques échos.

« Oyez bien ! De Saintes où nous nous retirâmes, on gagna Aiguillon où l'on prit et pilla le château. D'Aiguillon — semant sur les chemins nos chevaux fourbus —, nous fîmes route sur Montauban où nous rejoignit l'armée des sept Vicomtes. Ainsi fortifié et grossi, on dévasta le pays autour de Thoulouse, pour punir cette grosse bête de ville de la meurtrerie de Rapin. De là à Carcassonne, que nous n'eûmes garde d'attaquer, n'ayant pas appétit à nous casser les dents sur ses remparts. Puis à Narbonne qu'on n'attaqua pas davantage, sinon qu'on mit à sac l'arrière-pays, nos trompettes sonnant Papaux ! Papaux ! Papaux ! Pour moquer les papistes ! Et piquant droit au sud, on franchit, le croirez-vous, la frontière du Roussillon, pour insulter le royaume espagnol et bien montrer à ce sépulcre blanchi de Philippe II que tous les huguenots n'étaient pas morts à Moncontour !

« On fit là quelque bonne picorée et remontant sur Montpellier (où se trouvaient, si ma remembrance est bonne, vos deux beaux écoliers) nous n'attaquâmes pas davantage cette sotte ville, nous contentant de piller les villages à l'entour ! Mais à Nismes, nous restâmes quelque temps pour ce qu'elle était à nous depuis la Michelade. De Nismes, remontant la vallée de la rivière Rhône, on atteignit Saint-Etienne et de là La Charité, qui est à nous aussi comme vous savez et dont nous pouvions tirer soldats, armes, canons, pécunes.

« Or oyez bien ! Chaque fois ou presque qu'on affronta les garnisons royales en ce tournoyant périple, on fut battu, mais à chaque fois, on se déroba pour reparaître ailleurs, incendiant et pillant, semblable au loup qui au lieu de se laisser acculer, mord et fuit : et c'est ainsi que sans gagner une seule bataille, Coligny gagna la guerre sur ses ennemis lassés ! »

— Monsieur mon père, dis-je béant, est-il constant que Coligny a gagné la guerre à force de retraites ?

— Rouffignac, dit mon père en riant, est gascon, hâbleur et truculent. Cependant, ce qu'il dit est vrai à demi. Lisez d'Argence. Il vous dira l'autre moitié.

Et ce disant, il me tendit le feuillet que d'Argence, sans signer (étant né prudent), avait rempli de son écriture tant serrée et menue que celle de Rouffignac était large et sabrée.

« Mon ami, l'étrange monde qu'une cour, et comme il faut s'y défier de tous, frère, mère, sœur, ami ! Après Moncontour les lauriers d'Anjou empêchent le Roi de dormir et lui font ses ongles ronger. Il veut à force forcée prendre le commandement de l'armée et au lieu de courir sus à Coligny en sa retraite, il s'enlise à faire le siège de Saint-Jean-d'Angély. Le Guise dont la gloire a fort peu relui aux armées s'aigrit fort de la renommée du Duc d'Anjou, lui aussi. Et il écrit à Philippe II que le frère du Roi s'entend en secret avec Coligny. Philippe II, du fond de son Escurial, le croit et nous refuse l'or qu'il tire des Amériques. Pas un sol en 1570 pour la terminaison de la guerre ! Le Guise fait pis. Il lance le bel œil à Margot, la sœur du Roi : Ce silex enflamme cette facile étoupe. Celle-ci, chaude et escambillée comme elle le fut toujours, ayant été mise au montoir par ses frères dès l'âge le plus tendre, vous débraguette le Lorrain en un tournemain et le fourre dans son lit.

Le Roi a vent de cette paillardise. Il mande Margot chez lui à la pique du jour et à peine entrée, la Médecis et le Roi se jetant sur elle comme haranguières en furie, lui font batture et frappement, l'écorchant, la meurtrissant, et lui déchirant la chemise. Le Guise le lendemain l'apprend et craignant d'être assassiné par le tueur du Roi, il s'ensauve et se marie. Mais le voilà en disgrâce, suspect d'avoir aspiré au trône par la cuisse, et les zélés papistes qui le poussent, tout à plein déconsidérés.

« La Médecis a d'autres raisons de se courroucer contre les chefs du parti catholique. Philippe II, veuf de sa fille Elizabeth, ne veut point de Margot que la Reine-Mère incontinent lui propose, pour ce qu'il craint sans doute que les flammes de la demoiselle se marient mal avec ses glaces. Et sous le nez furieux de notre Florentine, il lui larronne l'aînée des archiduchesses autrichiennes qu'elle aguignait pour son fils Charles IX, laissant à ce dernier la cadette ! Mieux même : le hautain souverain exige que le contrat de mariage de son cousin le Roi de France soit signé un quart d'heure après le sien ! Ha ! mon ami ! Cette cadette et ce quart d'heure ! Comme nous les avons sur le cœur ! Et n'est-il pas fort tentant de rendre ces mauvaises dents et à l'outrecuidé Espagnol, et à Guise — en traitant avec Coligny, lequel, toujours vaincu, renaît toujours de ses cendres comme le phœnix. Et voilà négociée, bâclée, conclue, la paix de Saint-Germain, de laquelle j'opine qu'elle est bonne assez pour les vôtres, pour peu qu'elle soit des deux parts respectée. »

— Monsieur mon père, dis-je, d'Argence a-t-il raison ? Cette paix est-elle bonne assez pour les huguenots ?

— Nenni, dit Jean de Siorac debout derrière moi, et appuyant ses fortes mains sur mes épaules. Nenni, mon Pierre, la liberté de conscience est accordée mais quant à la liberté du culte, elle est restreinte aux châteaux et à deux villes par gouvernement. Et qu'est la liberté de conscience si la liberté du culte n'est point pleine et entière ? C'est pourquoi j'augure mal de cette paix de St-Germain : la guerre avec les papistes ne faudra pas à se rallumer.

CHAPITRE II

Ce fut toutefois un répit, lequel dura deux ans. Que me pardonne le lecteur de galoper à brides avalées sur ces deux années tant j'ai hâte d'arriver à l'inouïe traverse et immense péril qui me firent quitter mon Périgord pour aller quérir à Paris la grâce du roi.

Mon bien-aimé Samson fut promu maître-apothicaire en août du Seigneur 1571, promotion que je ne peux me ramentevoir sans évoquer en mon pensement le célèbre marché des oignons qui se tint le même jour en Montpellier, et que je vis par bonne chance tandis que mon frère façonnait, à nos considérables dépens, cette eau de thériaque où entrent en composition plus de vingt-sept corps et substances différents : façonnement tant secret et celé qu'aucun quidam, fût-il médecin, n'a licence de l'envisager, la vue de ces mystères étant réservée aux seuls maîtres-apothicaires qui devaient recevoir en leur grade l'impétrant.

En attendant que fût composée par mon joli Samson cette célèbre médecine dont les propriétés sont souveraines dans la curation de nombre de nos intempéries, je fus me trantoler dans les rues tournoyantes de Montpellier par un soleil à écraser les mouches (encore qu'on eût tendu des toits de roseaux de maison à maison pour adoucir sa force) et je tombai place de la Canourgue sur le plus étonnant spectacle qu'oncques n'aie vu depuis en aucun lieu : une ville faite tout entière d'oignons.

Ces fruits sont dans le Sarladais vendus tout en vrac, mais céans on les tresse avec beaucoup d'art, et ces tresses étant empilées en fagots et ces fagots mis en tas, on en fait des remparts de dix pieds de haut entre lesquels on ménage d'étroits passages, si bien que la place entière devient une cité où l'on chemine à dextre comme à senestre, entre des murs odorants. Et tant les ruelles et rues que ces murs composent sont nombreuses, qu'on s'y perdrait comme dans un labyrinthe. Pour moi, je m'y ébaudis fort, n'ayant jamais vu quantité si prodigieuse de ce légume lequel, en Languedoc, cru ou cuit, est viande quotidienne, à telle enseigne que les Montpelliérains en achètent à ce jour assez pour leur durer tout l'hiver. Mais au-dessus du nombre m'émerveilla la variété infinie de ce fruit, y ayant là toutes les espèces connues et de toute taille, consistance et couleur, les uns jaunes, les autres rouges, d'aucuns aussi gros que le poing, d'autres de la grosseur d'un abricot et d'autres plus petits, et ceux-là blancs, et comme sucrés.

Je restai là deux bonnes heures tant j'étais diverti, et quasiment aussi amusé que le petit Anne de Joyeuse par les soldats de bois que je lui avais baillés. M'égayait l'œil aussi le monde qu'il y avait là, la presse étant immense dans cette ville d'oignons, tant de fillettes et ménagères accourues pour l'achat, que de manants et de badauds venus là pour muser. Et grande aussi était la liesse de cette foule qui, entre ces murs végétaux, déambulait, riant et clabaudant, pour ce que l'odeur de ce légume est saine et confortante, aimable au cœur, au foie, et aux parties génitales et à coup sûr médicamenteuse, et parce qu'aussi ce grand concours de peuple se réjouissait de voir en tas ces immenses quantités de nourriture saillies de la bonne terre du Languedoc de par l'expresse bénignité et miséricorde du Créateur afin que tous, même les moins étoffés, fussent assurés de manger cet hiver. Car une tresse de ce légume ne coûte que deux sols et avec un croûton de pain et un seul de ces bons fruits, c'est assez déjà d'un repas pour le plus gueux des hommes.

A l'angle de ces bâtisses de fruits, et chacun devant sa chacunière, se tenaient les laboureurs qui les avaient semés et récoltés, et ceux-là chantaient en oc sans discontinuer pour attirer la pratique :

Beau l'oignon! Beau l'oignon!

ou encore :

Qui prend oignon, prend médecine!

ou encore :

Oignon mangez et vivez vieux!

ou encore :

Qui mange oignon et oignonette
Bien besogne sa garcelette.

Ces vendeurs qui se trouvaient fort joyeux de ramasser, ce jour, de sonnantes pécunes, pour récompenser leur labour, avaient aussi l'œil fort épiant et dans leur poing de longues gaules dont ils toquaient tout soudain sur les doigts des marauds qui eussent voulu au passage les larronner, fût-ce du moindre fruit. Mais ils vous choquaient ces petits larrons sans nulle cruauté, sans hucher ni sourciller, et dans la bonne humeur gaussante et rieuse des laboureurs du plat pays.

Ce marché des oignons se tient le 24 août, qui est la fête de saint Barthélemy, saint qui pour nous huguenots n'était point alors différent de tous les saints papistes dont nous avions révoqué le culte superstitieux mais qui, un an plus tard, comme je dirai, devint à jamais, pour nous, l'objet d'une exécration infinie.

Mon gentil frère Samson aimait tant son état qu'il fut transporté d'aise d'être promu maître-apothicaire au bout de ses années d'acharné labour. Au cours du *triomphe* qui suivit ses épreuves, la coutume voulait qu'on le promenât à cheval en cortège à travers la ville. Et tant beau de face et de corps il apparut, tandis qu'ainsi il chevauchait, que j'entendis de bonnes gens dire que c'était grande pitié qu'il fût huguenot, tant il avait l'air de l'archange saint Michel descendu d'un vitrail. Je vous laisse à penser l'émeuvement des mignotes, lesquelles accourant en foule, le gloutissaient de l'œil. Mais combien que les Montpelliéraines soient, *omnium consensu* [1], les plus belles garces du royaume, mon candide Samson ne vit même point les œillades qui lui chauffaient la joue, n'ayant de pensamor que pour Dame Gertrude du Luc — à laquelle, à peine rentré au logis, il me supplia de décrire en une longue missive l'*actus triumphalis* dont il avait été le héros, non certes qu'il ne sût écrire, mais son style était tant bref et sec que celui d'une ordonnance. Ce à quoi rechignant, je consentis enfin, encore que je gardasse une dent peu douce à l'oiselle, laquelle, non contente de voler en l'azur, voulut céans s'ébattre sur le fumier! San-guienne! Paillarder avec un capitaine de M. de Joyeuse au sorti des bras de mon joli Samson! Est-ce foi? Est-ce raison? Est-ce vertu? Ha! J'eusse pu occire la donzelle de son infidélité! — que Dieu merci mon bien-aimé Samson n'aperçut mie en son innocence et que je lui celai, ne voulant point navrer son noble cœur.

Je fus moi-même promu docteur le 14 avril de l'année du Seigneur 1572. A dire vrai, je me faisais un souci à mes ongles ronger avant que de passer mes *triduanes*, épreuves ainsi appelées pour ce

1. De l'assentiment de tous.

qu'elles durent trois jours pendant lesquels, matin et soir, je devais soutenir mes thèses, et en latin disputer non point seulement avec les quatre professeurs royaux, mais avec les docteurs ordinaires dont d'aucuns, dans ces occasions, préparaient à l'avance d'insidieuses embûches, ayant appétit à briller aux dépens de l'impétrant.

Cependant, ayant fort diligemment labouré, et enfourné mes livres, et disséqué, et par surcroît observé et soigné depuis deux ans bon nombre de malades, en remplacement de mon « père » Saporta, je ne laissais pas d'avoir quelque fiance en mon savoir. Tant est pourtant que je me tracassais encore, non point seulement des *triduanes*, mais de ne pas pourvoir dignement, faute d'argent assez, aux immenses frais qu'entraînait, selon l'us de l'Ecole de Médecine, la collation du grade suprême. Certes, j'eusse pu en écrire à mon père, mais cela me répugnait de lui coûter tant de beaux écus, et après avoir longtemps tourné la chose en mon esprit, je résolus de m'en ouvrir à Mme de Joyeuse tandis que nous reprenions souffle l'un et l'autre après une session de notre Ecole du Gémir, derrière le bleu rideau de son baldaquin.

— Quoi! dit cette haute dame, qu'est cela? La pécune vous fault? Que ne le disiez-vous? Mon petit cousin ne doit-il pas être assuré de tenir son rang mieux qu'aucun autre? Aglaé de Mérol vous comptera tout à l'heure cent écus.

— Ha, Madame! m'écriai-je, que de gré je vous sais de votre émerveillable bénignité. Vous êtes aussi belle que bonne et la grand merci à vous et de tout cœur, et de tout corps, et à jamais!

Et ce disant, je couvris de poutounes ses jolis doigts, lesquels étaient suaves, frottés d'onguent, pulvérisés de senteurs et en caresses plus experts qu'aucune main de femme en ce royaume.

— Ha! Mon mignon! dit Mme de Joyeuse qui, aimant tant les vifs, voyait s'avancer vers elle avec une infinie terreur les atteintes de l'âge, ne me remerciez pas, cela n'est rien qu'un peu d'or et qui me coûte peu, mon père étant si étoffé! Mais vous, mon Pierre, vous me baillez infiniment plus que je ne peux vous bailler, étant si vieille et décrépite.

— Vieille, Madame! Décrépite!

Et à vrai dire, elle n'était encore ni l'un ni l'autre, mais fort ensorcelante en sa mûre et fondante beauté, comme je sus très bien le lui dire et avec tant de persuasive force qu'à la fin, s'amollissant dans mes bras et enflammée et soupirante, elle me souffla à l'oreille sur un ton de douce tyrannie : « Mon mignon, faites-moi cela que je veux! » Ha! que je l'aimais alors, et de ses infinies bontés, et du pouvoir qu'elle me donnait sur elle!

Quand joyeusement tintinnabulèrent ces cent écus en tombant de sa cassette dans mon escarcelle, la belle Aglaé de Mérol, qui me les comptait en un salon où nous étions seuls, me dit, étant fille vive et pétulante, et aimant fort à me picanier :

— Qu'est cela? Un autre don? Vous nous coûtez gros, il me semble! Quasi autant que M. de Joyeuse! Il est vrai que vous nous faites meilleure usance!

— Ho, Madame!

— Point de Ho! Ce grand homme a le grand tort de n'être jamais là, courant après tous les rustiques cotillons de son gouvernement. Et vous, Révérend docteur médecin, vous êtes là autant qu'on veut et sans fuir à vous donner peine en vos bonnes curations!

— Madame! dis-je, je suis béant! Est-ce là gausserie de pucelette?

— Monsieur, dit-elle, je ne suis fille, comme vous savez, qu'au rebours de mon inclination, ne pouvant marier selon mon rang qu'un homme qui possède cinquante mille livres de rentes et ceux-là en nos provinces n'étant pas plus de trois ou quatre, et ces trois ou quatre me ragoûtant peu.

— Madame, dis-je, poursuivant avec elle mon petit badinage, ne vous ai-je pas dit que je vous épouserai dès que j'aurai cinquante mille livres de rente ?

— Mais vous ne les aurez jamais ! dit-elle en riant, car elle aimait fort ce langage. Par surcroît, ne sais-je pas que vous êtes tout raffolé de votre Angelina, et tout aussi constant de cœur que vous l'êtes peu de votre corps, semant, comme vous faites, à tous vents !

— Moi ?

— Ne niez point ! Où vont ces pécunes que voilà sinon à quelque chambrière ?

— Cette chambrière se nomme doctorat en médecine.

— Quoi ! Cent écus pour être promu docteur ?

— Cent trente ! Trente me faillent encore ! Les débours de l'impétrant sont infinis !

— Si trente vous faillent, dit-elle incontinent, je vous les baillerai céans sur ma propre cassette.

— Ha, Madame ! m'écriai-je, vous êtes le plus bel ange de la terre, mais j'aurais vergogne à accepter.

— Quoi, dit-elle, son œil tout soudain se courrouçant, vous refuseriez mes dons, pour ce que je ne peux entrer, étant fille, en votre Ecole du Gémir ? Faut-il donc en arriver là avec vous pour être votre amie ?

Il fallut accepter. Elle se serait fâchée, je gage, tant ce doux sexe est infiniment donnant dès que son cœur est atendrézi, ne serait-ce que d'amitié. Car de privautés d'elle à moi, pas la moindre, sauf quelques poutounes sur ses fossettes et rien qu'un petit, fort bref, sur ses belles lèvres, mais les deux mains derrière le dos : elle le commandait ainsi.

Je quittai l'hôtel de Joyeuse alourdi de pécunes, allégé de soucis, et tout ému de gratitude pour ces bonnes garces. Cependant, ma bourse garnie, il la fallut incontinent dégarnir, encore qu'il m'en coûtât. J'allai porter son dû à mon « père », le Chancelier Saporta, soit trente écus pour son honoraire, car c'est lui qui devait présider à mes *triduanes*. J'avais grand appétit ce faisant à entr'apercevoir Typhème, la jeune et belle épouse de ce grison, mais de la mignote, point de trace ; ce Saporta était un vrai Turc, il tenait sa femme serrée en sa chambre, de peur qu'on la lui larronnât, fût-ce de l'œil, et je n'eus rien pour mes trente écus, pas même le plaisir de la voir et à peine un merci.

Le Doyen Bazin — lequel mon compain Merdanson appelait le « fœtus » pour ce qu'il était petit, maigrelet, estéquit, égrotant, mais au demeurant fort venimeux d'œil et de langue — m'accueillit plus mal encore pour ce qu'étant le « fils » du Chancelier Saporta, il me haïssait à l'égal de mon « père ». Par surcroît, ayant eu le projet de présider mes *triduanes* et ne l'ayant pu, Saporta lui ayant l'herbe sous le pied coupée, il se sentait grugé de ces trente écus-là, étant plus chiche-face et pleure-pain qu'aucun fils de bonne mère en Languedoc. C'est vous dire avec quels grimaces et grincements il empocha mes deux écus dix sols, me prédisant d'une voix sifflante que mes *triduanes* seraient *venteux et tracasseux*.

Le Dr Feynes, qui était le seul des quatre professeurs royaux à être catholique, reçut en revanche mon obole avec sa bénignité coutumière. Pâlot et falot, il s'effaçait de soi davantage, cuidant être une timide petite souris papiste égarée dans un trou huguenot. De lui point de tracassement à attendre, mais point de secours non plus : il ouvrait à peine le museau et pesait peu en nos disputations.

Quant au Dr Salomon dit d'Assas que j'avais pour

la bonne bouche gardé, il me fit plus de mercis pour mes deux écus dix sols que si j'avais mis à ses pieds tous les trésors du roi dont il portait le nom, encore que ce nom il ne le portât plus, se faisant appeler d'Assas du nom de sa seigneurie de Frontignan. Il me régala une fois de plus sous les aimables frondaisons de son jardin, du délicieux nectar qu'il tirait de sa vigne, et des gâteaux façonnés par sa chambrière Zara, laquelle était si belle en sa grâce languide que j'eusse volontiers, après la pâte, glouti la pâtissière. Mais cela ne se pouvait, c'eût été félonie, le D^r d'Assas tant l'aimant et me tenant en si bonne amitié.

— Ha, Pierre de Siorac! dit-il, prenez garde, l'homme qui vous a prédit des débats *venteux et tracasseux* vous prépare des embûches infinies. Autant de questions, autant de pièges! Vous n'y couperez point.

— Mais comment faire? Comment le déjouer?

— Je vais vous le dire, poursuivit d'Assas, lequel était rond et bénin de la tête aux pieds.

Et ce disant, il ouvrit la bouche et tout soudain s'accoisa.

— Révérend Docteur, de grâce, dites-le!

— Je ne sais, dit-il, m'envisageant de son œil noisette, lequel était doux et futé. Dois-je le dire?

— Dites-le, de grâce.

— Pierre, le répéterez-vous?

— Nenni.

— Pierre, j'opine que poser à l'impétrant de fort insidieuses questions sur des points difficiles, débattables et obscurs, c'est une ruse assez sale. En tombez-vous d'accord?

— Oui-da!

— Pierre, à ruse, ruse et demie.

— Certes!

— Pierre, oyez-moi bien. L'homme dont il s'agit se

65

pique fort du grec qu'il ne sait point. Il cite, mais de travers. Pierre, d'ici après demain, apprenez par cœur, dans le texte, des passages d'Hippocrate et de Galien, et si le quidam, lors des *triduanes*, vous pose une question à vous geler le bec, débitez votre grec imperturbablement, et avec l'air de lui damer le pion.

— Quoi? dis-je, même si le texte grec est sans rapport avec la question?

— Oui-da! C'est là le beau de la chose. Rabelais n'en usait pas autrement avec ses tracassants débateurs! Et si ceux-ci savaient le grec, il les accablait de son hébreu!

— Ha! m'écriai-je, la bonne farce et joyeuse gausserie!

Et le Dr d'Assas et moi, nous entre-regardant pardessus nos gobelets d'un air fort entendu, nous rîmes tous deux à ventre déboutonné.

Le même jour, j'allai encore remettre mon obole aux docteurs Pinarelle, Pennedepié et de la Vérune, lesquels n'étaient point régents royaux, mais docteurs ordinaires, donnant quelques lectures à l'école, et admis par courtoisie par le Chancelier Saporta à siéger dans mon jury, ce dont je me fusse bien passé, leur présence me coûtant six écus trente sols, ce qui portait les honoraires de mes juges à quarante-trois écus.

Cela pourtant n'y suffisait pas. La veille de mes *triduanes*, je fis porter au logis des sept docteurs, à qui j'avais le jour précédent si proprement graissé le poignet, des dons et présents dont l'us de l'Ecole avait fixé, de temps immémorables, la quantité et qualité. A savoir:

1. Un massepain de quatre livres au moins, bien tartelé de pâte d'amande et fourré de fruits confits.

2. Deux livres de dragées.

3. Deux cierges de bonne et odorante cire de la grosseur d'un pouce.

4. Une paire de gants.

Ces offrandes furent dépêchées en les logis des sept docteurs médecins par le bedeau Figairasse à qui je donnai deux écus vingt sols pour le prix de cette commission, et aussi pour introduire et ordonner le public dans la salle de promotion au cours de mes *triduanes*, et aussi pour sonner à ma plus grande gloire la cloche de l'Ecole quand je serai proclamé docteur, et enfin pour me précéder dans les rues, hallebarde au poing, lors de la chevauchée à travers la ville qui devait achever mon triomphe.

Toujours à l'us me conformant, j'embauchai quatre musiciens jouant fifre, tambour, trompette et viole et je les menai au coucher du jour, la veille de mes *triduanes*, donner une sérénade aux docteurs que j'ai dits. Quasiment tous ouvrirent leurs fenêtres et voulurent bien, apparaissant, jeter quelques sols aux musiciens (lesquels j'avais grassement payés) et répondre à mon profond salut, tandis que leurs épouses courtoisement toquaient des paumes. Cependant chez Saporta, Typhème, d'ordre bien assurément de son seigneur, ne se montra point. Et quant au logis du Dr Bazin, il resta aussi clos que le cœur du chiche-face, celui-ci voulant sans doute montrer par là en quelle détestation il me tenait. Me séparant enfin des musiciens, je les retins toutefois pour la chevauchée qui devait avoir lieu sous trois jours car le bedeau me précédant, ils devaient à leur tour précéder le bedeau en jouant d'allègres airs comme il convient à un triomphe.

Ha! lecteur! Ne crois point qu'avec ces aubades, j'eusse touché enfin le terme de mes coûts, frais et dépens, si fort que se serrât mon cœur de huguenot à tant me dégarnir en ces somptueuses superfluités. Et n'est-ce pas grande pitié et scandaleux abus qu'il faille à la chose tant de pécunes quand le savoir y devrait suffire! Or, oyez bien ceci : Pendant les trois jours que durèrent mes épreuves, l'us voulait que j'abreuvasse, matin et soir, en vin blanc et en gâteaux, non point seulement le jury mais les assistants qui se pressaient dans la salle de promotion pour m'ouïr, et qui, ainsi nourris et désoiffés, voyaient s'adoucir d'autant les longueurs des séances. J'avais requis l'alberguière des *Trois Rois* de m'apporter son concours pendant tout le temps de mes *triduanes*, ce à quoi elle consentit gracieusement mais non gratis, circulant sans discontinuer parmi les assistants avec flacons, gobelets, tartelettes et massepains, aidée de deux chambrières fort accortes, lesquelles je vis plus d'un, même parmi les docteurs ordinaires, pastisser au passage, profitant de ce qu'elles eussent les deux mains chargées de mets.

Ce dépens était grand, mais hélas ! nécessaire pour les garder tous en bonne et bégnine humeur, juges et assistants, sans cela les premiers m'eussent tourné davantage sur le gril, et les seconds m'eussent tabusté et hué au lieu que de m'applaudir à tout rompre à chaque réplique, ayant l'épigastre bien rempli et la rate par le vin dilatée.

Le « fœtus » Bazin tâcha bien de me jeter dans les toiles, pattes liées, mais à la première insidieuse question qu'il me posa, je répondis d'une voix tant prompte et sonore, par une si longue citation en grec d'Hippocrate, et celle-là débitée avec face fière et triomphante, crête redressée et geste paonnant, que l'assistance, cuidant que j'avais pris le Doyen par le bec, et lui avais rivé son clou, toqua des paumes à la fureur. A quoi le D^r d'Assas, dodelinant de la tête, et barytonant du cul, sourit aux anges, et le Chancelier Saporta, qui savait trop bien le grec pour être dupe de ma chattemitesse ruse, néanmoins se tut, et même envisagea le Doyen d'un air fort déprisant tandis qu'il se rasseyait, penaud, quinaud et déconfit, et presque étouffé par son propre venin.

A voir le Doyen réduit ainsi à quia, les docteurs ordinaires y regardèrent à deux fois avant de me dresser des embûches. Cependant, le Dr Pennedepié qui haïssait de mort le Dr Pinarelle pour ce que ce dernier lui avait larronné un de ses patients, voulut, par-dessus ma tête, se revancher de lui, et me demanda si en mon opinion, l'utérus de la femme était simple ou bifide. La question ne laissa pas de m'embarrasser, car bien savais-je que le Dr Pinarelle tenait en cette affaire, contre tout bon sens, pour l'autorité de Galien et avait fait rire de lui la ville entière en déclarant, lors de la Saint-Luc de l'année 1567, qu'il préférait *se tromper avec Galien qu'avoir raison avec Vésale* : remembrance que dans sa tortueuse malice, le Dr Pennedepié tâchait à raviver. Or, la haine de Bazin me suffisant, je ne voulais me mettre à dos ni l'un ni l'autre des deux docteurs, lesquels siégeaient côte à côte, mais en fort petite amitié, à mon jury. Je résolus donc, en la dispute, d'avancer la patte tant prudemment qu'un chat et je dis en latin, d'une voix douce et d'un ton fort modeste :

— Révérend docteur Pennedepié, *haec est vexata questio* [1]. Car d'une part, le grand Galien, ayant disséqué l'utérus d'une lapine et l'ayant trouvé bifide, affirma que l'utérus de la femme l'était aussi. Et certes, c'est là une opinion d'un poids considérable à ne considérer que l'autorité de l'auteur, lequel est universellement vénéré comme un des maîtres de la médecine grecque. Mais, d'autre part, notre contemporain Vésale, docteur médecin audacieux et habile, qui étudia en notre école, ayant disséqué, non pas une lapine, mais une femme, trouva que son utérus était un.

Quoi dit, je m'accoisai.

1. La question est très débattue.

— Et vous même, qu'opinez-vous ? Un ou bifide ? dit le Dr Pennedepié, poussant sa botte.

— Révérend docteur Pennedepié, dis-je, la face toute luisante d'humilité, il y a en cette salle tant de personnes plus doctes que je ne suis, que j'eusse aimé qu'elles tranchassent pour moi.

— Cependant, dit le Dr Pennedepié, il faut pourvoir à la curation des femelles intempéries, et si vous aviez patiente qui souffrait de son utérus, il faudrait bien que vous décidiez.

— En ce cas, Révérend docteur, l'ayant toujours trouvé tel à la dissection, je me déciderais en faveur de l'unicité de l'utérus mais sans pour autant dépriser l'illustre et vénéré Galien, lequel a jugé selon les lumières de son temps.

Un silence suivit qui m'eût embarrassé si le D^r d'Assas, levant les deux bras, ne s'était écrié d'une voix forte :

— Voilà qui est bien répondu, et avec une modestie bien émerveillable chez un impétrant aussi jeune !

Je crus m'être tiré assez bien de cette embûche-là mais point du tout. Le Dr Pinarelle, quand mon jury délibéra, s'opposa à ce que me fussent accordés les suprêmes honneurs pour ce que j'avais, « en mon outrecuidance, osé affronter l'autorité du divin Galien ». Par bonne chance, étant docteur ordinaire, il avait le droit d'opiner, non de voter. Cependant, à ma considérable surprise, le Dr Bazin, lequel, en tant que professeur royal, avait voix délibérative, vota incontinent pour lesdits honneurs, ayant trop d'esprit pour ne point poser le masque de la bénévolence sur sa déconfiture. Au reste, c'était un homme qui, même dans les dents de la mort, était fort ménager de son avancement, et quand il vit Mme de Joyeuse et ses dames d'atour apparaître à l'ultime séance de mes *triduanes* et s'asseoir en leurs chatoyants affiquets au premier rang, l'œil dont il me considérait, de venimeux qu'il était, tourna tout soudain au bénin.

Ha, lecteur! Tu peux bien croire que mon cœur battait une chamade de tambours et de trompettes à réveiller les morts quand mon « père », le Chancelier Saporta, m'ayant requis de monter sur l'estrade où siégeait mon jury, me déclara docteur médecin, avec les suprêmes honneurs et m'ayant fait prononcer le jurement d'Hippocrate, me remit, un par un, et avec les coutumières solennité et gravité voulues pour ces occasions, les insignes de mon grade, à savoir :

1. Un bonnet carré de docteur, lequel était noir, mais surmonté d'une houppe de soie de couleur cramoisie. Je m'en coiffai aussitôt.

2. Une ceinture dorée, large de trois pouces, qu'incontinent je nouai autour de ma taille.

3. Un fort anneau d'or gravé à mon chiffre que je passai à l'annulaire de ma main senestre où il voisina avec la petite bague d'Angelina que je portais au petit doigt.

4. Les *Aphorismes* d'Hippocrate, bellement reliés en veau.

Ainsi coiffé, ceint, bagué et tenant en ma dextre le *magnum opus* d'Hippocrate, je prononçai la même allocution de remerciement en sept langues différentes : en français (ce faisant saluant fort bas Mme de Joyeuse); en latin, saluant les docteurs ordinaires; en grec, saluant les professeurs royaux et en particulier le Dr d'Assas qui en cette langue m'avait traduit mon discours; en hébreu, saluant Maître Sanche à qui je le devais; en allemand, saluant les écoliers de Bâle; en italien pour ce que j'avais quelques notions de cette admirable langue; et enfin au grand étonnement de tous, pour ce que c'était un idiome réputé rustique et non savant, en l'oc de Montpellier. Cependant, la première béance passée, l'auditoire m'applaudit à rompre les murailles tant il était content de ma bonhomie et atendrézi de l'amour qu'au sommet de mes dignités, je voulais témoigner à leur bonne ville et à la langue de ses manants et habitants.

Quoi fait, le Chancelier Saporta, se levant, me donna une forte brassée, frotta sa rude barbe contre ma joue et me fit asseoir à sa dextre tandis que le bedeau Figairasse, sortant à grandes jambes de la salle de promotion, alla sonner à la volée en mon honneur la cloche de l'Ecole. Il ne lésina point : j'en eus pour mes deux écus vingt sols. Ce fut un tinta-marre à rendre à jamais sourds ceux qui l'ouïrent.

Cette vacarme à la fin finie, les professeurs royaux, les docteurs ordinaires et les assistants procession-nèrent dans les rues de Montpellier jusqu'à l'*Auberge des Trois Rois* où je leur offris, selon l'us, une colla-tion qui acheva d'assécher mes pécunes. Ce fut là mon ultime débours, et le plus monstrueux. Mais certes ne l'envisagèrent point ainsi ceux qui, buvant et mangeant à tas, se goinfrèrent ce jour à mes dépens.

Mme de Joyeuse eut la bonté de se rendre à l'auberge en carrosse et là, se faisant donner un petit cabinet par l'alberguière, par elle aussi m'y manda. Me dérobant à la presse, j'y fus et la trouvai avec Aglaé de Mérol, toutes deux soyeuses, satinées, pim-plochées à ravir, des perles en leurs cheveux, et embaumant tous les parfums de l'Arabie.

— Ha, mon petit cousin ! s'écria Mme de Joyeuse, baisez là ! Parfait fut votre déportement ! Non que j'entende rien à votre latin mais vous aviez la face tant jolie et le geste tant gracieux, on eût dit d'un chat ! mais d'un chat ayant griffe sous son velours, et ni dans le ton ni dans la guise, rien d'un pédant crotté ! Baisez là, je vous prie, vous fûtes sublime ! Aglaé, dites-le-lui aussi ! Je l'ordonne !

— Monsieur ! dit Aglaé de Mérol avec un petit

brillement de l'œil et une petite moue, vous fûtes en tous points admirable!

Sur quoi, je saluai Mme de Joyeuse et baisai avidement sa belle face.

— Saluez aussi Aglaé, je le veux! dit Mme de Joyeuse quand j'eus fini ce festin qui, certes, plus me plaisait que la rude barbe de Saporta.

— Mais, Madame, oserais-je?

— Monsieur! dit Mme de Joyeuse, ne sais-je pas toutes les agaceries que vous lui faites, toute pucelette qu'elle soit? N'y a-t-il pas de frein à vos impertinences, monstre que vous êtes! Eh bien, puisque vous avez tiré ce petit vin-là, buvez-le!

— Ha, Madame! dis-je à Aglaé de Mérol, quelle trahison! Vous avez répété mes propos!

— Tous, Monsieur! s'écria Aglaé en riant, tandis que je poutounais à son tour la jeunette sans y mettre pourtant trop d'ardeur, ne voulant point que Mme de Joyeuse se piquât, ayant toujours son âge en son pensement.

— Mon mignon, reprit cette haute dame, venez me voir demain le moment que vous aurez fini votre chevauchée triomphale en la ville.

— Mais Madame, je serai écumant et sueux!

— Nous vous approprierons, dit Mme de Joyeuse en battant du cil, dans ma cuve à baigner.

A quoi elles rirent toutes deux, en m'envisageant d'un air si entendu que je ne sus que penser. Mais j'ai observé que lorsqu'on n'entend goutte à un propos, le mieux est de le prendre à la gaîté, dans le chaud du moment.

— Ha, Mesdames! dis-je en riant. N'est-ce pas étrange? C'est moi le médecin et c'est vous qui m'allez soigner!

Derechef je les saluai sur leurs joues suaves et sur leurs belles mains. Ha! Que ce gentil sexe est donc doux et enveloppant! Et qu'il me manquerait si le

Seigneur ne l'avait créé! Et de quel œil ardent je suivis ces nobles dames tandis qu'elles s'ensauvaient, rieuses et clabaudantes, dans le galant bruissement de leurs beaux cotillons brodés d'or.

Tant la presse était grande dans la grand-salle des *Trois Rois* et tant ce monde était occupé à se bâfrer à mes frais et dépens — l'alberguière allant de l'un à l'autre et d'un œil vif traduisant les dents aiguës et les gorges sèches en autant de chiffres bien gras sur l'ardoise qu'il me faudrait le lendemain éponger — que mon absence ne fut de personne aperçue. Et envisageant mon bien-aimé Samson — Miroul à ses côtés —, je vis, jasant avec lui, une garce fort bien mise, portant sur son visage un masque noir qui lui cachait la face tout à plein, laquelle dame incontinent je reconnus à un détail que je dirai; d'une dame, à vrai dire, elle n'en avait que l'apparence, étant femme simplette malgré ses brocarts, parlant d'oc avec un accent des Cévennes qui sentait la montagne et la vache, ce jour d'hui vivant en citadine ribauderie mais à la discrétion, et fort estimée de quelques bourgeois étoffés et d'un beau chanoine de Notre-Dame des Tables et du capitaine Cossolat, étant, outre ses autres mérites (car elle était fort experte en ébattements et culetis), fidèle en ses amitiés et plus bonne fille qu'un ange, encore que son sexe, au rebours des anges, fût tout à plein indubitable.

Fendant la presse, je tirai vers elle et me penchant, je lui dis à l'oreille:

— Ha! ma bonne Thomassine, te voilà! N'était ton masque, je te baiserais!

— Quoi! dit-elle, tu m'as donc reconnue?

— Oui-da!

— Et comment?

— A ton parpal. Il n'en est pas de plus beau ni de plus pommelant dans tout le Languedoc.

— Ha! fripon! dit-elle en riant, que tu joues bien du plat de la langue! Et tant bien avec les drolettes qu'avec les grands moussus de la médecine!

— Ma bonne Thomassine, qu'es-tu venue t'ennuyer à mes *triduanes*!

— Ma fé! Quel galimatias! Etait-ce en français que vous baragouiniez?

— Nenni! C'était latin.

— Havre de grâce! L'étrange parladure! Je n'y ai entendu miette. Mais j'ai bien vu pourtant que tu étais aussi bien fendu de gueule que ces grands moussus enjuponnés et qu'il n'y en avait pas un dans la troupe à te geler le bec!

Là-dessus, je la quittai pour aller quérir un gobelet de vin et une saucisse de Bigorre, et tenant celle-ci non à pleine main, comme le grossier baron de Caudebec, mais entre le pouce et l'index comme Barberine me l'avait appris, et en outre de la main senestre le gobelet rempli, je m'en revenais vers la Thomassine quand j'ouïs quelque branle et tumulte du côté de la porte, et tirant de ce côté, je vis le capitaine Cossolat aux prises avec un grand diable fort brun et fort maigre, assez mal vêtu d'un pourpoint reprisé mais portant à son flanc épée et dague; lequel escogriffe Cossolat, lui ayant mis la main au collet, voulait serrer en geôle pour ce qu'il n'était ni docteur médecin, ni écolier, ni bourgeois connu en la ville mais se voulait, disait le capitaine, goberger céans à mes dépens, et qui sait peut-être, couper les bourses.

— Moussu, disait ce grand échalas en zézayant d'un air fort offensé, ne me touchez point! Je suis personne de qualité. Je me nomme Giacomi et je suis maître en fait d'armes.

— La bonne fable! s'écria Cossolat. Il y aurait en Montpellier un maître d'armes que je n'aurais pas rencontré, moi dont les armes sont le métier! Parle, maraud, qui te connaît céans?

— Mais moi! dis-je en m'approchant, pour ce que j'aimais assez l'air de ce quidam et jusqu'à son italien zézayement qui me ramentevait mon bien-aimé Samson.

— Quoi! Pierre! dit Cossolat, ce maroufle n'est point de vous déconnu?

— Mais non, dis-je les joues gonflées de ce mensonge joyeux. Il se nomme Giacomi et je l'ai invité.

— Je suis en cette ville arrivé de trois jours, dit Giacomi promptement, raison pourquoi, seigneur capitaine, point ne m'avez encore rencontré.

— Pierre, dit Cossolat le lâchant, mais m'envisageant avec quelque doutance de son œil noir, répondez-vous de lui?

— Oui-da, dis-je en riant, tout autant que de moi!

Là-dessus, Cossolat qui avait une tête de moins que Giacomi, mais fort trapu de corps, les épaules carrées, la membrature sèche et musculeuse, toisa le quidam sans amour aucune et dit :

— Italien, ramentois bien ceci : peu me plaît qu'un manant de ta dégaine porte en ma ville épée et dague, quand il n'a pas en son escarcelle un seul sol vaillant.

Quoi dit, il tourna les talons et s'en fut fort roide et le dos irrité.

— Seigneur médecin, dit Giacomi en me saluant, que de grâces et de mercis vous dois-je!

— Bah! dis-je, le coupant, laisse-là, ce n'est rien, je n'eusse pas aimé que le jour de ma promotion, on te serrât en geôle pour le larcin d'une saucisse.

— D'autant, seigneur médecin, dit Giacomi en espinchant d'un air tant piteux que friand celle que je tenais en ma dextre, que je n'ai encore rien mangé.

A quoi je m'esbouffai à rire.

— Eh bien! mange, compain, dis-je en lui tendant gobelet et saucisse, mange et bois, je n'en suis plus à quelques sols près m'étant ce jour si dégarni! Et le poussant dans le petit cabinet que Mme de Joyeuse et Aglaé venaient de quitter, je le fis servir à tas par l'alberguière, lui disant de bien se remplir et que je viendrais l'entretenir dès que mes hôtes s'en seraient allés.

A peine, cependant, fus-je derechef en la grand-salle qu'une des mignonnes chambrières, qui s'était tant fait pastisser le dos lors de mes *triduanes*, s'approcha de moi avec de petites mines et un air de mystère et me dit qu'une demoiselle de condition, mais masquée et voilée, m'attendait à l'entrée du logis, requérant ma personne.

J'y fus et trouvai devant moi une garce fort grande, fort bien accommodée en attifures et affiquets, portant masque et par-dessus le masque, une dentelle noire qu'à ma vue elle retira, découvrant des cheveux blonds de paille qu'incontinent je reconnus pour être ceux de Dame Gertrude du Luc.

— Ha! Madame! dis-je, vous céans! Si loin de votre Normandie! Que mon Samson sera ravi de vous envisager!

— Et vous, Monsieur mon frère, dit Dame Gertrude, parlant en son français de Normandie, n'en êtes-vous point heureux aussi?

— Si fait, Madame, dis-je avec quelque impatience de ses coquetteries, et me ramentevant tout soudain son intrigue avec Cossolat, j'ajoutai non sans lui montrer, le temps d'un battement de cil, un œil plus froidureux :

— Si du moins vous lui êtes céans aussi fidèle que lui à vous.

— Ha! Monsieur, en doutez-vous! cria la chatte-mitesse, bien aise, je gage, que son masque pût cacher sa vergogne, si vergogne il y avait. Mais Monsieur mon frère, poursuivit-elle, n'êtes-vous pas étonné de me voir céans?

— Certes!

— Je suis, dit-elle en me posant sur le bras sa main ornée sur le gant d'une bague fort grosse, je suis sur le chemin d'un second pèlerinage à Rome, ayant tiré du premier tant de spirituels profits.

— Hé! Madame, dis-je d'un ton confit, voilà qui est fort édifiant, pour peu que vous ne dépensiez pas en chemin les indulgences que vous aurez gagnées en la ville du pape.

— Ha! méchant huguenot! dit-elle en feignant un petit courroux, vous vous gaussez de moi! Etes-vous à ce point impiteux aux faiblesses d'une pauvre papiste?

Et ce disant, me jetant les mains autour du col, elle me donna une forte brassée, son beau corps épousant le mien sur toute sa longueur, et si doux, si moelleux, si ondulant que ma gorge se séchant, la parole tout soudain me manqua, laquelle, à vrai dire, n'eût pas été nécessaire si j'avais dû poursuivre dans la voie où cette Circé par tous les bouts me menait. Et certes, comment eussé-je pu être impiteux à ses faiblesses alors qu'elle me rendait les miennes si sensibles? La bonne leçon! et qui bien me ramentevait de ne point juger mon prochain!

Cependant, je ne voulus point lui céder plus outre, ayant mon bien-aimé Samson dans le pensement et prenant Dame Gertrude aux deux épaules, et de force forcée l'écartant de moi, je lui dis à l'oreille:

— Madame, cette fois encore, je vous servirai, mais point de Cossolat: ou je me fâche!

A quoi, soufflant fort derrière son masque, elle fut plus muette que carpe, m'ayant assez montré son ensorcelant pouvoir pour m'abandonner le terrain, si tant est qu'elle me l'abandonnât, car n'entendais-je point, à la voir si haletante, que cette ogresse normande avait appétit assez pour gloutir en sa fournaise et Samson, et Cossolat, et moi-même, et qui sait d'autre?

— Monsieur mon frère, dit-elle d'une voix tant mourante que si elle perdait vent et haleine, la Thomassine est là, je le sais, et mon Samson. Allez, je vous prie, les quérir, j'ai devant la porte une coche de louage pour les conduire à l'Aiguillerie où j'espère que la bonne Thomassine me baillera un gîte, mais, de grâce! De grâce! Soyez prompt, je ne peux attendre davantage! Il me semble que je brûle!

Seigneur! le féminin pouvoir! Qu'il a seigneurie sur nous! Et comme il gouverne l'homme! Lequel pourtant, en sa piaffe et pompe, cuide qu'il gouverne tout! La friponne m'avait tant étonné, troublé et radouci que je courus lui obéir, fol que j'étais! Et fol, l'était aussi mon Samson, lequel quasiment se pâma à la voir devant lui tout soudain, relevant son masque et lui donnant de son bel œil.

Cet éclair-là suffit. Il était à elle en sa coche, dans les dents mêmes de son huguenote conscience, pieds et poings liés, la Thomassine à son côté lamentant en son for qu'une si grande amour fût plantée en terrain si peu sûr, et moi sur le seuil, plaignant la simplesse de mon frère bien-aimé, alors même que j'eusse eu tant d'appétit — sachant bien pourtant ce que je savais — à me trouver en sa place.

Dans la grand-salle des *Trois Rois* retourné, allant de l'un à l'autre, je fus de toutes parts caressé pour l'excelse façon dont j'avais soutenu mes *triduanes* : compliments que j'ouïs d'un air content et courtois alors même que mon esprit était ailleurs, et comme embrumé de cette « malenconie » qui est accoutumée à suivre nos succès et nos liesses. A vrai dire, je ressentais aussi quelque fatigue de mes harassantes disputations, et la nuit depuis longtemps tombée, je ne fus pas trop long en civilités quand mes hôtes un à un me quittèrent, sauf quant au D^r d'Assas, que je retins le dernier pour lui dire mes mercis. Ha, le bon homme que c'était là! Et si rond! Et si vif! Et si bénin!

— Pierre! me dit-il en me donnant une forte brassée (pour autant qu'il le put, car sa bedondaine l'empêchait de me trop serrer), vous voilà docteur médecin en la vingt et unième année de votre âge. Vos belles plumes mises, vous allez voler hors du nid! Et certes, je vous regretterai, si ardent à connaître et si ardent à vivre! De tous mes écoliers depuis cinq ans, vous fûtes celui que j'aimais le plus et je vous eusse volontiers tout donné hors, ajouta-t-il avec un brillement futé de son œil noisette, hors ma chambrière Zara et ma vigne de Frontignan, auxquelles vous étiez pourtant alléché, sinon à l'une, du moins à l'autre. Pierre, un mot sur votre médecine. En partant, laissez, je vous prie, derrière vous ce fatras d'école, ces contentieuses disputations, ces pompeuses pédanteries, ce latin et même (il sourit) ce grec que vous ne savez point! C'est billes vezées! C'est creuse viande! *Crede mihi experto roberto* [1]! Le trois quart de ce qui vous fut enseigné céans ne vaut pas le pet d'un cheval mort! Disséquez! La vérité est là! Sous le cotel! Sous l'œil! Sous le doigt! Et ne lisez plus que ceux des maîtres qui ont manié le couteau! Michel Servet! Le grand Vésale! Ambroise Paré! Jetez à jamais aux oubliettes les Pinarelle et les Pennedepié et tous ces ânes enjuponnés qui, adorant Aristote, Hippocrate et Galien comme des dieux, quotidiennement s'écrient : *Vetera extollimus recentium incuriosi* [2]. Or mon Pierre, qui prononce par l'autorité des anciens ne prône rien qu'improfitable poussière. Nous autres huguenots qui récusons l'autorité du pape, les traditions embéguinées, les populaires superstitions, les saints et les idoles d'or, soyons huguenots aussi en médecine! Retrouvons la

1. Croyez-en mon expérience!
2. Nous portons aux nues les choses anciennes, tournant le dos aux modernes.

vérité nue de la nature sous l'amas des errements séculaires! Un mulet coiffé d'un bonnet de docteur n'est qu'un mulet! Laissez-le braire après ses antiques avoines! Laissez à Pinarelle son utérus bifide! Et à Pennedepié ses mesquines astuces! Pinarelle et Pennedepié! Pennedepié et Pinarelle! Pierre, que ces ridicules et rassottés pédants demeurent en votre remembrance l'alpha et l'omega du non-savoir. Au demeurant, ils sont longs et tristes comme deux jours de carême l'un à la queue de l'autre. Pierre, la vérité est nue et le savoir est gai!

Là-dessus, il m'embrassa derechef non sans quelque émeuvement à ce que je crus voir. J'accompagnai jusqu'à la porte où son char l'espérait cet homme excellent, et tandis qu'il s'y jetait avec une agilité qu'on n'eût pas attendue de sa rondeur, je le regardai départir au trot vif de son petit cheval, me sentant la crête fort basse et l'âme fort chagrine, comme si avec d'Assas se fussent en allées sans retour mes jeunes années d'études en Montpellier. D'elles, hélas, c'en était bien fini! Les gerbes battues, le grain en sac, sur le champ ne se voyait plus que le chaume des moissons achevées. Ha, certes! Il faut bien engranger, mais la verte beauté du blé en herbe, qui la verrait départir sans un pleur?

Je retournai dans la grand-salle où les tables étaient jonchées des reliefs de ma collation. Du plus loin qu'elle me vit, l'alberguière tira vers moi pour me dire, les dents luisantes, qu'elle me baillerait mon mémoire le lendemain. A peine lui répondant, ayant le cœur si lourd tout soudain, j'appelai Miroul, lequel, assis sur une escabelle, jasait avec une des chambrières. Selon le côté de la face que vers elle il tournait, il lui donnait à'steure de son œil marron, à'steure de son œil bleu, la mignote sous ses assauts fondant comme beurre au soleil, mais c'était son état de fondre, la pauvrette étant une des commodités qu'on offrait céans à la pratique. Je commandai à Miroul de m'apporter mon épée, ma dague, mes pistolets — lesquels j'avais laissés le matin à l'auberge pour ce qu'il était interdit de porter nos armes en l'Ecole de Médecine — et, en m'attendant, ne songeais qu'à mon lit quand tout soudain, je me ramentus mon grand diable de Giacomi en son petit cabinet. Et bien m'en prit, comme on verra, que ma remembrance ne m'eût point failli.

Son festin achevé, l'Italien dormait comme souche, les coudes à plat sur table et la joue sur les coudes, avec cet air de béate félicité qu'on voit aux élus de vitrail dans les églises papistes. Je lui toquai l'épaule.

— Ha! Seigneur médecin! dit-il en battant des paupières à la lumière de la chandelle comme chouette au soleil, vous avez fait bonne curation en me remplissant l'estomac, je rêvais que j'étais au ciel!

— Giacomi, dis-je gravement mais sans pourtant sourciller, qu'es-tu au juste? Un coupe-bourse? Un meurtrier à gages?

— Rien de tout cela, seigneur médecin! dit Giacomi en redressant la crête, et parlant en son italien zézayement. J'étais, comme j'ai dit, maître en fait d'armes à Gênes et fort honoré pour mon art. Mais ayant occis en duel loyal un gentilhomme qui m'avait provoqué, j'ai dû fuir ma patrie pour sauver ma tête. Et fuir si vite que je départis sans pécunes.

Je l'envisageai : il avait une fort curieuse face, ovale, maigre assez, brune ou plutôt bistre et dont tous les traits tiraient joyeusement vers le haut : les coins des paupières, les commissures des lèvres, et le nez qu'il avait retroussé. En outre, ses yeux de jais saillaient fort de l'orbite, montrant beaucoup de blanc et furetaient prou de-ci de-là comme des petites bêtes, mais sans rien de faux ni de méchant.

Pour sa membrature, elle était sèche et fort resserrée sur les os, les jambes et les bras fort longs et quelque chose en ses mouvements de si vif et de si prompt qu'on eût dit un oiseau. A le voir ainsi fait, la face tant franche et ouverte, j'opinai qu'il avait dit vrai. Au surcroît, il paraissait instruit assez et n'être point sans lectures et parlant un français qui n'était point baragouiné.

— Mais, dis-je, Giacomi, ne peut-on, de Gênes, t'envoyer tes argents?

— Hélas non! A mon département, la ribaude qui partageait ma vie s'est enfuie avec ma bourse, mes bijoux, mes meubles. Ha, seigneur médecin, j'étais à Gênes tant étoffé et garni que je suis aujourd'hui, et céans, démuni. Mais c'est assez, je n'y vais point penser plus outre. *Nessun maggior dolore che ricordarsi del tempo felice nella miseria* [1].

Je fus ravi qu'il citât le Dante que je prisais au-dessus de tous les poètes de son temps. Et cependant que ce fût la conformation de ses traits qui lui donnait une face riante, ou qu'il portât en lui-même une source inépuisable de gaîté, même en citant les chagrines paroles du Dante, il avait l'air joyeux.

— Donc, dis-je, pas un seul sol vaillant!

— Pas un liard!

— Et où vas-tu dormir ce soir?

— Comme hier : contre un arc-boutant de l'église Saint-Firmin, et d'un œil seulement, et la dague à la main, pour ce que cette ville pullule de truands qui n'auraient pas vergogne à vous dépêcher un honnête homme pour le larronner d'un pourpoint reprisé.

A quoi je songeai un petit.

— Giacomi, dis-je à la fin, veux-tu ce soir coucher avec mon valet Miroul? Il est bon compagnon.

1. Il n'est pire douleur que de se rappeler dans le malheur les temps heureux.

— Ha! Seigneur médecin, s'écria Giacomi en levant au ciel ses longs bras, lesquels me ramentevaient Fogacer dont j'avais ouï dire qu'il était à Paris, ayant dû fuir sa natale ville lui aussi, mais point pour les mêmes raisons.

— Le veux-tu?

— Assurément! dit Giacomi non pourtant sans quelque réticence que je ne fus pas sans apercevoir. Mieux vaut un toit que la froidure du ciel, et mieux vaut un honnête valet qu'un truand.

Toquant à la porte du petit cabinet, Miroul à l'instant entra, armé, et portant mes armes.

Sur quoi Giacomi, se levant avec un sourire, les lui prit et me saluant de la façon la plus gracieuse, non point tant à la façon d'un valet que d'un écuyer, requit de moi la permission d'examiner d'un peu près mon épée. Ce à quoi consentant, je la tirai du fourreau et la lui tendis. La saisissant alors en ses longues mains, lesquelles étaient nerveuses et délicates et à ce que je vis, fort propres — preuve que Giacomi avait demandé à l'alberguière de lui donner à laver avant de gloutir son festin —, il l'approcha de son nez retroussé comme s'il allait la humer, son saillant œil noir parcourant toute la longueur de l'acier. Après quoi, il posa la lame sur son index gauche à trois pouces de la pommelle, et la balança sans qu'elle tombât, ni du côté de la pommelle, ni du côté de la pointe.

— Seigneur médecin, dit-il, peux-je maintenant essayer sa flexion?

J'acquiesçai et piquant de la pointe contre la porte du petit cabinet, le bras ramassé, Giacomi tout soudain le tendit tandis qu'il ployait le genou, l'épée se pliant en parfait demi-cercle, la pointe n'étant plus qu'à environ un pied de la pommelle. Après quoi, Giacomi relâcha son bras, et la lame incontinent se remit droite, sans montrer trace aucune de la flexion qu'elle avait subie. Mais ceci ne satisfaisant pas encore Giacomi, il tira de ses chausses une petite clé dont il toqua la lame à petits coups, pouce après pouce, penchant sa grande oreille pour ouïr le son comme s'il accordait les cordes d'une viole. Ayant fait, il dit d'un air de pompe mais avec un zézayement qui ôtait toute lourdeur à sa gravité.

— Seigneur médecin, j'observe d'abord que la lame n'est point plate comme une vulgaire épée de bataille propre à frapper de taille, mais non d'estoc. Elle est triangulaire, de bonne section sous la pommelle et s'effilant jusqu'à la pointe. Je n'y ai pas vu de taches noires : donc il n'est pas de failles dans le gras du métal qui le feraient briser. La pointe se trouvant un peu cassée, j'ai pu envisager le dedans de l'acier, lequel, la merci Dieu, est gris et non point blanc. En outre, quand je l'ai ployée, la lame ne s'est point pliée à la pointe, mais dans son corps, en demi-cercle régulier, et dès que mon bras a cédé, elle a repris en vibrant sa première droiture, signe évident qu'elle fut trempée selon les règles, ce que ma clé par ses toquements confirme. Enfin, l'épée est fort bien balancée de la pommelle à la pointe, ce qui fait qu'elle est légère à la main et qu'elle sera prompte pourvu que le cerveau le soit. En bref, seigneur médecin, j'opine que vous avez là une bonne amie et qui n'étant point femme, ne vous faillira pas. *La donna e mobile qual piuma al vento* [1], mais cette amie-ci est fidèle et toute reluisante de solide et irréfragable vertu.

— Ha, Giacomi ! dis-je en riant, ne peut-on dire que l'homme aussi est *mobile qual piuma al vento* ? Trop te point encore ta garce de Gênes ! *Ab una non disce omnes* [2].

Et disant cela, je pensais à mon Angelina, laquelle

1. Femme est mobile comme plume au vent.
2. D'une seule n'apprends pas à les connaître toutes.

depuis cinq ans m'attendait sans jamais branler mie en sa résolution, ferme en sa grande amour comme roc battu par les paternelles tempêtes. Ha, Angelina! pensais-je, dès que mon Samson saillira de son piège de chair, avec quelle inouïe allégresse irai-je jeter à tes pieds les ornements de mon grade suprême, par la vertu duquel m'établissant, j'espère m'étoffer assez pour te marier selon ton rang.

— Seigneur médecin, m'oyez-vous? dit Giacomi. Et sortant de ma transe, je le vis mettre mon épée la pointe en bas et le long de ma jambe.

— Ha! dit-il, je le pensais! elle eût pu être d'un bon pouce plus longue, y ayant une proportion rigoureuse entre la longueur d'une épée et la taille de qui en a l'usance : règle qui était déconnue de votre façonneur, tout bon artisan qu'il fût.

— Un pouce, dis-je, qui se soucie d'un pouce?

— Ha! seigneur médecin! dit Giacomi. Un pouce, dans les occasions, fait toute la différence entre la vie et la mort.

Et encore qu'il parlât de mort, sa face était allègre et riante. Mais peut-être n'était-ce que le retroussement de son nez qui me donnait ce sentiment.

Tandis que Giacomi, gentiment zézayant comme mon frère Samson, discourait en suave français, à sa façon tout ensemble élégante et précise, et avec des gestes fort gracieux, non sans que l'on sentît pourtant sous sa *disinvoltura* des réserves de force, Miroul, qui entendait à peu près la langue du Nord, oyait l'italien la gueule bée. Quoi apercevant, Giacomi se tournant vers lui, lui dit avec une grande gentillesse :

— *Compagno*, tu portes l'épée à la hanche dextre. J'en conclus que tu es gaucher.

— Ainsi suis-je.

— *Eccelente!* dit Giacomi. *Eccelentissimo! E tutto*

a tuo vantaggio [1]! Et par surcroît, tu as l'œil vairon, signe de grande agilité et adresse.

— L'épée toujours à main senestre, dit Miroul, ravi d'être loué, et le cotel, je le lance à la dextre.

— Et où portes-tu le cotel, *compagno* ? dit Giacomi.

— Dans la jambe de mes chausses.

— Un seul ?

— Un seul.

— Vu que tu as deux jambes, c'est deux cotels qu'il te faudrait, dit Giacomi avec un sourire, les commissures des lèvres remontant si joyeusement du côté de ses grandes oreilles que par la contagion de sa mine, je me mis à sourire et Miroul aussi.

Là-dessus l'alberguière entra, baillant à Miroul une torche et à moi-même d'assez chiches civilités, contente de s'aller coucher, je gage, et en dormant, de faire grossir en sa tête ses chiffres comme femme enceinte, son fruit.

Le logis des *Trois Rois*, dont je ne sais s'il existe encore à Montpellier, fait face à la tour du même nom, laquelle se dresse entre la porte de Lattes et la tour de la Babote. Celle-ci est ronde et grosse assez et tournée vers le sud-ouest, a des vues à dextre comme à senestre sur l'axe quasiment droit que fait à ce bout la commune clôture. Des *Trois Rois* il n'y avait pas plus d'un quart d'heure de marche pour atteindre la place des Cévennes où je logeais chez Maître Sanche, l'illustre apothicaire. Mais il fallait pourtant, la nuit, quelques précautions à ce cheminement.

Miroul, l'épée nue en sa main senestre, portait de l'autre main, fort au-dessus du chef, la torche de l'alberguière et marchait trois pas devant nous pour nous éclairer. Mais Giacomi m'ayant fait observer

1. Excellent ! Très excellent. C'est tout à ton avantage !

que, mon valet étant gaucher, il vaudrait mieux qu'il fût à ma gauche afin par là de me couvrir, je le fis placer comme l'Italien avait dit, celui-ci marchant à ma droite, son épée à la main. Point de lune et à l'entour pas un bruit que nos pas, lesquels cependant nous étouffions pour garder l'ouïe en alerte, tandis que nous longions le côté senestre de Notre-Dame des Tables, ou plutôt ce qu'il en reste après les destructions qu'en firent si sottement les nôtres après qu'ils eurent pris aux papistes la ville au cours des troubles. Notre-Dame passée, quittant la rue de la Mazellerie du Porc, qui est droite et large assez, nous prîmes par la rue de la Caussalerie, laquelle, étroite et tournoyante, débouche sur la place des Cévennes où j'avais mon logis; et à peine étions-nous engagés dans ladite rue que Giacomi me dit à voix basse:

— Seigneur médecin, on va nous courir sus. Je le sens à un petit muscle que j'ai dans la paume droite. Si cela se fait, combattons tous trois dos à dos, chacun protégeant l'autre. Et, seigneur médecin, peux-je avoir un de vos pistolets?

Je le lui baillai sans mot dire, il le passa à sa ceinture et tira sa dague de sa main senestre, laquelle dague était fort longue, elle aussi. Je tirai la mienne et enroulai ma cape autour du bras qui la tenait, le cœur me toquant fort, mais alors que le moment d'avant, j'étais de fatigue rompu, tout soudain je me sentis léger et bondissant.

— Moussu, me murmura Miroul à ma gauche, il me paraît ouïr des frôlements le long des proches maisons.

— Oui-da! dis-je, il va falloir en découdre. Je le sens aussi!

Les dix pas qui suivirent furent parcourus à la façon des chats, le pied pesant à peine sur le pavé, le jarret ramassé et l'oreille pointée. Car combien que la torche en sa lumière dansante éclairât fort bien, on ne voyait encore âme qui vive.

— Dos à dos, seigneur médecin! souffla encore Giacomi.

L'angle de la rue de la Caussalerie et de la rue de l'Herberie (ainsi nommée parce qu'on y serrait le foin dont la ville avait besoin pour ses vingt mille chevaux de monte et de charroi) n'est point droit, mais comme j'ai dit tournoyant et c'est dans ce tournant que se fit l'assaut.

— Tue! tue! cria une voix forte, déchirant le silence de la nuit.

Et tout soudain, une nuée de gueux, saillant des trous de l'ombre comme autant de rats, fondit sur nous, l'arme au poing et poussant des hurlades étranges sans aucune peur du guet, cuidant en avoir fini de nous en une bouchée avant qu'il ne survînt. On se mit dos à dos, ou plutôt flanc à flanc, puisque nous étions trois, et sans dire un mot ni même crier à l'aide, sachant fort bien qu'aucun manant ni habitant de la ville n'oserait même entr'ouvrir son huis pour nous mettre à l'abri, nous engageâmes le fer fort roidement avec ces gueux dépenaillés, lesquels puaient, en outre, à vous faire raquer vos viandes. Giacomi, d'entrée de jeu, en laissa deux sur le carreau, rien qu'en allongeant le bras deux fois avec une inouïe promptitude, sa dague cependant parant les coups qu'on lui portait, mais l'orage refluant sur moi, je ne vis plus rien que les pointes qui me menaçaient, moins inquiet des épées que je rabattais que d'une longue pique qui visait ma poitrine sans que je pusse atteindre celui qui la maniait. Mais ayant navré deux ou trois de ces truands, j'eus le temps de me mettre la dague entre les dents, de saisir mon pistolet et de faire feu sur le piqueur. Sa lancegaye tomba sur le pavé et, remettant mon pistolet à la ceinture, je la ramassai vivement de la main gauche et augurai alors bien mieux de mon combat, tenant à distance sur ma senestre ceux que mon épée ne pouvait engager. Je ne sus ce que fit Miroul dans le même temps, mais quand le premier assaut reflua, je vis deux corps couchés devant lui sur le pavé, signe qu'il avait bien labouré.

Les gueux, sans nous assaillir plus outre, ne se retiraient point pour autant, conciliabulant entre eux dans une étrange parladure où je n'entendais miette. Et certes, les occis ou navrés qui gisaient tout autour de nous ne laissaient pas de les rendre songeards, sans compter qu'il n'était plus si facile de nous courir sus étant donné le rempart que ces corps nous faisaient.

— Seigneur médecin, me souffla Giacomi, foin de cette lancegaye, elle vous encombre, rechargez plutôt votre pistolet. Il vous fera bonne usance quand ces méchants revoudront mordre.

Je fis comme il avait dit mais ce faisant, je voulus prendre langue avec ces coquins, ce qui, à défaut d'autres avantages, nous gagnerait du moins du temps.

— Mes droles, m'écriai-je en l'oc de Montpellier, ne vaut-il pas mieux s'arranger ? Que quérez-vous ? Mon escarcelle ? Ou le sang de mon cœur ?

— Vous ayant vu festoyer vos copains aux *Trois Rois*, nous n'appétions qu'à la première, cria un gueux gras et fort assez, qui portait un bandeau noir sur l'œil, mais maintenant, nous voulons le second aussi. Vous nous avez occis trop d'honnêtes gojats !

— Ha ! bonnes gens ! criai-je, ce n'était point malice, mais défense légitime ! Et combien de vous encore devront gésir, roides sur le pavé, avant que j'y répande mes tripes ? Ne vaut-il pas mieux que je vous baille mes écus et que vous m'ouvriez le chemin ?

— Nenni ! cria l'homme au bandeau, la pécune, nous l'aurons de surplus ! Je vous veux tous trois vidés de sang comme poulets en broche ! L'honneur me le commande !

— Giacomi, dis-je à voix basse, as-tu ouï ce coquin? L'honneur est-il un anneau d'or dans le groin d'un pourceau?

— Nous lui ferons bien assavoir que non, dit Giacomi avec un petit rire.

A peine cependant avait-il dit, qu'en criant « Tue, mordiou, tue! » les gueux se ruèrent de nouveau à l'assaut mais point si fièrement qu'à la première fois ni avec tant de cœur, leurs pieds butant sur les occis qui nous entouraient, et leurs armes rencontrant partout les pointes de nos épées. Cependant, en s'avançant moins et en moindre désordre, ils n'étaient point autant décousus, et je compris après quelques minutes de ferraillement que, sur l'ordre du borgne, ils labouraient à nous fatiguer. Tactique qui avait de bonnes chances de leur réussir, si le guet ne survenait point. Or ne savais-je pas, comme tout Montpelliérain, que sauf si les archers de Cossolat lui prêtaient main forte, le guet n'était point accoutumé de se hâter, ayant bien plus peur des gueux que les gueux de lui, ses soldats n'étant ni jeunes, ni habiles, ni vaillants.

— Giacomi, dis-je dans un souffle, je ne vois point cet homme d'honneur. Le vois-tu?

— Nenni, seigneur médecin, dit l'Italien qui, même dans les dents de la mort, restait suavement poli. Il commande mais n'approche point : son honneur le lui défend.

— Je le vois, moi, dit Miroul.

— A bonne distance de ton cotel?

— Oui-da!

— Baille-moi ta torche pour libérer ta dextre, dis-je en me mettant la dague entre les dents, et en tendant vers lui la main senestre.

Ce mouvement manqua de me coûter cher, une pointe m'atteignant l'avant-bras, laquelle me l'eût percé de part en part si elle n'eût encontré, et la cape dont je l'avais enveloppé et, dans ce mantelet, une forte agrafe en cuivre sur laquelle elle glissa en l'écornant comme je vis le lendemain, ne laissant à la peau qu'une écorchure que sur l'instant je ne sentis point.

Je ne faillis pas pourtant à saisir la torche et à la brandir, fort émerveillé que Miroul ait pu si bien se battre en cette incommode posture, me trouvant quant à moi nu et vulnérable sans la dague en ma main senestre. Ma prunelle restant fixée sur les pointes qui harcelaient ma poitrine comme autant de mortelles guêpes, je ne vis que du coin de l'œil le geste que fit Miroul pour saisir le cotel de sa chausse et le lancer. Mais j'ouïs fort bien, au-dessus du froissement strident des épées, le cri sourd que poussa le borgne quand la lame se ficha dans sa poitrine.

Après quoi, il y eut un grand cri chez ces gueux :

— Le borgne l'a dans le pitre !

Et chez nos assaillants, un flottement dont nous ne fûmes pas tardifs à profiter, leur donnant de nos bonnes lames bien plus qu'ils n'auraient voulu. D'aucuns de ces truands quittèrent alors la partie, rentrant dans l'ombre dont ils avaient sailli, tandis que d'autres, comme enragés, se ruèrent sur nous de plus belle, criant vengeance et mort, et telle fut leur sauvage impétuosité que nous en mîmes cette fois-ci une bonne demi-douzaine à mal avant que leur feu s'éteignît. Dans l'accalmie qui suivit, Miroul me reprit sa torche de la main et Giacomi me dit dans un souffle :

— Seigneur médecin, votre logis est-il loin ?

— A quarante pas.

— Et vous avez la clé ?

— Je l'ai.

— Seigneur médecin, jetez-leur une poignée d'écus et courons ! Courons pour notre vie ! Dague en bouche ! Epée et pistolet aux poings !

92

Ha! lecteur! Cette poignée d'écus, comme je la plaignis en mon cœur huguenot! Et comme cet or me fit mal en tintinnabulant sur le pavé où je le semai à la volée sans espoir de moisson! Et là-dessus, les gueux se jetant à croupetons qui cy qui là dans la rue, nous prîmes notre course, bondissant comme fols, et ne trouvant devant nous pour nous barrer le chemin que quatre de ces truands dont Giacomi et moi tirâmes deux comme pigeons en foire de nos pistolets, les deux autres incontinent nous cédant le droit de passage.

Cependant, nous voyant fuir, le gros des gueux avait repris du cœur assez pour nous poursuivre, et à peine avions-nous atteint le porche de Maître Sanche qu'ils furent sur nos talons. Pour non pas nous laisser tailler des croupières, il fallut faire face tout soudain, nos dards en avant. Ce fut l'ultime assaut et le plus furieux qui me laissa m'émerveillant de la folle vaillance de ces gueux désespérés qui, ayant mon or, s'acharnaient à quérir ma vie au prix de la leur, au nom de cet étrange et vétilleux point d'honneur qui, chez les chétifs comme chez les grands, éternise les guerres. Giacomi et Miroul, se sentant plus à l'aise à défendre ce petit porche piétonnier où nul ne les pouvait percer par le dos, prenaient de l'appétit à défaire ces coquins. Ayant derrière eux ouvert l'huis de Maître Sanche, je dus, ô merveille, les appeler par deux fois avant qu'ils consentissent à se mettre à l'abri et non sans que Miroul, avec un affreux jurement (lui, le bon huguenot!) n'eût jeté sa torche enflammée à la face des assaillants.

L'huis reverrouillé, Balsa, le cyclopéen commis de Maître Sanche, apparut, fort effaré, une lanterne à la main.

— Ha! dit-il, Révérend docteur médecin, mais vous saignez!

Et en effet, m'envisageant dans un bout de miroir qui pendait au mur, je vis que mon cuir de cheveu sur le côté senestre était estafilé sur deux pouces de long, la petite navrure point grave ni profonde mais pissant le sang comme vache au pré, la joue, le cou et la fraise de ce côté en étant tout à plein rougis.

— Ha! Miroul! m'écriai-je tout soudain, mon bonnet de docteur, si bellement houpé, je l'ai laissé sur le carreau! La pointe de ce brigand me l'a quitté!

A peu que je ne retournasse par les rues pour le quérir tant j'étais mortifié que les gueux eussent de moi ce trophée, et le jour même, hélas, où je l'avais reçu, avec les honneurs suprêmes, du Chancelier Saporta. Mais il me fallut panser, et panser Miroul qui en avait dans le gras de l'épaule, Giacomi seul étant indemne tant son art était fin, sa pointe prompte, et longue, son allonge.

Nous n'étions point encore couchés qu'un archer vint s'enquérir de nous de la part de Cossolat, lequel survenant enfin place des *Cévennes* — le guet s'étant fait rosser cette nuit-là dans la *Devalada* — avait arrêté les gueux que nous avions navrés et sans même les serrer en geôle, les avait envoyés tout bottés au gibet. (Tout bottés, c'est façon de dire, aucun de ces misérables n'ayant botte ni chaussure.)

Je mandai par l'archer à Cossolat qu'il me fît la grâce de rechercher partout mon bonnet carré de docteur dont j'avais grand besoin pour ma chevauchée triomphale du lendemain. Mais le lendemain, n'ayant rien reçu de lui, j'envoyai un tambour dans tous les sixtains de la ville promettre une récompense de deux écus (la seule pécune qui me restât) à qui me le rapporterait. Mais cela ne servit à rien qu'à apprendre aux manants et habitants de la ville notre combat de la Caussalerie, lequel les archers de Cossolat qui ne l'avaient point vu avaient pourtant conté partout, grossissant à chaque fois les nombres, tant et tant qu'à la fin, Giacomi, Miroul et moi, nous fûmes réputés avoir occis ou navré, en cette nuit-là, une bonne centaine de gueux.

Cependant, la perte de mon bonnet de docteur me faisait un tabustant souci, et j'en écrivis à mon « père » Saporta, Miroul lui portant ma lettre à laquelle le Chancelier fort raisonnablement répondit que puisque j'avais le chef pansé, je n'y pouvais mettre un bonnet et qu'il m'autorisait, en conséquence, à mener mon triomphe sans la coiffure de mon grade.

Triomphale, ma chevauchée le fut plus que de nom, pour ce que je fus acclamé partout et par tous, non point parce que j'étais promu docteur (ce qui n'étonnait plus en cette ville où, chaque année, on en façonnait une douzaine tant dans les arts qu'en médecine et dans le droit) mais parce que, avec mes compagnons, j'avais joué si gaillardement de l'épée contre les gueux, lesquels étaient en horreur céans auprès des bonnes gens, commettant, la nuit venue, des excès infinis, éventrant les huis des maisons, tuant jusqu'à des notables et bourgeois étoffés, forçant filles et femmes.

La robe noire de ma jument Accla resplendissait de tous ses miroitants reflets, Miroul lui ayant redonné le matin même de la brosse, combien qu'il pâtit encore de sa navrure d'épaule mais par bonheur ce n'était que la dextre. Avec une patience inouïe, il avait tressé la veille sa crinière et sa queue, touffe par touffe avec des rubans de soie rouge, et rouge aussi était le tapis de selle, et la selle fauve en beau cuir de porc luisant, fort bien façonné et ouvragé par notre Petromol à Mespech. En cet équipage, précédé du bedeau Figairasse et des musiciens jouant d'allègres airs et suivi par les professeurs royaux, les docteurs ordinaires, les licenciés et bacheliers, tous en robe, et montés qui sur des chevaux, ou qui sur de paisibles mules, je chevauchais dans les rues les plus belles de Montpellier parmi un grand concours de peuple, lequel m'applaudissait à oreilles étourdies comme si j'avais, la veille, terrassé le dragon qui les terrorisait. On peut bien penser qu'ainsi caressé par le populaire — en cette même ville où j'avais été odieux à tous pour avoir abrégé le pâtiment de l'abbé athée Cabassus —, je me paonnais à l'infini sur ma belle Accla, encore que je n'en laissasse rien voir, gardant la face sereine, immobile et comme imperscrutable, sauf à donner dans les occasions la contr'œillade aux mignotes qui, du haut de leurs fenêtres ornées de fleurs, m'envisageaient, toquant des paumes, d'un air friand.

Ma chevauchée achevée, je me rendis au débotté à l'hôtel de Joyeuse, mais de ce qui s'y passa je ne veux dire mot ni miette, d'aucunes délicates dames qui ont lu la première partie de ces mémoires s'étant trouvées offensées au plus tendre de leur conscience par les ébattements que dans le feu de ma remembrance je m'étais laissé aller à conter. Et encore que j'opine que ces dames ont plus de raison d'être offusquées par ce qu'elles voient à leurs alentours en la quotidienne vie que par tout ce qu'elles pourraient lire de plus piquant dans les livres, je tiens trop à leur amitié pour les meurtrir plus avant.

A y songer, quelles dents de scie fait le destin d'un homme! Promu docteur avec les suprêmes honneurs à l'issue de mes *triduanes*, à peu que je ne fusse le lendemain porté en terre par les couteaux des gueux. A ces meurtreries échappant, me voilà le surlendemain acclamé ange et héros par la moutonnière multitude. Et le soir même, martyr heureux, je cueille mes lauriers parmi les blondeurs et les suavités de la plus haute dame qui fût en Montpellier, laquelle au surplus, ayant ouï de mon bec mes pertes, tout soudain les conforte. Ha! La vie n'est qu'un rêve, je le vois assez, la roche Tarpéienne étant si proche du Capitole et la fortune, à son gré, nous trantolant de l'une à l'autre.

Manquait pourtant à mon bonheur présent mon bien-aimé Samson lequel, à l'Aiguillerie, cette Circé escambillée tenait serré dans l'enclos de ses membres, sans que le pauvret, délicieusement glouti, pût échapper à la friande ogresse durant les cinq jours qu'elle passa en Montpellier sur le chemin de ses dévotions ; et de ces cinq jours, lecteur, comme je le sus par la Thomassine, ne quittant le lit que pour la table, et la table que pour le lit.

Et me faillit, hélas, bien au-dessus de celui-là, un autre bonheur dont j'espérais merveille en mon fidèle cœur, comme je dirai plus loin.

L'escarcelle derechef garnie, je quittai l'hôtel de Joyeuse tout ému de gratitude pour celle qui en était l'âme, regagnant mon logis sur mon Accla galopante, Giacomi et Miroul eux aussi montés et me flanquant, l'épée dégainée, pour ce que Cossolat m'avait avisé de ne plus cheminer à pied nuitamment par les rues de Montpellier, craignant pour moi quelque embûche et revanchement de la truanderie.

À peine étais-je à ma chambre retiré qu'on toqua à l'huis :

— Ha ! Giacomi, dis-je en ouvrant la porte, entre ! Entre ! As-tu demandé à Balsa si on avait rapporté céans mon bonnet de docteur ?

— Hélas, seigneur médecin, dit Giacomi, personne n'est venu. J'en suis bien marri pour vous. Et pour la perte et pour l'augure.

— L'augure, Giacomi ?

— Ne la voyez-vous pas, seigneur médecin ? dit Giacomi une main sur la hanche et fléchissant sur le jarret droit comme s'il était pour porter une botte. Elle est cependant flagrante : si votre bonnet s'est envolé le jour même où vous le reçûtes, c'est que le sort ne vous destine point à exercer votre état.

— Ha! Giacomi! dis-je, pris fort à contre-poil par
ce propos, ce que tu dis là n'est que songerie et
superstition! La fortune ne nous fait point de signe
par où se pourrait deviner le futur. J'aime mon état
de grande amour, et je l'exercerai, avec ou sans bonnet. Ce n'est point celui-là qui compte, mais la tête
qui est dessous et celle-ci, je l'ai de mon mieux
façonnée afin de curer, si Dieu le veut, les intempéries des hommes.

— Seigneur médecin, dit Giacomi ne me baillant
un de ses saluts italiens, lesquels, bien que profonds,
étaient faits sans bassesse aucune, mais avec un
certain air de crête et de grand seigneur; l'augure, si
augure il y a, est bonne ou male, qui le sait? *Che
sara, sara* [1] *!* Et je serai quant à moi au désespoir de
vous avoir offensé surtout dans le moment où je dois
prendre mon congé.

— Prendre ton congé, Giacomi? Et pour où te
rendre? dis-je, béant.

— A vrai dire, je ne sais, dit Giacomi, le visage
riant comme si le nourrir et le loger de sa longue
caresse lui eussent peu importé.

— Pourquoi me quitter en ce cas? dis-je avec quelque chaleur. Sans toi Giacomi, sans ton émerveillable maîtrise à l'épée et sans tes avisés conseils dans
les dents de la mort, j'aurais à coup sûr succombé.

— Sans vous, seigneur médecin, dit Giacomi, son
œil de jais saillant quelque peu de l'orbite et tous ses
traits remontant joyeusement vers les tempes, je
serais, de présent, serré en geôle. Mais, poursuivit-il
avec un geste fort élégant de son long bras, lequel
geste achevé, au lieu que de poursuivre, il s'accoisa.

— Mais, Giacomi?

— Seigneur médecin, je ne voudrais point vous
donner à penser que je n'aime point Miroul, lequel je
tiens à rebours pour le meilleur drole de la création.

1. Ce qui sera, sera.

— Mais, Giacomi ?

— Mais il ne me convient pas tout à plein de partager la couche d'un valet. Seigneur médecin, ne me cuidez pas, je vous prie, arrogant. En Italie ne peut être maître en fait d'armes qu'une personne de qualité, et ainsi suis-je tenu par tous en ma ville natale et réputé noble homme, sinon homme noble.

— Ha ! *maestro* ! dis-je, je ne savais point ce qu'il en était précisément de ta condition, encore que j'aie ouï dire que les maîtres d'épée italiens à la Cour de France, que ce soit celui du Roi ou celui du Duc d'Anjou, tranchent fort du gentilhomme. Chez nous, comme bien tu sais, un maître en fait d'armes n'est qu'un soldat, manuellement expert mais pauvre en savoir, fruste en son entendement, rustique en ses manières. Je te prise, *maestro*, bien au-dessus du meilleur d'entre eux et si la matière te touche à cœur, au lieu que ce soit Miroul, je te prendrai, moi, volontiers comme compagnon de lit, faute d'une chambre où te loger céans.

— Ha ! Seigneur médecin ! dit Giacomi, que je vous sais gré de votre aimable, courtoise et infinie bénignité, mais plaise à vous de ne point considérer que je m'outrecuide ici en vaine gloire et piaffe sotte. Ce n'est point tant moi-même que je veux qu'on respecte que mon épée, laquelle est pour moi tout ensemble un état, un art, une manière de vivre et une philosophie. (Ce disant, il posait sa longue main, nerveuse et délicate, sur son fourreau.) Et si vous vouliez bien condescendre plus outre, seigneur médecin, en vos bontés et me dire « vous » au lieu que de me tutoyer, vous porteriez le comble à mon contentement.

— *Maestro* ! dis-je en riant, s'il n'est que cela pour vous garder, je vous vousoyerai des matines à vêpres ! Une brassée, *maestro* ! Une forte brassée !

Et tirant vers lui, je l'accolai et le poutounai sur les

deux joues, non sans qu'il se baissât quelque peu pour me faciliter la chose et me rendant mes osculations sans chicheté, ses longues mains, au bout de ses bras immenses, me toquant les épaules et le dos.

— Seigneur médecin, me dit-il quand enfin nous nous déprîmes de ces embrassements (et j'observais que son émeuvement lui avait mis les larmes au bord des cils, lesquels étant noirs, longs et fournis, donnaient à son regard luisant je ne sais quel italien velouté), vous êtes, je crois, de la religion ?

— Je le suis.

— Je suis, moi, catholique, dit-il avec quelque sérieux sur sa face rieuse. Et encore que je sache de combien d'infinis abus mon Eglise est corrompue, peux-je dire que je n'entends point la quitter, étant en son giron comme le meilleur des mauvais fils, peu heureux dedans, plus malheureux dehors.

— Voilà qui est fort bien, dis-je avec un sourire, l'envisageant œil à œil ; à tiède papiste, huguenot peu zélé : accommodons-nous chacun à la vérité de l'autre.

— Ou à ses erreurs, dit Giacomi en me rendant mon sourire. Mais, seigneur médecin, que ferai-je quotidiennement à vos côtés ?

— *Maestro*, vous m'apprendrez les finesses de votre art. Je tire assez mal, comme vous avez pu observer.

— Nenni. Pour autant que j'aie pu voir, à la lueur de cette torche, vous ferraillez à la française, j'entends à la fureur, à la chaude, et à l'instant, palliant vos fautes par de damnables retraits du corps et usant du torse entier là où le poignet eût suffi.

— Ha ! *Maestro* ! m'écriai-je, voilà qui me peint au vif, aussi grossier et malappris l'épée en main que cuisinier avec sa broche. Mais patience ! Je serai votre élève appliqué.

— Et moi, seigneur médecin, votre féal, dit Giacomi et me faisant, le geste rondi et gracieux, un de ses profonds saluts, il ajouta, citant le Dante en sa langue si belle et si nombreuse :

— *Tu duce, tu signore e tu maestro* [1] *!*

— *E tu maestro !* m'écriai-je. Mais, Giacomi, poursuivis-je en riant, tu me tutoies !

— C'est poétique tutoiement, dit Giacomi avec quelque vergogne, laquelle cependant était par civilité contrefaite, car c'était l'homme le plus assuré de soi qu'on vît jamais.

— Giacomi, dis-je, comme ravi à moi-même par le chaud du moment, et aimant le *maestro* déjà bien davantage que je ne saurais dire, j'ai un frère cadet que je chéris prou, et un aîné que je chéris peu. Voudrais-tu être celui-là non par le sang, mais par l'élection ?

A quoi Giacomi s'accoisa un petit et combien qu'il sourît suavement, je sentis qu'il s'étonnait en son for de ma française impétuosité et je rougis, le bec quelque peu gelé. Ce que voyant le *maestro*, et mon embarras devinant, il me prit les deux mains dans les siennes et me dit avec une courtoise gravité :

— De tout cœur, seigneur médecin, si du moins, de cette élection, je me trouve à l'usance être digne.

Ha ! Giacomi ! J'ai de cet entretien que je viens de dire un ému pensement tandis que j'écris ces lignes, tant d'années s'étant effeuillées et flétries dans la poussière du temps. Et combien que je parusse ce jour-là pécher par prime-saut et suivre trop promptement ma pente, bien inspiré je fus, à y réfléchir plus outre, t'ayant trouvé, à la première épreuve, si bellement trempé, d'attacher mon âme à la tienne par des grappins d'acier.

Mon autre frère, les cinq jours que j'ai dits, passés

1. Tu seras mon guide, mon seigneur et mon maître.

dans cette fournaise ardente, me revint, amaigri et
rêveux, et dormit d'abord vingt-quatre heures à la
queue, après quoi il s'abandonna au désespoir
d'avoir péché contre la loi du Seigneur, ayant forniqué hors mariage, à s'teure battant sa coulpe, tordant les mains, s'arrachant le cheveu de cuivre, à
s'teure parlant sans fin de son ensorceleuse, avec un
brillement de son œil bleu azur, où se voyaient les
délices qui l'avaient, à chaque heure, dévorée sans
cependant la rassasier. Car chez d'aucunes le gouffre
des flambantes voluptés est sans fond et quiconque
s'y plonge n'en remonte mie.

— Seigneur médecin, me dit Giacomi avec un fin
sourire, à ouïr les propos de votre beau Samson, il
me vient à l'entendement que cette garce normande
est tout juste pareille à ma garce de Gênes et d'elles
deux, on pourrait dire ce que le divin Dante dit de
l'Enfer : *Lasciate ogni speranza, voi ch'entrate* [1].

Cependant, la belle dévote départie pour Rome,
hennissante après les indulgences qu'on y vendait
comme jument après ses avoines, je contai à mon
bien-aimé Samson mon combat de la Caussalerie.

— Ha ! mon Pierre ! me dit-il en sa grande honte et
vergogne, tu courais donc péril de mort et moi je
n'étais pas là, tout ventrouillé dans les dérèglements.
Si ces méchants t'avaient occis, comment m'eussé-je
pardonné ?

— Mais je suis vif, mon Samson ! Et tu seras avec
moi quand je départirai pour Barbentane voir mon
Angelina — avec moi, avec Miroul, avec mon frère
Giacomi.

— Votre frère, Monsieur mon frère ? dit Samson,
son œil azuréen troublé de quelque doutance ou
pâtiment, je ne saurais dire. — Et m'envisageant un
petit, il dit, droit au but comme carreau d'arbalète,

1. Abandonnez tout espoir, vous qui entrez ici.

son œil transparent fixé sur moi en sa candide pureté : — L'aimez-vous plus que moi ?

— Non certes, mon Samson ! m'écriai-je et me levant de mon escabelle, je le tins embrassé et joue contre joue, je lui dis, la voix tremblante de mon émeuvement : Samson, vous êtes le sommet et la neigeuse cime de mes fraternelles amours, et de personne vous ne serez mie dépassé !

A quoi séchant du dos de sa dextre une larmelette qui déjà coulait sur sa claire et belle face, et n'étant pas de ces cœurs jaloux qui n'ont foi en personne, il crut mon dit sans jamais le décroire, et dès cet instant se trouva content en sa noble simplesse.

Le lendemain, je reçus une lettre de mon Angelina qui me plongea dans la désespérance. M. de Montcalm, traînant derrière lui un interminable procès autour d'un moulin de Gonesse, s'était avisé qu'il pousserait plus avant ses affaires en allant solliciter ses juges à Paris, y emmenant tout de gob sa femme et sa fille desquelles il ne pouvait souffrir d'être séparé, ne fût-ce que l'espace d'un jour.

« Ha ! Monsieur, m'écrivait Angelina, quelle méchante traverse ! Je serai dans la capitale quand vous recevrez ceci, et bien marrie d'y être, moi qui me promettais tant de profondes joies à vous voir à Barbentane après vos *triduanes* ! Et je ne sais pas non plus quand nous reviendrons dans le beau pays de Provence, ces sortes de procès se traînant comme limaces en laitue et avec tant de baveries que c'est une embrouillasse à perdre ses aiguilles ! Ha ! Monsieur, j'enrage ! J'ai ouï Monsieur de Montcalm dire à ma mère qu'il me voulait marier à Paris, en quoi il sera bien étonné de me voir si fermement contraire et rebéquée, n'aimant rien tant ni personne que vous, Monsieur, et vous ayant baillé ma foi jusqu'à la mort, laquelle toutefois — que le Seigneur n'aille point s'y tromper ! — je ne désire en aucune guise, n'ayant appétit qu'à l'inouï bonheur d'être un jour toute à vous. »

Ha! lecteur! As-tu jamais reçu de pucelette plus touchante et naïve lettre? Et peux-tu imaginer à la fois mon chagrin et mon émeuvement à lire ces lignes adorables par où Angelina m'était si proche par le cœur et pourtant si lointaine, car à Paris, si elle y devait loger longtemps, comment la joindre? comment monter jusqu'à la capitale? avec quelles pécunes? et sous quelle couleur et prétexte qui pourraient jamais persuader mon père de la nécessité de ce voyage tant coûteux que périlleux?

Me jetant sur mon lit, tantôt je baisais cette lettre comme je l'eusse fait de la main qui l'avait écrite, et tantôt je la mouillais des larmes qui, sans discontinuer, coulaient de ma face. Car je ne pouvais, quoi que j'en eusse, arrêter mes sanglots, tant cette navrure m'était cruelle et d'autant plus que le temps de galoper à brides avalées de Montpellier à Barbentane, en moins d'une semaine, je la cuidais déjà dans mes bras, tiède et douce en ses longs cheveux, alors que tout soudain, elle m'était retirée, serrée en lieu inaccessible, séparée de moi quasiment par toute la longueur du royaume, laquelle ne pouvant parcourir, je regardais les mois et les mois qui me séparaient d'elle comme celui qui n'a pas d'esquif envisage les étendues océanes. Ha! quel désert de vie, après ce coup, s'étendait devant moi! Et comme tout, au regard de cette traverse, me paraissait vain, sec, caillouteux, sans profit ni commodité d'aucune sorte et jusqu'à ce titre de Révérend docteur médecin dont j'étais maintenant orné et qui n'était plus que creuse viande dans les dents de mon pâtiment!

Ha! les folies, les songes et la friande insatiableté d'un amant! Je serrai la lettre d'Angelina contre mon cœur et la minute après, essuyant mes pleurs, je la retirai de mon pourpoint et voulais, à force forcée, la relire. Havre de grâce ! Je la relus plus de cent fois et à chaque fois, conforté d'abord par le son de sa voix (sa lettre étant tant vive et pétulante que sa parole) je cuidais voir, sur moi attaché, le regard infiniment tendre de ses yeux de biche. Mais hélas ! De quel prix fallait-il payer ensuite ce plaisir, car tant plus il me rendait mon Angelina présente, tant plus il donnait à son absence une pointe qui me navrait.

Je fus trois jours sans quasiment saillir de ma chambre et sur moi-même replié, souffrant mille morts, pleurant et gémissant, ne descendant à la salle commune que pour manger du bout du bec la chiche chère de Maître Sanche. Mme de Joyeuse, à la fin, s'enquérant de moi par son valet, je lui fis répondre que je devais le lit garder. Le croirez-vous ? Cette haute dame, tant folle que moi-même, quoique d'un objet différent, poussa l'audace jusqu'à me venir voir en mon logis à la tombée du jour, il est vrai dans un carrosse de louage pour que ma rue ne vît pas sur le sien les armes des Joyeuse et en outre fort masquée et voilée et en attifure qu'elle jugeait bourgeoise (et qui, à mon opinion, l'était peu) et en ma chambre, l'huis reverrouillé, elle resta trois grandes heures à me consoler (pour ce que je lui dis tout, comme à l'accoutumée, sur mon Angelina) et me confortant — par degrés, chaleur d'émeuvement et pente insensible, m'amena à la conforter. Ce que je fis par gratitude, par bonne grâce et aussi pour ce que ces trois jours n'avaient guère étiolé ma native vigueur, comme je l'observais avec étonnement, me cuidant déjà à la mort.

Tant est que le lendemain, je me sentis assez gaillard pour tirer pour la première fois avec Giacomi, à vrai dire peu de temps, mais assez pour me persuader que j'aurais à désapprendre avec lui tout ce que j'avais appris avec Cabusse pour ce que sans bouger du tout le corps, ni même, semble-t-il, le bras, et sa lame épousant étroitement la mienne, il faisait si bien que ma pointe ne le touchait mie, alors que la sienne, s'il l'eût voulu, m'eût fait des boutonnières en toutes les parties vitales.

Je revois encore mon Giacomi en cette première leçon (Miroul sur une escabelle et n'en perdant pas miette) si long et gracieux en ses précises et parfaites postures, tenant de l'araignée par ses membres et de l'oiseau par sa vivacité, l'œil de jais fort saillant, la face comme pétrie de courtoise civilité, tandis que, cérémonieux, il écartait ma lourde lame et me piquait, retenant la piqûre dans l'instant même où il me la baillait.

— Pierre, dit-il enfin se reculant de deux pas aussi légèrement que s'il eût dansé, tenez ferme ! Je vais avoir l'honneur de vous désarmer !

Et ce disant il me fit un ample et noble salut de son arme. Je ne crus pas mes oreilles de sa quiète assurance, et à peine en crus-je ma dextre vide, quand mon épée, à elle s'arrachant, alla voler à l'autre bout de la chambre.

— Ha ! mon frère ! criai-je, il y a là quelque magie !

— De la magie ! cria Giacomi, que ce mot parut prendre fort à contre-poil, non mon Pierre, de l'art ! De l'art et du savoir ! Une conception aiguisée par l'étude, et dans l'exécution, la maîtrise due à un incessant labour !

Le lendemain, je reçus une lettre de mon père, lequel me commandait, puisqu'on m'avait promu docteur médecin et Samson étant maître depuis un an déjà, de dire adieu l'un et l'autre à notre vie d'écolier en Montpellier et de revenir à Mespech où, combien que nous ne fussions pas prodigues, il tuerait le veau gras pour ses bien-aimés fils, et pour le maître Giacomi à qui il devait ma vie, et pour le gentil Miroul qu'il aimait bien au-dessus de sa condition.

106

Je me donnai encore huit jours pour faire mes adieux à la bonne Thomassine, à Cossolat, à Mme de Joyeuse, laquelle pleura à cœur fendre et me serra sur son tétin à ne se rassasier jamais. Elle me fit jurer de la joindre dès que je pourrais sans offenser la frérèche, et en son émerveillable largesse, elle me garnit derechef en pécunes afin, dit-elle, que de nous vêtir de neuf, mon frère et moi, et Giacomi qui allait fort reprisé, et Miroul, et ainsi d'apparaître en tout honneur et convenable équipage en la baronnie de mon père.

CHAPITRE III

Dans le royaume, depuis l'édit de Saint-Germain, régnait entre papistes et huguenots une sorte de paix comme toutes celles qui avaient précédé, instable et rechignée, les offenses aux nôtres restant de-ci de-là si fréquentes que nous n'avions pas consenti à rendre au roi les places fortes que l'édit nous faisait obligation de lui restituer. Toutefois, il me parut que je pouvais, sans hasarder trop, prendre par le chemin le plus long et facile, j'entends par Carcassonne, Thoulouse et Montauban, au lieu que de non pas traverser les monts des Cévennes et d'Auvergne, ce qui nous eût mis à tant de lenteur et nos montures, à tant de peine. Et bien nous échut de cette décision, car nous ne connûmes en notre route ni embûche ni attaque des gueux et point d'autres aventures que les non-guerrières en ces auberges où les chambrières, pour retenir la pratique, ont commandement de se montrer ployables à la friandise des hommes. Encore n'abusai-je point, comme le baron de Caudebec, de ces commodités, ne restant en ces logis que le temps qu'il fallait pour reposer les chevaux, mon bien-aimé Samson s'y rongeant les ongles, sa vertu en l'absence de Dame Gertrude du Luc étant irréfragable mais non la mienne, comme on sait, ni celle de Miroul, ni davantage celle de mon frère Giacomi, fort superbe en le pourpoint de velours écarlate que, sur mon ordre, le tailleur Martinez lui avait façonné avant notre département.

Sur les pécunes baillées par Mme de Joyeuse, je lui avais acheté aussi un fort beau et bon cheval, plus grand que n'étaient nos arabes pour ce que les jambes de Giacomi, si on l'eût mis sur un de ceux-ci, eussent pendu quasiment jusqu'à terre. Ainsi juché sur sa forte monture, et plus âgé que nous trois de cinq à six années, et nous dominant d'une tête, mon Giacomi faisait figure de Mentor, gardant ses Télémaques de tout danger et péril.

A Sarlat, atteint au bout de trois semaines sans encombre ni traverse aucune et me cuidant déjà accosté au havre et rendu à quai — Mespech n'étant plus qu'à cinq petites lieues de là — je requérai l'aubergiste des *Trois Moutons* de me bailler un cabinet où je décidai que, nous désarmant de nos corselets, quittant nos morions, nous mettrions nos pourpoints afin que d'apparaître aux yeux de la frérèche et de nos gens dans notre gloire et braverie. Que ce fût là vanité toute pure, hélas j'en conviens et Giacomi me le dit assez qui n'eût pas voulu que nous nous découvrions avant que d'être en sûreté dans nos murs. Mais je ne voulus point l'ouïr, trouvant le risque fort petit, tout le pays périgordin m'étant si bien connu entre Sarlat et Mespech que j'eusse pu nommer à qui était ce champ, à qui celui-là, à qui ce beau mas, et à qui cette masure.

Je décidai de prendre par le chemin des Beunes, lequel était le plus facile pour nos montures fourbues, mais non pas le plus sûr, car il sinuait en une étroite combe le long de la rivière, laquelle combe était flanquée à dextre comme à senestre de pentes trop abruptes pour qu'un cheval pût les gravir. Giacomi, sourcillant, me fit observer que nous étions là serrés comme dans une nasse, sans autre issue que de retracer nos pas si nous étions attaqués par une trop forte troupe, ce qui nous eût mis en grand danger d'être arquebusés dans le dos. Sur son conseil, on s'arrêta pour charger les pistolets de nos fontes et, dégainant l'épée, on la laissa pendre par la dragonne à notre poignet, précaution que je trouvai fort excessive, étant alors à cinq ou six portées de cailloux de notre moulin des Beunes dont déjà je distinguais le toit de lauzes parmi les frondaisons.

Cependant, en passant devant le petit sentier fort abrupt qui mène à Taniès, nous y vîmes, immobiles et muets, quatre cavaliers qui, se mettant en branle dès que nous fûmes passés, nous vinrent trotter dans le dos.

— Ha! Je n'aime pas ça! dis-je, me ramentevant situation semblable en mon combat des Corbières, mettons le pistolet au poing et demandons à ces marauds ce qu'ils veulent.

— Monsieur mon frère, dit Giacomi, si vous m'en croyez, mettons l'un au poing et un seul, et l'autre, calons-le entre la selle et une fesse pour ce que tout l'art est de celer à l'adversaire jusqu'à l'ultime minute une arme dont on a l'usance.

A mon commandement, faisant volter nos montures, nous affrontâmes ces coquins, nous arrêtant à quelques toises d'eux. Et eux de leur côté bridant court, béants devant nos pistolets et fort dans l'embarras, de poursuivants devenus poursuivis, on fut là à quelque temps à se contr'envisager sans rien résoudre. Car à vrai dire, bien qu'armés d'armes blanches, ils ne les avaient pas au poing, et bien que de mine assez basse, ils n'avaient pas l'air de gueux de grand chemin, portant une sorte de livrée comme s'ils eussent appartenu à un gentilhomme.

— A qui êtes-vous? dis-je d'une voix forte et la face fort sourcilleuse.

A quoi ils s'entre-regardèrent dans le plus évident

tracassement, et pas un ne pipa. Ce qui me contraignit à répéter ma question, mais cette fois en ajus-
tant de mon pistolet le quidam qui me faisait face,
lequel était un Roume, de mince et souple taille, l'œil
liquide et vif et la face de sueur ruisselante dès qu'il
vit le canon de mon arme pointer contre son cœur.

— Moussu, dit-il d'une voix rauque, nous sommes
au Baron de Fontenac.

— Ha ! dis-je, et moi, savez-vous qui je suis ?

A quoi le Roume répondit mais non point incontinent et comme s'il était en quelque doutance de
ce qu'il devait dire, que j'étais de lui déconnu.

— Mon frère, dit Giacomi à voix basse, cet
homme ment.

— Je le cuide aussi, dis-je du même ton. Mon
frère, les tirons-nous ?

— Nenni, dit Giacomi. Ils n'ont pas l'arme au
poing. Ce serait meurtrerie.

— Tirons-les cependant, dit Miroul. Cela fera
quatre coquins de moins.

— Ho non ! Ho non ! dit mon Samson, fixant sur
nous son œil azuréen. Ne sont-ils chrétiens tout
comme nous ?

— Je connais l'aune de ces chrétiens-là, dit entre
ses dents Miroul dont toute la famille avait été par
des gueux égorgée.

— Compagnons, dis-je d'une voix forte, que fai-
siez-vous dans le sentier de Taniès ?

— Nous revenions du village, dit le Roume. Et
assurément il mentait encore.

— Et que quérez-vous à nous courir dans le dos ?

— Rien que passer.

Et là, derechef, le doigt me démangea fort de le
dépêcher sans tant languir, mais me ramentevant
combien Fontenac avait pour lui les juges (à telle
enseigne que le témoignage de Bouillac dans l'affaire
de notre moulin des Beunes était resté lettre morte),

je ne voulus point donner prétexte à ce méchant de citer Siorac devant le Présidial pour la meurtrerie de ses gens, et je me résolus au parti le plus doux.

— Eh bien, passez sans être molestés plus outre, dis-je. Et que Dieu qui nous voit décide si j'ai tort ou raison.

— La merci Dieu et à vous, Moussu, dit le Roume, lequel ouvrant la bouche et élargissant son poitrail, aspira l'air avec une avidité merveilleuse, je vous revaudrai cela dans les occasions.

Nous nous rangeâmes donc en une file sur le bord du chemin, et ils nous passèrent, fort aises d'être encore en vie, et le dos, je gage, les démangeant fort de nos pistolets tant qu'ils n'eurent pas rondi le tournant du chemin.

— Mon frère, dit Giacomi, où est Mespech?

— Après le tournant que voilà s'ouvre à senestre un petit chemin, lequel, traversant un petit pont sur une des Beunes, mène à notre moulin d'où un sentier mène au château.

— Et ne peut-on, d'où nous sommes, gagner tout droit le moulin?

— Nenni, le bout de champ que vous envisagez là, en contrebas du chemin, est gâté par une Beune divagante. C'est marécage, on s'y enfoncerait!

— Alors, dit Giacomi, j'opine qu'au lieu d'aller donner du nez, comme des étourneaux, dans les toiles qu'on nous tend, il serait plus sage de retourner à Sarlat.

A quoi je réfléchis un petit.

— J'opine, dis-je, différemment. Nos chevaux sont fourbus. Ces méchants ne laisseraient pas que de nous rattraper et il faudrait alors se battre loin de Mespech sans en attendre le secours qui céans ne peut manquer de nous advenir. Qu'opines-tu, Samson?

— Mais, dit Samson fixant sur moi son œil bleu, qui dit que ces bonnes gens nous veulent courir sus?

— Ha! Samson! dis-je en souriant (si fort que cette male heure me poignit), tu n'es pas de ce siècle : tu lis trop les Evangiles et pas assez Machiavel !

— Oh! mon frère! dit Samson avec douleur, lire trop les Evangiles! Est-ce raison de parler ainsi?

A quoi j'allais répondre quand Miroul dit :

— Moussu, peux-je opiner aussi?

— Opine, Miroul.

— Primo, comme vous disiez en vos *triduanes*, avant que d'avancer, tirons en l'air un coup de pistolet pour alerter Coulondre Bras de Fer en son moulin afin qu'il dépêche sa Jacotte, par le souterrain, à Moussu lou Baron. Secundo, envoyons l'un de nous — qui se trouverait d'aventure être moi — jusqu'au proche tournant pour reconnaître.

— Miroul, dis-je, c'est parler d'or! Sauf que je vais mettre ton discours cul par-dessus chef et placer ton secundo le premier. Va, Miroul, va reconnaître, et le nombre, et les armes de ces tant bonnes gens.

Miroul, remettant dans les fontes le pistolet qu'il avait, comme nous tous, sous sa fesse, démonta en un battement de cil et jetant à Giacomi la longe de son cheval de bât, il me bailla les rênes de son hongre, et léger, fluet, le pied pesant peu sur le sol, il s'avança jusqu'au tournant, et là au lieu que d'avancer par degrés le museau jusqu'à voir de l'autre côté, je le vis escalader l'abrupt et quasi vertical rocher que le chemin, en bas, rondissait, et par degrés, s'élever le long d'un mur, en haut de la rude paroi.

— Quelle émerveillable agilité! dit Giacomi avec une quiétude et une sérénité qui ne laissèrent pas même de m'émerveiller en l'âpreté de notre prédicament. Avec votre permission, mon frère, j'instruirai Miroul en mon art. Combien qu'il ne soit pas né, il mérite cette condescension.

— Je le cuide aussi. Et n'est-ce pas pitié qu'un

honnête drole, franc comme écu non rogné, vaillant, loyal, ayant au surplus bon et délié entendement et grande adresse de corps, ne peuve aspirer plus haut qu'à l'état de valet s'il a vu le jour, par malheur, dans le plat pays en chétive masure?

— Il pourrait avancer plus haut, dit Giacomi, s'il était d'Eglise, sachant lire et écrire, ou mieux encore, s'il suivait la fortune des armes. Mais il faudrait vous quitter et il ne le fera point. Il nourrit pour vous une trop grande amour.

— Et comment pourrais-je souffrir, moi, qu'il me quitte? dis-je non sans quelque émeuvement. Je le chéris aussi, tout valet qu'il soit.

Et cependant, tandis que je disais ceci, affectant de jaser d'un ton tranquille avec Giacomi, en dépit de l'anxiété du moment, laquelle restait pour ainsi dire souterraine en moi, il ne m'échappa pas que je préférais ma propre commodité à l'avancement de Miroul.

Et ce pensement me donnant contre moi de l'humeur, et Miroul à cet instant à moi s'en revenant, je lui dis avec quelque rudesse:

— Tu fus bien long. Pourquoi cette escalade?

— Moussu, dit Miroul dont l'œil marron s'attrista tandis que son œil bleu restait froid (signe qu'il était fort navré de mon reproche), je voulais avoir de là-haut de plongeantes vues sur les fontes des chevaux, lesquelles, à vrai dire, m'ont paru vides de pistolets, pistoles ou arquebuses. Cependant, à la queue de cette petite bande qui ne compte pas plus de sept hommes, j'ai vu deux montures sans cavalier, ce qui veut dire peut-être que deux de ces coquins sont en embûche sur l'abrupt coteau de Taniès pour nous tirer comme des pigeons.

— La merci à toi, Miroul, dis-je fort vergogné de mon impatience, je n'eusse pas fait si bien. As-tu vu ce traître de Fontenac?

114

— Oui-da, dit Miroul, en pourpoint et toque cramoisie, et fort raide sur un grand chattemite de cheval blanc qui tâche de nous faire accroire que l'âme de mon maître est de même couleur.

Et combien que je ne trouvasse pas cette saillie fort bonne, j'en ris à gueule bec pour mettre quelque baume sur la navrure que j'avais faite à mon gentil valet.

— Miroul, dis-je, attache le cheval de bât à la branche tordue de ce figuier qui s'essaye à pousser entre les pierrailles du coteau, remonte en selle, tire en l'air le coup que tu as dit et recharge.

Tandis que Miroul faisait comme je lui commandai, Giacomi détacha de son épaule sa cape et, ayant ramené son deuxième pistolet plus commodément de dessous sa fesse entre ses longues cuisses, jeta le mantelet sur ses genoux.

— Samson, dis-je, ne soyez point si rêveux et songeard. Je vous sais vaillant, soyez vif. Et ramentevez-vous à faire feu promptement, s'il le faut. Ce Fontenac est le fléau de Mespech. On vous l'a dit cent fois.

— Je m'en ramentevrai, dit Samson.

Je prononçai alors un Notre-Père à voix basse que tous trois reprirent et ayant fait le signe de la croix sur mon front, mes lèvres et sur mon cœur, je dis d'une voix gaillarde et enjouée comme eût fait mon père à ma place :

— Compagnons, le jour est à nous. Allons !

On piqua mais fort doux, l'épée nue pendant par la dragonne au poing et celui-ci serrant un pistolet, les chevaux au pas et dressant fort l'oreille, et quant à nous, l'œil de chacun de-ci de-là épiant, et le cœur nous toquant, comme bien on pense, sous la contrefaite impassibilité. Dieu sait le temps que prit le damnable tournant du chemin à rondir le rocher que Miroul avait escaladé ! Et comme ce temps nous parut long ! Mais tout soudain, nous y fûmes, et comme surpris d'envisager nos ennemis, alors même que nous les savions là.

Ils n'étaient point sept comme Miroul avait dit mais huit, et le huitième derrière les montures sans cavaliers était le curé de Marcuays, lequel les laboureurs du plat pays nommaient Pincettes, en raison de sa paillardise comme j'ai conté ailleurs.

— Ha! Monsieur le curé, criai-je, que faites-vous donc là?

Mais il ne put répondre, nos chevaux se mettant à hennir comme fols, y ayant peut-être dans le camp adverse un étalon non coupé qui troublait nos juments. Ceux ou celles d'en face répondant, ce fut un beau concert et un grand remuement de croupes, de sabots et de poitrails qu'il fallut brider et apazimer avant que la parole revînt à l'homme. Je dis la parole, je n'ose dire la raison, pour ce qu'à tout prendre, l'homme est une bête moins sage que sa monture, et mille fois plus cruelle.

Pendant ce temps, ne pouvant ouvrir le bec en cette éperdue vacarme, nous nous entrevisagions et quant à moi, fort curieusement, car ce Fontenac qui était l'ennemi juré de notre famille (et son père avant lui) je ne l'avais jamais vu, le Baron-brigand n'apparaissant mie dans les embûches qu'il nous dressait, sauf de présent, ce qui ne laissa pas de m'étonner et de me mettre puce au col. Et à vrai dire, bien qu'il fût le plus fieffé brigand de la création, je ne faillis pas à l'admirer tandis que, raide et droit sur son cheval blanc, il tâchait de le maîtriser. Car à n'envisager que sa charnelle enveloppe, c'était un fort beau gentilhomme, et de sa corpulence très grand et très fort quoique tirant quelque peu sur le gras, à ce qu'il m'apparut. Quant à sa face, à la considérer d'œil à œil, elle était belle aussi, la mine noble et haute, le cheveu et la barbe bouclés, la pupille fort luisante. Cependant cette face trahissait, quand il tournait la tête, une ressemblance tant fâcheuse qu'inquiétante avec un oiseau de proie, le nez étant busqué comme bec de faucon. La vêture de ce Fontenac correspondait à son apparence et il était superbement habillé d'un pourpoint cramoisi et de chausses de même couleur avec des crevés noirs, cette attifure non point comme celle de mon Giacomi en velours, mais en satin.

Au botte à botte avec le baron, se tenait sur un cheval trapu un quidam qui montrait une épaule fort large, un poitrail bombé, une taille courte et ramassée et là-dessus, une trogne tant vile, atroce et sanguinaire que celle de son maître paraissait noble. Je le reconnus (pour l'avoir entraperçu à Sarlat, où du reste il se montrait peu, étant partout en fort mauvaise odeur), il passait pour être le majordome de Fontenac et aussi quelque peu son frère bâtard mais non comme Samson reconnu, et il se faisait bizarrement appeler le Sieur de Malvézie, encore qu'il n'y eût aucune terre de ce nom dans le Sarladais : homme, disait-on, de très basses œuvres et mettant sa grosse patte à toutes les brenneuses entreprises où le baron, qui pourtant les suscitait, n'eût pas voulu hasarder le bout de son gant. Car ce Fontenac était chattemite en diable, papiste zélé, assidu à messe, caressant l'Evêché, et de lui fort bien vu, n'étant point chiche en ses rusées largesses.

Quand les tapages des chevaux furent finis, Fontenac, qui de son côté n'avait point manqué de m'envisager de la botte à la toque, me dit, l'air grave mais non point sourcillant :

— Monsieur, que faites-vous céans, le pistolet au poing et l'épée dégainée, sur un chemin qui appartient à ma châtellenie ?

A quoi je m'accoisai un petit, tout béant de l'impudence de ce brigand à soutenir que le chemin des Beunes était à lui. « Mon frère, souffla Giacomi, cette montagne d'homme court après un duel, et le curé est là, qu'il le veuille ou non, comme témoin. Soyez fort mesuré en vos répons. »

— Monsieur le Baron, dis-je en le saluant, je n'ai pas ouï dire que ce chemin était à vous.

— Il l'est, dit Fontenac sans battre un cil, en vertu d'un droit très ancien que j'ai le propos de relever.

— Monsieur le Baron, dis-je courtoisement, il y faudra l'accord du Sénéchal de Sarlat et un jugement du Présidial. Et en attendant que vous l'ayez, faites-moi la grâce de me laisser passer pour retourner en ma maison.

— Monsieur, dit Fontenac, je ne saurais recevoir requête qui m'est faite à main armée.

— Monsieur le Baron, dis-je, nous n'avons dégainé que parce que quatre de vos gens nous couraient dans le dos. Mais dès que nous avons su qu'ils étaient à vous, nous les avons laissés passer.

— Sans cependant rengainer, dit Fontenac, cette fois sourcillant. Et vous me parlez, Monsieur, le pistolet au poing. Vous m'offensez.

A quoi, recevant un toquement de botte à botte de Giacomi, je dis de façon fort suave :

— S'il y a offense, Monsieur le Baron, je vais la faire cesser. Monsieur le Curé de Marcuays sera témoin de ma bonne volonté à me désarmer et des excuses que je vous fais.

Et ce disant, incontinent imité de Samson, Giacomi et Miroul, je remis mon arme au fourreau, et dans mes fontes, celui des pistolets que j'avais au poing, fort heureux de sentir l'autre me navrer la fesse senestre.

Là-dessus, le Sieur de Malvézie, sa vilaine trogne rougissant de dépit et son œil jetant des flammes, cria alors d'une voix tonnante :

— Qu'avons-nous besoin de ces clabauderies ? Finissons-en avec ce maraud !

Et là-dessus, Giacomi me toquant, je restai la face impassible et comme imperscrutable, feignant de n'avoir pas entendu ce propos afin de n'avoir pas à le relever.

— Paix là, Malvézie! dit Fontenac.

— Monsieur le Baron, dis-je, je vous fais, désarmé, la même requête que devant.

— J'y réfléchis, dit Fontenac.

Et tandis qu'il s'accoisait, ne sachant je gage comment pousser plus outre cette provocation, j'observai que Giacomi scrutait fort étroitement du coin de l'œil les buissons du côté abrupt de Taniès comme s'il se fût attendu à y découvrir le canon d'une arquebuse. Ha! pensai-je en un éclair, je t'entends enfin, Fontenac! Une balle pour mon Samson! Et ton épée pour moi. Occire le même jour les deux cadets du baron de Mespech, quelle gloire ce serait pour toi! Et qui saurait jamais le vrai de cette obscure affaire de chemin, celle-ci n'ayant eu que ce témoin douteux et du reste terrorisé : le curé de Marcuays.

— Monsieur, reprit Fontenac, avez-vous ouï le propos du Sieur de Malvézie?

— Non, Monsieur le Baron, dis-je, je ne l'ai pas ouï.

— Dois-je le répéter?

— Ce n'est pas utile. Je ne l'ouïrai pas davantage.

A quoi le baron sourit et dit sur le ton de la plus offensante gausserie :

— Honneur peu chatouilleux requiert oreille sourde.

A quoi, la botte de Giacomi toquant la mienne, je dis :

— Monsieur le Baron, laissez de grâce les Siorac s'inquiéter de leur propre honneur.

— Quoi! Monsieur! dit le Baron avec un étonnement assez mal contrefait, vous êtes un Siorac! Sachez-le! Je tiens cette famille en grand déprisement. Elle a accumulé contre mon père et contre moi les offenses et les iniquités.

— Il vous faut donc en demander la raison au Baron de Mespech et non à son cadet.

— Son cadet! cria Fontenac avec hauteur. Etes-vous ce Pierre de Siorac qui a souillé son blason de gentilhomme en allant étudier médecine en Montpellier?

— Monsieur le Baron, avez-vous pensé, il y a six ans, que mon père souillait son blason quand il soigna et cura de la peste Madame votre fille?

A quoi, Fontenac, me jetant un regard furieux, s'accoisa, et moi voulant tirer parti de son embarras, je dis d'une voix froide mais cependant fort polie:

— Monsieur le Baron, je vous requiers derechef, en toute courtoisie et civilité, de me laisser le passage du chemin.

— Oui-da, béjaune! dit Fontenac, vous jouez fort bien du plat de la langue! Mais joueriez-vous aussi bien du plat de l'épée ou de la pointe?

— Quoi? dis-je, un duel? Avec moi? Monsieur le Baron, vous visez trop bas, je suis trop petit gibier pour vous! Que ne défiez-vous plutôt en loyal combat le héros de Cérisoles et de Calais?

— Ce faux héros, dit Fontenac grinçant des dents, est un vrai faquin. Son père était laquais.

A quoi Giacomi me toqua fort de botte à botte, mais cette fois-ci je ne consentis plus à suivre son muet conseil et je dis d'une voix fort coupante, articulant avec force mes mots:

— Mon grand-père, Monsieur, n'était point laquais, mais apothicaire à Rouen. Mon père, engagé dans la légion de Normandie, y devint capitaine et écuyer. Il fut fait chevalier sur le champ de bataille de Cérisoles par le duc d'Enghien. Et le Roi Henri II le fit baron après la prise de Calais. Monsieur de Fontenac, si vous répétez les propos que vous avez tenus, cette fois-ci, je les ouïrai.

120

— Je les répète, dit Fontenac avec un grand brillement de l'œil et la crête fort haute.

— Monsieur le Baron, vous m'en rendrez raison.

— Céans et sur l'heure! cria Fontenac d'un air fort triomphant. Ce petit pré en contrebas du chemin vous convient-il?

Bien je connaissais ce petit pré pour appartenir à un laboureur nommé Faujanet, cousin de celui qui était de nos gens, et pour être une enclave dans nos terres que la frérèche n'avait pu réduire, ce quidam ne voulant pas le vendre, pour ce que si près des Beunes il n'était pas cependant gâté d'eau, mais fort sain, et de bonne terre.

— Oui-da! dis-je, il me sied.

— Mon frère, me souffla Giacomi, prenez garde à ne pas choir le pistolet que vous avez sous la fesse.

J'opinai, et dégrafant ma cape je fis comme il avait fait et fus assez adroit pour replacer l'arme dans les fontes sans qu'on la vît.

— Mon frère, dit Giacomi à voix basse, quittez votre pourpoint et requérez au Baron de vous imiter.

Ce que je fis, mais le baron, branlant du chef et sans mot piper, refusa.

— Ha! dit Giacomi, je le pensai à le voir si raide sur son cheval. Le traître a une cotte de mailles sous son pourpoint! Pierre, il te faudra piquer à la face ou à la gorge.

— Mon frère, dit Samson fort pâle, l'œil brillant et les dents si serrées qu'il ne zézaya point, dois-je incontinent tirer ce félon qui, à l'encontre de toute loyale usance, se couvre d'un fer dans un duel où son adversaire est en chemise?

— Gardez-vous-en, Samson! Les papistes crieraient à la meurtrerie!

Ayant dit, je démontai et jetant les rênes de mon Accla à Samson (afin qu'il ne pût tirer, ayant les mains tant occupées de sa monture et de la mienne) je me tins debout, les deux mains sur le troussequin de ma selle et la tête penchée.

— Que faites-vous? cria le baron. Que signifie tout ce retardement? Etes-vous couard?

— Je prie le Seigneur, Monsieur, avant de me battre.

Mais à la vérité, que Dieu me pardonne, en cet instant je ne priais point, je voulais ouïr Giacomi et ses sages avis. Giacomi le comprit, et joignant les mains et feignant lui aussi de prier, il me dit à très basse voix:

— Mon frère, ce vilain-là a passé quarante ans, il est fort, mais gras assez, de surplus alourdi par sa méchante cotte. Essoufflez-le! Rompez! Rompez! Tournoyez autour de lui comme mouche autour d'un lion! Harcelez-le! Dérobez-vous! Et gardez-vous de ses ruses déloyales et félonnes comme de jeter sa toque à votre face pour vous aveugler. Et rompez, pour l'amour de Dieu! N'acceptez point le corps à corps! Il vous écraserait! Encore une fois, rompez! Vous lui ferez, à force de vous courir sus, les jambes molles, le bras lent et le cerveau confus. En outre, votre retardement laissera à ceux de Mespech le temps d'advenir. Pour vous, ne hasardez rien, n'essayez rien où le péril soit. Ne piquez qu'à coup sûr, et à la face.

— Giacomi, dis-je, à mon tour un avis: ne t'attache point à envisager notre combat en ses péripéties. Garde un œil sur ce coteau de Taniès, sur ces buissons, sur ces arquebuseurs que tu y crois cachés. Je te confie la vie de mon Samson. A toi aussi, Miroul.

— Monsieur! cria Fontenac. Cette prière s'éternise! Votre âme est-elle si noire qu'il faille tant la recommander à Dieu?

— Monsieur le Baron, dis-je d'une voix forte et tenant haut la crête, ce n'est point pour mon âme que je priais! Mais pour la vôtre!

Je fus content assez de cette gasconnade, et enveloppant mon avant-bras senestre de ma cape, je tirai ma dague, mon épée étant déjà en ma main, sans attendre Fontenac, craignant, si je ne le devançais que d'un pas, quelque traître coup dans le dos, je bondis en bas du talus et, en ma course, atteignis en un battement de cil le centre du champ, où tout soudain, faisant volte-face, je me mis en garde, courbé et mes dards en avant. Le Fontenac fut fort étonné de ma vivacité car j'étais déjà en poste, qu'il s'affairait à descendre du chemin au champ, ce qu'il fit à pas petits et lourds et sans sauter, comme j'avais fait. Ce dont j'augurai bien.

Je lançai une dernière œillade à notre moulin des Beunes dont me devaient venir assistance et secours, mais pas une âme n'y bougeait et pas un bruit n'en venait hors les abois des chiens et, me tournant alors, je me résolus à ne plus rien espérer de ce côté-là et à ne devoir mon salut qu'à moi-même.

Cependant, le baron courait à moi, l'épée haute et lourdement mais avec une vélocité qui m'étonna et me rendit songeard, car je ne l'eusse pas attendu de la guise dont il avait descendu le chemin. Et quand je vis fondre sur moi cette montagne d'homme, lequel, jetant bas tout soudain son masque de civilité, hurlait et grimaçait comme un démon, raquant d'une assourdissante voix de sales et fâcheuses insultes et me portant de la pointe, des coups à défoncer un mur, le cœur me descendit dans les entrailles, d'autant que du premier battement de fer, il faillit me faire sauter l'épée des mains. Et à peu de dire que je rompais. Je fuyais presque, tandis que sur le chemin la troupe du baron, me voyant déjà accablé et occis, poussait des hurlades de haine et de déprisement.

— Ha ! couard ! hucha le baron, tu fuis ! Envisage-moi, capon ! Je vais faire de la dentelle avec tes tripes !

En joignant mon fer, il le battit derechef avec tant de force qu'il me l'eût des mains arraché, si ma dragonne n'était restée, au rebours de toutes les règles en usance, fixée à mon poignet. Je rompis de nouveau, mais cette fois de côté, et comme ce taureau fonçait droit devant lui, je fus assez heureux pour le piquer un petit aux jambes, me jetant à terre ce faisant. Par où, tout contraire aux avis de Giacomi, je hasardai beaucoup, car revenant sur moi, rugissant comme les septante diables de l'enfer, Fontenac m'eût cloué au sol, si je n'avais roulé sur l'herbe plusieurs fois avant que de me relever aussi leste qu'un chat, prenant du champ tout soudain. Le baron me courut sus de nouveau, huchant l'injure à gueule déployée, mais à ce que j'observais, traînant quelque peu la patte senestre, celle que j'avais touchée. Je sautai de côté, mais au lieu de me jeter à terre comme devant j'avais si follement fait, je me mis à tournoyer autour de lui, ma pointe voletant comme guêpe autour de sa tête, mais sans lui porter de botte. Mes premières terreurs alors me quittèrent, et ma fiance s'affermissant, je me ramentevais les bonnes leçons de Giacomi et engageai mon fer à celui de Fontenac, attentif à l'épouser si étroitement qu'il ne pût le battre à force, comme par deux fois il avait fait. A vrai dire, il y tâcha une fois encore, mais il y faillit, et me porta alors pointe sur pointe mais je les parais toutes, son escrime étant plus furieuse que fine.

Cependant, je ne relâchais point l'attention dont je suivais son moindre geste, craignant à tout moment quelque coup fourré de ce félon. Et quand je le vis prendre de la main qui tenait sa dague sa toque cramoisie, je rompis de plusieurs pas, cuidant qu'il allait me la jeter au visage pour m'aveugler. Mais au lieu de cela, l'ayant agitée par deux fois au bout de son bras, il la laissa sur l'herbe et assurément, ce devait être quelque signal car, coup sur coup, trois ou quatre pistolétades éclatèrent, lesquelles faillirent me coûter la vie — comme le baron y comptait bien — car, le quittant de l'œil pour envisager anxieusement les miens sur le chemin, sa pointe m'eût percé de part en part, sans quelque mouvement que la Providence ou l'instinct à l'ultime seconde m'inspira et qui fit si bien que sa lame glissa entre mon bras senestre et mon corps, estafilant ma chemise sans m'entrer dans le vif.

Je rompis et me remis à tournoyer autour du baron, engageant et dégageant le fer quasi à ma volonté, et fort rassuré de ce que mon œillade avait envisagé sur le chemin les miens, et ceux-ci toujours bien droits sur leurs montures, tant qu'à les voir ainsi sans navrure ni dommage, le cœur me gonfla de joie et je me remis avec fiance à l'ouvrage. Mais plaise au lecteur de m'abandonner un instant sur mon pré à ces sentiments, la dague et l'épée hautes contre le monstrueux baron, et m'y laissant, pour ainsi parler, immobile comme une image peinte, de se transporter sur le chemin afin que de savoir, comme je le sus plus tard — comme il le saura par ma courtoisie, de présent —, ce qui s'y passa après que le baron eut agité sa toque.

Comme bien je l'avais pensé, mon Samson avait fort à faire à tenir mon Accla en même temps que sa monture et d'autant que me voulant suivre de l'œil en mon combat, il n'y portait pas tous ses soins. Ce que sentant ma jument, et fort troublée par la présence d'un étalon dans le camp adverse, étant, je gage, en ses chaleurs, elle se mit à remuer beaucoup, tournant le cul qui cy qui là, levant fort haut la tête, soufflant dans ses naseaux et donnant sournoisement du sabot arrière au hongre de Samson comme si elle lui voulût reprocher d'être coupé. Et encore que le hongre ne rebéquât point, vivant habituellement en grande peur de ma jument, il ne laissait pas, étant navré, de branler prou à son tour, rendant plus difficile encore à mon frère la tâche de brider mon Accla, laquelle à la fin, ne se sentant plus tenue par son maître, ni contenue dans l'étau de mes cuisses, entra dans un train infernal, et tirant sauvagement sur ses rênes comme si elle eût voulu s'échapper, levant fort haut les jambes et le col en hennissant, le baron, donnant dans ce temps le signal convenu à ses arquebuseurs, tapis dans les buissons du coteau, comme Giacomi l'avait tant justement deviné, ils tirèrent l'un et l'autre sur mon Samson, mais ma pauvre Accla, au même instant, se haussant davantage encore en sa turbulence, reçut une des balles dans le col et l'autre dans la tête, s'écroulant tout soudain. Cependant, les arquebuseurs s'étant révélés par la fumée des armes, Giacomi saisit incontinent d'entre ses cuisses le pistolet qu'il y avait celé, tira l'un et Miroul, l'autre, assez heureux pour les toucher, les deux scélérats roulant sur la pente du coteau jusque sous les pieds des chevaux adverses parmi lesquels ils ne laissèrent pas de jeter un grand trouble.

Samson, quant à lui, toujours quelque peu rêveux et tardif, n'aperçut rien de tout cela, n'ayant d'yeux que pour mon Accla morte et de pensement que pour mon désespoir à l'avoir perdue. Et cet aiguillon à la fin le piquant, il saisit le pistolet caché sous sa fesse, et pointant contre le Sieur de Malvézie, il s'écria en son délicieux zézayement :

— Qu'est-ce cela, Monsieur ? Vous avez occis notre Accla ?

A quoi le Sieur de Malvézie, levant ses deux mains vides — sur lesquelles, en effet, le sang de ses victimes passées ne se voyait pas —, s'écria du ton du plus pieux chattemite, lequel ton allait fort mal avec sa basse trogne :

— Nenni, Monsieur, je ne suis pas armé comme bien vous voyez !

Et Samson, ne discernant rien encore de l'embûche dont ma pauvre Accla l'avait sauvé, ayant dans les hommes (et dans les femmes) la touchante fiance que j'ai dite, ne se résolut point à faire feu sur ce vilain, en quoi il fut bien mal inspiré, comme on verra. Cependant, en son indécision, il ne laissa pas de continuer à le tenir en joue, ce qui permit du moins à Giacomi de saisir le pistolet qu'il avait dans ses fontes et de dire à Malvézie d'une voix coupante :

— Monsieur, si l'un de vos hommes bouge le petit doigt, vous êtes mort.

Mais à vrai dire, aucun d'eux n'y rêvait seulement, ayant sous les pieds de leur monture les cadavres de leurs compagnons, et ne voyant pas mon combat avec leur maître tourner à son avantage.

Car le baron saignait maintenant d'abondance de sa navrure au mollet, et, soufflant fort, paraissait hors d'haleine de tout le branle qu'il s'était donné à me joindre, de sorte que gardant son vent au lieu que de le gaspiller plus outre, il ne huchait plus d'insultes à mon endroit et s'accoisait, grimaçant, sourcillant et cherchant en sa ténébreuse cervelle quelque malicieuse traîtrise à me faire trébucher.

Je sentais si bien ce sournois labeur en sa glande pinéale (dont on dit qu'elle est le siège de la pensée) que je l'épiais comme chat à l'affût, ramassant mes muscles, tous mes nerfs vigilants, et ne hasardant rien, ma lame ne quittant pas la sienne d'un pouce ni d'un trait, mon œil de ce temps ne perdant rien non plus de sa main senestre : en quoi je fis bien. Car celle-ci, se mettant tout soudain en arrière, je compris qu'il allait me jeter sa dague au visage et me baissant, je mis un genou à terre avec tant de promptitude qu'elle passa en sifflant au-dessus de mon chef. Fontenac fut si confondu de ma vivacité et si marri de s'être défait si futilement de sa dague (dont aussi il parait mes coups) qu'il parut perdre cœur au point de rompre de plusieurs pas et abaissant son arme, il me dit d'un ton civil :

— Monsieur, ce combat s'éternise en vain : laissons-le, de grâce. Nous n'en sortirons mie !

— Monsieur le Baron, dis-je abaissant à mon tour mon épée, vous avez traité mon père de faquin, mon grand-père de laquais et moi-même de couard. Retirez-vous ces paroles fâcheuses ?

— Je les retire, dit Fontenac du ton le plus noble. Je le dois tant à votre vaillance qu'à ma mansuétude. Et quant au droit de passage sur mon chemin, je serai généreux assez pour vous le concéder. Rengainez donc, s'il vous plaît.

Je restai confondu devant tant de plate impudence et d'autant plus que je voyais bien que cette dérobade n'était que basse préface à nouvelle traîtrise, et trouvant en mon for la manœuvre si peu ragoûtante qu'à peu que la nausée m'en prît, je me rivai bien de mes deux pieds sur le sol et assurai ma prise derechef sur ma frémissante épée :

— Monsieur, dis-je, voulant en finir au plus tôt avec la sale comédie de ce scélérat, je vous rends mille grâces mais j'en ai décidé autrement. Je passerai, en effet, mais sur votre corps.

Quoi oyant, sans un mot, sans me laisser le temps de me remettre en garde, Fontenac, pensant me surprendre, se rua sur moi comme fol, poussant une hurlade terrible, l'épée en avant. Cependant, attendant cette surprise-là, je parai et, relevant ma lame, en menaçai sa face, laquelle Fontenac, poursuivant son furieux élan, vint embrocher sur ma pointe, celle-ci lui entrant dans l'œil senestre de deux pouces et faisant en son cerveau tel dégât et dommage qu'il s'écroula d'un coup et d'une masse, comme bœuf à la mazelerie sous le poinçon d'un mazelier.

128

Je fus béant de cet estoc-là que j'avais si peu délibéré, hésitant à m'en donner gloire, doutant même que fût occis de ma main, étendu à mes pieds en son éternelle mort, l'ennemi de ma famille; j'en croyais à peine mes yeux, pour ce que couché, il me paraissait plus grand que debout, la face plus vile et basse qu'oncques ne lui avais vue en notre dispute, même quand il raquait contre moi ses féroces injures. Cependant, comme il ne bougeait mie, je courus vers le chemin où il me sembla de loin qu'il y avait quelque tumulte entre ses gens et les miens.

Il faut rendre cette justice au Sieur de Malvézie que de tout le domestique de Fontenac il fut le premier à s'aviser de fuir dès qu'il vit le baron tomber et sans s'inquiéter plus outre s'il était mort ou non. Ce qu'il fit avec une célérité merveilleuse entraînant avec lui par la bride de son cheval le curé Pincettes alors même que ses gens tiraient l'épée, confrontant les nôtres sans leur vouloir céder le terrain, se cuidant plus forts, étant cinq contre trois, et oubliant nos pistolets, lesquels étrangement les miens oubliaient aussi, ayant dégainé aussi, croisant le fer avec ces vilains.

A peine eussé-je bondi du pré sur le chemin que je vis morte ma pauvre Accla et en fus si troublé et de chagrin si perclus et si cloué au sol qu'à peu qu'un de ces marauds ne me transperçât de sa lame, laquelle Giacomi, à l'ultime seconde, détourna par le canon de son pistolet qu'il tenait toujours de sa main senestre, mais sans faire feu :

— Sanguienne! hurlai-je ivre d'un soudain courroux, tirez!

— Quoi! dit Giacomi, tirer contre des gens qui n'ont que le fer à nous opposer!

— Tire, Giacomi! criai-je. Faut-il hasarder d'autre vie que celle de mon Accla?

Et comme ni Giacomi, ni mon cadet, ni Miroul, à

mon incommensurable rage, ne faisaient comme je disais, je saisis un pistolet dans les fontes de mon Samson et incontinent abattis un de ces misérables. C'en fut trop pour eux. Tournant leurs montures, ils s'ensauvèrent à brides avalées.

— Et Malvézie, criai-je, qu'est devenu ce chien de Malvézie ?

— Il a fui, dit Samson, tournant vers moi son innocente face, toute brillante du bonheur de me voir sauf.

— Havre de grâce, vous l'avez laissé fuir ! hurlai-je. Miroul, ton cheval ! et, me jetant en selle, je criai : Amis, poursuivons ! Il nous faut détruire à la chaude tout ce nid de frelons si nous voulons avoir la paix !

Je ne les attendis point. Je piquai ! Mais le hongre de mon Miroul, ayant perdu un de ses fers, ne galopait que d'une fesse sur ce chemin pierreux qui navrait sa tendre corne et j'eus le chagrin de me voir dépassé d'abord par Samson, ensuite par Giacomi et même par Miroul, celui-là montant à cru le cheval de bât qu'il avait débâté. Je les suivis cahin-caha, moi qui étais leur chef, ô vergogne ! et pleurant presque de rage à me voir ainsi relégué dans les bagues et les bagages de ma petite armée, j'avisai au loin un des gens de Fontenac qui, se séparant de sa troupe, prenait à travers un grand pré, la combe des Beunes ici s'élargissant ; j'y engageai ma monture à sa poursuite, pensant que sur l'herbe elle galoperait plus commodément, ce qu'elle fit en effet, reprenant cœur à chaque foulée et tant est que je fus sur le quidam avant qu'il atteignît l'orée d'un bois par quoi ce pré était bordé.

— Ha ! Moussu ! cria-t-il en me voyant fondre sur lui l'épée haute, votre merci ! Ne me dépêchez point ! Je ne suis pas un des soldats du Baron, mais seulement son vannier !

— Tu m'eusses cependant occis, tout vannier que tu sois !

— De force forcée, Moussu! Par le commandement du Baron! Mais je n'ai point de mauvaise dent
contre vous, Moussu, ni contre les vôtres, étant le
père de la Gavachette.

— Quoi? m'écriai-je béant, abaissant mon épée,
tu fus ce capitaine des Roumes...

— Ha! Moussu, dit le Roume, je n'étais point
capitaine, je le contrefis dans ces occasions, ayant
grand appétit de la mignote et celle-ci étant si cré-
dule...

Qu'il pût appeler « mignote » la Maligou, laquelle
de présent était si ventrue, mamelue et fessue tant
me divertit tout soudain que, m'appuyant de ma
main senestre au pommeau de ma selle, je ris à
gueule bec et comme quelqu'un qui n'en finirait mie.
Quoi voyant, le pauvre Roume fut merveilleusement
conforté et rit aussi, sachant bien que maintenant je
ne le tuerais pas.

— Cependant, dis-je, les larmes me venant encore,
la mignote dont tu parles se plaint que tu l'aies
quinze fois forcée en sa grange cette nuit-là.

— Quinze fois! dit le Roume, c'est douze de trop.
L'imaginative a grande seigneurie sur cette pauvre
garce. En outre, le forcement fut bien petit.

A quoi je m'esbouffai derechef à rire et plaise aux
délicates dames qui me lisent de se ramentevoir
combien les esprits animaux en moi, ayant été
contraints et serrés par l'excessive anxiété du
combat, avaient allégresse à se relâcher.

— Va, Roume! dis-je enfin, tu m'as trop diverti! Je
te fais grâce!

— Peux-je donc m'ensauver? dit le Roume.

— Nenni! Tu es mon prisonnier. C'est fortune de
guerre. Jette à terre ta dague et ton épée. Je les ferai
quérir. Et précède-moi jusqu'au chemin.

Et sur le chemin, comme nous l'atteignions, survinrent Samson, Giacomi et Miroul, assez quinauds,

me sembla-t-il, de n'avoir pu rattraper les gens de Fontenac avant qu'ils ne s'enfournassent dans le château du brigand, de sorte que moi qui étais dans la queue de notre troupe, je fus le seul à ramener un captif duquel, comme bien on pense, le témoignage pouvait être dans les avenirs de grande usance et conséquence.

Miroul voulant reprendre son bât, il fallut revenir au lieu de mon premier affrontement avec le baron, et là voyant mon Accla sur le sol gisant, je fus saisi d'une affreuse repentaille à avoir ri du conte que le Roume m'avait fait de sa petite chatonie, alors que j'eusse dû bien plutôt pleurer sur la mort de ma pauvre jument.

A la réflexion, je commandai à Miroul de laisser là le bât, et avec lui le captif, et de galoper jusqu'à Mespech prévenir la frérèche — laquelle, avec tous nos gens, devait s'occuper à faire nos foins dans un de nos grands prés à Marcuays pour que notre moulin fût tout à plein désert et que nos coups de pistolet n'eussent été ouïs de personne, sauf des manants et habitants de Taniès dont on voyait apparaître les têtes effrayées au-dessus du mur qui enclosait leur village, mais sans qu'il osassent descendre sur le chemin pour reconnaître ce qu'il en était, sachant qu'il n'y a point profit pour le laboureur à mettre le nez dans les querelles des barons.

Je dis aussi à Miroul d'avoir à ramener un chariot pour y mettre le corps du baron et de ses gens, pour ce qu'il ne convenait point qu'ils restassent exposés, la nuit qui viendrait, aux pilleries des hommes et aux outrages des bêtes.

Miroul départant à brides avalées, je dépêchai Giacomi et Samson sur le pré afin qu'ils vissent si Fontenac était bien de tric et de trac occis, comme bien je le cuidais et, restant seul avec mon Accla, m'asseyant sur le talus du coteau sans trop vouloir l'envisager, je tombais dans un grand pensement de tout ce que nous avions vécu ensemble depuis le jour où ce même Fontenac — qui devait périr quasiment à la même minute qu'elle — l'avait donnée à mon père pour le remercier d'avoir curé sa fille Diane de la peste, et mon père à son tour me la baillant, j'étais devenu son maître, mais peux-je dire que j'étais son maître, tant je faisais corps avec elle, et ne la commandais qu'en obéissant à sa chevaline nature.

Mon Accla avait été dans tous les inouïs dangers que j'avais connus en ces sept années écoulées : dans le combat de la Lendrevie après la peste de Sarlat, dans les Corbières contre les caïmans de ces monts, à Nismes lors de la Michelade, et dans le bois de Barbentane quand je délivrais des sanguinaires gueux les Montcalm et mon Angelina. Ha ! certes ! Ce n'est pas qu'elle fût sans ses petits caprices de jument, à ses moments rétive et rebéquée à me rendre fol, avec les autres chevaux mordante et bottante à n'y pas croire, ne souffrant pas qu'ils la passassent sur le chemin, se voulant au-dessus d'eux et la première partout, à la galopade, aux avoines, à l'eau, au ferrage, mais avec son maître tendre comme une amante, ne me sentant pas approcher sans un « pfuit » doucement nasillé, posant sa longue et fine tête sur mon épaule, ou me poussant du chanfrein dans le dos pour quémander les mignonneries dont elle n'avait jamais assez ; si gracieuse et légère en ses déportements que c'était une joie de la voir trotter au pré, sa crinière volant au vent comme cheveu de garce, touchant si peu le sol qu'on eût dit qu'elle l'effleurait ; au reste, jamais ne me faillant à l'heure du péril, comme si elle l'eût en son instinct senti, obéissant alors au souffle de la botte, vaillante à me laisser béant, ne craignant ni les huchements, ni les cliquetis des épées, ni les pistolétades, toutefois ne dressant ses petites oreilles que pour ma seule voix, ayant fiance en moi comme en son Dieu. Hélas, ma pauvre belle Accla, dont plus ne reverrais les magnifiques yeux, si noirs, si luisants et si doux, si j'avais été le tout-puissant que tu cuidais, j'aurais sauvé mon bien-aimé Samson sans que tu eusses à pâtir la male mort des balles qu'on lui destinait.

J'étais à plein plongé en la malenconie quand, oyant un battement sourd de sabots et un roulement cahotant de chariot, je vis mon père et une douzaine de nos gens surgir du chemin de notre moulin, traverser le petit pont et tirer vers moi au galop. Je me levai d'un bond, mon père démonta et quelle brassée ce fut !

— La merci Dieu ! dit-il d'une voix fort étouffée et ne me serrant tant le chef contre le sien que pour me celer ses larmes, tu es sauf ! et mon Samson aussi ! et Miroul ! et Giacomi ! Le traître avait dû avoir vent de ton retour et posté un guetteur à Sarlat pour signaler votre arrivée et préparer cette méchante embûche ! Mes deux cadets ! Quelle meurtrerie ! Quel coup m'eût porté ce chien s'il n'avait failli !

Là-dessus Samson survint, et quel embrassement il lui bailla derechef, tous nos gens nous entourant, nous voulant à leur tour embrasser, caresser, baiser aux mains et aux épaules, tous fort atendrézis à nous envisager après la grande peur qu'ils avaient eue en le pensement d'avoir failli nous perdre, alors qu'ils faisaient les foins, et de nous retrouver à la fin vifs et gaillards, et pas un poil tombé. Et encore n'y avait là que les hommes. Imaginez ce que ce fut quand, retirés au château, les garces s'en mêlèrent ! Je vous laisse à penser les cris, les larmes, les mignonneries, les jasements, les questions à l'infini ! Tant est qu'à la fin nous retirant de cette grande amour de nos gens, mon père nous mena en la librairie où Sauveterre était serré, étant perclus de pâtiment depuis deux jours en sa jambe navrée, et d'humeur fort revêche, à ce qu'il m'apparut.

Cependant son sévère œil noir (dont tant je redoutais les foudres en mes jeunes ans) s'adoucit à nous voir, et il nous baisa mais les cils secs, encore que sa lèvre tremblât en dépit de sa huguenote et imployable austérité. Il lui fallut tout un récit, que je fis du plus clair que je pus et qu'il ouït d'une fort diligente oreille. Après quoi, il dit avec un grand soupir, et l'air chagrin :

— Quand on coupe le figuier, il faut détruire sa racine. Sans cela il fait rejet et laisse un fils après lui. C'était bien avisé d'occire Fontenac en loyal duel mais, duel ou non, il eût fallu dépêcher aussi ce chien de Malvézie. Mon neveu, vous avez bien décousu, mais sans rien achever. Nos traverses ne sont pas finies, bien à rebours.

Sur l'avis de Sauveterre et pour non point qu'on pût dire que son témoignage lui avait été extorqué par la terreur et les tourments, on ne garda point le Roume à Mespech, mais on l'envoya sous bonne escorte chez M. de Puymartin, lequel était papiste, mais cependant fort de nos amis, ayant aux côtés de mon père défait les gueux de la Lendrevie, le lendemain de la peste de Sarlat. Puymartin consentit à l'occuper en son état de vannier, le Roume n'ayant guère appétit, après avoir dit ce qu'il avait vu sur le chemin des Beunes devant le notaire Ricou, à retourner se mettre à Fontenac sous la patte du Malvézie.

M. de la Porte, lieutenant-criminel de Sarlat, que la frérèche fit quérir le lendemain même du duel, vint incontinent à Mespech avec un greffier et un médecin, examina, à la prière de mon père, le corps de Fontenac, lequel était bien armé sous son pourpoint d'une cotte de mailles comme Giacomi l'avait pensé, et requérant le médecin de sonder la profonde navrure qu'il avait à l'œil senestre pour découvrir si elle avait été faite par balle ou par épée, conclut qu'une arme blanche seule avait creusé cette béance en sa face. Mon père lui montra ensuite ceux des gens de Fontenac qui avaient été occis dans la rencontre, ainsi que les deux arquebuses dont avaient usé les tireurs du coteau, et qui portaient, gravé en leur crosse, le nom de l'artisan de Sarlat qui les avait façonnées, lequel quand M. de la Porte les lui apporta, se ramentut les avoir vendues à Pâques au Baron-brigand.

Mais cela ne satisfaisant pas encore M. de la Porte, lequel était fort prudent et avisé en ces matières, il voulut ouïr l'un après l'autre et séparément les acteurs et témoins de l'affaire, à savoir : Samson, Giacomi, Miroul et moi-même. A peine avait-il achevé que Puymartin, qui avait appris qu'il était en nos murs, arriva avec le notaire Ricou et trois de ses gens, et lui remit le témoignage que le notaire avait rédigé en oc sous la dictée du Roume. Mais M. de la Porte ne le voulut accepter que le notaire ne l'eût translaté d'abord en français, y ayant une ordonnance du roi qui commandait que toutes les pièces d'une procédure fussent écrites en la langue du Nord. Tandis que le notaire labourait à cette translation, M. de la Porte me requit de coucher par écrit le récit que je lui avais conté à vif bec de mon duel avec le baron de Fontenac. Il attendit que j'eusse fini mon ouvrage et le notaire aussi avant que de s'en départir, fort poli, comme à son accoutumée, mais l'œil toujours très froidureux, et sans opiner en aucune guise, ni en rien prononcer, s'en tenant à la lettre de son office. Cependant, à la façon dont il sourit tout soudain en baillant le revoir à mon père, celui-ci augura que son siège était fait.

Il l'était, en effet, mais non point celui des juges, comme M. de la Porte nous le dit, nous venant visiter huit jours plus tard, à la tombée du jour et sans escorte aucune (ce qui, à la rigueur, se pouvait expliquer, sa maison des champs étant si proche de Mespech). Il n'y avait là que la frérèche, Samson et moi. Les cinq chandelles du chandelier, en l'honneur de notre hôte allumées malgré notre huguenote économie, éclairaient de côté, posée sur la blanche fraise à godrons, sa franche face, carrée et colorée, de gentilhomme périgordin.

— Monsieur le Baron, dit-il, je n'ai point oublié votre vaillant déportement lors de la peste de Sarlat et combien, non content de ravitailler la ville avec cette moitié de bœuf, vous fûtes le seul, avec Puymartin, à oser affronter le boucher de la Lendrevie et à découdre ses gueux. Aussi suis-je venu céans non point ès qualités de lieutenant-criminel de la sénéchaussée, mais en mon particulier pour vous avertir de ce qui se trame contre votre maison. Les choses prennent contre vos cadets une tournure que je n'aime point !

— Quoi ! s'écria mon père, alors même que le Baron-brigand leur a dressé cette embûche félonne, on chercherait des poux à mes fils !

— Des poux ! Dites qu'on leur chante pouilles ! dit M. de la Porte, en levant la main, mais pouilles il y a, et du côté que vous devinez. On ne pardonne point à Mespech d'être un nid d'hérétiques et combien que nous ayons la paix et que votre Coligny soit maintenant bien reçu à la cour du Roi et fort avancé, à ce qu'il semble, en la faveur royale, d'aucuns juges du Présidial, par esprit de parti, inclineraient à donner les torts à vos cadets.

— Et sur quoi, dit l'oncle Sauveterre sourcillant, se fonderaient-ils pour soutenir une telle iniquité ?

— Mais sur le témoignage du curé de Marcuays !

— Pincettes ! cria mon père, mais qui ne déprise à Sarlat comme dans le plat pays cet ivrogne paillard !

— Il est curé, dit M. de la Porte. Cela suffit pour que son témoignage, même s'il a beaucoup varié, pèse plus lourd que celui du Roume.

— Il a varié ? dit mon père.

— Infiniment. Quand Pincettes était dans les pattes de Malvézie, il écrivit sous la pression de ce scélérat une version de l'affaire qui accablait vos cadets. Mais le Sénéchal ayant exigé que Malvézie le relâchât, je retirai incontinent Pincettes de ses pattes et le rétablis en sa cure de Marcuays où il rédigea, moi présent, un témoignage qui épousait assez bien celui que j'ai ouï céans.

— Tout est donc sauf ! dit Sauveterre.

— Nenni. Car Pincettes, craignant sur lui-même les entreprises de Malvézie, ne languit point en sa cure et incontinent se réfugia à Sarlat sous la main de son évêque, et là, circonvenu, écrivit un troisième témoignage malheureusement fort voisin du premier.

— Voilà, dit mon père, un témoin qui me paraît fort déconsidéré par ses variations.

— Point du tout, y ayant, je le crains, une majorité de juges au Présidial pour opiner que le dernier témoignage est le bon, ayant été à l'évêché inspiré par la prière et le Saint-Esprit.

— La prière et le Saint-Esprit ! cria mon père en grinçant des dents, et qui dit cela sinon ces chattemites, lesquels se couvrent du manteau de la religion pour avancer leurs terrestres querelles !

— Monsieur, dit M. de la Porte dont je ne pus dire s'il parlait sérieusement ou par secrète gausserie, je suis catholique et je respecte mon évêque.

— Monsieur, dit mon père, tout huguenot que je sois, je le respecte aussi, mais non ses terrestres errements. Le Saint-Esprit souffle où il veut et pourquoi son vent ne ferait-il pas tourner, une fois de plus, cette girouette ecclésiastique ? Que dit donc ce dernier vent ?

— En bref, que vos fils rencontrant le Baron sur le chemin des Beunes, par surprise et félonie, incontinent le tuèrent.

— C'est menterie! m'écriai-je, grande et dévergognée!

— Je le crois aussi, dit M. de la Porte. Mais j'ai instruit l'affaire. Je ne la juge pas. Et pour que je reçoive commandement de vous arrêter, votre frère et vous, et de vous déférer devant le Parlement de Bordeaux, il suffira qu'une majorité de juges au Présidial décroient ce que je crois.

— Se pourrait-il? cria mon père.

— Il se pourra, dit gravement M. de la Porte.

Là-dessus, nous nous accoisâmes, fort pâles tous les quatre, dans la contention où nous étions de ne pas faire éclater devant notre visiteur notre indigné courroux.

— Monsieur, dit Jean de Siorac à la fin, la merci Dieu et à vous d'être venu, en votre particulier, nous avertir céans. Mais, peux-je vous requérir de pousser plus loin vos bontés et de nous dire ce qu'en nos lieux et places, et jetés comme nous en ce prédicament, vous iriez décidant?

— Je gage, dit M. de la Porte, que le Roi vous a invité, Monsieur le Baron, comme tout ce qui compte en Périgord de nobles catholiques ou de la religion réformée, à venir en sa capitale assister aux noces de sa sœur Margot et du Prince Henri de Navarre, lesquelles doivent se faire en août.

— J'ai reçu, en effet, ces lettres du Roi.

— Au lieu que d'y aller, dit M. de la Porte en se levant et parlant d'une voix fort basse comme s'il désirait n'être qu'à demi ouï, dépêchez à Paris vos deux cadets pour vous représenter, et qu'ils usent de ce séjour pour quémander, en cette affaire, la grâce du Roi.

Il ajouta, en parlant du même ton mais d'un seul côté du bec et la face détournée :

— Qu'ils partent demain à l'aube. Je serais au désespoir à midi de les trouver céans.

— A midi ! cria mon père en se levant à son tour. Quoi ! Si vite !

— Ai-je dit midi ? dit M. de la Porte, cela m'aura échappé. Ha ! dit-il, comme si un détail de peu de conséquence lui revenait en mémoire, qu'ils ne passent point par Périgueux où je les pourrais poursuivre mais par Bordeaux, faisant un fort utile détour par le château de Michel de Montaigne, lequel ils prieront de rédiger leur supplique au Roi, ce que M. de Montaigne assurément fera, étant homme de bien assez pour détester la partisane iniquité et vous ayant en outre en bonne odeur pour avoir été des plus fidèles amis de feu M. de La Boétie dont l'affligé pensement ne le quitte guère.

— Ha ! Monsieur ! cria mon père, comment vous dire ?...

— Ne dites rien, dit M. de la Porte avec un sourire, puisque rien ne vous ai dit, étant céans venu en mon particulier vous entretenir de mes foins, dans le tracassement où je suis de n'en avoir pas assez pour cet hiver.

Quoi dit, il salua Sauveterre, lequel, toujours perclus de sa jambe navrée, ne se pouvait bouger et, donnant à mon père une forte et brève brassée, il s'en alla.

Quand Miroul me vint secouer le lendemain, bien avant la pique du jour, je dormais, non point les poings fermés, mais les deux mains repliées sur les jolis tétins de ma Gavachette, mon corps épousant le sien, tant mincé que mignon en sa longueur suave, le nez sur ses longs cheveux noirs, lesquels étaient toujours fort propres pour ce qu'elle les lavait quotidiennement afin que, les séchant ensuite au soleil, ses rayons pussent donner quelque cuivre à leur aile de corbeau. Je ne sais qui des garces de Mespech lui avait enseigné cette recette-là, mais à vrai dire il n'y paraissait pas encore, la noireté de son poil demeurant tant profonde et ténébreuse qu'avant. Quant à moi, aimant fort cette nuit-là et son bleuâtre reflet, je ne laissais pas d'admirer le biais qu'ont nos gentilles garces, le Seigneur leur ayant donné une face, de vouloir s'en façonner une autre, soit en se pimplochant soit en se colorant le cheveu. Tant est qu'enfin elles se veulent différentes de ce qu'elles sont en leur natureté.

Je ne voudrais pas qu'on s'y trompe. Je ne les en blâme point. Que fais-je d'autre en ces mémoires, raturant un mot pour ce qu'il me paraît un peu sec et en mettant deux à sa place que je trouve plus charnus et charmants ? Que fais-je d'autre, dis-je, que ce que font, dit-on, nos Parisiennes qui, se cuidant trop resserrées sur l'os à l'endroit que je vais nommer, se mettent des faux culs aux croupières afin que de les étoffer. La coquetterie de nos mignotes — cette chère et délicieuse moitié de l'humanité — n'est que l'art ajouté à la nature. Il convient de les estimer, bien au rebours des prêtres (et de nos ministres), de ces soins infinis qu'elles prennent à se plaire au miroir. Sans cela, on n'aime pas les femmes selon leur femelleté, mais selon un sot modèle qu'on s'est fait : ce qui est folie de moine ou de prêcheur.

A la lueur du calel que Miroul avait apporté, je me levai et m'aspergeai la face et le corps d'eau claire, et mouillant un bout de ma serviette m'en lavai les dents, les ayant par nature excelses et voulant les garder telles jusqu'au bout de mon âge. Pendant ce temps, Miroul attendait, les chausses à la main pour me les présenter, et de son œil marron envisageait en tapinois ma Gavachette, laquelle, assise nue sur son séant sans vergogne aucune, se mignonna d'abord les tétins, trésors qu'elle prisait infiniment, les ayant fermes et pommelants, puis ses genoux remontés et les coudes sur ses genoux, se posa les deux mains menues sur les tempes et étira l'amande de ses yeux tant noirs et tant liquides, les voulant fendus davantage pour ce que je les aimais ainsi. Quoi fait, elle se lamenta sur mon département.

— Ha ! mon Pierre ! A peine céans de huit jours et te voilà déjà ensauvé ! Et pour t'en revenir quand ? A peu me chaut d'être la garce de Pierre de Siorac si je ne le vois mie ! Pauvre ! Pauvre que je suis ! Vit-on jamais plus jolie mignote moins besognée que moi ?

— Allons, Gavachette ! dis-je sur le ton de la gronderie, c'est bien plutôt moi que tu devrais plaindre, qui, ayant occis un félon en loyal duel, dois souffrir un dur exil pour sauver mon col du glaive.

— Ha ! Moussu ! dit Miroul en me présentant mes chausses, son œil marron s'égayant, notre exil ne sera point si dur. M. le Baron vous a garni de pécunes. Paris est la plus belle ville du royaume. Et qui plus est, Madame Angelina y a de présent son logis.

— Quoi ! cria la Gavachette, Madame Angelina est à Paris ! Ha ! mon Pierre, c'en est fait ! Tu ne reviendras mie !

— Paix-là, coquefredouille ! dis-je sourcillant un petit. Ne me tympanise pas de tes huchements alors que je suis encore tout rêveux et sommeilleux n'ayant appétit que de mon lit et que de toi, (quoi oyant, elle se radoucit) et me devant mettre dans les fesses je ne sais combien de lieues d'ici le gîte de la nuit. Sûr que je reviendrai céans, sotte embéguinée, dès que j'aurai la grâce du Roi ! Les pécunes de mon père sont-elles infinies ? Et Mespech n'est-il pas mon natal nid ?

— Ha ! dit la Gavachette, s'il n'y avait encore que Madame Angelina, laquelle étant pucelette, vous ne pouvez que vous ne la respectez. Mais ces friponnes de Parisiennes, si expertes en chatonies et si bien attifurées, vous mettent, dit-on, le diable en leur bénitier tous les jours que le Seigneur fait !

— Que de Parisiennes alors que je connais en notre Périgord! dis-je en riant à ventre déboutonné et tirant à elle, tout armé en guerre, corselet mis et morion en tête, je lui dis : Allons, Gavachette! Ton bec, ma mignonne! Ton bec une dernière fois! Et sois sage, et polie, et industrieuse! Lève-toi tôt! Ne t'acagnarde pas en tes draps! Ne fuis pas à te donner peine! Et ne rébèque point contre Alazaïs, et moins encore contre la Barberine, qui est si bonne!

— Ha! mon Pierre! dit-elle, en me jetant ses bras frais autour du col, plaise au Seigneur que tu m'aies engrossée ces huit jours passés, afin que je me peuve apparesser au lit et manger tout mon saoul et ne rien faire d'autre que de muser de toi, tenant en grande détestation le ménage de la maison et n'ayant appétit qu'à tes mignonneries et à l'enfantelet que je te ferai. Ha! dit-elle en me serrant contre elle, sans crainte de navrer ses jolis tétins sur ma dure cuirasse, fière je suis d'être ta garce et plus fière je serais de poser au monde un petit Siorac. Mon labour, le voilà, mon Pierre, et je n'en veux point d'autre!

— Gavachette, ma mignonne, ton bec! dis-je non sans quelque émeuvement. Ton bec encore! Et sois sage, sois sage! Que si tu l'es, je te rapporterai de Paris quelque beau affiquet!

— Quoi? cria-t-elle, son bel œil noir de Roume s'illuminant, et les mains l'une contre l'autre pressées.

— Ha! Je ne sais, dis-je tirant vers la porte, une bague, peut-être, ou un mouchoir en dentelle ou un ruban de soie!

— Une bague! cria-t-elle, c'est une bague à quoi j'ai appétit! Et qu'elle soit d'or et non d'argent, pour ce que l'or fera grand effet sur ma peau brune!

— Elle sera donc d'or, dis-je, pris dans ses toiles, pour peu qu'en mon absence tu ne tabustes point Alazaïs et fasses son commandement.

— Ha ! mon Pierre ! Je le promets ! cria-t-elle comme j'ouvrais l'huis, et que le Seigneur te garde !

— Eh bien Moussu, me dit Miroul qui portait mes armes, cheminant à mon côté dans les couloirs de Mespech, vous voilà en dette d'une bague là où vous vous pensiez quitte d'un ruban : la drolette vous a gagné à la main et vous voilà tenu !

Et encore qu'il dît cela en gausserie, je vis bien que pointait une petite épine en son propos ; à quoi, me piquant un petit, je dis :

— Va, va, Miroul, il sied au maître d'être généreux : ne t'ai-je pas attifuré de neuf à notre département de Montpellier ?

— La merci Dieu, et à vous, Moussu, et à Mme de Joyeuse... Mais pour celle-ci, nous ne l'aurons pas à Paris pour nous regarnir. Moussu, il y faudra songer.

— Va, va, Miroul, Samson y songera pour deux !

— Mais cette bague, Moussu ! Et en or ! A peine départis, nous voilà déjà ruinés ! Et pour une garce qui sert si mal Mespech !

— Mais elle me sert bien, moi ! Et pour tout dire, j'en suis ensorcelé !

— Ha ! Moussu ! Qui ne vous ensorcelle ? Vous êtes de si tendre étoffe quand il s'agit d'un cotillon !

— En quoi je tiens de qui tu sais.

— Qui je sais, dit Miroul, n'eût pas promis une bague en or à une chambrière qui ne fait pas céans pour deux sols de labour en tout un an !

— Ha ! Miroul ! m'écriai-je, c'est assez de cette chanson-là ! Tu me fâcheras si tu la continues !

Fâché, à vrai dire, je l'étais déjà, mais contre moi et d'autant que je ne laissais pas d'apercevoir, ma conscience huguenote déjà me poignant, que j'avais fait bien sottement le grand et le généreux avec la Gavachette.

Dans la grand-salle, mon père était seul m'attendant, assis devant un beau pain blanc, un jambon et une jatte de lait. Sa face était sereine, quoique, à y regarder deux fois, elle tirât sur la malenconie. Après m'avoir fait signe de m'asseoir et de manger, il se leva, marchant de-ci de-là, son pas sonnant sur le dallage ; cependant comme j'étais au milieu du repas, il s'écria, fort sourcilleux et la voix éclatante :

— Huit jours ! Je vous ai attendu Samson et toi un an ! Et bien chiche la Providence qui ne vous redonne à moi que huit jours ! Huit petits jours et vous voilà sur les chemins ! Proscrits ! En danger de vos têtes ! Ha ! le funeste retardement de Samson à tirer sur ce chien de Malvézie ! S'il l'eût occis, nous ne serions pas dans ces traverses ! A elle-même laissée, Mme de Fontenac ne remuerait rien contre nous, tant pour la gratitude qu'elle me garde d'avoir curé Diane que parce qu'elle connaît mieux qu'aucune âme au monde la scélératesse de son feu mari, lequel, en sa jeunesse l'a enlevée, violentée et de force forcée épousée. Mais ce Malvézie, lui, intrigue, cabale et pousse ! Il veut le domaine pour lui ! Et il tranche du vengeur et du justicier pour se donner des droits que ne lui donne pas sa bâtarde naissance. C'en est bien fait de Diane et de sa mère, s'il n'y faillit pas. Deux femmes ! Que pourraient-elles faire contre ce monstre ?

S'arrêtant, mettant les mains aux hanches, et son propos tout à trac changeant, et son ton et sa mine, Jean de Siorac dit :

— Je vous ai ouï donner du frère au maestro Giacomi. Vous êtes-vous à lui affréré ?

— Par voix de parole, dis-je, et non par acte de notaire, ne pouvant nous donner l'un à l'autre des biens que nous ne possédons pas.

A quoi mon père musa un petit, sourit à sa façon enjouée et narquoise et dit :

— Vous autres qui êtes nés en la seconde moitié de ce siècle, vous faites les choses en plus vite et précipiteuse guise que nous qui avons vu le jour dans la première moitié. Vous avez pris deux jours à vous affrérer là où Sauveterre et moi mîmes deux ans.

— Mais vous aimâtes Sauveterre tout de gob?

— Ha! Au premier coup d'œil! Au premier feu! Et au prime combat! Dès que j'ai vu de quel homme il faisait figure, et de quel noble acier il était trempé!

Sur quoi, souriant derechef, il s'assit en face de moi et dit :

— Pour le maestro Giacomi, outre que je me trouve fort rassuré qu'une aussi fine lame vous accompagne, il me plaît fort. Qu'il soit noble ou non, peu me chaut. Il y a du seigneur en lui. Dans le grand comme le petit, c'est un homme infiniment élégant.

Je fus fort aise de ce propos, et rougissant de l'agrément qu'il me donnait (ayant encore sur le cœur cette fâcheuse bague dont Miroul m'avait fait des pointures) je dis :

— Cuidez-vous que nous aurons peine à avoir la grâce du Roi?

— Je ne sais. Coligny est en grande faveur, dit-on, auprès de Charles IX, mais pour moi, je n'ai que petite fiance en ce petit roi-là qui se laisse gouverner par le cotillon de sa mère et moins de fiance encore en ledit cotillon. Mon Pierre, n'avancez à la Cour que d'un orteil prudent, et le talon prêt à tourner! La Médicis est l'âme de l'État, elle qui n'a pas d'âme! Et à vrai dire, cette prétendue faveur des nôtres auprès du Roi me pue! Paris nous hait! Le Guise intrigue! Les prêtres papistes hurlent à nos chausses, nous vouant à l'extermination! Je ne vous eusse mie envoyés, Samson et vous, en cette périlleuse Babylone, s'il n'y avait eu nécessité.

— Monsieur mon père, dis-je dans l'émeuvement que me donna ce fort sombre tableau, je reviendrai à vous le jour même où j'aurai ma grâce obtenue.

Quoi oyant, il m'envisagea œil à œil et tout soudain soupira.

— Ha ! mon Pierre ! dit-il, votre département me vieillit. Je ne suis ce jour que trop rassis, trop pesant et trop mûr. Vous et Samson, vous voir céans en vos vertes vigueurs, belles tiges de mon tronc, c'est jeunesse garder ! En votre absence, mon imaginative me représentant le peu d'années qui me restent ne chôme pas en instructions de vieillesse et de mort. Huit jours ! Que c'est peu d'avoir bu à cette fontaine-là ! Adieu ! Gardez-vous bien ! Et puisqu'on vous a occis votre Accla, prenez dans les écuries ma tant belle Pompée ! Je vous la donne.

— Quoi, Monsieur mon père, vous me baillez votre jument !

— Prenez, prenez ! Point de merci ! Elle est à vous !

Et moi, j'eusse préféré qu'il ne me la donnât point, tant cela me fit peine qu'il se dépouillât pour moi, voyant en ce dépouillement la sorte de désintérêt de soi qui se trouve être par aventure, tout autant que la chicheté, un des effets de l'âge ; duquel les atteintes n'apparaissaient que trop chez l'oncle Sauveterre, si desséché et si claudicant en sa vêture noire qu'il me mettait dans le pensement un vieux corbeau boiteux dans le creux d'un sillon. Mais mon père lui-même, tant vert et vigoureux qu'il était encore, allant, venant, besognant sa Franchou (sans compter d'autres passagers cotillons dans les mas de la châtellenie) ne laissait point de trahir quelque pesanteur, non point tant de corps que de cœur, et comme un amoindrissement de sa gaîté d'esprit.

Les adieux faits à tous en Mespech vieillissant (encore que, la merci Dieu, les enfants n'y manquassent point, mon père y pourvoyant) je me jetai le dernier en selle sur la belle Pompée, laquelle, fort surprise d'être montée par moi, et comme souvent les juments, vive et pétulante, voulut incontinent tâter un peu mes défenses et s'essaya à lever le cul pour me faire choir. Mais je lui fis bien assavoir que mes cuisses, ma main et mon assiette valaient bien celles de mon père, sans toutefois la corriger, ne voulant point commencer notre mariage par des coups. Dès qu'elle fut apazimée, combien que frémissante encore du petit combat qu'elle venait de livrer, je lui caressai le col, admirant en la pique du jour sa robe alezane claire et quasiment dorée, avec une blonde crinière. Et je lui dis, la mignonnant et lui parlant d'une voix douce :

— Ha ! belle Pompée, je suis fort aise que tu montres tant de sang, car tu as de bonnes lieues à te mettre sous le sabot avant de hennir après tes avoines à Montaigne, et des lieues et des lieues encore avant Paris.

A quelque distance du château de Montaigne, je fis arrêter ma troupe à une petite auberge qui n'avait point mauvaise mine, et je dépêchai en avant Miroul au seigneur du logis pour lui demander s'il consentait à nous accueillir, le prédicament nous ayant pris de si court qu'il n'y avait pas eu moyen de l'avertir à plus grand loisir de notre venue. Sur quoi démontant, et attachant nos chevaux à l'ombre, le soleil de ce juillet étant encore chaud combien que le jour tirât déjà vers sa fin, nous nous assîmes à l'aise sous une tonnelle recouverte de vigne et l'alberguière, qui avait fort peu à se glorifier dans la chair, nous apporta un vin si étrangement bon que ce fut bien malhonnête de notre part de le couper, ce que nous fîmes pourtant, ayant fort soif et ne voulant point qu'il nous tournât la tête au moment d'être admis chez M. de Montaigne. Notre gaster criant le creux, nous requîmes du jambon, des galettes de froment, du beurre à notre volonté et un fort beau melon. Le tout avec le vin (dont nous bûmes trois setiers) pour cinq sols. J'opinai qu'on en baillât sept à la malitorne mais Samson, qui avait le ménage de notre bourse, se rebéqua et je ne disputai pas plus outre, Giacomi me disant qu'il était peu sage de tant marquer notre passage dans la remembrance de cette bonne garce, laquelle grattait autour de nous comme poule au pré, l'ouïe dardée en notre direction, y ayant peu de passage sur ce chemin et peu de nouvelles à se mettre sous le bec.

Miroul revint nous dire au bout d'une heure que le secrétaire de M. de Montaigne nous attendait à un proche carrefour. Remontant en selle, nous tirâmes vers lui et là, à l'ombre d'un bosquet de châtaigniers, je vis un grand faquin vêtu de noir monté sur un cheval de labour assez mal fagoté, lequel (je parle du faquin) sourcillant assez, mais néanmoins civilement nous saluant, me dit, pour ce qu'il avait jugé à ma mine et à mon déportement que j'étais le chef de notre petite troupe, s'il était bien constant que je fusse le fils cadet du baron de Mespech et comment je le pouvais prouver. Je lui répondis que j'avais une lettre de mon père pour son maître. Il la voulut voir. Je la lui tendis. Et la prenant, il rompit le cachet sans tant languir et sans plus de façon, et combien qu'elle ne lui fût pas adressée, la lut. Après quoi, son œil devint moins froidureux et il nous requit fort poliment de quitter nos corselets et morions et de nous mettre en pourpoint, M. de Montaigne n'aimant point qu'on parût devant lui, en sa paisible retraite, armés en guerre comme nous étions.

Il devait être vers les six heures quand nous atteignîmes le château. Le secrétaire, dès le débotté, nous mena dans la tour où M. de Montaigne avait la librairie qu'il devait décrire dans ses fameux *Essais*, regrettant de n'y avoir point cousu une galerie où il eût pu déambuler, au lieu que non pas tourner en rond dans sa ronde tour, comme il faisait quand nous entrâmes. Il nous salua avec une extrême civilité et, nous ayant fait asseoir, il lut la lettre que le secrétaire lui tendit tout ouverte, hochant le chef ce faisant et la relisant une fois qu'il eut fini, ce qui me laissa tout le loisir de l'envisager, ce que je fis fort curieusement pour ce qu'il avait — déjà sans que rien de sa plume fût encore sorti — une grande réputation d'esprit dans le royaume.

Il avait alors trente-neuf ans, et depuis un an déjà il s'était, selon son dit, retiré au sein des *doctes vierges*, par quoi il voulait dire les muses, voulant consacrer « les doux refuges ancestraux de Montaigne à sa liberté, à sa tranquillité, et à sa retraite ». Il m'avait semblé à son accueil qu'il tranchait quelque peu de l'homme de cour, ou plutôt qu'il le contrefaisait, n'en ayant pas trop la mine ni l'allure, encore qu'il portât une large fraise à godrons et autour du col le collier de l'ordre de Saint-Michel que le roi lui avait baillé l'année d'avant. Quant à moi, je trouvai du clerc et du robin en sa personne, laquelle ne brillait pas par les grâces du corps, ayant la taille courte et ramassée, une chauveté à ne pas avoir sur le chef un seul poil vaillant et l'air d'un homme plus apte à la plume qu'à l'épée — encore qu'il la portât à son côté, et aimât assez, à ce qu'on m'avait dit, parler guerres et batailles, ce dont riait notre voisin Brantôme, tant est grand et tenace chez les nobles d'épée le préjugé contre la noblesse de robe.

A le considérer plus avant au cours de notre entretien, je lui trouvai le front haut et comme bombé, les pommettes hautes, le visage non pas gras mais plein, le nez long, fort et aquilin, l'œil grand, noir, fendu et judaïque, le regard à'steure gai et gaussant, à'steure prudent, méfiant et comme inquiet. Ses lèvres charnues tombaient quelque peu aux deux bouts et la moustache, soulignant et poursuivant cette chute, lui donnait un air chagrin, du moins tant que son sourire ne se mettait pas en branle, lequel était délicieux, si bien qu'il me sembla que sa physionomie balançait, à fléaux égaux, entre le jovial et le mélancolique.

Il était vêtu avec beaucoup de soin d'un pourpoint de velours noir et de chausses de même couleur avec des crevés blancs, l'épée au côté, comme j'ai dit, encore qu'il fût chez lui. Et quant à sa barbe (où se voyait déjà du gris), il ne la portait pas en son entièreté comme Rondelet ou Saporta, mais coupée aux ciseaux assez près du visage, soit qu'il la trouvât ainsi plus séante à un homme de cour, soit qu'il la souffrît plus qu'il ne l'aimât, la préférant à l'incommodité de se raser. Sans qu'il eût le cuir de la face aussi tanné que mon père, le soleil périgordin n'avait pas laissé que de lui colorer les joues et combien que sa taille tirât plutôt vers le petit, il paraissait sain et gaillard.

— Monsieur, dit-il en repliant la lettre et en la glissant dans son pourpoint, je connais Monsieur votre père pour ce que m'en disait mon défunt ami M. de La Boétie, lequel le tenait pour fort homme de bien. Vous me conterez à plus de loisir et commodité votre affaire. Pour l'heure, je vous prie de me suivre en mon grand logis où je suis accoutumé à passer chaque jour les deux heures qui précèdent mon dîner.

— Ha! Monsieur de Montaigne! dis-je en me levant, vous avez là une fort belle librairie, et qui passe de beaucoup celle de Mespech, si conséquente que celle-ci soit déjà.

— Mon père, dit Montaigne, l'a commencée avant moi, et depuis que j'ai atteint l'âge d'homme, je n'ai regardé ni à la peine ni à la dépense pour arrondir cet héritage.

Et en prononçant le mot arrondir, de la main qu'il avait blanche et déliée, il montra avec un souris les planches qui, soutenant les livres, suivaient la courbe du mur, la pièce étant parfaitement ronde, hors la partie où elle s'ouvrait sur l'escalier, lequel était rond lui aussi, encore qu'il fût enclos dans une petite tour carrée accolée à la grande. On eût dit que cette librairie, en sa rotondité, était comme le cocon où le ver s'enferme pour tisser autour de lui sa tant belle et protectrice enveloppe.

Mon hôte, descendant les degrés, s'arrêta pour nous montrer sa chambre à coucher, et à son côté, une petite pièce qui, par une ouverture pratiquée dans le mur, communiquait avec la chapelle qui était en dessous, de sorte que les paroles ou les chants de l'officiant lui pouvaient parvenir sans qu'il eût à saillir de son lit.

— Ha! dis-je en souriant, nous avons la même disposition à Mespech! Mon père et Sauveterre l'avaient façonnée dans les débuts de leur installation, alors qu'étant huguenots sans oser encore se déclarer — la persécution faisant rage contre les nôtres — ils voulaient paraître ouïr la messe sans l'ouïr vraiment.

— Ho! Mais je l'ois! dit Montaigne, je l'ois! Et en toute dévotion et diligence! Ma mère, reprit-il non sans quelque émeuvement, était Marrane et décroyant la foi que ses ancêtres par force forcée croyaient, pour ce qu'ils avaient été convertis en Espagne par la question et le bûcher, elle avait embrassé, d'un fort sincère élan, la religion réformée. Mon frère aussi, et non sans un zèle que M. de La Boétie blâma, ce dont je me ramentois fort bien, sur son lit de mort. Mais pour moi, Monsieur, reprit-il, aimant au-dessus de toutes choses la paix et la modération, je suis de la même religion que le Roi.

Il dit cela avec un sourire de si fine et secrète

gausserie qu'il me donna à penser que si la royale foi venait à changer, la sienne n'aurait point trop de mal à la suivre.

— C'est dire, ajouta-t-il après un silence, que je suis catholique et avoue la messe.

— Monsieur de Montaigne, dit alors Samson, assumant en sa candeur plus d'audace que Giacomi et moi n'en eussions osé montrer, vous avouez la messe mais peut-on dire que vous y allez, ne bougeant point de votre lit ?

— Mais cependant je l'ois ! dit Montaigne avec un sourire des plus subtils. Et ouïr la messe n'est-il pas le premier devoir du catholique ?

Ayant dit, il descendit les degrés de la tour et traversant devant nous une cour, laquelle était vaste et bien pavée, il nous mena dans la grand-salle en son logis, que je trouvais fort bien garnie en meubles, en tentures et en tapis. A peine cependant avions-nous pris place qu'une chambrière vint lui demander en oc s'il lui était loisible de voir Mademoiselle sa fille et la gouvernante d'icelle. Il acquiesça et la garce sortie, nous dit :

— Plaise à vous, Messieurs, de me donner licence de couper notre entretien par cette visite, laquelle est rite quotidien en mon domestique. J'ai perdu trois ou quatre enfants en nourrice, non sans regret mais sans grande fâcherie, et Léonor est ce qui me reste de cette progéniture, et elle est aimée à proportion de ceux que j'ai perdus. Vous l'allez voir et je vous prie de lui pardonner son excessive puérilité. Car encore qu'elle soit à l'âge où les lois excusent les plus échauffées de se marier, elle est d'une complexion tardive, mince et molle, et commence à peine à se déniaiser de l'enfance.

Comme il achevait, Léonor entra, suivie d'une vieillotte fort pincée, revêche et rechignée, laquelle nous envisagea tout de gob comme si sa pupille ne pourrait jeter l'œil sur nous sans courir à piperie et perdition. Léonor cependant alla bailler ses joues pâlottes à baiser à son père et vers nous se tournant, la paupière baissée, nous fit une révérence gauche pour ce qu'elle était de son corps tant anguleuse que la librairie de son père l'était peu, la charnure fort resserrée sur l'os, et du tétin comme sur ma main. Cependant la face, quoique maigre, était belle assez et les yeux fort lumineux.

La gouvernante dont à peine se pouvaient voir les lèvres tant elles étaient rentrées au-dedans de la bouche, à laquelle manquait, me parut-il, une partie de sa denture, commença sur lesdits faits et gestes de Léonor en sa journée, un discours qui me parut plus rassotté et puéril que ne pouvait l'être sa pupille en ses plus enfantins moments, et que le seigneur de Montaigne ouït ou parut ouïr en hochant le chef, son œil pendant ce temps étant tout occupé de Léonor et, à ce qui me sembla, fort atendrézi.

— C'est bien, dit-il à la fin. Lisez, je vous prie, Léonor.

Et la gouvernante, tendant à Léonor un fort gros livre, et celle-ci le posant non sans peine et labour sur ses genoux, l'ouvrit à la page marquée et commença à le lire d'une voix fort douce, trébuchante et hésitante assez, le livre étant en français, ce qui était je gage, tout ensemble, l'intérêt et la difficulté de la chose. Si ma remembrance est bonne, il n'était question en cette page que de plantes, arbres et arbrisseaux, et la lisant, Léonor y rencontra le mot *fouteau* qui est un autre nom pour le hêtre.

— Madame, dit incontinent la gouvernante d'un ton rude et comme si elle gourmandait la pauvrette, ne dites pas ce mot ! Il est fort malhoneste et sied peu à la bouche d'une fille.

— Que fais-je alors ? dit naïvement Léonor. Il est par deux fois dans la phrase.

154

— Prononcez la phrase en le sautant.

— Quoi ? Deux fois ? dit Léonor qui peut-être avait plus d'esprit qu'il n'y paraissait.

— Deux fois.

Et tout de gob, reprenant la ligne qu'elle avait déjà lue, Léonor la relut en cette guise : ·

« Au-dessus du bosquet que je viens de dire, se voyaient les frondaisons d'un superbe *hum*, et à la cime de ce *hum*, un nid de colombes. »

Après quoi, sans que M. de Montaigne pipât ou clignât, la lecture s'achevant, Léonor se fit bailler de son père un poutoune sur chaque joue, et s'en fut, tant mignonne que maigrichonne dans le sillage de la revêche.

— Vous avez ouï, dit Montaigne quand elles furent sorties. Voilà comment on élève nos filles ! Le mot *fouteau* devient un crime pour ce qu'il ressemble à *foutre* ! Et au lieu que de le dire innocemment, maintenant qu'on l'a supprimé, on y va supposer des montagnes.

— Mais, Monsieur de Montaigne, dis-je, vous eussiez pu intervenir.

— Ha que nenni ! s'écria Montaigne en levant les deux mains. Je ne veux point troubler les règles ni me mêler de ce gouvernement. La police féminine a un train mystérieux : il faut le laisser aux femmes. Mais si je ne me trompe, le commerce de vingt laquais n'eût pas imprimé en l'imagination de Léonor l'intelligence et l'usage de ces syllabes scélérates aussi bien que cette bonne vieille par son interdiction.

A quoi je ris, et Giacomi aussi, mais non point mon bien-aimé Samson, lequel, je gage, s'il avait une fille à élever, y serait tout aussi imployable que la malavisée vieillotte.

— Ha ! voilà une autre visite ! dit Montaigne sur les genoux de qui venait de sauter une chatte non point tant précieuse que commune, hors sa couleur qui me parut sortir de l'ordinaire, étant gris rayé, mais fort clair et quasi argenté, et sur le ventre, le poil blanc et soyeux, le corps allongé comme belette, gracieux et ondoyant, la face petite et triangulaire, les yeux verts et quelque chose de si folâtre et féminin en son déportement que c'était merveille de la voir sur les genoux de Montaigne ronronnant sous ses mignonneries, et lui bailler à s'teure de la fausse griffe, à s'teure de la fausse morsure, en ses félins ébattements.

Cependant qu'il grattait sa chatte entre ses petites oreilles, Montaigne m'envisageait avec un lent sourire que je ne saurais mieux décrire qu'en disant que, joint au brillement aigu de son grand œil, il vous faisait à l'avance complice et partie de ce qu'il allait prononcer. Ainsi, combien qu'il ne fût pas beau, on se trouvait comme prévenu en sa faveur, avant même qu'il parlât, et quand il exprimait son sentiment, encore que celui-ci fût parfois au rebours de la commune opinion, il vous pénétrait par sa finesse sans vous heurter par sa nouveauté. En outre, aucun sujet n'était trop petit ou de trop peu de conséquence pour lui, ce qui donnait à son propos un abandon qui vous le faisait proche et rassurant.

Contrefaisant de la main un soudain assaut contre sa chatte, et celle-ci contrefaisant de la griffe une contre-attaque, Montaigne dit avec son lent sourire :

— Je joue à ma chatte, mais qui sait si elle ne joue pas à moi ? Qui sait si je ne suis point pour elle tout juste ce qu'elle est pour moi ? Et si elle ne se divertit de moi plus encore que je ne fais d'elle ? Nous nous entretenons de nos singeries réciproques. Si j'ai mon heure de commencer ou de refuser, elle a la sienne aussi.

Passant alors au sujet de la chasse, il dit que ses voisins en étaient tous raffolés, mais que pour lui, encore qu'il donnât à courre, comme son père avant lui, il y voyait un plaisir violent, et qu'il n'aimait pas entendre gémir un lièvre sous les dents de ses chiens. Pas plus, ajouta-t-il, qu'il ne pouvait voir égorger un poulet sans déplaisir.

— Il faut bien manger pourtant, dit Samson.

— Assurément! dit Montaigne, sur un ton d'aimable gausserie et envisageant mon joli frère avec sa coutumière bénignité.

Cependant, sa chatte — laquelle il appelait Carima —, mécontente qu'il eût interrompu leur jeu, sauta au sol de dessus ses genoux, et la queue fière, s'en alla bouder en un coin de la salle où se trouvait un petit tapis qu'incontinent elle se mit furieusement à griffer comme pour se revancher d'être ainsi déprisée. Et combien Montaigne, à ce que je vis, n'aimât guère qu'elle dommageât son bien, cependant il la laissa faire, n'ayant guère appétit, ce me sembla, à corriger les choses ni les gens, et pas davantage Carima que la gouvernante de sa fille.

— Venons-en à votre affaire, dit-il, son œil se détachant enfin de sa chatte et se fichant sur moi.

Je lui dis tout, et sans rien pimplocher ni omettre, et de mon duel avec Fontenac, et de l'enquête de M. de la Porte, et de la partialité des juges du Présidial, et de ma fuite, et de mon intention de requérir la grâce du roi.

— Ha! dit-il après m'avoir ouï d'une forte diligente oreille, voilà bien l'esprit de parti! Et quel trouble continuel, faussant toute balance, il jette dans l'Etat! Ces juges vous accusent dans les dents de toute flagrante évidence sur la foi d'un témoin unique comme s'ils ignoraient l'adage du droit : *Testis unus, testis nullus* [1], et comme si ce témoin n'avait pas par deux fois piteusement varié.

1. Témoin unique, pas de témoin.

Ayant dit, il n'ajouta point, comme je l'eusse attendu, qu'il rédigerait ma requête au roi, ce dont mon père l'avait prié dans sa lettre. Et encore que je ne laissasse pas d'être étonné de son silence là-dessus, je ne désespérai pas de sa réponse, pensant que peut-être avant de me la bailler, il y voulait songer plus outre, car l'affaire n'allait pas pour lui sans quelque délicatesse, l'amenant à défendre des huguenots contre les acharnés de son propre parti.

Une chambrière étant venue dire que le repas attendait le plaisir du maître, on passa à table, Montaigne excusant Madame son épouse de n'y point paraître, étant retenue en sa chambre par une douleur de tête qui lui venait une fois le mois et pour un jour seulement.

Ce repas chez M. de Montaigne présentait d'aucunes singularités assez étonnantes pour qu'encore à ce jour je me trouve de m'en ramentevoir. Le pain était sans sel et les viandes, au rebours, fort salées. Le vin arrivait sur la table coupé d'une moitié d'eau, et se versait non dans des gobelets, comme à Mespech, mais en des verres, Montaigne voulant que la vue y tâtât avant que de le boire. Il n'y avait ni cuiller ni fourche, on n'avait que la main, ce qui était fort au détriment du maître du logis car il y mettait tant de hâtiveté que je le vis par deux fois mordre ses doigts. Pour la chair et le poisson, on les servait, comme chez nous le gibier, mortifiés, et jusqu'à la senteur, ce qui me ragoûta peu, étant accoutumé à Mespech à les manger en leur fraîcheur. On dînait sans nappe, mais à chaque service, une chambrière vous apportait une serviette blanche dont Montaigne se torchait les mains et la bouche, les souillant prou, car il mangeait fort goulûment, s'excusant sur l'habitude qu'il en avait.

Vers le milieu du repas, un petit valet qui apportait un grand plat buta du pied sur une saillie du dallage, et s'étala, le plat se brisant en miettes, répandant aux alentours les viandes dont il était chargé. Cela créa une grande commotion qui fit l'entretien s'accoiser, et le petit valet se relevant tout quinaud et fort pâle, osant à peine envisager son maître, celui-ci dit, la voix égale et sans battre un cil :

— Jacquou, quiers notre Margot pour qu'elle ramasse ces débris, et apporte-nous le service suivant.

Et Jacquou nous quittant, infiniment soulagé, je dis à M. de Montaigne combien j'admirais en ces occasions sa philosophie, car encore qu'à Mespech on ne donnât plus le fouet à personne, on ne laissait pas de gourmander ceux qui trébuchaient en les devoirs de leur office.

— Ha ! dit M. de Montaigne, les hommes qui nous servent le font à meilleur marché et pour un traitement moins favorable que celui que nous faisons aux chevaux et aux chiens. Il faut laisser un peu de place à l'imprudence d'un valet. S'il nous en reste en gros de quoi faire notre effet, laissons-le un peu plus courre à merci : la portion du glaneur.

Propos qui me ramentut ce que M. de La Boétie avait dit devant moi à mon père touchant la moisson à Montaigne, où quelque gerbe de blé se défaisant dans le charroi, le maître du logis défendait qu'on la refît, afin que ses épis, s'épandant, augmentassent la provende des glaneurs. De la même guise, Montaigne observait avec le dernier scrupule l'us ancien de laisser ses champs moissonnés en pâture aux bêtes des plus pauvres, alors qu'à Mespech, on les labourait incontinent, enfouissant le chaume en la terre pour l'engraisser davantage : méthode de plus de raison et de meilleur profit, mais qui rebéqua tant les gens de nos villages que nous eûmes dans les débuts quelques mailles à détordre avec eux.

Mais pour en revenir à notre plaisant, plantureux et périgordin repas, je ne sais comment on en vint à parler de l'amour et du mariage, mais M. de Montaigne fut là-dessus d'une émerveillable franchise, aimant à vrai dire parler de soi infiniment, non point de petite, médiocre et égoïste guise, mais comme si c'était l'entière condition de l'homme qu'il peignait à travers ses singularités.

— Jeune, dit-il, avec son coutumier abandon, je me suis prêté autant licencieusement et inconsidérément qu'aucun autre au désir qui me tenait saisi. Et y ai acquis quelque gloire, plus toutefois en continuation et en durée qu'en saillie :

Sex me vix memini sustinuisse vices [1].

— Six ! Monsieur de Montaigne, dis-je avec un sourire, je ne vois pas qu'on puisse se trouver mécontent de ce chiffre. Quant à moi, j'en serais heureux.

— Je ne le suis pas, dit Montaigne, pour ce qu'étant vicieux en soudaineté, je trouve la volupté de l'amour vite et précipiteuse. Et je me trouve tout juste comme ce quidam de l'Antiquité qui eût souhaité avoir un gosier tant long que celui d'une grue afin que de savourer plus longtemps les mets qui le traversaient.

A quoi je ris à gueule bec, et Giacomi aussi, mais non point mon pauvre Samson, qui était en son for si désolé de ces gaillardises qu'il gardait l'œil baissé et la mine songearde afin que d'avoir l'air de ne les point ouïr.

Montaigne me demanda alors avec son lent sourire comment je traitais les garces que j'avais courues une fois qu'elles étaient à moi.

— Mais bien, dis-je, pris sans vert.

— Et bien faites-vous, dit Montaigne, et au rebours de la plupart des hommes, pour ce que je trouve qu'on y doit avec elles conduire un marché

1. Je me souviens avoir à peine remporté six victoires. (Ovide.)

aussi consciencieux et juste qu'aucun autre. Pour moi, ne voulant ni les piper ni les tromper, je ne leur ai mie témoigné de mon affection plus que ce que j'en sentais. J'ai été si épargnant à promettre que je pense avoir plus tenu que promis ou dû. Et enfin je n'ai jamais rompu avec elles jusqu'au mépris et à la haine, car telles privautés qu'elles vous accordent, obligent, au départir, à quelque bienveillance. Monsieur de Siorac, poursuivit-il avec un sourire, j'ai ouï dire que vous fûtes en Montpellier le protégé d'une très haute dame et qu'elle allait jusqu'à vous appeler son petit cousin, encore que vous le fussiez peu.

— J'eus, dis-je en le saluant d'une inclinaison de tête, cet immense privilège.

— C'était votre heur et votre sagesse, Monsieur de Siorac, dit Montaigne. Quand j'étais de votre âge, j'avais tant appétit aux honnêtes dames que je pouvais rencontrer que je ne me suis guère adonné aux accointances vénales et publiques, voulant aiguiser mon plaisir par la gloire. J'étais en quelque guise comme la courtisane Flora qui, à Rome, ne se prêtait pas à moins que d'un dictateur, ou consul, ou censeur : je prenais mon déduit en la dignité de mes amoureuses.

— A vrai dire, Monsieur de Montaigne, ce n'est pas que je déprise par ailleurs les amours populaires, y trouvant de la commodité, et parfois de l'affection où mon cœur s'émeut.

— Mais moi non plus, dit Montaigne, d'autant que je ne saurais me contenter comme les Espagnols, d'une œillade, d'une inclinaison de tête, d'une parole ou d'un signe. Qui pourrait, comme dit notre périgordin proverbe, dîner de la fumée d'un rôt ? Il me faut viandes moins creuses, et chair plus substantifique. Car si je mets à l'amour un peu d'émotion, je n'y mets point de rêverie.

Ha! pensai-je, voilà toute la différence entre ce

grand homme et moi ! Car j'y mets moi, une émotion à perdre le goût du manger, du boire et presque du vivre et en l'absence de mon Angelina, ne sais-je pas les songes infinis auxquels je me laisse aller ?

— Vous êtes donc, Monsieur de Montaigne, lui dis-je, quelque peu impatient de l'amour courtois ?

— Oui-da, dit-il avec un sourire, quand rien ne vient après lui. Il faut réserver en ce marché un peu de sens et de discrétion. Il faut s'y plaire, mais ne s'y oublier pas. L'amour, Monsieur de Siorac, ne devrait point conduire aux larmes ni aux soupirs. En son essence, c'est une agitation éveillée, vive et gaie. Elle n'est nuisible qu'aux fols. A la conduire comme je fais, je l'estime salubre, propre à dégourdir un esprit et un corps pesant. Et comme médecin je l'ordonnerais à un homme autant volontiers qu'aucune autre recette pour le tenir en force bien avant dans les ans.

Ha ! certes, pensais-je, il dit fort vrai : il n'est que de comparer côte à côte en leurs mûres années mon oncle Sauveterre et mon père, pour distinguer du premier œil auquel des deux sa particulière humeur a le mieux profité, et si mon père n'a pas autant soustrait des ans à son âge en façonnant des bâtards que Sauveterre y a ajouté par son imployable vertu.

Comme on en était arrivé aux fruits, Jacquou distribua à chacun un melon que je ne pus manger, non plus que Giacomi et Samson, en son entièreté tant il était gros, tandis que j'observais que Montaigne, tant il aimait ce fruit, en réclama un second de même taille et volume après avoir glouti le premier.

— Le mariage, poursuivit Montaigne en se torchant la lèvre, la moustache et la barbe d'une serviette que la chambrière lui tendit, le mariage n'est qu'un plaisir plat, j'entends sans piqûre ni cuisson. Et ce n'est plus l'amour s'il est sans flèches ni feu.

— Mais, dis-je, pensant à mon Angelina avec laquelle, à vrai dire, je ne me promettais nullement de

« plats plaisirs », ne peut-on apprendre à son épouse ces enchériments délicieux qui font la volupté si vive, si aiguë, et si chatouilleuse ?

— Nenni ! dit Montaigne en levant les deux mains. Gardez-vous, Monsieur, d'aller employer à ce parentage vénérable les extravagances de la licence amoureuse ! Craignez avec Aristote qu'en caressant trop lascivement votre épouse, le plaisir ne la fasse sortir hors des gonds de raison ! Et qu'au moins, si elle doit un jour s'instruire en imprudence, que ce soit d'une autre main que la vôtre.

Ha ! pensai-je, voilà où notre sage pour une fois déraisonne, combien qu'il ait pour lui en cette occasion Aristote, les Eglises, et la commune opinion. Havre de grâce ! Je n'instruirais pas Angelina en les mignonneries délicieuses que j'ai apprises ! Je ne pourvoirais pas à son plaisir tout autant qu'au mien propre ! J'attendrais un rival pour la façonner plus outre !

Cependant, je m'accoisai, ne voulant point disputer avec ce grand esprit qui, pour peu qu'il départît de la commune opinion et suivît son naturel, abondait en idées tant neuves que piquantes et les exprimait si heureusement, mêlant à son français à s'teure des tournures latines, a'steure des mots périgordins, tant est qu'à la fin, sa langue, tout ensemble savante et rustique, mais toujours nombreuse, vous laissait l'oreille comblée et l'entendement content.

J'en étais là de ces sentiments, quand Montaigne, gloutissant sa dernière tranche de melon, hucha et porta la main à sa bouche.

— Ha ! Monsieur ! criai-je, qu'est-ce ?

— Rien, dit Montaigne. A manger tant gouluement que je fais, je me suis mordu la langue. Mais ce n'est rien, combien que cela fasse grand mal sur l'instant. Ainsi, Monsieur de Siorac, vous allez à Paris. Vous y trouverez de grandes commodités, poursuivit-il comme s'il avait tout oublié, et de la grave raison qui m'y faisait courir et de la requête que mon père lui avait demandé de rédiger pour ma grâce. Et quand comptez-vous départir?

— Mais, Monsieur de Montaigne, demain.

— Quoi! cria Montaigne, vous me priveriez si vite, votre frère, le maître Giacomi et vous, de vos jeunes et claires faces! A peine là, vous voilà déjà départis!

— Mais, Monsieur de Montaigne, nous ne pouvons trop céans délayer, étant proscrits et en danger d'une heure à l'autre d'être saisis et en geôle serrés.

— Il est vrai, dit-il soupirant. Ha! Que j'eusse aimé être des vôtres en cette chevauchée, combien pourtant que je ne me prive point de voyager, étant allé, il est deux ans écoulés, en Paris, laissant en mon absence le gouvernement de ma maison à ma femme, laquelle possède, entre autres excelses vertus, la vertu économique. D'aucuns, poursuivit-il, se plaignent que les voyages rompent le devoir de l'amitié maritale. Je ne le crois. La continuation de se voir ne vaut pas le plaisir que l'on sent à se déprendre et reprendre à secousses. De reste, nous n'avons pas fait marché, en nous mariant, de nous tenir continuellement accolés l'un à l'autre d'une manière chiennine. Et je tiens qu'une femme ne doit pas avoir les yeux si gourmandement fichés sur le devant de son mari qu'elle n'en puisse voir le derrière!

Je ris à cette saillie, et Giacomi aussi, mais non point Samson, qui l'œil sur ses mains et ses mains sur ses genoux, se fût voulu à dix lieues de là, tant il était navré en sa pudeur.

— Monsieur de Siorac, poursuivit Montaigne, souffrez maintenant que je m'accoise un petit, pour ce que je me lasse et me blesse de parler l'estomac plein. Mais cependant que je me tais, faites-moi la grâce de me dire l'aventure qu'on vous prêta avec un cotillon diabolique en un cimetière de Montpellier.

— Ha! Monsieur, m'écriai-je, combien que la Mangane fût à la fin brûlée, elle n'était point tant sorcière que je la cuidai d'abord, et le diable n'était que par métaphore en son cotillon.

— Dites-moi la chose, cependant, dit Montaigne, croisant les deux mains sur sa bedondaine et m'envisageant de ses beaux yeux luisants.

Je lui obéis, encore que je fusse bien vergogné de conter l'affaire en la présence de mon bien-aimé Samson à qui je l'avais celée jusque-là, et que je vis ouvrir tout grands ses yeux azuréens à ouïr ces folles indécences — c'est pourquoi je ne veux céans en gloser plus outre, ne voulant point, comme j'ai dit, offenser les délicates dames qui m'ont fait remontrance de mes libertés.

— Pour les sorcières, dit Montaigne quand j'eus fini, je vois le monde entier y croire, ou feindre d'y croire, Ambroise Paré tout le premier, lequel, en ces matières, ne me branle ni m'éblouit, étant grand médecin, mais non point, hors la médecine, instruit. A Bordeaux, y ayant un procès de sorcellerie où tous, avant que de juger, criaient au démon, les prêtres comme le populaire, je ne voulus point me laisser à l'avance garrotter le jugement, et je fus voir ces pauvres garces, et leur parler, sans appareil de bourreau, ni de brodequin. Je trouvai des folles à lier, certes, mais sans rien du diable qu'en leur imaginative et relevant de l'ellébore plus que de la ciguë.

Je fus fort aise d'ouïr M. de Montaigne opiner ainsi, ayant trouvé en Montpellier si peu de gens à décroire ce que les juges et les prêtres tenaient pour constant, quand ils dépêchaient au bûcher tant de ces misérables qui, se trouvant la jugeote déviée et faisant hommage à Satan de cette déviation, s'en donnaient à accroire à eux-mêmes, tenant boutique de momeries par où ils singeaient les rites d'Eglise, mais au rebours.

Cependant, M. de Montaigne, ne trouvant plus, à ce qu'il me parut, que la parole lassait et blessait son estomac rempli, revint de lui sur le sujet de Paris, laquelle (je parle de Paris) le touchait de si près qu'il en fit le plus émerveillable éloge : discours qui me divertit comme il m'enchanta, tenant en ma remembrance tout le mal que le capitaine Cossolat en Montpellier, m'avait dit de la « villasse », de sa puanteur, de ses incommodités, de la presse qui vous y foulait, de la vacarme insupportable des charrois, et de l'arrogance infinie de ses habitants.

— Monsieur de Montaigne, dis-je, voilà un autre son de cloche que celui que j'ai en Languedoc tant souvent ouï.

— C'était préjugé ! dit Montaigne. Pour moi, je ne me mutine jamais tant contre la France que je ne regarde Paris de bon œil : elle a eu mon cœur dès ma jeunesse... Plus j'ai vu, depuis, d'autres villes belles, plus la beauté de celle-ci a gagné sur mon affection. Je l'aime par elle-même et plus en son être seul que chargé de pompe étrangère. Je l'aime tendrement, jusques à ses verrues et à ses taches : je ne suis Français que par cette grande cité, grande en peuples, grande en félicité de son assiette ; mais surtout grande et incomparable en variété et diversité de commodités : la gloire de la France et l'un des plus nobles ornements du monde.

A ce discours, nous entrevisageant tous trois avec ravissement, nous fûmes si enflammés des beautés vers lesquelles nous irions dès le lendemain galopant sur les grands chemins du royaume qu'à peu que je n'oubliasse le propos de ma visite. Et à vrai dire, je ne m'en ramentus que lorsque, après avoir poursuivi encore un petit ses propos, M. de Montaigne, se levant, s'excusa de nous quitter sur une tâche qui lui restait à faire avant que de s'aller coucher, ajoutant que si nous étions résolus à départir le lendemain à la pique du jour, il nous fallait lui faire de présent nos adieux, pour ce qu'il était accoutumé, étant marié et vieil, à se lever tard. Et moi, ne sachant s'il avait tout à trac oublié ma requête, ou si son silence voulait dire qu'il la refusait, je balançai en mon for à remettre ce lièvre à courre, quand il me dit :

— Monsieur de Siorac, je vais de ce pas dicter à mon secrétaire votre requête au Roi. Il vous la remettra demain à votre département. Vous n'aurez que de la signer.

— Ha! Monsieur! criai-je, que de grâces je vous dois!

— Aucune. L'injustice commise contre un seul est une injure au genre humain. Il faut qu'un chacun tâche à la rhabiller à peine d'être soi-même injuste.

— Monsieur, dis-je, un dernier petit mot : pourrais-je dire dans les occasions que ma requête au Roi fut de vous rédigée ?

A quoi, haussant le sourcil et la mine circonspecte assez, Montaigne parut d'abord en quelque doutance s'il dirait non ou oui, mais à la fin, sa générosité le disputant à sa prudence, il se décida pour un terme moyen et dit avec un sourire :

— Si on vous le demande, ou si vous le cuidez utile à la fin que vous en attendez, dites-le. Sinon, ne dites rien.

CHAPITRE IV

Nous atteignîmes Montfort-l'Amaury sans embûche ni encombre le 1er août au soir, et nous trouvant encore à une bonne journée de cheval de Paris, je décidai de passer la nuit en ce joli bourg qui se niche sous ses vieilles tours à l'orée de la forêt qui porte son nom. Mais nous fermèrent l'huis au nez les deux gîtes de Montfort, n'ayant plus de quoi loger même une épingle, tant était grande, à cette étape, la presse des gentilshommes qui, venus de Normandie et de Bretagne, se ruaient à la capitale à l'invite du roi, pour assister au mariage de la princesse Margot. Et nous eussions été dans le plus mortel embarras (ne pouvant dormir aux champs, le temps en ce 1er août étant pluvieux et froidureux) si l'alberguière du deuxième gîte, nous voyant si quinauds, et en outre émue en notre faveur par notre bonne mine (et la beauté de mon Samson), ne nous eût conseillé d'aller frapper à l'huis de Maître Béqueret, qui tenait officine d'apothicaire sur le côté senestre de l'église, et qui, ayant un logis fort vaste, nous pourrait accommoder, s'il le voulait.

Nous y allâmes, et encore que le petit valet me voulût claquer l'huis au bec, M. Béqueret étant fort importuné par les voyageurs en quête d'un gîte, je fis tant par la douceur de mon adresse (et aussi par quelques pécunes dont je lui graissais le poignet) qu'il finit par quérir son maître : celui-ci, à la fin, nous admit non point dans son logis mais dans son officine, laquelle, sans être aussi grande que celle de Maître Sanche en Montpellier, était si neuve et si belle qu'elle ne laissa pas d'ensorceler incontinent mon joli Samson. Ouvrant tout grands ses yeux azuréens, il les ficha avec le plus émerveillable appétit sur les bocaux à lettres dorées qui de haut en bas décoraient les murs.

Maître Béqueret, qui était grand assez, l'œil noir, le poil brun, la manière douce, m'ouït courtoisement lui dire qui j'étais et ce que je requérais de lui. Après quoi, fort civilement, mais la crête redressée, il repoussa de clic et de clac ma requête, disant qu'étant maître apothicaire et bourgeois étoffé en la ville, il tenait au-dessous de sa dignité de tenir boutique et marchandise de chambres garnies, ni de les donner à louer, fût-ce aux fils cadets du baron de Mespech, lesquels il était, au demeurant, fort honoré de saluer.

Sur quoi, en effet, assez roidement, il me salua. Je le saluai aussi, mais sans rompre les chiens, et l'air tout aussi riant que s'il ne m'avait pas rebuffé, je jasai plus outre, sans faillir toutefois à lui apprendre que j'étais docteur médecin de l'Ecole de Montpellier, mais encore que cela, comme bien j'y comptais, l'adoucît quelque peu, il ne céda point sur le principal, et la pluie à cet instant redoublant aux vitres, à peu que le cœur ne me descendît aux talons tant le pensement de passer dehors la nuit avec mes compagnons me faisait le poil dresser.

J'en étais à prendre congé, assez déconfit, de Maître Béqueret, quand Samson qui, tout à son avide contemplation, n'avait rien ouï de notre entretien, ne faisant pas plus de cas de son objet que de son premier hochet, s'écria en fleur et le bec bée :

— Ha! Maître Béqueret, quelle belle officine vous avez là! Et quels nobles corps et substances vous détenez en ces bocaux! On voit que vous ne lésinez point à la qualité pour façonner vos médecines!

— Et à quoi voyez-vous cela, Monsieur? dit Maître Béqueret en haussant le sourcil.

— A ce que votre séné vient d'Alexandrie et non de Seyde, lequel, combien qu'il soit moins coûteux, mon maître Sanche tenait pour vil, rude chargé de boue et de graveau, et indigne d'être administré même à un âne.

— Quoi? dit Béqueret, auriez-vous labouré sous le très illustre maître de Montpellier?

— Cinq ans, dit mon Samson, avant que d'être reçu moi-même maître apothicaire le 24 août de l'an du Seigneur 1571.

— Quoi! dit Béqueret, vous êtes de mon état! Et l'élève de Maître Sanche! Que ne le disiez vous d'abord au lieu de vous parer de vos titres de noblesse! Vous êtes céans chez vous, mon compère! Et vous aussi, révérend docteur médecin, ajouta-t-il en me jetant un œil, mais sans autant de chaleur car encore que je fusse d'une famille voisine, je n'étais pas tout à plein du même sang.

Et quel accueil nous fit alors le bonhomme, je vous le laisse à penser, parlant, dès que l'on fut à table, de nous garder tous quatre ainsi que nos cinq chevaux en ses écuries tout le mois d'août, pour ce qu'à Paris assurément, nous ne trouverions point de gîte, y ayant à la capitale telle grande et monstrueuse affluence pour les noces de la princesse Margot, laquelle veuille la benoîte Vierge tenir à jamais en sa sainte garde. A quoi, je dis amen et Giacomi aussi mais non point Samson, mon joli frère étant fort rebroussé en sa huguenote raideur par cette idolâtre invocation. Je rendis mille grâces et merciements à Maître Béqueret mais je lui remontrai que je ne pouvais délayer à Montfort, devant être à Paris, non point passagèrement — le jour des royales noces —, mais tout le mois, présent au Louvre en ma personne, aux fins de présenter une requête au roi dont mon avenir dépendait.

— Ha! Monsieur! dit Dame Béqueret, laquelle était brune comme son époux et comme lui l'œil bénin, cependant aigu et ferme, laissez-nous du moins votre aimable compère.

— Ha! Madame! dis-je, Samson tout un mois chez vous! A quels dépens vous seriez!

— Nenni! dit Dame Béqueret, aucun, foi de Normande! (car elle était de ces provinces), votre frère serait de grande aide et service en l'officine de mon mari, celui-ci ayant grand-peine à suffire à la demande, la presse étant si grande de présent à Montfort et pour tout le mois d'août.

A cette requête, je vis un grand brillement dans l'œil de mon Samson mais combien que j'eusse aimé obliger Samson et mes hôtes, comment eussé-je pu consentir à ce qu'il restât enterré en ces bocaux alors que la fortune lui baillait l'occasion de visiter la plus belle ville du royaume, ou même du monde, à ce que M. de Montaigne avait dit. Et encore que mon hôte fût à'steure tant renâclant à nous voir nous ensauver qu'il l'avait été d'abord à nous accueillir, je fixai au lendemain notre département. Oyant quoi, Miroul qui aidait la chambrière de Béqueret à servir à table, laquelle chambrière était une gentille et frisquette friponne, avec qui il avait barguigné œillades et contr'œillades tout le long du repas, me dit :

— Ha! Moussu, cela ne se peut! Votre Pompée est déferrée des deux fers de devant! Il faudra y pourvoir; vous ne pouvez ainsi chevaucher.

— Nous y pourvoirons donc demain! dis-je, fort rebroussé.

— Cela ne se peut, dit Miroul, donnant de son œil

marron à la mignonne chambrière, demain est dimanche. Le maréchal-ferrant ne voudra point labourer.

— D'autant, dit Maître Béqueret, qu'avec tous ces gentilshommes normands qui vont galopant sur Paris, il a plus de pratique qu'il n'y peut suffire. Cela serait miracle s'il vous ferrait mardi.

A quoi, l'œil marron de Miroul s'égaya fort.

Ha ! pensai-je, fort picanié, trois nuits encore à délayer céans quand Paris est si proche ! Et courroucé de cette traverse-là, je baillai du méchant sourcil à Miroul, comme si le déferrage eût été de son fait. A cet instant, Giacomi lui jetant aussi un œil, mais plus doux, puis à la chambrière, puis à moi, et entendant bien que ce retardement n'allait accommoder que le seul Miroul — ce dont il voyait bien que j'étais fort dépit, ne pouvant disputer la portion du valet, maintenant qu'il l'avait quasi entre les dents —, m'adressa son délectable souris et me dit en son italien :

— *Il saggio sopporta pazientemente il suo dolore* [1].

— *E vero dio* [2] ! s'écria Maître Béqueret, qui se piquait de parler italien, lequel était en Paris à la mode qui trotte depuis que la Florentine régnait sur le royaume.

J'étais le lendemain en la chambre qu'on m'avait baillée, vêtu de mes seules chausses et sans chemise, quand on toqua à l'huis et Maître Béqueret, entrant et me saluant de façon fort civile, me dit :

— Ha ! Monsieur de Siorac, que je suis conforté d'envisager sur votre poitrine cette médaille de la benoîte Vierge ! A certains signes, je m'étais mis dans l'entendement que vous étiez huguenots et je ne savais point comment m'y prendre pour vous prier

1. Le sage prend son mal en patience.
2. C'est la vérité vraie.

d'ouïr la messe en ma compagnie ce matin, pour ce qu'il y aurait grand péril pour moi et les miens en Montfort si on pouvait suspecter que j'héberge des hérétiques, ceux-ci étant céans, comme à Paris, furieusement haïs.

— Révérend Maître, dis-je, vous aviez bien dès l'abord deviné : hors le maestro Giacomi, nous sommes tous trois, maîtres et valet, de la religion. Et quant à moi, je n'ai sur moi cette médaille que sur le commandement de ma défunte mère, laquelle en mourant m'a fait pléger de la porter au col jusqu'au bout de ma vie. Cependant, Révérend Maître, vous fûtes avec nous tant aimable et serviable que je ne voudrais point vous être à dommage, et j'irai à messe pour vous servir.

— La merci Dieu et à vous ! s'écria Maître Béqueret. Je suis ôté d'un grand poids ! Combien que je sois catholique sincère, je n'y mets point, à vrai dire, tant de zèle et ne rêve point, comme d'aucuns, d'étriper ou brûler ceux de la nouvelle opinion. Mais vous l'allez voir, hélas, à Paris les furieux ne manquent point et c'est grande pitié que votre joli frère et vous, vous alliez donner du nez dans ces toiles ! Vous y risquez la vie !

— Mais, Révérend Maître, dis-je, n'est-il pas constant que notre chef Coligny soit de présent en grande faveur auprès du Roi ?

A quoi, Maître Béqueret haussa le sourcil.

— Oui-da ! Mais d'aucuns pensent aussi que le Roi n'embrasse Coligny que pour mieux l'étouffer, et avec lui tous les nobles huguenots accourus à Paris pour les noces.

Me laissant dans ce pensement qui, à y réfléchir plus outre, me pesait assez sur le cœur, Maître Béqueret me quitta, fort aise de ma complaisance. Et pour moi, beaucoup moins assuré de celle de mon Samson, j'allai le trouver incontinent dans sa chambre et lui dis ce qu'il en était de la prière de Maître Béqueret.

Il s'éveillait à peine, nu en sa natureté, et si beau et si blanc en ses membres vigoureux, la face tant claire et belle, la lèvre tant vermeille et l'œil, s'entrouvrant, si bleu que ce me fut une grande joie — dont je ne me lassais point — de le voir ainsi paresseusement s'étirer (car il aimait s'acagnarder au lit) et se testonner de ses doigts ses belles boucles de cuivre.

Cependant, son œil s'abrunit dès que je parlai messe.

— Je n'irai point, dit-il, refusant tout à plat.

— Samson, dis-je, nous ne pouvons mettre un hôte tant aimable à si grand malaise et déconfort.

— Je n'irai point, dit-il, plus roide que Calvin.

A quoi me courrouçant tout soudain, je criai d'une voix forte :

— Vous irez ! Je le commande ainsi !

— Ha ! dit Samson, fort troublé et chagrin, que vertement vous me tancez ! Oseriez-vous, Pierre, me parler ainsi si je n'étais pas un bâtard !

— Samson ! dis-je en le prenant tout de gob dans mes bras, et en lui donnant cent baisers, c'est folie ! Qui parle céans de bâtardise ? N'avons-nous pas même père ? Et quant à la pastourelle qui vous donna le jour, elle dut être une digne, bonne et belle garce, puisque vous lui ressemblez.

M'oyant ainsi parler avec un tel respect de sa mère qu'il n'avait point connue, la pauvrette étant morte de la peste quand il était en ses maillots et enfances, mon joli Samson se mit dans les pleurs et moi, à le voir en larmes, je fus en tel émeuvement que je lui donnai derechef une forte brassée et le baisant sur les taches de rousseur de ses claires joues, je lui dis :

— Je vous commande ainsi parce que je suis votre aîné.

— Mon aîné ? dit-il avec son charmant zézaye-

174

ment, qu'est cela ? Ne sommes-nous pas nés en
même mois et année ?

— Mais, quant à moi, dis-je, une semaine plus tôt.

A quoi il rit au milieu de ses pleurs, et le voyant du
revers de sa main les ôtant, et revenu à la bonace et
au soleil après ce gros orage, je lui dis :

— Samson, notre père vous a donné le ménage de
notre bourse, et à moi le commandement de notre
petite troupe, pour ce que je suis plus apte à démêler
nos terrestres chemins. Vous irez donc, je vous en
prie.

— J'irai, dit Samson, baissant le front comme un
bélier, mais à Dieu ne plaise que je le prie au milieu
de ces idolâtres !

Ha ! pensai-je, le beau zèle qui amène à ne point
prier !

— C'est affaire, Monsieur mon frère, à votre conscience, dis-je non sans gravité. Mais ramentevez-
vous cependant que les papistes adorent même Dieu
que nous.

— Mais non en même guise ! cria-t-il.

— Samson, dis-je, est-ce la guise qui compte ou
l'amour que nous devons à notre Créateur !

A quoi, fort peu persuadé, mais ne sachant que
répondre, il s'accoisa. Et son silence durant un petit,
je lui demandai alors s'il eût aimé rester en l'officine
de Maître Béqueret tout le mois d'août comme on
m'en avait prié, et il me répondit que oui avec un fort
gros soupir, pour ce qu'il aimait, dit-il, tant son état
qu'il en était tout rassotté mais que, cependant, il
voyait bien que ce n'était là ni raison ni devoir. Sur
quoi, tirant vers la porte, je l'allais quitter quand il
me dit, fort vergogné et le rouge aux joues :

— Savez-vous que Dame Béqueret est normande
et du même pays que Dame Gertrude du Luc ? Peut-
être la connaît-elle ?

Ha ! Samson ! pensai-je, vous n'êtes donc point en
toutes choses imployable !

— Que ne lui demandez-vous ? dis-je, me gaussant en mon for.

— Je n'oserais.

— Et peut-être cuidez-vous que je pourrais oser ?

— Oui, dit-il, en baissant la paupière.

— J'y vais songer, dis-je fort diverti. En attendant, Samson, vêtez-vous. La messe est à dix heures !

Dès qu'il vit qu'il ne pourrait nous retenir ni moi ni mon Samson en Montfort-l'Amaury, Maître Béqueret nous recommanda si bien au maréchal-ferrant de son bourg, que celui-ci me ferra en un tournemain ma Pompée dès le lundi à la pique du jour. Nous pensions à cette heure être seuls sur le chemin, mais à mesure qu'on se rapprochait de la capitale, davantage crût le charroi qui s'y faisait, lequel passait l'imagination, tant de gentilshommes à cheval ou en coche que d'innombrables chars chargés de foin, ou de bois, ou de lait, ou de chair fraîche coupée, ou de légumes, ou de tonneaux de vin ou de paniers pleins d'œufs, lesquels affluaient des proches villages pour nourrir la pantagruélique faim d'une ville dont les manants et habitants passaient à ce qu'on m'a dit trois cent mille : chiffre immense et incrédible, je le concède, mais qui me fut toutefois de sûre source confirmé.

Comme ces bonnes gens du plat pays menaient un train fort lent, étant tirés par des chevaux de labour ou des mules, d'aucuns même par des bœufs, nous ne laissions pas que de les dépasser en notre allègre trot, les envisageant et étant par eux contr'envisagés avec une émerveillable effronterie et interpellés au surplus d'une gaussante et narquoise guise, et en français, ce qui nous laissait béants, tant cette langue est déconnue en notre Languedoc du petit peuple, n'étant en usage que chez les doctes.

176

Comme j'atteignais un de ces chars, lequel était découvert, et montrait au milieu de ces jattes de lait et de ces paniers d'œufs une accorte laitière, le bonnet propret sur le chef, et le fichu montrant plus qu'à demi un parpal plus rondi que ses œufs et plus blanc que son lait, la commère, observant mes friandes œillades, s'écria en riant :

— Beau sire bel œil ! Bien vous plaît ma charnure !

— Hélas ! mamie, dis-je, sur un ton de gaillarde saillie, comme le veut notre proverbe en Périgord, la beauté se lèche : elle ne se mange pas.

— Mais c'est déjà prou qu'elle se lèche ! dit la donzelle en riant à gueule bec ; et en Paris comme en le Périgord, si Périgord il y a, car du diable si je sais où ce pays-là tient son assiette.

— C'est pays d'oc, mamie, au sud de Loire.

— Que ce fût pays d'oc, je l'ai ouï à votre accent. Beau Monsieur, venez-vous céans pour les noces ?

— Oui-da !

— Grand bien vous fasse pour le coût et dépens ! C'est tout apparat que ces noces royales. Les Grands ne forniquent pas mieux que nous et le marié ne pissera pas plus roide que mon défunt mari. Beau Monsieur, qu'êtes-vous ? De Rome ou de Genève ?

A quoi je balançai un petit avant de répondre :

— Je suis de la même religion que le Roi.

— Voire ! dit-elle avec un sourire fort picanier, ayant vu mon balancement. Le Roi ? De quel roi parlez-vous ? Le Roi de France ou le Roi de Navarre ? C'est qu'ils n'ont pas la même. L'un va au culte et l'autre à messe, combien que l'un marie la sœur de l'autre. Va, va, reprit-elle, me voyant m'accoiser, peu me chaut, c'est affaire aux Grands de disputer les Eglises. Pour moi, ce que dit mon curé à une oreille, par l'autre en sort, pour ce que j'ai tout juste en ces matières autant de cervelle qu'un œuf gobé.

— Ha ! Commère, dis-je en riant, je ne le crois pas. Point n'avez le cerveau perclus.

— Ni vous non plus, dit-elle, bien que vous baragouiniez quelque peu le français comme ceux-là qui
parlent d'oc. Là ! Là ! dit-elle, vous voilà piqué ! Monsieur ! Point d'offense, je vous prie !

— Aussi n'en prends-je point.

— Etes-vous marié ?

— Mamie, dis-je en riant, si je ne le suis, me
voulez-vous ?

— Que non ! dit-elle, toutefois fort chatouillée.
Veuve je suis et homme ne veux ! Je fais mieux mes
affaires depuis que mon défunt n'est plus. C'est un
méchant marché que le mariage. Voyez le Navarre et
la Margot. Il ne l'aura point pucelette. Elle aimait
trop le Guise. Et elle ne l'aura point seulette, il
appète trop le cotillon. Mauvais bargouin que ces
noces.

— Ha ! Commère, dis-je, vous avez bon bec, ce me
semble.

Mais comme elle allait répliquer, on nous pressa si
fort par-derrière avec des imprécations à faire frémir
un bœuf, que je dus dépasser son char et de vue
perdis la laitière, fort béant qu'elle osât jaser sur nos
princes en cette impertinente guise. Ha ! pensai-je, si
à deux lieues on est déjà si mutin et maillotinier, que
sera-ce en la capitale ?

Les quidams qui nous avaient tant pressé et avec
de si gros jurons (ils étaient cinq et de mine fort
basse) nous dépassèrent enfin, menant leurs étiques
montures comme fols et à coups de bâton sur la
croupe.

— J'abhorre ces profanes et impiteux coquins, dit
Giacomi à la coutume si serein, et si je ne me rete-
nais, je leur donnerais du plat de mon épée.

Comme il achevait, ces impatients marauds, trouvant sur leur chemin un voyageur vêtu de noir,
monté sur un cheval bai, lui raquèrent dans le dos
un torrent d'injures et comme à leur gré il ne se

poussait pas assez vite, l'un d'eux, du bout de son bâton, lui jeta sa coiffe à terre.

— *Bestia feroce!* s'écria Giacomi. Mon frère, leur donnerons-nous de notre plat?

— Allégrement! dis-je, en tirant l'épée.

Mais quand ces coquins se retournant nous virent fondre sur eux tous les quatre l'épée haute, ils se mirent à brides avalées et c'est à peine si nous pûmes leur bailler quelques platissades, avant qu'ils ne s'en sauvassent.

— Miroul, dis-je, ramasse le bonnet de ce gentilhomme, et donne-le-lui après l'avoir épousseté.

— La merci Dieu et à vous, dit le quidam qui avait l'apparence d'un homme de robe et incontinent me demandant mon nom, il me donna le sien, lequel me frappa comme fort poétique pour ce qu'il s'appelait Pierre de l'Etoile, encore que lui-même n'eût rien d'un poète, ni dans sa vêture, ni dans sa mine, ni dans son propos, lequel était moral et morose, et fort incriminateur des mœurs du temps. Ceux-ci passaient, dit-il avec indignation, ce qu'il avait connu de pire en ses vertes années, la populace s'étant, depuis, fort corrompue de par le mauvais exemple des Grands, le trouble des guerres civiles, le fanatisme des prédicants, et sa propre stupidité!

— Ha! dit-il, ce peuple parisien qui s'outrecuide tant est plus sot et badaud qu'aucun autre au monde et insolent à proportion de sa sottise : *quo quisque stultior, eo magis insolescit* [1].

Je l'envisageai tandis qu'au botte à botte avec moi, il s'exhalait ainsi en son docte courroux, et je lui trouvai le nez long, la lippe amère, la ride profonde et cependant, quand il le tourna vers moi, l'œil vif et pétillant, non sans quelque bénignité en dépit de sa bile. Je jugeai à la volée qu'il était fort honnête

1. Plus un homme est stupide, plus il est insolent.

homme, en quoi, comme on verra, je ne me trompai point. Et aussi à quelque roideur qui apparaissait en son air et discours qu'il était huguenot, de quoi il me détrompa dès que je lui eus dit que je tenais pour la réforme.

— Ha ! Monsieur ! dit-il, en jetant autour de soi un regard effrayé, comme s'il eût craint que malgré la vacarme des charrois et chevaux sur la pierre du chemin, quelqu'un nous eût ouïs, ne jasez point céans à l'étourdie, faisant fiance au premier venu. Il y a grand péril en Paris, non point seulement à se dire ce que vous êtes, mais même à être ce que je suis. De l'Eglise romaine, certes, mais, avec de la mesure assez pour préférer à un Espagnol catholique un Français huguenot. Je doute, ajouta-t-il en baissant la voix, et en grinçant des dents, qui commande à s'teure en ce royaume : la Catherine, qui est florentine, le Guise qui est lorrain, le nonce du Pape qui est romain, ou Philippe II qui est ibérique ? Vertu Dieu, je hais que l'Etranger nous vienne en Paris régenter et nous veuille mettre, pour ainsi parler, le couteau à la main contre nos huguenots, lesquels, quand tout est dit, sont de la même nation que nous : *Nefas nocere vel malo fratri puta* [1].

Ha ! pensai-je, même si pour cet homme de bien je suis « le mauvais frère », que serai-je donc en Paris pour les autres ?

Cependant, Pierre de l'Etoile s'accoisait, labourant à reprendre le commandement de son humeur, laquelle, à n'en pas douter, était chagrine et bileuse mais n'est-ce pas signe de santé de se colérer ainsi ? Et ne vaut-il pas mieux que d'un aposthume le pus jaillisse, au lieu de rester en la peau et empoisonner le sang ?

— Monsieur de Siorac, poursuivit M. de l'Etoile,

---

1. Tiens pour mauvais de nuire même à un mauvais frère.

reprenant souffle et d'un ton fort civil, avez-vous chambre retenue en quelque auberge à Paris ?

— Nenni. J'y vais à la fortune.

— Laquelle, dit Pierre de l'Etoile, ne vous sourira pas. Il n'est pas de présent en la capitale gîte si petit et chétif — je dis bien du plus pisseux, puceux et punaiseux — qui ne soit plein à ne pas pouvoir loger même un cafard.

— Que faire alors ? dis-je, fort marri.

— Demeurer chez le manant et habitant, ce qui, de toutes guises, vaut beaucoup mieux pour vous.

— Et pourquoi donc ?

— Pour ce que, Monsieur de Siorac, les taverniers ont reçu commandement du Prévôt du Châtelet de s'enquérir curieusement des noms et demeures de ceux qui gîteront chez eux, ainsi que de leurs chevaux et de leurs armes.

— De leurs armes ! dis-je à mi-voix. Ha ! Je n'aime pas cela !

— Et moi pas davantage, dit Pierre de l'Etoile. Cette inquisition à l'espagnole me pue.

— Toutefois, je ne connais en Paris âme qui vive.

— Monsieur de Siorac, dit Pierre de l'Etoile, je vous dois quelque gratitude pour avoir châtié l'insolence de ces coquins que, pour ma part, j'eusse, si je l'avais pu, envoyés tout bottés au gibet. (Il se coléra derechef en disant ceci.) Et si vous voulez, je vous mènerai rue de la Ferronnerie chez un maître bonnetier-corsetier qui, pour l'amour de moi, car j'ai quelque peu débrouillé ses affaires, vous logera. Maître Recroche — c'est son nom — est plus chicheface qu'aucun Normand de Normandie, combien qu'il soit né comme moi en Paris et comme moi n'en ait jamais bougé — sauf quand je visite par secousses ma terre du Perche, dont je reviens. Cependant, Maître Recroche est bon homme assez, encore qu'il appète trop la pécune. Et il ne fera pas de contes sur vous à la ronde, pour peu que vous alliez à messe, comme je vous en avise.

— Ha! Monsieur! dis-je, aller à messe!

— Il le faudra, dit Pierre de l'Etoile. C'est la règle des règles que chacun observe celle du lieu où il se trouve.

Et que ce soit là « la règle des règles », j'en doute toutefois. D'aucuns disent que déguiser ce que l'on croit dans les dents de la persécution, c'est sagesse. D'autres pensent que c'est couardise. Qui tranchera en ce grave débat? Et certes, courir s'offrir au bûcher et à l'étripement, c'est folie. Mais si l'on n'ose mie avouer ce que l'on croit en ce monde, en quel monde le fera-t-on?

Ainsi devisant au botte à botte avec Pierre de l'Etoile, Samson et Giacomi nous suivant, et Miroul, à notre queue, menant avec adresse sa propre monture et le cheval de bât, nous allions quasiment au pas, tant à l'approche de Paris le charroi sur le chemin devenait conséquent et les embarras du passage si fréquents que parfois, il fallait s'arrêter tout à trac et attendre que l'emmêlement des chevaux se démêlât. Ha! Les dernières lieues, comme elles parurent longues à la fièvre qui m'agitait d'envisager de mes yeux cette Paris dont j'avais tant ouï et que Cossolat abhorrait autant que M. de Montaigne l'avait portée aux nues.

Nous passâmes la rivière de Seine, au petit village nommé Saint-Cloud et sur un pont tant étroit que le progrès se fit à pas fort petits, ce qui me laissa tout le loisir d'admirer les bateaux qui, à la voile, remontaient le vent qui leur était favorable. Il y en avait une quantité et gros assez pour porter, qui de la paille, qui du foin, y ayant en Paris, me dit Pierre de l'Etoile, tant pour le trait que pour la monte, plus de cent mille chevaux. Ce qui fait, lecteur, à y penser plus outre, un cheval pour trois habitants! N'est-ce pas émerveillable! J'imagine que cet encombrant charroi, j'entends la paille et le foin, était moins coûteux sur l'eau que par le chemin. Cependant, à ce que je vis, il y fallait de la patience et du retardement, quand le vent refusait ou ne soufflait plus du même bord, la Seine s'arrondissant. Pour moi, je trouvai le spectacle très beau de toutes ces voiles, dont d'aucunes étaient rouges ou bleues, glissant languissamment sur l'eau et aussi en sens inverse, des barques descendant le courant à guise précipiteuse, guidées par les seuls avirons.

Passé cet aimable Saint-Cloud, des deux côtés du chemin de Paris les champs et les prés reprirent et, nichés de-ci de-là dans les frondaisons, d'autres villages dont les laboureurs affluaient sur le grand chemin pour vendre leurs fruits en la ville, ce qui ajoutait encore à la confusion du charroi. Mais ce que je trouvai fort joli, fut d'envisager dans le lointain à dextre comme à senestre, touchés par les rayons du soleil déjà en son déclin, et dressés sur des petites collines, un grand nombre de moulins, tournant vivement au vent et dont je pensai bien qu'il ne fallait pas qu'ils se désoccupassent, de jour comme de nuit, un seul instant, s'ils voulaient moudre de la farine assez pour tout le peuple qu'il y avait en cette grande ville.

Nous atteignîmes vers le soir le faubourg Saint-Germain lequel me ragoûta peu, étant pauvre, délaissé et les rues point du tout pavées et les quidams qui le hantaient, sales, déguenillés et de la plus basse mine, en poussant de mauvaise grâce devant nos chevaux et nous dardant un œil à nous vouloir occire et détrousser, s'ils l'avaient pu.

Nous longions alors les murs de la riche abbaye de Saint-Germain-des-Prés, lesquels étaient fort hauts, comme si les moines eussent voulu protéger leurs trésors contre la convoitise des vilains qui pullulaient comme vermine à ses pieds, et qui (je parle de l'abbaye) me parut comme une ville dans la ville, tant elle avait serré autour d'elle de beaux et nombreux bâtiments. Pierre de l'Etoile me dit que de l'autre côté de l'abbaye s'étendait le pré aux clercs, cause d'immenses chamailleries entre les moines et les écoliers de l'Université qui s'en disputaient de temps immémoriaux la propriété. N'eût été que le temps nous pressait, car il était déjà six heures, il eût fait un détour pour nous le montrer, pour ce que c'était, dit-il, sur ce même pré que les réformés de Paris avaient pour la première fois chanté les *psaumes*, signal des affreuses persécutions qu'ils avaient ensuite endurées.

Pierre de l'Etoile mit tant de colérique indignation à parler de ces inquisitions que je crus entendre, quoi qu'il eût dit, qu'il n'était pas sans de secrètes sympathies pour ceux de notre foi. Pensée qui m'émut fort et m'affectionna davantage à lui que tout ce qu'il avait pu faire ou dire jusque-là.

Ainsi tout en devisant, et M. de l'Etoile me montrant les banlieues et faubourgs de sa ville, dont il avait la plus grande amour, tout en incriminant sans discontinuer « ses taches et ses verrues » (mais je le compris ensuite, cette querelleuse amour de leur capitale est le propre des Parisiens), on atteignit enfin les murailles de la ville qu'à mon immense étonnement je trouvai médiocres, chétives, quasi croulantes et fort mal remparées.

— Ha! Monsieur! dis-je, est-ce là l'enceinte de la plus grande ville du royaume? N'est-ce pas pitié de la voir à ce point dégarnie? Alors que Carcassonne est si forte en ses superbes défenses? Et Montpellier elle-même si bien défendue par la commune clôture?

— Vertu Dieu, Monsieur de Siorac, dit Pierre de l'Etoile, se courrouçant derechef, vous avez davantage raison qu'encore vous ne cuidez. Car cette portion-ci du mur que vous envisagez et qui court entre la porte de Buccy et la porte de Saint-Germain n'est des pires, si méchante qu'elle soit. Que si vous connaissiez le mur dans le piteux état qu'on le voit dans le faubourg Saint-Marceau, vous en rougiriez comme je fais pour l'honneur du royaume. Rabelais disait de cette partie-là qu'elle était si faible qu'une vache avec un pet en abattrait plus de six brasses! Et croyez-vous qu'on ait depuis la mort du divin Rabelais rhabillé cette imbécile chétivité? Nenni! Nous dépensons plus pour la parure et l'attifure de nos princes que pour la sécurité de leur capitale!

Nous passâmes le pont-levis de la porte de Buccy dans une grande presse de charrois, non sans montrer aux archers les sauf-conduits que nous avait délivrés Cossolat en Montpellier avant notre département de cette ville, car nous eussions été fort en peine de leur en montrer de Sarlat, M. de la Porte qui eût pu nous les bailler étant censé nous poursuivre et nous serrer en geôle.

De reste, le sergent des archers les envisagea à peine, tant sans doute il était lassé du flux de ces bonnes gens qui passaient devant lui en se pressant comme fols, tant ils avaient hâte d'être au-dedans de la ville, avant que les portes ne fermassent pour la nuit.

Ha! lecteur, que je fus donc déçu! Car encore que la rue que nous prîmes après la porte de Buccy fût droite assez, les maisons qui la bordaient étaient si hautes et si mal alignées, le pavé si encombré de gravois, d'immondices et d'eau sale et l'air, pour tout dire, si puant et pesant que je pensai être entré dans un cloaque plutôt que dans une grande capitale.

Cependant, je tus mon sentiment, ne voulant point chagriner mon colérique compagnon et bien au rebours, comme nous passions devant l'église Saint-

André-des-Arts, comme il me dit qu'elle s'appelait, je lui en fis de grands compliments, à quoi il répondit, fort rechigné, et comme s'il avait honte des boues où nos montures piétinaient :

— Certes, c'est un beau monument, mais il est logé à même enseigne que nous, ayant le pied dans le bren et l'ordure. Mais voilà qui est mieux, poursuivit-il, comme nous nous engagions dans une large rue, bordée à dextre et senestre de fort aguichantes boutiques, lesquelles étaient surmontées par de très belles et très neuves maisons, toutes égales en hauteur et toutes bien alignées et maçonnées de pierres de brique.

— Observez, Monsieur de Siorac, comme céans le pavé est net et bien lavé : c'est que les marchands y tiennent la main, ne voulant pas que les chalands soient rebutés par l'aigre senteur des boues.

— Et comment s'appelle cette rue ? dis-je émerveillé.

— Ce n'est pas une rue, dit l'Etoile, c'est le pont Saint-Michel.

— Un pont ? dis-je, croyant qu'il se gaussait. Mais je ne vois pas la rivière de Seine !

— Vous ne la pouvez voir, dit-il, les maisons de chaque côté vous la cachent.

— Ha ! Je ne sais quoi admirer davantage, dis-je au bout d'un moment. Le pavé si bien joint, la netteté du ruisseau, ou le bel appareil de briques roses des maisons.

— Esquelles, cependant, je ne voudrais loger, dit l'Etoile, faisant sa lippe.

— Eh ! Monsieur ! dis-je. Et pourquoi donc ? Elles sont si belles !

— Parce qu'il y a péril à vivre au-dessus d'une rivière aussi turbulente. La Seine, de présent, est en ses humeurs douces, mais en ses crues et ses furies, elle n'épargne rien. Il n'est de pont à Paris qu'elle n'ait emporté au moins une fois, noyant ceux qui se trouvaient dessus. Ainsi du pont Notre-Dame! Ainsi du Pont-aux-Meuniers! Et ainsi de ce même pont où vous êtes et qui date à peine de ma naissance, le précédent s'étant écroulé sous l'assaut des eaux furieuses en une seule nuit, il n'y a pas trente ans.

Pour moi, le péril n'étant pas proche, et y ayant tant à voir en ses boutiques, dont les fenêtres, combien que le soir ne fût pas encore tombé, étaient illuminées aux chandelles, j'eusse bien volontiers musé — d'autant que je voyais se presser là de jeunes et honnêtes dames, de fort élégante tournure et fort exactement masquées de noir, ce qui disait assez leur rang et qu'elles n'étaient pas du commun.

— Monsieur de Siorac, dit l'Etoile, de son moral et morose ton, si comme je le crains, vous appétez le cotillon, tout huguenot que vous soyez, vous aurez fort à faire en cette ville, laquelle est plus corrompue de mœurs que l'antique Babylone, son renom étant si mauvais dans le plat pays d'alentour qu'il suffit qu'une bonne garce de l'Ile-de-France y ait séjourné quelque temps pour qu'au retour dans son village on doute de sa chasteté. Mais de grâce, ne languissons point. La rue de la Ferronnerie n'est point si proche, et la nuit tombe, et hélas avec elle les périls qu'elle apporte, car sachez-le, il n'est de rues et ruelles à Paris où on ne vous coupe bourse et gorge dès le soleil couché.

— La ville n'est donc pas éclairée?

— Elle devrait l'être. Et par les habitants. Les ordonnances le commandent ainsi. Mais les lois à Paris sont accoutumées de rester lettre morte, le Parisien étant si mutin. Ainsi de la propreté du ruisseau que chacun, devant son huis, devrait laver à grande eau, et en particulier quand on y décharge la pisse.

— Aïe! dis-je, mais qu'est cela? J'ai le chef tout mouillé! Il pleut!

— Ce n'est rien, dit l'Etoile. Quelque commère à sa fenêtre baille de l'eau à son jardinet. A la vérité, vous verrez de ces pots de fleurs de marjolaine et de romarin partout en la ville, encore qu'ils sont de grande incommodité aux passants et proscrits formellement par les ordonnances royales. Vous avez donc le choix, Monsieur de Siorac, quand vous irez à pied, ou marcher au milieu et quasiment les pieds dans le ruisseau, dans la crotte et l'immondice ou marcher en rasant les maisons, le pied sec mais le chef arrosé. Et encore, n'est-ce demi-mal quand ce n'est que de l'eau. Mais de grâce, Monsieur de Siorac, ne languissons pas davantage, la nuit tombe, mettons au trot.

Je mis au trot pour lui complaire tant j'étais béant de le voir se mettre martel en tête des truands de Paris alors que nous étions quatre autour de lui, armés jusqu'aux dents, et nos pistolets dans les fontes. Il est de fait pourtant que, tandis que nous trottions dans la rue de la Barillerie, laquelle passe devant le Palais, monument de la cité devant lequel, même au crépuscule, j'eusse voulu m'arrêter un petit, le charroi s'était fort clairsemé et de toutes parts, je ne voyais que gens presser le pas, comme si chacun, la nuit venant, eût hâte de rentrer en sa chacunière et de se remparer derrière son huis bien clos et ses fenêtres barreautées.

— Et le guet, Monsieur de l'Etoile? dis-je enfin, surpris de voir les Parisiens en telle angoisse et frayeur à l'approche de la nuit, n'y a-t-il point de guet pour veiller la nuit sur la vie des manants et habitants de la capitale?

— Il y en a deux, dit l'Etoile en grimaçant un sourire fort amer. Ha! Que bien défendus nous sommes en cette ville! Deux guets! L'un qui est fait de bourgeois et artisans que l'on met de garde en leurs quartiers, s'appelle *le guet assis*, et assis Dieu sait s'il l'est! Car ces vaillants-là, pour passer le temps, s'accommodent sous un porche et là, à la lueur d'une lanterne, jouent aux dés en vidant leurs flacons et comme bien vous pensez, ils n'iraient pas se désasseoir quand ils entendent crier au secours. L'autre guet, *le guet royal*, est fait de quarante sergents à pied et de vingt sergents à cheval. Celui-ci, je le pourrais appeler non pas assis, mais galopant, car toute la nuit, ils font des rondes dans la capitale et ces gros sergents-là, lourdement armés en guerre, toujours dans le branle et toujours inutilement, chevauchent sur le pavé avec un tel vacarme que les truands s'ensauvent à leur approche de leurs méchantes voleries et, le guet passé, ils y retournent comme mouches sur du sucre candi.

— Monsieur de l'Etoile, dis-je, dès que nous serons reçus chez le Maître Recroche, s'il nous reçoit, j'ai le propos de vous escorter incontinent jusqu'à votre maison.

— Ha! Monsieur! Mille merciements, dit l'Etoile, en poussant un soupir, vous m'ôtez d'un grand poids. Mon logis est sis rue Trouvevache mais si peu loin que ce soit, il y aurait péril pour moi à m'y rendre seul.

Ayant dit, on s'accoisa un petit. Passé le pont au Change, nous chevauchâmes dans la Grand'Rue Saint-Denis qui avait des boues et immondices à revendre, à la différence de la rue de la Ferronnerie où nous prîmes en tournant à gauche, laquelle étant marchande, montrait un pavé net et bien lavé, encore que ce fût, me dit l'Etoile, la rue la plus mal alignée de la capitale, les maisons d'un côté paraissant s'y bousculer, à qui empiéterait le plus sur la chaussée et de l'autre côté, les magasins maçonnés en appentis sur la muraille du cimetière des Innocents, bourgeonnaient de tant de verrues que c'était un miracle qu'on arrivât encore à se faufiler entre les

saillies extravagantes des maisons et les excroissances des boutiques. Et encore était-ce bien pis, je
gage, quand les étals des marchands débordaient sur
les pavés.

— Vous cuidez peut-être, dit M. de l'Etoile d'un
ton chagrin dont il ne se départait mie en parlant de
la ville que pourtant il chérissait, vous cuidez peut-
être, Monsieur de Siorac, qu'il y a là un criant abus
qu'il faudrait rhabiller, eh bien sachez-le, Monsieur
le Périgordin, en Paris, plus un abus est criant, plus
il a de chances de se perpétuer !

Je ris à cette saillie mais bientôt m'accoisai car,
envisageant de côté mon compagnon, je vis bien à sa
mine qu'il ne se gaussait en aucune guise et qu'il
fallait prendre son propos au sérieux.

— Quoi ? dis-je, si le Roi dit « Je veux », on ne le
rhabillera pas ?

— Oyez plutôt, dit l'Etoile, la lèvre amère. Henri II,
s'en venant en carrosse de son château du Louvre en
sa maison des Tournelles passa, comme il était
accoutumé, par la rue de la Ferronnerie. Et du fait
de ces saillies, verrues et excroissances, y trouva un
embarras de charrois si indémêlable, qu'il y fut
arrêté plus d'une heure, jurant et tempêtant. Retiré
enfin aux Tournelles et son courroux ne s'apaisant
pas, il rendit incontinent une ordonnance commandant de raser dans le mois, rue de la Ferronnerie,
tout ce qui dépassait. Or que voyons-nous, Monsieur
de Siorac ? Les choses sont dix-huit ans plus tard en
même état qu'elles étaient ce jour-là rue de la Ferronnerie.

— Mais, Monsieur de l'Etoile, dis-je béant,
n'est-ce pas émerveillable : Tous les huguenots du
royaume tremblaient au seul nom d'Henri II, et Paris
ne lui obéissait pas !

— Ha, je vous l'ai dit déjà ! s'écria l'Etoile, Paris
est une rebelle et une maillotinière qui ne souffre ni

frein ni loi! Elle se prend pour le Roi même et n'appète que son bon plaisir, ne se plaisant qu'au désordre, aux tumultes et aux fornications! Pour qu'elle fléchisse le genou, fût-ce devant le Roi, il faudrait lui tordre un par un ses trois cent mille cous!

— A Dieu ne plaise! criai-je en riant. Je ne voudrais pas d'une Paris dépeuplée!

Car je riais alors, innocent du futur :

> *Prudens futuri temporis exitum*
> *Caliginosa nocte premit Deus* [1],

et les encombrements de Paris où je voyais le bon l'Etoile grincer des dents semblaient plutôt matière à gausserie à ma jeune et rieuse complexion. Ha! lecteur! J'écris en mon vieil âge ce conte que voilà, et tandis que je trace ces lignes, trente-huit ans, je dis bien, trente-huit ans après mon arrivée en Paris, le nœud de ma gorge se noue et à peu que les larmes ne me jaillissent de l'œil pour ce que voici deux mois, en cette même rue de la Ferronnerie, que le déprisement des ordonnances a laissée étroite et tortueuse, le carrosse royal étant arrêté, tant par l'empiétement des boutiques que par l'embarras des charrois, un assassin, armé par le zèle des prêtres, perça d'un couteau impie le noble cœur d'Henri IV. Ha! coup méchant! Ha! malfortune! Deuil immense! Et dont je ne vois pas que la France puisse se conforter jamais!

Il fallut que Pierre de l'Etoile, ayant mis pied à

---

1. Dieu sage cache du manteau de la nuit les événements des temps futurs. (Horace.)

terre, frappât à l'huis à coups redoublés, et criât son nom, pour qu'un demi-œil apparût derrière le croisillon de fer du judas, et que la porte s'entrebâillât pour laisser passer et l'Etoile et moi-même, mais pas un de plus, Maître Recroche et son commis Baragran, tous deux armés, claquant la porte au nez de mes compagnons et incontinent remettant les chaînes, les barres et les verrous, dès que nous fûmes passés.

— Maître Recroche, dit l'Etoile, je vous saurais grand gré si vous pouviez loger chez vous trois gentilshommes de mes amis, leur valet et leurs montures. M. de Siorac est docteur médecin et fils cadet d'un baron en Périgord.

A quoi Maître Recroche, hochant la tête, ne répondit goutte ni miette. C'était un homme qui tirait plutôt vers le nabot, le poil terne, poussiéreux et grison, la peau de la face malsaine, blanche et boutonneuse, vêtu d'un pourpoint verdâtre reprisé, ne portant pas fraise mais un col rabattu point trop propre, et qui me parut tenir de l'araignée par la longueur de ses bras, (petit pourtant qu'il était) et du vautour par la courbure de son bec. Commandant à son commis Baragran de tenir haut la chandelle, il m'envisageait sans piper, mais d'un petit œil bleu fort aigu et brillant, comme s'il nous pesait, mon escarcelle et moi, à l'once près.

— Maître Recroche, m'avez-vous ouï ? dit l'Etoile.

— Fort bien, Monsieur le grand Audiencier, dit Recroche. Mais baba ! (et ce que voulait dire ce « baba » qu'il mettait à toutes sauces, je ne sais et je me demande s'il le savait lui-même, ayant l'extravagance de façonner des mots de son cru, et d'en employer dix où un seul eût suffi, se confortant peut-être de sa chicheté par sa verbale superfluité). Baba, Monsieur le grand Audiencier, je ne baille pas à loger, ce n'est point mon état.

— Certes ! Certes ! dit l'Etoile avec plus d'aménité

que je n'eusse attendu de son atrabilaire humeur. Mais cependant, vous avez des chambres.

— Baba, des chambres! Des chambrettes! Des chambrillons! Des chambriscules! Rien qui peuve accommoder ce galant gentilhomme!

Ici il voulut bien, courbant le col et balayant le sol de son long bras, me faire une sorte de salut, et que celui-ci fût fait plutôt par irrision que par civilité, je le crois, car l'Etoile, qui connaissait l'homme, sourcilla fort, mais quant à moi, je ne bronchai point et le saluai aussi, encore que roidement.

— Ce galant gentilhomme, dit l'Etoile, est sans toit.

— Baba, c'est différent, dit Maître Recroche, en se grattant le nez de son ongle, lequel était fort noir. Si le gentilhomme est sans toit et de plus votre ami, il faudrait bien l'accommoder, fût-ce d'une chambrifime. Mais le peux-je? Voilà le hic!

— Je vous requiers en grâce, Maître Recroche! dit l'Etoile, lequel à ce que je vis, labourait si fort à patience garder que la sueur lui coulait sur la joue, je vous prie, décidez, il se fait tard!

— Décider! dit Maître Recroche. Baba! C'est plus vite dit que fait! Les chambrechettes dont je parle n'étant que deux et ces gentilshommes étant quatre.

— Nous coucherons deux par chambre, dis-je.

— Baba, dit Maître Recroche, c'est que le lit dans chaque est tant petit que pour un!

— Il faudra bien, dis-je, s'y mettre deux.

— Ho que non! dit Maître Recroche. Ho que non! A deux hommes forts dans ces petitelettes couchetimes, vous les briseriez!

— Tant cassé, tant payé! dis-je incontinent.

— Voilà qui est parlé, dit Maître Recroche, comme à part soi, en promenant son index dextre le long de son nez. J'augure bien de ce logé-là, si je le loge! Cependant, Monsieur de Siorac, poursuivit-il, la fenêtre est petite à pleurer et fermée non de verre, mais de papier huilé.

— Je l'ouvrirai.

— Gardez-vous-en! Elle donne sur le cimetière des Innocents dont le sol est si pourrissant qu'il vous consomme un corps en neuf jours! Et l'air, la nuit, est tant pesant, soufré et méphitique qu'il nourrit des feux follets.

— Maître Recroche, dis-je, votre prix!

— Baba! Vous l'aurez voulu! dit Maître Recroche avec un soupir et un brillement soudain de son petit œil bleu. Révérend docteur médecin, vu que vous êtes l'ami de M. de l'Etoile, ce sera pour vous trois écus par mois, que vous restiez ou non le mois.

— Trois écus pour deux chambrettes! s'écria l'Etoile en levant les bras au ciel.

— Nenni! Vous errez! dit Recroche d'un air bénin, j'entends trois écus par chambrefime et un sol par jour et par cheval, à charge pour vous d'acheter le foin.

— Six écus! cria l'Etoile. De grâce, rabattez! Recroche, rabattez! Il y a abus!

— Baba! dit Recroche, l'abus, Monsieur le grand Audiencier, est dans l'immense presse qu'il y a en Paris de présent. Qu'y peux-je? Il faut bien vivre. Les chambreloches me sont plus demandées que palais en Pologne, et je ne les baille à ce gentilhomme que pour l'amour que j'ai pour vous.

— La merci Dieu et à vous de ce bon sentiment, dit l'Etoile, les lèvres fort serrées.

— En écus francs, non rognés, sonnants et trébuchants et à'steure, et tout d'avance, dit Maître Recroche, baissant l'œil humblement, mais du ton le plus sec.

Il fallut quérir Samson qui avait le gros des pécunes et comme bien vous pensez le malmener prou pour qu'il consentît à raquer ces six écus pour le logement et les chevaux. Quoi fait, le commis Baragran, portant une lanterne ardente et se mettant en croupe de Miroul nous accompagna tandis que, l'épée dégainée, nous menions Pierre de l'Etoile en son logis et incontinent revînmes, las à mourir, la fesse navrée d'avoir tant tapé la selle et l'âme plus navrée encore d'être logés si mal.

— Maître Recroche, dis-je, les chevaux dessellés et serrés en les écuries, avez-vous du vin à nous bailler avant de nous aller coucher?

— Baba! Du vin! dit Recroche, en levant ses longs bras. Vous ne trouverez en ce logis vinette, vinasse ou vinillon. La merci Dieu, personne céans ne flaconne! C'est luxe trop dispendieux.

— De l'eau donc!

— Baba! De l'eau! Est-ce donc de l'air que mon eau? Laquelle pourtant n'est pas de la vile eau de Seine comme on vous en servira à Paris dans les tavernes et les repues, eau pourrie de bren, de pisse et d'immondices à vous donner un flux de ventre à crever. Mon eau est de l'eau de mon puits, sans boue ni graveau, ni sel de mer, ni soufre.

— Bref, de l'eau. Faut-il aussi vous la payer, Maître Recroche?

— Assurément! dit Maître Recroche en se frottant le nez. Il vous en coûtera un sol par jour pour vous quatre et deux sols pour vos montures.

— A ce prix, vous donnez, j'espère, à baigner!

— Nenni, dit Maître Recroche, l'air fort indigné, suis-je le Duc d'Anjou? Il n'est point de cuve à baigner en cette maison, et moins encore de bois pour la chauffer. Il vous faudra aller aux Etuves, comme tout un chacun en Paris!

Ce disant, il nous amena dans une pièce grande assez qu'il dit être son atelier où, à la lueur de deux chandelles, travaillaient en rond à tirer l'aiguille, le commis qu'il avait appelé Baragran, une bachelette de mon âge et un drolissou d'une quinzaine d'années, lequel avançait peu en sa tâche, baillant à se rompre les mandibules tant il était ensommeillé.

— Attendez-moi céans, dit Recroche, je vais quérir votre eau.

— Eh quoi, compagnon! dis-je à Baragran, dès que le maître fut hors, vous labourez à la chandelle?

Le commis, qui avait la face carrée et l'épaule trapue et des mains à étrangler un bœuf, d'abord ne répondit mie, étant fort occupé de ses gros doigts à enfiler une aiguille. A quoi il réussit, à ma surprise, sans trébucher.

— Faut bien vivre! dit-il enfin.

— Oyez donc, dit la garcelette, levant le nez, ce gros perroquet qui vous va répétant comme un sottard tout ce que dit le maître!

— Paix-là, Alizon! dit Baragran.

Laquelle Alizon, depuis notre entrée, donnait un œil à son ouvrage (lequel était un bonnet de dame) et un œil à nous-mêmes, étant vive, légère et noiraude comme mouche d'enfer, et son vif parler me parut sur ses lèvres plus pointu et plus bref que ce que j'avais ouï en ce jour.

— Suis-je poisson pour m'accoiser? reprit-elle. Je n'ai que mon bec pour me conforter de mes maux!

— Paix! Paix! Sotte caillette! dit Baragran. Qui te fait vivre, sinon le maître?

— Et bren! Et bren! dit Alizon. Qui le fait vivre sinon nous? Et sais-je si je vis ou si je crève à tant labourer pour lui! Passe encore de tirer l'aiguille de l'aube au couchant! Mais la nuit de surcroît! Quand dormirai-je? Même sa mule dort en ses écuries! Suis-je moins qu'une mule?

Elle dit cela d'affilée et tout à trac, comme en courroux, cependant toute à son affaire, sans perdre de temps, cousant que c'était merveille de voir l'agile vélocité de ses doigts et ce faisant, trouvant moyen encore de nous bailler des œillades à réveiller un mort.

— Coquefredouille! cria Baragran. Si la Baronne des Tourelles veut à toutes forces ses bonnets à l'aube avant de départir pour sa terre, ne faut-il pas la contenter?

— Que non! Que non! Que non! cria Alizon, secouant furieusement ses boucles noires. Il fallait refuser le maître de travailler la nuit! Je te l'ai dit! Tu n'as pas voulu m'ouïr! Gros sottard!

— Sotte embéguinée! dit Baragran, suis-je moi de ces mutins qui se bandent entre compagnons, et se mettant en tric, se désoccupent, perdent la pratique du maître et le ruinent? Le maître ruiné, ne serais-je pas Gros Jean comme devant, n'ayant plus de labour et plus de pain?

— Pauvre escouillé! dit Alizon en se redressant sur son escabelle et tirant en arrière l'épaule pour gonfler son tétin, lequel était petit mais alerte, la ruine du maître n'est pas pour demain! Mais toi, tu seras crevé avant!

— Je ne crains point le labour! dit fièrement Baragran, encore qu'il eût les yeux rougis et la face creusée.

— Et tant plus sot tu es, n'ayant rien que du mou de bœuf entre les deux oreilles! dit Alizon. De quelle commodité est la vie si elle est perdue à engraisser le maître?

Celui-ci entra comme elle disait, portant deux pots d'eau, lesquels étaient tant petits que, si j'avais voulu parler à sa mode, je les eusse appelés des petitelets potifimes. Sanguienne! On était ménager de l'eau en cette maison, combien qu'on ne le fût pas de la sueur d'autrui!

— Le maître n'est pas tant gras, clabaudeuse! dit Recroche avec un air qui donna à penser qu'il avait tout ouï derrière la porte, encore qu'il parlât plus en gausserie qu'en courroux.

— Il est gras en pécunes, dit Alizon, le caquet point rabattu du tout, et il en baille petit à qui le sert!

— Quoi! cria Recroche en contrefaisant l'offensé, Baragran, ne te donné-je pas six sols et dix deniers le jour? N'est-ce pas le prix en Paris?

— Si, maître, dit Baragran.

— N'en es-tu point content?

— Si, maître, dit Baragran.

— Si maître! Si maître! mima Alizon, son œil noir lançant des flammes, vit-on jamais pareil pied-plat et lèche-cul ridicule? Et moi, Maître Recroche, moi qui laboure autant que ce grand dépouilleur d'andouilles, et qui suis bonnetière-enjoliveuse quand il n'est que bonnetier, suis-je contente de mes trois sols cinq deniers? Quérez-le-moi que je vous dise!

— Qu'y peux-je? dit Maître Recroche, en se grattant le nez. C'est la coutume de payer la garce la moitié moins que l'homme.

— Voilà qui bien vous accommode! cria Alizon.

— Mamie, dit Recroche, si je me voulais tant accommoder, je débaucherais Baragran (à quoi Baragran, levant le nez, eut l'air fort effrayé) et j'engagerais une deuxième garce.

— Ha que nenni! Vous auriez trop peur que les deux garces, ayant même pitance, se bandent entre elles et se mettent en tric.

— Allons, Alizon, dit Maître Recroche en sourcillant, ne parle pas céans de bande et de tric, ou sur l'heure je te chasse. C'est crime défendu par les maîtres et les jurés!

— Autant, cria Alizon, que le labour de nuit par les ordonnances royales!

— Baba! Les ordonnances! dit Recroche en haussant l'épaule. Holà, Coquillon, mon ami, reprit-il en secouant l'apprenti, réveille-toi et tire l'aiguille. La Baronne attend ses bonnets à l'aube.

— En voilà un qui s'apparesse, dit Baragran, et laisse à faire son labour aux autres !

— C'est que c'est un fils de maître, dit aigrement Alizon, et à être mené si doux, que sait-il au bout de ses trois ans d'apprenti ? Rien. Ni bonnet à usage d'homme, ni bonnet carré de drap fin, ni toque de velours ! Et voulez-vous gager pourtant qu'il sera reçu maître par les jurés avec ou sans chef-d'œuvre !

— Fi donc de la jaleuse ! dit Maître Recroche. C'est la Providence qui nous fait naître pauvre ou riche, et il n'est que de la respecter. Mes gentils-hommes, poursuivit-il en se tournant vers nous, je vous prie, suivez-moi que je vous montre vos chambriscules.

Ha ! Lecteur ! Le traître ne mentait point, car quels que fussent les noms qu'il leur eût jusque-là donnés, ils étaient trop glorieux encore pour ces deux exigus boyaux, qui contenaient pour tout appareil, chacun un chétif lit, une table boiteuse, un petit bassin à laver, une escabelle et rien d'autre. Le plancher mal joint, et plus encore mal raboté, craquait au moindre pas, et murs et plafonds étaient tant sales et noirâtres qu'on eût dit que des millions de mouches avaient chié dessus. Quant au fenestrou, grand comme un mouchoir, que j'ouvris incontinent, il donnait non point sur le cimetière, ce qui nous eût du moins assuré quelque quiétude, mais sur la rue de la Ferronnerie et au-delà de la rue, par-dessus la muraille, sur les tombes des Innocents. J'en vis briller les croix fort lugubrement sous la lune, laquelle était en son plein et très belle, éclairant juste devant moi une aubépine, haute assez pour dépasser le mur, ayant fort prospéré de la graisse des morts. D'autre frondaison, pas la moindre. Quant à l'air, il n'était point aussi méphitique que le Maître Recroche l'avait dit, mais cependant, aigre, douceâtre et lourd, à la limite du puant.

— Ne vous avais-je point prévenu ? dit Maître Recroche. Ce ne sont point palais que ces chambrions. Quand je leur donnais loger et pitance, j'y logeais mes compagnons. Mais les maîtres et les jurés ont interdit ces pratiques, sans toutefois augmenter les gages, ce qui fut profit pour nous. Messieurs, dit-il en nous faisant un salut si profond qu'on y sentait le déprisement du voleur pour le volé, je vous souhaite le bon soir. Vous serez céans à l'abri de l'intempérature de la nuit et des truands de Paris.

— Ne pouvez-vous, dis-je, tandis qu'il se retirait, nous laisser au moins la lumière ?

— Cela ne se peut, dit Recroche. Je ne baille pas la chandelle à mes logés.

— Je vous la paierai donc.

— Ce sera deux sols, dit Recroche, l'œil modestement baissé.

— Deux sols pour une chandelle ! cria Samson que je n'avais jamais vu si sourcillant et courroucé, deux sols ! C'est volerie !

— Suis-je un larron ? cria Recroche, se retournant comme si guêpe l'avait piqué et la crête fort haute. En ce cas, point ne vous loge, Messieurs, je vous le dis tout net. Le prix est selon le besoin. N'achetez point si vous le cuidez trop haut, mais je ne souffrirai point de sales et fâcheuses paroles.

Ha ! L'affreux coquin, pensais-je, il lui faut par surcroît du respect ! Cependant, prenant Samson par le bras, je l'écartai sans trop de douceur et je dis :

— Ce que dit mon cadet est de nulle conséquence. C'est moi qui barguigne et nul autre. Prix offert, prix tenu. Baillez-moi, je vous prie, la chandelle. Voici deux sols. Maître Recroche, je suis votre respectueux serviteur et je vous souhaite le repos.

Ce disant, je lui fis en irrision un salut aussi profond que le sien, ce qui ne laissa pas de lui geler quelque peu le bec, car se tournant il descendit l'escalier sans piper plus outre et sans non plus que je l'éclairasse, car je claquai l'huis derrière son dos. Sanguienne! Cette chandelle était à nous! Nous l'avions payée assez cher! Flamme comprise!

— Samson, dis-je, tu logeras avec le maestro Giacomi, et moi avec Miroul.

A quoi Samson fut fort marri, ce que voyant Giacomi (qui avait très bien entendu le pourquoi de ce choix) il me dit avec son italienne *squisitezza* [1] :

— J'ai déjà avec Miroul partagé un lit : je le ferai volontiers derechef.

— Non point, dis-je, c'est décidé.

Et donnant une forte brassée à mon gentil Samson, je le baisai sur les deux joues et ce faisant, le poussai vers l'autre chambricule, non sans qu'il dît avec son délicieux zézayement :

— Monsieur mon frère, êtes-vous dépit contre moi?

— Non point.

— Que ne me prenez-vous?

— Pour ce que Miroul est plus fluet.

Cette explication le contenta tout à plein, tant naïf il était. Cependant, voyant que Giacomi ne nous avait point suivis et que nous nous trouvions seuls, il me dit à voix basse et l'air fort vergogné :

— Avez-vous quis de Dame Béqueret...

— Oui-da! dis-je, fort ébaudi en mon for, et haussant la chandelle pour le mieux voir.

— Et qu'a-t-elle dit?

— Qu'elle la connaissait.

— Ha! dit-il, et sa tant belle et claire face s'illumina du plus délicieux sourire — lequel, tout soudain, s'effaça pour place laisser à une mine contrite.

— Ha! dit-il, c'est péchés que ces pensées-là!

— Pensez-les donc sans y penser, dis-je en riant,

---

1. Délicatesse.

et mi dans la gausserie, mi dans l'émeuvement, je le poutounai de nouveau.

— Giacomi, dis-je en revenant sur mes pas, allez, votre compagnon de lit vous attend.

Giacomi me sourit en très amicale guise mais sans dire mot, tant il était las. Et lui laissant la chandelle, j'allai m'appuyer au fenestrou ouvert de ma chambricule, envisageant sous la lune le cimetière des Innocents. Ha! pensai-je, quasiment tué de fatigue, et de surplus fort déconforté de ce méchant logis, faudra-t-il en arriver à ces petites tombes au terme de mon terrestre voyage? Mon gîte présent n'est ni le plus étroit ni le plus obscur de tous ceux que je suis appelé à connaître.

— Moussu, me dit Miroul, comme s'il eût senti ma malenconie, ne vous rongez point le sang, vous trouverez Madame Angelina, encore que vous n'ayez son adresse.

Et comment savait-il, avant que moi-même je le susse, que c'était là mon plus poignant souci? Je l'ignore. Mais chassant de moi ce pensement sitôt que je l'eus reconnu et Samson dévêtu m'ayant apporté la chandelle, je me dévêtis à mon tour et j'allais me fourrer au lit quand on toqua à l'huis. Cuidant que ce fût Maître Recroche, j'allais ouvrir, nu que j'étais en ma natureté, la chandelle à la main.

— Ha! mon beau Monsieur, dit Alizon, nullement vergognée de me voir en Adam, si vous en avez fini de la deuxième chandelle, voudriez-vous me la redonner? Labourer à trois sous une seule, c'est se tuer les yeux!

— Quoi, dis-je, le maître ne vous en a point baillé d'autre?

— Que nenni! Il s'est allé coucher tout droit!

— Ha! pauvrette! dis-je, c'est qu'il m'a vendu votre lumignon.

— Le méchant vautour! dit Alizon. Il vous tondrait un œuf!

A quoi je ris, n'ayant jamais rien ouï de pareil en mon Périgord.

— Monsieur, pardonnez-moi, reprit Alizon, je vous souhaite le bonsoir.

— Quoi ? dis-je, ne veux-tu plus la chandelle ?

— Monsieur, elle est à vous.

— Alizon, elle est à toi. Qu'en ai-je besoin pour dormir ?

— Monsieur, elle va s'user. Vous n'en aurez plus guère à la pique du jour.

— Allons, prends, point de cérémonies.

— Ha ! Monsieur, la merci à vous, dit Alizon en me faisant un salut. Je vous garderai une douce dent de ce gentil cadeau. Et si j'osais à s'teure, je vous baiserais.

— Baise, mamie, dis-je en lui tendant la joue, sur laquelle elle piqua un petit poutoune avant que de s'ensauver, la chandelle à la main, si légère et frisquette que c'était un plaisir de la voir voleter au bas de l'escalier.

— Moussu, me dit Miroul, dès que j'eus refermé l'huis, vous vous êtes fait une amie.

— Et toi, dis-je, plus raisin que figue, une autre en Montfort-l'Amaury.

— Ha ! Moussu, dit Miroul en riant, celle-là, vous me la plaignez encore ?

— Non point. Viens au lit, drole, sans tant languir.

— Moussu, non pas. Tout fluet que je suis, je vous gênerais. Je vais dormir sur le plancher.

— Nenni. Il est mal joint. Viens donc. Je le commande ainsi.

Il m'obéit, mais vers le milieu de la nuit, me relevant pour tomber de l'eau, je le vis, à la clarté de la lune, dormant à terre comme il avait dit.

Je sommeillai fort mal sur ce lit fort dur, rêvant

que me poursuivaient dans la Grand'Rue Saint-Denis une horde de moines qui, le coutelas brandi, huchaient à oreilles étourdies : « Tue l'hérétique, tue ! » tandis que je pataugeais tout courant dans les boues du pavé, le chef arrosé par les pots de pisse que me vidaient sus les commères.

Quand j'ouvris l'œil, j'étais en eau, le cheveu poissé de sueur et par le fenestrou ouvert, j'aperçus que déjà poignait le jour, à travers de rouges nuées. Je me levai et, me levant, toquai du pied contre mon pauvre Miroul qui s'éveillant, incontinent, saisit le cotel qu'il avait dans sa chausse (car il avait dormi dans sa vêture) et cria :

— Qu'est cela ? Ose-t-on bien s'en prendre à mon maître ?

Et tant son rêve était le frère du mien que je m'esbouffai à rire, ce qui me fit grand bien, et chassa mes fantômes. Et me sentant de nouveau vivace et voltigeant, j'allai à la tablette incliner le petitet poti-fime sur le bassin à laver, lequel j'eusse dû appeler à la mode Recroche « bassinicule » tant il était chétif, versant assez de ce coûteux liquide pour m'asperger le bec, et les mains, et les aisselles, et le poitrail. Après quoi, mettant mes chausses, ma chemise et mon pourpoint, je dis ce faisant à Miroul :

— Miroul, va seller nos montures. Comme on dit en notre Périgord, qui se lève tôt, pisse où il veut. A l'aube, nous aurons la rue à nous, et il nous faudra à la volée trouver quelque repue, pour pain et viandes gloutir, car j'ai grand-faim.

— Et Messieurs vos frères, dit Miroul, dois-je les réveiller ?

— Nenni. *Bene dormit qui non sentit quam male dormiat* [1]. Laissons ces loirs s'apparesser au terrier et saillons du logis. Je t'espère dans l'atelier.

---

1. Il dort bien celui qui ne sent pas qu'il dort mal.

J'y descendis et y trouvai Baragran, Alizon et Coquillon, le cul sur le carreau et les membres épars, et le dos accoté à un coffre, enfouis tous trois dans un endormissement de sourds dont au bruit de mes pas s'éveilla pourtant Alizon mais d'un œil seulement et quand elle parla, du quart du bec. De bonnets point, dont j'augurai que le Maître Recroche avait été les porter à la baronne des Tourelles et du regard cherchant ma chandelle, je n'en vis (pas plus que de l'autre) le moindre trognon, d'où je conclus que le chiche-face les avait mises sous clef avant que de départir.

— Ha! Monsieur, dit-elle, c'est vous? Je suis tuée et la paupière me pleure. Qu'eût-ce été sans votre chandelle?

— Dors, dors, gentille Alizon, dis-je, je saille hors pour manger, possédé que je suis d'une faim canine, n'ayant pas dîné hier soir. Où trouverai-je repue par ce quartier?

— Plusieurs, mais toutes closes, dit-elle en jetant un œil à la fenêtre. Il est trop tôt. Cependant, vous allez d'aventure par les rues rencontrer un oublieux qui crie ses oublies, ou un pâtissier, ses pâtés mais, par la benoîte Vierge, Monsieur, ne buvez pas l'eau de Seine des porteurs! C'est venin pour l'étranger, combien que nous autres, Parisiens de Paris, y soyons accoutumés. (Et toute exténuée qu'elle fût, vous eussiez cru, à l'ouïr l'énoncer si fièrement, que « Parisien de Paris » valait un titre de noblesse.)

— La merci à toi, Alizon.

Sur quoi, sa paupière s'abaissant, elle retomba dans un sommeil que je pensai, hélas, ne devoir pas durer au-delà du retour de Maître Recroche. Sur quoi, je fis, mi me gaussant, mi de sérieux propos, un ardent souhait pour que Recroche, sur le chemin, encontrât quelque traverse qui le retînt loin du logis jusqu'à midi passé. Et fus bien aise d'apprendre au retour que la Providence m'avait ouï.

A peine fûmes-nous hors, et à cheval, que mon valet me demanda la traduction du dicton latin sur le sommeil de mes frères que je venais de citer. Je la lui baillai et il trouva la sentence fort belle et incontinent la répéta et répéta jusqu'à ce qu'elle fût bien entrée dans la gibecière de sa mémoire. Mon gentil Miroul était comme raffolé des langues, de l'italien (dont il faisait des questions infinies au maestro Giacomi), du français qu'il baragouinait déjà mieux que mal, et de la langue de Cicéron dont il entendait quelque chose, à force de m'avoir ouï disputer avec mes compagnons de Montpellier.

Et de toutes ces miettes, par lui recueillies et mises en tas, s'étant façonné une sorte de savoir, mon Miroul comprenait parfois le latin, avant même qu'il ne lui fût traduit, comme le soir à Mespech où mon père m'avait donné la Gavachette en disant : *Ne sit ancillae formosae amor pudori* [1].

Et lecteur, si à s'teure tu demandes quelle commodité trouvait mon valet à ces bribes, je ne manquerai pas de te répondre qu'il les mettait à même sauce — *mutatis mutandis* [2] — que nous autres médecins, qui sommes accoutumés à tant parader notre latin d'école devant nos malades bées. Ainsi, Miroul aimait-il à se paonner devant quelque chambrière qu'il avait entreprise, et à se faire passer pour docte à ses yeux. Je me suis souvent diverti, en mes auberges, à ouïr la mignote qu'il serrait de près dans quelque encoignure d'escalier, lui dire :

— Quoi, Miroul, tu parles le latin ?

— Ainsi le dois-je. Ne suis-je pas l'aide et le commis du Révérend docteur médecin, ou pour ainsi parler, *il suo braccio destro* [3].

---

1. N'aie pas honte d'aimer une jolie servante.
2. En changeant ce qu'il faut.
3. Son bras droit.

— Qu'est cela?

— De l'italien.

— Ha! Miroul, parles-tu aussi l'italien?

— Passablement, disait Miroul, contrefaisant le modeste. Et aussi quelque peu le français de Paris.

Mais de ce français-là, à vrai dire, il n'eût pu se rengorger qu'en nos pays d'oc, et les Parisiennes lui eussent vite gelé le bec, étant si vaines de leur beau parler. Cependant, il ne fut pas quinze jours dans la capitale qu'il m'étonna, ayant l'ouïe si fidèle et la langue si déliée, et d'autant progressant qu'il courait comme fol le cotillon, ce qui en tous pays est grande occasion de babillage, du moins tant que les gestes n'ont pas pris le relais du verbe.

Cependant, je ferais tort à mon gentil valet si je laissais accroire qu'il n'était langagier que pour l'usance que je viens de dire. Il l'était de soi, et par sa propre et naturelle pente et comme aimant à s'instruire, ayant l'esprit si prompt; et en médecine même, s'étant donné quelque teinture, rien qu'en m'observant disséquer.

Mais pour reprendre mon conte, saillant du logis de Maître Recroche, à la pointe du jour, j'avais dans mon pourpoint une lettre pour M. de Nançay, capitaine des Gardes royales, de qui mon père, qui le connaissait pour avoir servi avec lui à Calais sous le commandement du duc de Guise, requérait de m'obtenir mes entrées au Louvre, afin que je pusse présenter au roi la requête en grâce rédigée par M. de Montaigne. Cependant, il était bien trop matin pour visiter ce gentilhomme, lequel logeait dans la Cité, et puisque Notre-Dame était dans l'île que l'on nommait ainsi, je résolus, après avoir glouti quelque morceau, de l'aller voir, ayant tant ouï de cette merveille.

Nous descendîmes donc vers la rivière de Seine par la Grand'Rue Saint-Denis laquelle, le jour poignant à peine, était encore vide de charrois, mais non point de bruit, car je ne sais combien de colporteurs allaient cy allaient là en la Grand'Rue et les rues circonvoisines, portant en un panier devant le ventre et suspendus à leur cou les nécessités dont il tenait boutique, et criaient, ou plutôt chantaient en vers naïfs leurs marchandises pour allécher les ménagères qui souvent, en effet, le cheveu à peine testonné, l'œil à demi ouvert, un méchant sarrau jeté sur le corps, entrebâillaient leur huis pour les appeler. N'est-ce pas merveille, pensai-je, que dans cette Paris soient telles et si grandes commodités qu'on n'ait même pas besoin de saillir du logis pour les aller quérir, mais qu'on vous les apporte pour ainsi dire à votre chevet, comme si les manants et les habitants de cette grande ville étaient autant de princes qu'on eût zèle à servir.

En Paris, par ces colporteurs si vifs, si babillards et si bien vocalisants, j'ai, durant tout un mois, tout ouï crier : l'eau, le lait, les allumettes, le sablon d'Etampes pour récurer la vaisselle, les goupillons pour la laver bien, la pierre noire pour chaussures noircir, la craie pour laine nettoyer, la terre à laver, les aiguilles, les aiguillettes, les nattes, les paillassons, les balais de houx, les chaudrons, la mort aux rats, le silex et le fusil, le sel, les paniers, les almanachs nouveaux (portant « belle pronostication »), « le gentil vin vermeil », « les gentils verres jolis », la paille qu'en Paris on appelle fouarre, l'anis, les escabelles appelées céans selles de bois, les canifs ou canivets, et assurément tout ce qui se peut manger sur terre de plus surprenant, y compris — gros condiment pour si petit légume — du lard de baleine pour accommoder les petits pois, dont le crieur lui-même faisait un éloge fort prudent :

C'est bonne viande de Carême,

Elle est bonne à gens qui l'aiment.

Et ce matin-là, étourdi que j'étais de tous ces chants qui fusaient de toutes parts, j'ai même ouï un colporteur crier qu'on rapportât à ses parents une fille gente et belle :

> *Laquelle, âgée de quinze ans,*
> *S'était égarée en dansant.*

— Ha ! Moussu, me dit Miroul, tandis que nous chevauchions au pas et au botte à botte, rapporteriez-vous la mignote, si vous la trouviez ?

A quoi, je ris, mais mon rire discontinua en voyant venir à nous, charroyant un défunt au cimetière des Innocents, un convoi de mort, mené par un quidam de noir vêtu, et qui précédait le prêtre, lequel, je parle du quidam, s'appelle en Paris le sonneur des corps et chantait lui aussi en toquant sa clochette :

> *Or, dites vos patenôtres*
> *Quand vous oyez que je sonne*
> *Pour honorable personne*
> *Qui a été frère nôtre.*

Sur quoi, Miroul et moi, nous nous signâmes, fort heureux de nous sentir si vifs et si gaillards et si bien assis sur nos selles, par ce clair matin parisien. Cependant, je dis *sotto voce* un pater pour « ce frère nôtre », tout papiste qu'il ait été en son aveugle vie.

— Amen pour ce pauvre idolâtre, dit Miroul à mi-voix, quand le convoi fut passé, et Dieu prenne à pitié ses errements. Moussu, avec votre permission, j'ai faim, j'ai une faim si stridente qu'un croûton même m'accommoderait : *Jejunus maro stomachus vulgaria temnet* [1].

---

1. Un estomac affamé méprise rarement un mets vulgaire.

— *Temnit*, Miroul.

— *Temnit*. Grand merci à vous, Moussu, de me corriger. C'est une citation de grande usance. Je la peux faire ès auberge à qui vous savez deux fois le jour.

A quoi je ris d'avoir si gentil valet, et si coquinou, et si divertissant, de l'ouïe cependant écoutant diligemment les cris de la rue, pour discerner si l'on criait des viandes. Me voyant si attentif, un porteur d'eau qui avait outre gonflée sur le dos et gobelets d'étain brillants pendant tout autour de sa ceinture, s'approcha en chantant :

> *Qui veut de l'eau ? Qui veut de l'eau ?*
> *C'est un des quatre éléments*
> *Nul ne s'en passe pour le jour d'hui*
> *Croyez-moi, car point n'en mens.*

— Mon gentilhomme, dit l'homme qui était fort gros de corps, ayant bedondaine par-devant aussi gonflée que l'était son outre par-derrière, quérez-vous de mon eau ? Vous la pouvez boire sans péril : je ne la prends ni en la place Maubert, ni au pont Saint-Michel.

— Et pourquoi point en ces lieux-là ?

— Pour ce qu'elle y est stagnante, croupie et pourrissante.

— Où la prends-tu ?

— Face à l'île Louvier, autant dire hors Paris et en amont.

Et qu'il mentît, j'incline à penser que oui, mais eût-il dit vrai que j'eusse refusé tout autant. Je m'en excusai, en disant que je ne buvais que du vin et pour prix de sa jaserie, je lui jetai une piécette qu'il reçut avec à peine un merci tant il était dépit que je déprisasse son eau.

— Moussu, cria Miroul, voici venir viande plus substantielle.

Et de son index, il me désigna, saillant de la rue des Lavandières, un quidam coiffé d'une toque blanche dont sortaient des cheveux roux comme flamme et qui, ouvrant une bouche large comme four, chantait d'une voix fort haute :

> *Et moi pour un tas de friands*
> *Pour Gautier, Guillaume ou Michaud,*
> *Tous les matins, je vais criant*
> *Echaudés, gâteaux, pâtés chauds !*

— Compagnon, dis-je, bridant Pompée, tire de ce côté! Nous sommes de ces friands dont tu gloses! Encore que nous ne soyons ni Gautier, ni Guillaume, ni Michaud. Et pourquoi Michaud, bonhomme?

— Pour la rime, dit le pâtissier en accourant à ma botte à pas précautionneux car sur son plat panier retenu par une cordelette passée autour du col, et soutenue par-dessous de ses larges mains, il portait un monceau de sa marchandise, laquelle était recouverte d'une serviette proprette qu'il retira tout soudain, nous ensorcelant la vue de ses gâteaux dorés, croustillants, odorants et fumants.

— Sanguienne, Moussu! dit Miroul, à peu que la bave ne m'en coule de gueule!

— Paix là, Miroul, dis-je en oc, si tu parles de bave, il nous en coûtera le double.

— Mon noble Monsieur, dit le pâtissier dont la face ronde était elle-même toute dorée par son feu, si vous avez grand-faim, comme je cuide à votre œil, je vous recommande ces pâtés chauds...

— Combien pourtant que je ne sois pas Michaud...

— Et non plus juif, Monseigneur, dit le pâtissier promptement, car ils sont à la chair de porc.

— Chrétien je suis. Combien l'un pour un pauvre chrétien?

— Trois deniers.

— Peste! Trois deniers pour un pâté à chair!

— Sans enchérir. Combien que vous soyez d'oc, si je m'en crois l'oreille, je vous le fais au prix parisien.

— Voire! Que dirais-tu de quatre pâtés pour huit deniers?

— Je dirais non! Fi donc, Monseigneur, poursuivit-il, l'œil vif et le verbe prompt. Un gentilhomme barguigner comme un Lombard!

— A quoi juges-tu que je suis gentilhomme?

— A votre cheval qui est fort beau.

— Tu erres, je m'en vais de ce pas le vendre pour acheter du foin.

— Monseigneur, vous vous gaussez. Allons, je dis pour vous obliger, dix deniers pour quatre. Prenez, c'est mon dernier dit.

— Tenu. Voici tes fraîches pécunes.

— Et voici vos chauds pâtés. Monseigneur, gardez qu'on ne vous larronne votre beau cheval, quand vous serez en visite.

— Mon valet le gardera.

— Je le vois bien fluet.

— Je le serai moins, dit Miroul, quand j'aurai glouti tes pâtés. Ventre Saint-Antoine! La bave m'en coule sur le pourpoint!

Je lui en baillai deux, et je me mis à dévorer les deux autres, lesquels étaient surcroûtés et succulents, à la mesure de ma faim véhémente.

— Ha! dit le pâtissier, voilà des dents fort aiguës. Mangez! Mangez! Mangez! il vous en profitera! Il n'est bon pâté que de Paris et en Paris, que des miens! Mon gentilhomme, je vous souhaite le bonjour de tout cœur, et que la benoîte Vierge vous bénisse, si du moins, étant d'oc, vous n'êtes pas aussi hérétique.

— Pas plus que toi, pâtissier! dis-je, la bouche pleine.

Sur quoi, il départit dans la Grand'Rue Saint-Denis.

— Certes, dis-je, tâchant à ne pas gloutir trop vite pour goûter du dessus et du dessous de la langue la chaude onctuosité de cette chair en croûte, certes je suis de ces tas de friands que chante le pâtissier, mais Miroul, as-tu ouï ce faquin ? Etant d'oc, nous sommes suspects de réforme, et partant, tout soudain haïs. Sanguienne, l'hérétique, c'est lui !

— Moussu, dit Miroul, besognant de la mâchoire, c'est le plus nombreux et le plus fort qui nomme l'hérétique. Nous à Nismes. A Paris, les papistes.

— Tu parles d'or, Miroul, dis-je, jasant à l'étouffé. Je te ferai docteur aux *triduanes* du bon sens. Hèle-moi cette laitière dont j'espinche la mignarde croupière. Hèle-la, Sanguienne, je n'ai plus de voix !

— Laitière ! hucha Miroul avalant une bouchée qui lui gonfla le cou, tire de ce côté, je te prie !

A quoi, la blonde laitière se retournant vint à nous portant ses deux pots pendants des deux côtés d'un bâton lequel passait derrière son cou, posture qui la contraignait à se tenir fort droite au grand avantage de ses tétins lesquels étaient rondis à merveille et saillaient presque du fichu. Elle vint à nous, en dépit de son épaulière boutique, d'un pas fort dansant et léger, chantant son cri d'une voix gazouillante :

> *Au matin pour commencement*
> *Je crie du lait pour les nourrices*
> *Pour nourrir les petits enfants*
> *Disant : çà, tôt le pot, nourrices !*

Et reprenant sur une note plus haute, sa voix sur l'ultime « o » trémolante, elle modulisa :

— Tôt le pot !

Le vers du quatrain n'était pas fort savant, le poète n'ayant trouvé que « nourrices » pour rimer avec

« nourrices », mais je fus ravi, et du chant, et de la voix, et de la bachelette.

— Mamie, dis-je, combien que je ne sois plus en mes maillots et enfances, voudrais-tu me bailler de ton lait ?

— Mon gentilhomme, je ne peux, dit la drolette avec un œil des plus aguignants. J'ai les pots, je n'ai pas les gobelets, vendant aux logis, non aux passants.

— Ha ! Laitière ! dis-je, que n'es-tu toi-même lachère ! Je sais bien où je boirais !

A quoi elle rit, faisant la vergognée mais en même temps, jetant un œil à ses tétins qui disaient assez qu'elle en était fiérote :

— Ha ! Monsieur ! dit-elle, en battant du cil. Que vite vous allez en besogne ! On ne refuse ni chaud ni froid dans les provinces d'où vous venez ! Mais ici, il y faut plus de degré et de ménagement !

— Je m'en ramentevrais, dis-je, si je n'avais si soif. Mais qui ne pardonne à l'ivrogne qui appète à flaconner au flacon même ?

A cet instant, une pratique la héla d'un proche logis et elle s'en sauva de son pas dansant, balançant sa boutique, son joli torse bien assis sur ses rondes hanches, et non sans m'avoir dit avec un nouveau souris de délayer un petit, qu'elle allait revenir. Mon œil lui tint chaud dans les reins tout le temps qu'elle traversa la rue, chantant en son aimable gazouillis, de sa voix tant claire et suave :

— *Çà, nourrices, tôt le pot !*

— Moussu, dit Miroul, que veut dire « Ne refuser ni chaud ni froid » ?

— Ne craindre rien ni personne, je gage. Ces Parisiens ont leur jargon, tout comme nous.

— Mais fort plaisant à ouïr de ce bec-là. Moussu, lui demanderais-je de l'encontrer à nouveau ?

— Espère un petit. Tu n'as encore rien vu, Miroul. *Quod coelum stellas, tot habet tua Roma puellas* [1].

Sur quoi, je lui translatai le vers latin, ce dont il fut aux anges, aimant, et le sens, et les mots.

Cependant, tout à la chaude nous revint la blonde laitière, tenant en sa dextre, pour nous accommoder, un gobelet qu'elle avait requis de sa pratique, ce dont je lui fis mille grâces et merciements. J'en bus deux, l'un sur l'autre, et Miroul aussi, ce qui fit quatre, pour quoi elle ne demanda qu'un denier. Je lui en baillai deux et elle me dit, me jetant le bel œil et à Miroul aussi :

— Mes gentilshommes, si me voulez retrouver, je passe tous les jours que Dieu fait, en cette même rue à la même heure.

Et ayant dit, elle s'ensauva, modulisant de sa voix clairette :

— Çà, nourrices, tôt le pot !

Lecteur, je ne revis mie cette fraîche garce des villages qui allégrement gambettait sur le pavé boueux de la capitale, vendant son lait quelques sols — petit profit pour un si grand chemin de son clocher à notre Babylone — mais en ma remembrance apparaissent encore aussi nets qu'en ce premier jour, et avec le même émeuvement, son œil clair, ses boucles blondes, son tétin mignon et, passant le tout, ce très délectable souris par où elle paraissait s'ouvrir, et de son corps et de son âme, à l'irréfrénable joie d'être vive parmi les vifs, tant est qu'à la fin, je ne peux penser à cette Paris qui me laissa pourtant, cette fin d'août, des souvenirs si funestes sans me ramentevoir cette gentille mignote qui, l'épaule tant navrée de son fardeau, et la gambe tant lasse de sa trotte, me serviçait et souriait en si aimable guise.

1. Rome a autant de filles que le ciel a d'étoiles.

M. de Nançay habitait rue des Sablons en l'île de la Cité, et combien qu'il fût encore trop matin pour le visiter, je demandai mon chemin à un guillaume ou gautier qui dans la rue passait, afin d'être assuré de m'y rendre sans délayer quand j'aurais visité Notre-Dame. Le quidam qui me parut à sa mine et vêture être un commis de boutique et de sa face, outrecuidant et rassotté, fut béant de ma requête et encore que je fusse à cheval, et lui à pied, m'envisagea d'en bas de fort haut et me dit comme indigné :

— Quoi, Monsieur! Vous ne connaissez point la rue des Sablons!

— Te la demanderais-je, si je la connaissais?

— Mais Monsieur, qui ne connaît la rue des Sablons?

— Moi, qui arrive du Périgord.

— Le Périgord, dit le gautier, toujours fort hautain, je n'ai jamais ouï de cet état.

— Aussi n'est-ce point un état, mais une province du royaume.

— Une province, Monsieur, s'écria l'effronté gautier, d'un air d'immense déprisement, vous vivez en province? Havre de grâce, comment y vivez-vous?

— Mieux qu'à Paris

— Ha! Monsieur! Cela ne se peut! Seul un âne peut trouver de la commodité à brouter dans les plats pays.

— Moussu! me dit Miroul en oc, dois-je donner de la botte à ce compagnon incivil?

— Qu'est-ce? cria le guillaume. Quel baragouin est-ce là que celui-là jargonne? Et que dit-il?

— Qu'il va, dis-je sourcillant, te donner de la botte pour payer ton discourtois discours.

— Ha! Monsieur! Il n'y a point offense! cria le quidam, la crête fort rabattue. A quoi, hâtivement, il ajouta : Au grand Châtelet, vous tournez à main senestre et vous prenez le quai aux Foins. Et de là, vous traversez le bras de Seine sur le pont Notre-Dame et tout droit jusqu'à l'autre bras, la rue des Sablons est à votre senestre. C'est à ne s'y point tromper. L'Hôtel-Dieu est là et Notre-Dame.

— Villageois, dis-je, merci.

— Quoi! s'écria-t-il, du ton le plus navré, vous m'appelez villageois!

— Pour ce que, dis-je, tu n'as jamais sailli de ton village et hors lui, pour grand qu'il soit, tu ne connais rien.

A quoi, me cuidant peut-être fol et tenir de la lune, le quidam s'ensauva, jetant derrière lui un œil effrayé. Et nous gaussant encore, Miroul et moi, tournâmes nos montures par le chemin qu'il avait dit, jusqu'au pont Notre-Dame.

Quand je connus mieux Paris, je m'avisai d'une absurde étrangeté de cette grande ville traversée qu'elle est par une forte rivière. La rive droite a un quai, et quasiment continu du Louvre aux Célestins. La rive gauche n'en a point, sauf de la tour de Nesle au pont Saint-Michel, et celui-là ne datant que d'une douzaine d'années, et remplaçant une plantation de saules qui descendait jusqu'à l'eau. Partout ailleurs, en ville même, on n'encontre que des berges de terre, lesquelles inclinent par leur naturelle et insensible pente jusqu'au fleuve, ce qui fait que ses crues, les inondant furieusement, montent si haut dans la ville qu'en 1571 — d'après ce que j'ouïs — on ne pouvait traverser qu'en bateau la place Maubert.

Quant au quai de la rive droite le long duquel nous chevauchions, ce n'est pas certes une grande affaire. Il est partie maçonnerie et partie bois, mais les deux, hâtifs et grossiers, et fort indignes du grand trafic qui s'y fait, lequel est de foin, de paille et de bois. Le pont Notre-Dame, en revanche, sur lequel ensuite nous nous engageâmes, me fit béer d'admiration : car il est si beau et si large que trois chars peuvent y rouler de front, et bordé comme le pont Saint-Michel de maisons toutes de même hauteur, bien appareillées en pierres de brique et dont pas une ne passe l'autre en alignement, lesquelles maisons, en outre, ont chacune un numéro, de un à soixante-huit, nouveauté que je trouve admirable et qu'on devrait bien étendre à tout Paris où il est fort malaisé, ne sachant que le nom de la rue, de trouver le gîte d'un ami, ne serait-ce que la nuit venue, les voisins remparés derrière leur huis bien clos ne voulant ni ouvrir, ni même vous répondre — sans compter encore l'inouïe difficulté du cheminement des lettres, laquelle passe l'imagination, car les adresses sont de la guise que je vis de mes yeux, pendant mon séjour à la capitale :

Monsieur Guillaume de Marmoulet,
Noble homme
Rue de la Ferronnerie à Paris

dont la maison est sise à quatre maisons sur la dextre d'une maison face à l'aubépine du cimetière des Saints-Innocents.

N'est-ce pas aussi une incrédible servitude (laquelle est source d'indiscrétions infinies) d'avoir, le jour, à demander aux voisins où demeure l'homme que vous allez voir, exposé que vous serez alors à l'effrénée badauderie des Parisiens, comme j'en fis l'expérience ce matin-là, rue des Sablons où, ayant démonté, je frappai à une porte de belle apparence pour m'enquérir du gîte de M. de Nançay.

Une chambrière m'ouvrit qui, ayant ouï ma question, alla sans me répondre querre une sorte de gouvernante, laquelle m'ayant ouï, alla querre la fille du logis, laquelle, sans me répondre davantage me dit, m'envisageant curieusement :

— Monsieur, quel étrange français est cela que vous parlez ? Et d'où vient ce bizarre pourpoint que vous portez et qui n'est point, à ce que je vois, à la mode qui trotte ?

— Je suis, Madame, du Périgord; et mon pour-point dont je suis bien marri qu'il ne vous plaise point, a été façonné en Montpellier par le tailleur de M. de Joyeuse. Peux-je savoir de vous, Madame, où habite M. de Nançay?

— Montpellier, dit-elle, ouvrant de grands yeux noisette, au demeurant fort beaux, où est ce mont-là que vous dites?

— C'est une ville, Madame, près de la mer Médi-terranne.

Et qu'elle ait ouï parler de la mer Méditerranne, je n'en suis pas assuré, même à ce jour, car me faisant un souris et une plongeante révérence qui me donna beaucoup à voir, elle me dit que, ne pouvant rien décider, elle allait querre sa mère — laquelle, en effet, apparut peu après sur le seuil, se paonnant en une robe du matin bleu pâle qui serrait du mieux qu'il se pouvait ses appas conséquents, la face, là-dessus, pimplochée au désespoir, et le cheveu trop blond pour être honnête.

— Madame, dis-je en la saluant quasi jusqu'au pavé, je suis votre humble et obéissant serviteur. Peux-je savoir de vous, Madame...

— Monsieur, dit-elle la crête fort haute et m'envi-sageant de la tête aux orteils, non sans pourtant laisser d'être satisfaite de son inquisition, si, en dépit de votre étrange parlement qui sent bien un peu sa province, vous êtes, comme je le cuide, gentil-homme, j'aimerais savoir qui vous êtes.

— Madame, dis-je, en mon for grinçant des dents, mais de mon extérieur, bénin, suave et plus patient qu'angelot sur une image, je me nomme Pierre de Siorac et je suis fils cadet du Baron de Mespech en Périgord.

— Voilà qui est bien. Je ne m'étais donc pas trom-pée. Vous n'êtes pas le premier guillaume ou gautier venu. Mais Monsieur, dit-elle avec un air d'extraordinaire avidité, qu'avez vous affaire à M. de Nançay?

— Madame, dis-je, vous répondant avec tout le respect du monde, n'est-ce pas plutôt à M. de Nançay que je le devrais dire?

— Voire, Monsieur, dit-elle, nullement rebuffée, je suis fort des amies de M. de Nançay et je ne voudrais point qu'il puisse se plaindre à moi de lui avoir adressé un fâcheux.

— Je ne suis point de ceux-là, dis-je quelque peu piqué, mon père connaît M. de Nançay. Ils ont combattu ensemble à Calais sous le commandement du Duc de Guise.

— Le Duc de Guise! cria-t-elle, fort émue, et le parpal houleux. Monsieur votre père a servi le Duc de Guise! Ah! Monsieur! Vous avez nommé mon héros! Le plus grand! le plus beau! Le plus saint des gentilshommes de notre France! Le Sauveur de royaume! Le rempart de la foi catholique! Le vrai Roi de Paris! Monsieur, pour l'amour du Duc de Guise, demandez, je vous prie, demandez! Il n'est rien que je ne fasse pour vous!

— Madame, dis-je, je veux seulement savoir où habite M. de Nançay.

— Ha! pour cela, Monsieur, la chose est délicate. Je ne peux la décider seule. Je vous demande un peu de patience (Dieu juste! N'en avais-je point à revendre!) et avec votre permission, je vais querre de ce pas mon mari.

Et elle le quit, en effet, Miroul se mettant le nez sur la crinière de ma Pompée pour non pas rire, la fille étant revenue, sa mère partie, et en silence nous envisageant sur le seuil comme si nous fussions des habitants d'une autre planète, alors même qu'il y avait à Paris, mais point semble-t-il en la rue des Sablons, tant d'autres gentilshommes huguenots ou catholiques, accourus des parties du royaume les plus reculées pour les noces de la princesse Margot.

Le mari vint qui était, je gage, quelque riche marchand, vêtu d'un austère marron, la fraise au cou, chauve et ventru assez, l'œil aigu, et me posa à son tour des questions à en mourir, tant est qu'à la fin, ne voulant pas affronter un homme qui se disait comme son épouse « fort des amis de M. de Nançay » (en quoi ils mentaient tous deux), je dus de force forcée lui conter mon affaire, laquelle il ouït avec l'avidité la plus grande, et appelant sa femme, la lui répéta en son entièreté, glosant à l'infini sur les duels, sujet qu'il avait à cœur.

Après ce discours qui dura bien un quart d'heure, il voulut bien consentir à me dire que M. de Nançay habitait la maison à dextre de la sienne. Ha! pensai-je, que n'ai-je plutôt frappé à cette porte-là plutôt qu'à celle-ci!

— Mais, ajouta-t-il, vous ne pouvez, de présent, visiter M. de Nançay. Il est bien trop matin.

— Je le pensais, dis-je. Je vais de ce pas à Notre-Dame y passer l'heure qui vient.

— Ha! Monsieur! s'écria-t-il, cuidant que j'allais un mardi ouïr la messe, que je suis conforté de vous voir, pour même que vous soyez si jeune, tant pieux et dévot, alors que fait rage à Paris et hélas! à la Cour même du Roi, la satanique hérésie de Calvin!

Quoi oyant, je les saluai sans piper tous deux, et même tous trois, car la fille du logis, derrière sa mère revenue, me donnait de présent fort gentiment de l'œil, malgré mon pourpoint hors la mode qui trotte, et me mis en selle, Miroul me jetant de son œil marron une tant gaussante regardure qu'à peu que je ne me misse incivilement à rire aux nez de ces bonnes, quoique fâcheuses gens.

Quant à Notre-Dame, je fus, en la voyant, de merveille et d'étonnement ravi, mais ne la veux décrire céans : il y faudrait un livre. Et encore que je fusse en ma foi huguenote rebuté par tant d'images idolâtres, soit sur les vitraux peints, soit en statues façonnées, je ne laissai pas de les trouver si belles que je n'eusse pas voulu qu'on les brisât, comme firent en tant d'églises les furieux de mon parti, mais bien au rebours, qu'on les préservât pour l'admiration de nos fils, sans toutefois leur rendre un culte qui n'est dû qu'à Dieu seul. De reste, à ne les considérer non comme des objets sacrés, mais comme des représentations de l'homme, il me semble qu'on les aimerait davantage, en ne les adorant pas.

La plus émerveillable de ces idoles, ou à tout le moins, celle qui me plut le plus, fut une statue de la Vierge à la porte du cloître. Elle avait l'ovale fort joli, le nez droit et petit, l'œil comme écarquillé de curiosité étonnée, tant est que sa face éveillée et mignarde me donna à penser que le sculpteur avait dû avoir une Parisienne pour modèle et qui sait même, celle qui partageait sa couche ! Et qu'il l'aimait assez pour vouloir, l'ayant revirginisée dans la pierre, laisser sa gracieuse image aux âges et siècles du futur.

Miroul était resté hors à garder nos chevaux, et je regrettai quelque peu qu'il ne fût pas avec moi, et plus encore le maestro Giacomi, qui aimait tant les arts et en parlait si finement. Mais j'eus à peine le temps de jeter un œil cy un œil là, que je fus abordé par un petit clerc brun et tout bouclé, qui n'avait pas passé dix-sept ans, je gage, et qui fichant sur moi ses yeux noirs veloutés, me dit d'une voix flûtée :

— Monsieur, appétez-vous à monter en haut les tours de Notre-Dame ? On y voit tout Paris, l'église cathédrale étant de la ville le plus haut monument.

— Monsieur l'abbé, dis-je, du ton le plus bénin, mais en mon for rétracté assez, ayant peu de fiance aux gens qui de cette robe-là s'enjuponnent, je le voudrais bien s'il n'y fallait pécunes.

— Il en faudra peu, dit l'abbé avec un aguichant sourire : cinq sols pour le sacré chapitre. Trois sols pour le bedeau qui baillera la clé. Et deux pour moi qui monterai avec vous.

Disant cela d'une voix suave et murmurée, et approché de moi à me toquer, il eut un sourire si lent et si tendre, et m'envisagea en si caressante guise, que je doutai si j'avais devant moi drole ou drolette. Zeus lui-même, si j'ose l'invoquer en chrétienne église, eût pu s'y tromper, combien que ce genre d'erreur le troublât peu, si j'en crois le ravissement de Ganymède.

— Monsieur l'abbé, j'y consens, dis-je en me reculant un petit et l'œil froidureux assez, et sans mettre la main à mon escarcelle.

— Donc, Monsieur, dit le petit clerc, les pécunes?

— Nenni. Je paye après.

— Ha! Monsieur! s'écria le petit clerc en riant, honnête je suis, foi d'Aymotin!

— Aymotin! Est-ce votre nom?

— Oui-da! Et je ne suis pas encore abbé! Monsieur, sans pécunes le bedeau ne baillera pas la clé!

— Voici donc trois sols pour le bedeau. Les cinq sols pour le sacré chapitre, je les paierai en haut les tours. Et vos deux sols, Aymotin, quand nous redescendrons.

— Havre de grâce, Monsieur, vous barguignez comme juif, Lombard ou huguenot!

— Que je ne suis. Courez, Aymotin, et quérez-moi cette clef. Je vous espère céans en me trantolant.

— Monsieur, dit Aymotin avec un petit souris picanier, on ne dit pas en Paris « trantoler », c'est langue d'oc. On dit « muser ».

— Quoi? dis-je. Es-tu d'oc aussi?

— Nenni. Je suis né en Paris et n'en ai branlé mie. Mais j'ai un fort grand ami qui a même parlement que vous, mêlant l'oc au français.

Et là-dessus, me lançant une œillade encore, Aymotin s'ensauva, retroussant sa soutane des deux mains pour courir, ce qu'il faisait en tortillant avec beaucoup de grâce.

Il fut si long à revenir que je cuidai mes trois sols perdus, mais il revint sans que je susse si je devais son retour à sa probité ou à l'inclination qu'il me montrait.

— Monsieur, dit-il, j'ai la clé des degrés, mais non celle des cloches : M. le Bedeau voulait trois sols de plus.

— Nous ne les verrons donc point. Allons.

L'huis étant déverrouillé — et je dus aider tant la clé était grosse et son poignet mignard — il se grimpa lestement devant moi, toujours se tortillant et par-dessus l'épaule me jetant qui-ci, qui-là, un souris et une fort engageante œillade.

Ha ! lecteur ! Que du haut des tours de Notre-Dame cette Paris était grande et belle, et quel émeuvement je conçus à la voir étalée à mes pieds comme une image, les maisons fort petites, et la Seine en son milieu si joliment s'arrondissant.

Cependant, Aymotin avait perdu vent et haleine à monter les degrés, et labourait à reprendre souffle que c'était pitié.

— Aymotin, dis-je, tu t'es grimpé en trop précipiteuse guise, ne donnant point le temps à tes poumons de purifier le sang rappelé par le cœur.

— Quoi ! dit Aymotin béant, êtes-vous médecin aussi ?

— Aussi ! dis-je, ayant puce tout soudain à l'oreille, en connais-tu un autre ?

A quoi Aymotin, sa face brune rosissant un petit, agita ses boucles noires, la tête détourna et dit fort évasivement :

— J'en connais plusieurs. Paris, Monsieur, ne compte pas moins de soixante-deux médecins, et vous les verrez, par les rues, matin et soir, visiter leurs patients, bonnet carré en tête et sur leurs mules trottinant.

Puis, me tournant le dos, s'approcha du balustre et d'un geste large et fort gracieux, il me montra la capitale comme s'il me l'offrait en présent.

— Voici, Monsieur, la plus belle ville du monde.

Et de son bras étendu et de son index pointé, il me désigna dans l'île même où nous nous trouvions le Palais et la Sainte-Chapelle ; sur la rive droite de la rivière de Seine la halle aux blés, la Friperie, la halle aux draps, au bord de l'eau le Louvre, grandiose et comme menaçant en son auguste blancheur, et tout près derrière le Louvre, la Tour de bois qui marquait comme la limite en cet endroit de la ville, étant fort haute et érigée sur le mur d'enceinte ; sur la rive gauche je ne sais combien de gracieuses églises dont j'omets ici les noms ; hors les murs, l'abbaye de Saint-Germain-des-Prés dont les trois tours me parurent superbes en ce glorieux matin et dedans les murs et comme en étant à l'ouest la limite, la tour de Nesle, sans compter, dans le tissu même de la ville, à dextre comme à senestre, une multitude de tourelles, de clochetons, de bretèches et de pignons dont toutes les grandes rues étaient bellement hérissées et qui témoignaient de l'inouïe richesse des seigneurs, des marchands et des bourgeois de robe qui y avaient leur logis. Me penchant, tandis qu'Aymotin poursuivait son discours, je me divertis fort à voir sur la place Notre-Dame trotter les bonnes gens, pas plus gros que pieds de mouche, et mes deux chevaux que je reconnus à la robe alezan de ma Pompée, pas plus longs que souris.

— Comme vous voyez, dit Aymotin, cette Paris que vous voyez est divisée comme en trois villes par la rivière de Seine qui coule en son milieu. La partie qui est à main dextre, et qui est de beaucoup la plus étendue, se nomme la Ville...

— Comme cela, la ville ? dis-je, et les autres ?

— La Ville avec un grand V, dit Aymotin, pour ce

que le Roi y loge en son Louvre. Cependant, d'aucuns l'appellent aussi le quartier Saint-Denis. Ensuite vient la partie où nous sommes qui est une île, laquelle est dite, comme vous savez, l'île de la Cité.

— Et la partie senestre?

— On la nomme l'Université pour ce que les écoliers y étudient, rossent le guet assis, malmènent les moines Saint-Germain, cornufient les bourgeois, et y commettent mille autres méchancetés que je ne saurais décrire.

Cependant, Aymotin dit cela sans la sévère morosité qu'on eût attendue de sa robe, mais l'œil luisant et le souris ravi.

— D'aucuns, dit-il, appellent aussi l'Université le quartier de Hulepoix, comme on dit le quartier Saint-Denis pour la Ville.

— Hulepoix! dis-je, quel bizarre nom! Hulepoix! Cependant, je l'aime assez! Mais comment se nomment les deux petites îles tant vertes et tant jolies que je vois devant la Cité et qui sont comme l'une à l'autre parallèles?

— La dextre est dite l'île du patriarche et la senestre, l'île du passeur des vaches. Le Roi, à qui elles appartiennent, a eu le projet de les souder l'une à l'autre et les deux ensemble à l'île de la Cité pour les vendre à des bâtisseurs, mais faute de pécunes, ce projet-là mourut. Derrière vous, Monsieur, il est trois autres îles que vous ne pouvez voir, Notre-Dame vous les cachant, et que le Roi voulait pareillement liaisonner en une seule : l'île Notre-Dame, l'île aux vaches et l'île Louvier, mais ce beau projet-là est tombé lui aussi en l'eau sale de Seine.

— Y a-t-il des vaches en l'île aux vaches?

— Certes, et qui se gardent seules, ce qui est grande épargne de berger et de bourse.

— Ha, dis-je, ne sachant où et quoi envisager tant

je voyais devant moi de merveilles, que de gens en cette immense ville !

— Trois cent mille.

— Que de rues !

— Quatre cent treize.

— Quoi ! Les a-t-on comptées ?

— Certes ! dit Aymotin, la crête aussi haut dressée que si elles lui eussent toutes appartenu. Oyez plutôt ces vers que j'ai appris en mes écoles :

> Dedans la Cité de Paris,
> Il y a des rues trente-six ;
> Et au quartier de Hulepoix,
> Il y en a quatre-vingt-trois ;
> Et au quartier de Saint-Denis,
> Trois cents il n'en faut que six.
> Comptez-les bien tout à votre aise
> Quatre cents il y a, et treize.

— Quatre cent treize rues ! m'écriai-je. Comment y jamais trouver quelqu'un dont sachant le nom, on ne sait pas où il loge ?

A cela Aymotin, m'envisageant curieusement, me demanda si j'étais dans ce cas que je venais de dire, et moi, ne voulant point lui parler de mon Angelina, dont le pensement allait me désespérant, la sachant si proche et pourtant si introuvable, je lui dis que je cherchais un mien ami, lequel était comme moi médecin de l'Ecole de Montpellier (à quoi je le vis quelque peu tressaillir, combien qu'il parût toujours sur ses gardes, l'œil, quoique fort gai, épiant et un suave et perpétuel souris posé comme un masque sur sa jolie face).

— Il se nomme, dis-je, Fogacer, et combien que sa complexion et la mienne soient à l'opposé, Fogacer s'intéressant peu au cotillon et moi le courant comme fol, nous tolérons si bien entre nous ces petites différences que nous sommes devenus grands amis. Le connaissez-vous?

— Nullement, dit Aymotin promptement, la paupière baissée, et me tournant l'épaule.

— Aymotin, dis-je non sans quelque chaleur, si vous le connaissiez, il serait pendable de ne point me dire où il gîte, tant j'ai appétit à le voir.

Se tournant et m'envisageant alors œil à œil, Aymotin vint à moi, et me parla plus gravement que je n'eusse attendu ni de son âge, ni des folâtres dispositions qu'il avait jusque-là montrées.

— Monsieur, dit-il, je suis, étant clerc et de par mon état, discret. Et davantage le suis-je de ma complexion — celle-ci étant celle où vous me voyez. Ma mémoire est donc une tombe devenue. Une face, un nom, une adresse, tout y choit et tout s'y enfouit. Et rien ne me ramentois jamais de ce qui pourrait un autre incriminer.

Ayant réfléchi à cette émervaillable déclaration, je m'y renforçais dans la persuasion qu'Aymotin faisait partie de cette grande confrérie dont les membres, dans le grand appétit qu'ils ont les uns des autres, abolissent entre eux toute différence de rang, de richesse, de savoir ou de religion, et vivent dans cette égalité leurs passions périlleuses, s'en promettant un mutuel secret, n'y ayant de quartier ni pour l'un ni pour l'autre, s'ils étaient découverts.

— Aymotin, dis-je, voilà qui va bien. Je vous entends. Mais je vous prie de ne point oublier, pour une fois, un nom et une adresse, et de les confier au médecin que j'ai dit, si la fortune voulait que vous l'encontriez. Je m'appelle Pierre de Siorac et je loge rue de la Ferronnerie chez le Maître bonnetier Recroche. Voici les cinq sols pour le sacré chapitre. Et voici cinq sols pour vous.

— Monsieur, dit Aymotin, me rendant tout soudain trois piécettes, de sols, je n'en ai que deux. Et

228

pour ce que vous avez dit, cela ne demande pas de salaire. Je le ferai, si je peux. J'aime obliger les bonnes, honnêtes et charitables gens.

Et là-dessus, m'envisageant comme la moinette son moineau, et secouant de dextre à senestre ses boucles noires, il poussa un si profond soupir et me jeta une si dépiteuse œillade que je l'eusse, je gage, accommodé, si seulement il avait été de ce tendre sexe à quoi il appétait si fort d'appartenir. Or, trouvant dans ce pensement un certain embarras, je me penchai par-dessus les balustres pour jeter un œil à la place où la petitesse des gens, vus de si haut, m'avait de prime diverti. Et reconnaissant Pompée à sa robe alezane, je fus sans voix de voir qu'elle était le centre d'un grand tumulte, quatre ou cinq gueux essayant de l'enlever de force forcée à Miroul, lequel faisait vaillamment feu des poings et des pieds contre les assaillants, et ne pouvait faillir, à la longue, d'être vaincu par le nombre.

— Sanguienne, Aymotin! criai-je, on me veut prendre ma jument! Et tout courant, je dévalai comme fol les degrés de la tour, passai l'huis, franchis portail et parvis et dégainant, tombai comme foudre sur ces larrons, poussant des cris étranges et leur donnant de furieuses platissades, mais toutefois sans les percer, sauf un qui, tirant un cotel de ses haillons, m'en voulut larder, ce dont je le punis, en le daguant au bras. Sur quoi, lâchant son arme, il s'ensauva à vives gambes, criant qu'il était mort, et les autres à sa suite, disparaissant dans les ruelles circonvoisines, comme cafards en leur trous.

— Miroul! criai-je, resté maître du terrain, tu saignes! Es-tu navré?

— C'est meurtrerie de poing! dit Miroul, et rien d'autre! Ha! Monsieur, votre joli pourpoint! Vous ne pouvez, comme vous voilà fait, visiter M. de Nançay! Il vous faut d'abord recoudre.

Hélas, il disait vrai ! Mon pourpoint de satin bleu, lequel ayant été façonné par le tailleur marrane Martinez, avant mon département de Montpellier, était fort neuf et j'ose le dire fort seyant et fort beau, et lecteur, je te prie là-dessus de m'en croire, encore que tu aies ouï comme moi, rue des Sablons, cette frivole drolette le dépriser pour ce qu'il n'était point « à la mode qui trotte » en Paris, ce pourpoint, dis-je, dont tant je me paonnais en ma tant vaine gloire, avait sur deux pouces de longueur et qui pis est, sur le devant, un déchirement qui, à l'envisager plus outre, me serra le nœud de la gorge et me mit presque la larme au bord des cils. Vertu Dieu ! Quel étrange animal que l'homme ! Alors que j'eusse dû remercier la Providence à deux genoux de m'avoir sauvé la vie en cette encontre, la lame du larron étant passée si près de mon cœur, j'en étais à me lamenter du gâtement de ma vêture !

— Monsieur, dit un quidam qui, avec trois bonnes douzaines de guillaumes et gautiers, avait sur le pavé de la place envisagé, le bec bée, l'attentement de la larronnie sans branler bras ni gambes, ni même crier au guet, Monsieur, il est de fait que vous voilà bien déchiré !

— Et à qui la faute, criai-je, me courrouçant tout soudain, sinon ceux qui, ayant vu des truands à l'œuvre, n'ont point bougé l'auriculaire pour secourir mon valet ?

— Ha ! Monsieur ! cria le gautier, prendre un mauvais coup ! Et en une affaire de rue ! Je n'aurais garde, certes, si fort que je plaigne pourtant de présent la perte de votre pourpoint !

— Et qui te dit qu'il est perdu ! hurlai-je contre toute raison.

— Il est de fait qu'il est tout gâté, dit un autre, et que je ne vois pas bien ce que la plus fine aiguille pourrait y faire.

— Monsieur, dit un autre, portez-le à la friperie. Les juifs vous l'achèteront. C'est petit prix mais qui vaut mieux que rien.

— Ha! Moussu! s'écria Miroul, me voyant rougissant, sourcillant et la dextre de courroux si tremblante, que je faillais à remettre mon épée au fourreau, je vous prie, ne vous colérez pas! Vous êtes sauf! Votre Pompée aussi! Retournons au logis! Alizon fera merveille!

— Ha! Miroul, dis-je en oc, en plein jour! Devant Notre-Dame! Devant ces badauds badaudants! Sanguienne! Qu'est-ce donc que cette Paris tant vantée? Un coupe-gorge?

CHAPITRE V

Maître Recroche n'étant pas encore au logis rentré, Alizon, qui s'éveillait, n'eut pas plus tôt vu mon pourpoint déchiré qu'incontinent elle me le quitta et, enfilant une aiguillée de soie bleue, entreprit de le repriser : ce qu'elle fit à la volée et à crier merveille, l'œil prompt, le geste vif, l'ouïe avide à entonner mon récit, et la langue non moins agile pour gloser de l'affaire.

— Ha ! Monsieur ! cria-t-elle en son français de Paris, tant pointu que précipiteux, c'est miracle qu'on ne vous ait occis ! Un valet pour garder deux chevaux, y pensez-vous ! En Paris qui grouille de plus de larrons qu'il n'y a de poux sur la tête d'un moine ! Benoîte Vierge ! Ils vous voleraient le carrosse du Roi avec le Roi dedans, si les Suisses n'étaient là pour les rebuter !

— Alizon, dis-je, tu couds à ravir, mais cuides-tu que ta reprisure ne se verra pas ?

— Ho pour ça ! dit Alizon en redressant le torse et en tirant l'épaule en arrière, soit pour se défatiguer le dos, soit pour faire saillir son tétin (ou les deux ensemble), ho pour ça, Monsieur ! Elle ne se verra point autant que le vit dans le milieu d'un homme, mais davantage que ligne peinte sur sourcil épilé. Point de recouture de vêture sans laisser cicatrice, et surtout dans la soie. Voilà un pourpoint qui pourra vous faire encore pour le tout aller, mais point pour visiter le Roi en son Louvre, si c'est là que vous appétez. Il faudra vous en commander un autre, mon noble monsieur, et d'autant...

— D'autant ? dis-je, comme elle ne finissait point.

— Ha! Monsieur, dit-elle en me lançant de son œil noir une vive et gentille œillade, je ne voudrais point vous piquer, tant aimable vous êtes, mais ce pourpoint que je vous rapetasse n'est assurément pas à la mode qui trotte. Le pourpoint à Paris se fait bien plus ample à l'épaulure, large assez sous le bras pour y mettre un gousset, et finissant en pointe sur la braguette avec un rembourrage pour renfler le ventre, d'autant plus que vous êtes plus plat. C'est le Duc d'Anjou qui le veut ainsi, cuidant que la bedondaine donne de la noblesse à la silhouette d'un homme.

— Un autre pourpoint, Alizon! criai-je! Comme tu y vas! Jamais Samson ne voudra me bailler ces pécunes, ayant le ménage de notre bourse! Et quant à moi, ce n'est pas avec le peu d'or qui me reste que je me le pourrais commander.

A quoi Alizon me jeta une œillade, puis une autre, puis une autre encore, tandis qu'elle cousait avec une irréfrénable promptitude, et moi m'émerveillant qu'elle fût si noire, et de peau, et d'œil, et de cheveu, gentille mouche d'enfer qu'elle était, le petit corps si mince, si fluet et si vif, une taille à enserrer des deux mains, et le pied tant mignon que celui d'un enfantelet.

— Ha! Monsieur, dit-elle enfin, c'est pitié! Si j'étais une haute et noble dame, vivant à me dilater toute sans un souci rongeant, je vous baillerais des pécunes assez pour vous faire aussi beau dans la vêture que vous l'êtes dans votre natureté.

J'ouvrais la bouche pour la remercier de ce tant

joli compliment quand la porte de l'atelier s'ouvrit et Maître Recroche entra un paquet à la main, tout botté et crotté, et d'une humeur à mordre ses bonnets.

— Baba! cria-t-il, tout sourcillant et la voix fort aigre, que fait-on céans quand le maître s'absente? On dort! On babille! Holà, Baragran! Coquillon! Debout! Debout! répéta-t-il en les toquant du pied dans les reins, et point trop doucement, on s'apparesse, ce me semble, on dort le jour!

— Et vous la nuit, dit Alizon, tandis que nous labourons!

— Paix, bon bec! cria Recroche, avançant son bras arachnéen comme s'il allait la souffleter, mais Alizon, saisissant incontinent son ciseau, le tint si résolument devant sa face, son œil noir cependant jetant flammes et feux, que Recroche mit les deux mains derrière le dos et dit :

— Qu'est cela? Un pourpoint? Façonne-t-on des pourpoints céans?

— Rien qu'une reprisure, dit Alizon, et la voilà finie! Monsieur de Siorac, voici votre vêture!

— Quoi! cria Recroche, passant son index dextre sur son bec de vautour, on laboure pour un autre en mon atelier! Et pendant le temps qui m'est dû! C'est félonie! Et tout au rebours des règles des maîtres et des jurés!

— Ha! les bonnes règles! cria Alizon, et comme on voit bien que c'est vos compères et vous qui les avez faites!

— Maître Recroche, dis-je, c'est moi qui ai requis d'Alizon cette reprisure. Et puisqu'elle l'a faite en votre atelier, usant du temps qui est à vous...

— Et de mon fil, et de mon aiguille, dit Recroche.

— Et des ciseaux, dit Alizon, très à la vinaigre.

— Je vous la paierai.

— Ce sera deux sols, dit Maître Recroche du ton le plus modeste et la paupière baissée.

234

— Quoi! dit Alizon, plus vrombissante qu'abeille, quoi! Deux sols pour dix minutes de mon labour, quand vous me payez trois sols dix deniers pour tout un jour!

— Sotte caillette! cria Maître Recroche avec un déprisement infini, le prix de ton labour et le prix de ma façon ne sauraient être les mêmes. Sans cela, où serait le profit? C'est que c'est là, dit-il, en me prenant le pourpoint des mains, une exquise reprisurette, exécutée en pointiscules, rarissime chef-d'œuvrissime de mon atelier...

— Ha! Maître Recroche, dis-je mi-riant mi-courroucé, en lui reprenant ma vêture, ne jasez pas plus outre! Vous allez augmenter mes deux sols! Plus un mot! les voici, ces petitets solisculles! Et la merci à vous pour le fil, l'aiguille, les ciseaux, l'escabelle et l'émerveillable adresse d'Alizon.

A quoi Alizon s'esbouffa, et Baragran lui-même sourit, tout anxieux qu'il fût de rester dans les bonnes grâces du maître pour non point être remplacé par une garce à trois sols dix deniers.

— Allons! Au labour! dit Recroche dont l'humeur avait molli depuis que mes deux sols lui réchauffaient le gousset. Monsieur de Siorac, dit-il tandis que je mettais mon pourpoint, ne cuidez point que tout soit profit en mon état. J'ai attendu, moi, Recroche, trois grosses et solides heures en l'antichambre de la Baronne des Tourelles pour lui livrer les bonnets qu'elle m'avait commandés sans faute pour la pique du jour. Trois heurissimes! La Baronne dormait! Vous avez bien ouï! Elle dormait! Et à s'teure dort encore, je gage!

A ce moment, on toqua à l'huis. Coquillon, sur un signe du maître, courut ouvrir et un insolent faquin de valet, se paonnant dans une livrée amarante avec des rabats or, apparut, lequel, le ton fort hautain et le geste précieux, demanda si le Maître Recroche était là.

— Il y est, dit Recroche, lui-même aussi aimable que les bandes de fer qui aspaient sa porte.

— Ma maîtresse, dit le valet, la crête haut dressée, et reniflant avec hauteur, ma maîtresse la Baronne des Tourelles désire vous visiter céans.

— Elle sera la bienvenue, dit Recroche sur le ton le plus bref. Après quoi, les mains derrière le dos, il affecta d'envisager le plafond, souffrant mal, à ce que je vis, les manières de ce superbe valet, lequel, nous envisageant l'un après l'autre comme si nous eussions été des petits tas de bren sur le bord d'un chemin, renifla l'air derechef, comme s'il eût été marri que nous l'eussions corrompu de nos souffles.

— Je vais, dit-il du bout des lèvres et portant sa tête comme un Saint-Sacrement, le dire à ma maîtresse.

Et il s'en fut. A juger la maîtresse par le serviteur, j'augurai fort mal de la baronne et déjà je la voyais sous les traits d'une fort peu amène gorgone. Ha! lecteur! Quelle erreur! D'yeux je n'eus pas assez pour la dévorer quand elle entra, fort étincelante dans sa vertugade de satin vert pâle, imitée, comme me l'apprit ensuite Alizon, de celles de la princesse Margot, lesquelles passaient en volume les plus amples cotillons du royaume, les élégantes qui les portaient pouvant à peine franchir les portes. Au-dessus de ce somptueux évasement, sa taille était fort comprimée par une basquine qui, la serrant en son dur corselet, allait s'élargissant en entonnoir aux épaules et relevant le parpal, le gonflait, de sorte que les tétins apparaissaient à l'échancrure de la robe, fort ronds, fort gros, et hors les pointes, quasi nus. Au-dessus de ces appas un long cou gracieux était entouré d'une immense collerette en corolle, dressée derrière la nuque comme la roue d'un paon, toute en dentelle empesée du point le plus beau et semée de perles d'un orient fort pur, les mêmes en triple rangée entourant ledit cou, pour ne rien dire ici de sa coiffure, laquelle était si tressée en torsades, l'une sur l'autre arrangées et piquées çà et là de tant de brillants scintillants, d'émeraudes, de peignes d'or et d'aigrettes que c'était merveille que cet échafaudage pût tenir en balance sur cette mignonne tête.

Et cette tête, que jolie et mignarde ! Et non sans ressembler à la Vierge que j'avais vue en Notre-Dame, le nez fin, retroussé un petit, la bouche cerise, l'œil plus noir que jais. Mais la Vierge était de marbre, et celle-ci si prompte, si vive, si remuante que vous eussiez cru un gentil oiselet, tournant le bec cy, le bec là, et sautillant de branchette en branchette.

Cette belle était suivie d'une forte et jolie chambrière (que Miroul, à cet instant entrant, engagea incontinent en meurtrières œillades), laquelle portait son escarcelle, son flacon, son mouchoir et son masque, d'un petit valet chargé d'un éventail et d'un grand diable de palefrenier qui charroyait au bout d'une corde une planche qu'il posait, à ce que je vis plus tard, sur le pavé gluant pour que non pas sa maîtresse se souillât le mignon soulier en saillant hors de son carrosse ; lequel soulier me parut, quand je l'entr'aperçus dans le vertigineux balancement de l'ample vertugade de satin vert pâle avec une boucle d'or et un fort haut talon. Ainsi juchée à un bout, et à l'autre grandie de trois bons pouces en sa majestueuse coiffure, la baronne des Tourelles en taille me dépassait et en volume aussi, son milieu étant si mince, et le haut et le bas si conséquents qu'elle ressemblait à un sablier.

— Ha ! Maître Recroche ! cria-t-elle d'une voix tant rapide et précipiteuse que les mots crépitaient sur l'ouïe comme pluie d'orage sur un toit, que d'excuses ne vous dois-je point pour m'être au lit apparessée tandis que vous attendiez en mon antichambre pour me livrer mes bonnets! *En ma conscience!* J'avais la veille tant soupé et veillé! Et en si folâtre compagnie! Ha, Recroche, *il en faudrait mourir!* Recroche, Recroche, ces bonnets! Sur l'heure! Dans l'instant! Sans languir, je te prie!

— Languir, Madame la Baronne! dit Recroche avec un profond salut dans lequel il mettait, à ce que je vis, quelque secrète irrision, étant de ces marchands parisiens qui n'aiment ni les nobles ni les princes, et ne prisent rien ni personne au-dessus d'eux-mêmes. Languir, Madame! N'ai-je pas langui trois bonnes heures en votre antichambre! Mon atelier pendant ce temps désoccupé! Mes compagnons sans labour! Ma pratique abandonnée! Ha! Madame! il vous en coûtera dix sols de plus de cette langueur-là!

— Peu importe! cria Mme des Tourelles. Recroche, ces bonnets! Ces bonnets, à l'instant! Ha! ajouta-t-elle, j'étouffe! Il fait tant chaud en cet août! *Il en faudrait mourir!*

Et appuyant les deux mains sur sa taille menue comme pour desserrer la basquine qui lui opprimait la poitrine, elle cria, quasi pâmée :

— Corinne, mon flacon! Nicotin, mon éventail!

Ayant respiré l'un et agité l'autre, elle revécut, et Recroche, ayant dépaqueté les bonnets, elle les essaya tour à tour au-dessus de ses cheveux échafaudés, Alizon tenant le miroir devant elle, la mine fort rechignée. Et je vous laisse à penser les cris, les exclamations, les petites mines, les jacassements infinis, les gracieux tournements de cou, les gonflements de poitrine, et les *il en faudrait mourir!* dont cet essayage fut accompagné. Quand enfin la baronne en eut fini, et eut requis de Corinne son escarcelle pour payer Recroche, à celui-ci elle glissa dans l'oreille quelques mots que je ne pus ouïr, mais dont j'entendis le sens, quand Recroche se tournant vers moi, miel et sucre, me dit :

— Monsieur de Siorac, Madame la Baronne des Tourelles requiert le plaisir de votre connaissance.

— Madame, dis-je en m'avançant, je suis dans le ravissement, et de votre personne, et de votre tant bonne et bienveillante bénignité.

Et ce disant, je lui baisai non point la main, mais le bout des doigts comme m'avait appris Mme de Joyeuse qui ne voulait pas que je fusse trop goulu en ces matières, me disant : « Mon mignon, ne baisez pas la main aux dames comme si vous vouliez l'avaler. Et quant au feu de vos regards, tâchez aussi de le modérer. Une honnête dame n'est point une chambrière qu'on peuve en une seule œillade sur le pré étendre. Laissez-lui, de grâce, le temps de la décision ! »

Que Mme des Tourelles fût satisfaite de mon déportement tout ensemble ardent et respectueux, je le crois, car elle me fit mille gracieux compliments, et à ses compliments mêlées tant d'adroites questions, débitées d'un ton si vif, si prompt, si impérieux et en même temps si câlin et si coquettant, que je ne pus résister à tant de suave autorité, et en moins de cinq minutes, je lui dis à peu près tout de moi.

— Monsieur ! dit-elle, me voulez-vous de grâce donner la main jusqu'à mon carrosse, la planche de mon palefrenier est tant étroite que je craindrais d'en choir sur le pavé boueux ! *Il en faudrait mourir !* Monsieur, votre main, je vous en supplie !

— Madame, dis-je, elle est à vous, et mon bras et mon épée !

— Ha ! Monsieur ! dit-elle en riant derrière son éventail, qu'on est galant dans votre Périgord ! Votre épée ! Je ne vise pas si haut !

— Madame, dis-je d'un ton plus léger, ne voulant point être en retard sur elle d'une désinvolture, néanmoins, cela est vrai, disposez de moi, je suis à vous.

— Monsieur de Siorac, dit-elle en me lançant une

œillade qui, si je l'eusse prise au pied de la lettre, m'eût donné sur elle des droits infinis — mais lecteur, n'est-ce pas là justement le point ? Il n'est pas en un coup d'œil un sens, littéral ou non, qu'on ne puisse après coup démentir —, Monsieur de Siorac, dit-elle, et elle s'accoisa, contrefaisant la confusion.

— Madame, dis-je, à ses lèvres vermeilles suspendu, dites, je vous ois.

— Monsieur, monterez-vous avec moi en mon carrosse pour me faire un bout de chemin ?

— Certes, Madame.

— Monsieur, dit-elle corrigeant sa remontrance de son œil câlin, on ne dit pas « certes » à Paris. C'est langage de huguenot. On dit : « assurément ».

— Assurément, Madame, dis-je en m'inclinant, je suis à vous jusqu'au bout du chemin, et si vous le désirez ainsi, jusqu'au bout des mondes connus et inconnus.

— Monsieur, dit-elle en riant, vous avez bon bec, ce me semble. Et si vous êtes tant vigoureux que vous êtes divertissant, nous serons pour un temps grands amis. Mais, montez, de grâce !

Avec quel émeuvement je me retrouvai aux côtés de cette haute dame, assis, pour autant que sa volumineuse vertugade me laissait de la place, sur un siège fort rembourré dans son carrosse bien clos et, à ce que je vis, capitonné lui aussi de satin vert pâle, Corinne étant face à nous, ainsi que le petit valet.

— Corinne, dit-elle, dès que le carrosse branla, tire le rideau. Toi aussi, Nicotin. Monsieur ! dit-elle. Je n'en peux plus ! *Il en faudrait mourir !* Baisez-moi, je vous prie.

Ha ! quelle contorsion, étirement et élongement de mes bras et de mon torse il me fallut faire pour atteindre, par-dessus l'immense et rigide cotillon, les lèvres que vers moi on tendait, et qui, à la vérité, me parurent moelleuses et suaves à damner tous les saints papistes auxquels cette belle croyait. Pour moi, depuis mon département de Mespech, je n'avais été à pareille repue et, oubliant l'encombrement de sa vertugade, je m'y mis à la chaude.

— Monsieur, dit Mme des Tourelles en se déprenant, plus doux! Plus doux, je vous prie! Vous y allez comme si vous vouliez me gober!

A quoi Corinne, qui n'avait perdu goutte ni miette du spectacle que nous donnions dans l'ombre bleue du carrosse, se prit à rire à ventre déboutonné au point de lâcher le petit Nicotin que, le moment d'avant, elle chatouillait et lutinait à mourir, étant une forte femme et le drolissou, si mignon et imberbe qu'on eût dit une garcelette déguisée. Je ne doutai point, à voir ces jeux qui me ramentevaient si fort la petite Hélix que la chambrière, et peut-être même la maîtresse, n'eussent, dans le quotidien, avec ce joli galapian un commerce d'une infinie commodité.

Mme des Tourelles, après avoir ri elle aussi de son propre esprit, (je gage qu'elle ne laissa pas de se paonner de cette saillie le jour même devant ses amies) incontinent se remit en besogne, et je fus cette fois suave assez pour la contenter ce qui fit, que me déboutonnant le pourpoint et la chemise, elle y glissa la dextre pour me flatter le poitrail: mignonnerie dont j'eusse été ravi, si tout soudain elle n'avait retiré sa main avec autant d'horreur que si elle s'était brûlée.

— Quoi Monsieur! cria-t-elle, m'ôtant ses lèvres et se reculant, vous portez tout votre poil!

— Mais oui, dis-je béant.

— Du haut en bas?

— Du haut en bas.

— Ciel! s'écria la baronne. Corinne, as-tu ouï? M. de Siorac porte tout son poil! Havre de grâce, peut-on être à ce point provincial!

— Mais qu'y peux-je? dis-je. C'est la nature qui m'a fait velu.

— *En ma conscience!* cria Mme des Tourelles, mi-riant mi-fâchée. Corinne, as-tu ouï? Monsieur, reprit-elle, l'ignorez-vous vraiment? Il y a beau temps que le poil ne se fait plus céans! Passe encore pour un barbon! Mais j'ose dire qu'il n'est point en Paris de jeune et galant gentilhomme qui ne se fasse à plein épiler avant que d'offrir ses services aux honnêtes dames de la Cour!

J'eusse pu répondre à cela que ces services, je ne les avais pas tant offerts qu'on ne me les eût requis. Mais je préférais m'accoiser, sachant bien que les mignotes peuvent à un homme tout pardonner, hors un malgracieux discours, et ayant appris de Mme de Joyeuse que dans le commerce des femmes, il faut tout prendre ou tout laisser, les caresses comme les coups de bec. Ce tendre sexe étant accoutumé à se revancher sur un amant de la sujétion où père et mari le maintiennent, je n'ai jamais trouvé, quant à moi, que des avantages à me laisser sans rebiquer malmener par lui, ayant observé qu'on me veut d'ordinaire du bien du navrement qu'on m'a fait, et qu'après la griffe vient la patte de velours, et celle-là, à proportion, exquise. Ainsi, je me tus, envisageant la belle d'un œil bleu plus ingénu que nature, et comme effrayé d'avoir perdu ses bonnes grâces.

— Ha! Madame! dit Corinne qui la première s'émut de mon prédicament, le voilà tout chagrin et quinaud! De grâce, rendons-lui nos lèvres! M. de Siorac n'a péché que par ignorance. C'est petit péché, et vite remis. En moins d'une heure, une bonne barbière d'étuves le fera aussi lisse et doux que Nicotin.

Ha! pensai-je, Corinne, comme tu y vas! Me voilà tout tondu et rasé! Retourné en mes impubères enfances! Et ne vais-je pas, comme le Samson de la

242

Bible, perdre ma force en ces raffinements parisiens ?

— Monsieur, dit Mme des Tourelles, me prenant la main et mêlant ses doigts aux miens de la plus délicieuse guise, si vous me voulez servir, comme je crois que vous y inclinez, il faudra porter remède à ces imperfections, comme aussi à votre pourpoint, lequel, outre qu'il vous vient de votre aïeul...

— Ho ! Madame ! cria Corinne.

— Ne laisse pas que de porter sur le devant une reprisure qui vous couvrirait de honte à la Cour.

— Madame, nous arrivons, dit Corinne.

Et en effet, le carrosse s'arrêtant, Mme des Tourelles écartant de sa main si fine, si jolie et si parfumée, un des rideaux, me dit avec un souris caressant :

— Monsieur de Siorac, c'est ici que je descends. Nous sommes céans rue Trouvevache. Cette petite maison aux volets bleus est à moi. Chaque fois que mon petit corps est lassé de ce vaste monde, j'y vais me défatiguer des traverses, des embarras, et du bruit que j'encontre en mon hôtel ; Monsieur de Siorac, j'y serai demain, vers les six heures de l'après-midi. Je vous y recevrai seule à souper.

— Madame, dis-je, je serai là au ravissement.

— Je l'espère aussi, dit la baronne avec un soupçon de hauteur, si tout est bien comme je l'ai dit.

Après quoi, il n'y eut plus qu'à lui baiser le bout des doigts avec le dernier respect, et à sortir de ce douiller carrosse du moins gauchement que je pus, non sans adresser un signe de tête à Corinne qui, à ce que je pus voir, s'intéressait fort à moi, encore que je ne susse pas alors jusqu'où irait son intérêt.

Je m'écartai promptement, pour que le carrosse, en se mettant en branle, ne m'éclaboussât pas de sa boue, et dans le vif recul que je fis, je me trouvai dans l'encoignure d'une porte, laquelle tout soudain derrière moi s'ouvrit, et Pierre de l'Etoile apparut, tout vêtu de noir, et le nez long, allongé encore par les soucis que lui donnait le train du monde.

— Ha! Monsieur de l'Etoile! criai-je, par quel miracle surgissez-vous céans comme un *Deus ex machina*!

— Ni miracle ni mystère, dit l'Etoile. Cette maison est la mienne. Celle que vous envisagez si curieusement de l'autre côté de la rue est pareillement à moi. Je l'ai louée sur la prière de Recroche à la personne du carrosse de qui vous venez de saillir. Il fut un temps, poursuivit-il de son ton morose et moral, et cependant me jetant de côté un regard tant grondeur que gaillard, où seuls les Seigneurs de la Cour avaient à Paris, assez loin de leurs hôtels, ces *petites maisons* si commodes. Et maintenant (il soupira) les honnêtes dames les ont aussi.

— Ha! Monsieur! dis-je.

— Monsieur de Siorac, reprit-il, j'ai à faire rue de la Ferronnerie. Vous accompagnerais-je, cheminant et jasant?

— Tout plaisir sera mien.

— Le mien aussi. Vous n'ignorez pas comme j'aime incriminer les mœurs du présent. Savez-vous ce qu'a dit la défunte Jeanne d'Albret quand elle est venue de sa vertueuse et huguenote Navarre pour signer en Paris le contrat de mariage d'Henri et de Margot?

— Qu'a-t-elle dit? quis-je civilement.

— Qu'en la Cour du Royaume, ce ne sont plus les hommes qui prient les femmes, ce sont les femmes qui prient les hommes.

— Ha! Monsieur!

— Point de ha! Monsieur de Siorac, poursuivit-il en baissant la voix, vous êtes une bien étrange sorte de huguenot. A peine en Paris d'un jour, vous voilà déjà hameçonné, et qui pis est, tout frétillant au bout de votre hameçon.

— Monsieur, dis-je, beaucoup plus raisin que figue, me voit-on frétiller ?

— Terriblement. Mais pressons, de grâce. Je suis attendu rue de la Ferronnerie.

Et en effet, il pressait le pas, long, maigre, roide en sa démarche, roide en sa nuque et ses épaules, et cependant l'œil curieux, fureteur et autour de lui, jeté cy, jeté là avec une émerveillable insatiableté.

— Monsieur, dis-je prenant grand soin de ne la point nommer, vous connaissez cette haute dame ?

— Comme ma main. Sauf que ma main dextre n'ignore pas ce que fait ma senestre, tandis que l'hôtel des Tourelles ignore, lui, ce que fait la *petite maison* de la rue Trouvevache. Monsieur de Siorac, vous souriez à peine. Cuidiez-vous être le premier ?

— Ni le premier, ni le dernier. Mais Monsieur le Conseiller, peux-je quérir de vous d'où vous connaissez cette dame ?

— Par Recroche, ayant appris de lui que la dame appétait à louer une petite maison proche de son bonnetier.

— Pourquoi si proche ?

— En raison de l'extrême délicatesse de son carrosse, lequel est fort discret, et aime mieux attendre sa maîtresse devant son bonnetier qu'en la rue Trouvevache.

— Ha ! la ruse est jolie ! criai-je.

Je ris et cette fois, non pas que d'un seul côté de la face, mais à gueule bec.

— A la bonne heure ! dit l'Etoile, la lippe amère, mais l'œil fort vif. Je craignais que notre ensorceleuse ne vous eût pipé l'âme en même temps que le corps. Ha ! Monsieur de Siorac ! Quels lambeaux de vos plus tendres sentiments vous eussiez autrement laissés à ces épines-là ! Nos *Circés* de cour ont le sexe tant chaud que le cœur froidureux. Le dedans, le dehors, tout est mode et vanité. On vous jettera, dès que vous ne plairez plus.

— Ou, comme j'ai ouï, dès que son petit corps sera lassé de ce vaste monde.

— Il ne le sera jamais. Il y a trop d'appétit. Révérend docteur médecin, je prends ici mon congé de vous. Aimeriez-vous encontrer Ambroise Paré ?

— Ha ! Monsieur ! Je serais aux anges ! dis-je émerveillé.

— Je vais donc y pourvoir.

Et tandis que je me confondais en grâces et merciements, l'honnête l'Etoile alla à un huis toquer, me laissant tout enchanté de sa prudence, de sa sagesse et de sa bénignité.

Comme j'entrai en l'atelier de Maître Recroche pour m'enquérir de mes frères, j'y trouvai Baragran et Alizon tirant l'aiguille, et la tirant, donnant furieusement de la langue en une âpre disputation.

— Tu ne peux, cependant, nier, sotte caillette, disait Baragran, que la Baronne soit belle comme une Sainte Vierge !

— Belle ! dit Alizon. Belle, la Baronne ! Assurément, je le nie !

— C'est que tu es jaleuse ! dit finement Baragran.

— Jaleuse, moi, gros sottard ! dit Alizon aigrement avec un rire mi-pitié mi-irrision, il faudrait beau voir que je sois d'une baronne jaleuse ! Mon noble Monsieur, avez-vous ouï ce balourd ? Jaleuse, moi, d'une baronne !

— Ce n'est point tant, dit Baragran, de la noblesse que de la beauté de la dame ! Car elle est belle. Oui-da, je le dis, et je le dirais encore, sous le gibet et la corde au cou. Et je dis aussi qu'il faudrait piler en un mortier cent Alizons que voilà pour façonner une garce de la brillance de la Baronne.

— Et qu'a-t-elle de plus que moi, pauvre escouillé, cria Alizon, sinon le plumage ?

— Le plumage ? dit Baragran, mais la plume est à elle !

— Ho! que non! Plume-la, Baragran! Et que te restera? Quitte-lui la basquine, la vertugade, le cotillon de satin vert, les talons de deux pouces, les perles, la coiffure dressée, les fausses tresses, les parfums, les poudres et le pimplochement de la face! Et que vas-tu encontrer, Baragran mon mignon? Une garce ni plus jeune ni plus jolie que moi, et qui n'est pas faite autrement, étant fendue comme moi en son milieu et ne donnant pas davantage de plaisir à l'homme!

A quoi je ris à gorge déployée, me ramentevant ce que ma petite Hélix avait dit de Diane de Fontenac quand celle-ci, qui convalesçait de la peste à Mespech, se montrait en ses hermines au fenestrou du châtelet d'entrée, attirant mes regards (et ceux de mon aîné François) comme l'aimant la limaille. Ha! pensais-je, la mouche parisienne vaut bien en sa piqûre ma petite guêpe du Périgord! Et surpris d'avoir pensé à ma pauvre petite Hélix comme si elle était vive encore, j'en conçus un chagrin si subit que tournant l'épaule, je m'approchai de la fenêtre, et regardai dans la rue, l'œil point trop net et la gorge nouée.

Giacomi et mon joli Samson étant fort affamés au réveil de leur long endormissement, et moi-même n'ayant plus que la remembrance des deux pâtés de chair de porc que j'avais le matin gloutis (avec le lait de ma blonde laitière), mon premier soin fut de découvrir une repue, où nous attabler tous quatre devant un flacon et un poulet, ce qui ne fut point si aisé, étant donné l'immense presse qu'il y avait en Paris pour le mariage de la princesse Margot. Cependant, sur la recommandation de Baragran, nous en trouvâmes une, rue de la Truanderie, laquelle faisait mentir le nom de sa rue, affichant ses prix fort honnêtement sur un pilier de bois devant son huis comme le voulait, à ce qu'on me dit, une ordonnance royale, au demeurant assez mal obéie. Le traiteur, étant un cousin de Baragran, nous reçut fort civilement, quoique à sa badaude et inquisiteuse guise, voulant savoir le quoi et le qu'est-ce de notre séjour en la capitale. Mais comme je le satisfis de bonne grâce, le voyant sans malice, il répéta incontinent notre histoire à tout un chacun, et de sa pratique et de son voisinage, ayant la parisienne manie de paraître informé de tout. Dès cet instant, nous aimant davantage, il nous promit une table matin et soir en sa repue, ce dont nous fûmes bien aises, la chère étant bonne et son prix modeste comme je m'en aperçus, au regard de ce qu'on déboursait ailleurs en Paris, quoique trois fois plus que ce que j'eusse payé à Sarlat.

Je ne faillis pas à entretenir ces bonnes dispositions du traiteur par les contes que je lui fis de mes mésaventures en la capitale, et notamment du larcin attenté de ma jument en la place Notre-Dame : ce qui lui fournit tout un jour un grand sujet de jaserie. Je serais bien empêché ce jour d'hui de le décrire, sa face étant si commune, mais je me ramentois bien, en revanche, son nom, pour ce qu'il affichait sa banalité avec une sorte d'effronterie : il s'appelait Guillaume Gautier. Il est mort à ce jour, ayant trop tâté de ses vins, mais son fils a repris le ménage de la repue, et vous cuit un bon rôt à prix petit. J'y dînai encore le jeudi de la semaine passée et si le lecteur appète à goûter à cette simple chère, il n'aura qu'à se recommander de mon nom : Abel Gautier (c'est celui du fils) le recevra comme un milord. La rue est calme, sans charroi ni embarras, et la chambrière, accorte.

Comme nous quittions à pied la repue de Guillaume Gautier pour descendre la rivière de Seine et gagner dans la Cité la rue des Sablons où logeait M. de Nançay, nous encontrâmes une fort étrange procession; elle portait en tête un mannequin d'osier qui mesurait bien deux bonnes toises de haut, lequel, affublé d'un uniforme rouge comme les Suisses du Louvre, brandissait un poignard sanglant, sa face étant figurée par un masque grimaçant qu'on eût dit emprunté à quelque suppôt d'enfer. Epinglé à la poitrine de ce misérable, un placard proclamait *urbi et orbi* qu'il était « assassin et sacrilège ». Derrière ce mannequin venait une bonne douzaine de prêtres en surplis, étole et camail; ils lui tournaient le dos et marchant à reculons — ce qui ne laissait pas d'être incommode en ces rues boueuses — faisaient face à une statue de la Vierge cheminant sur les épaules de quatre puissantes et mouvantes cariatides qui, à ne considérer que leur tablier et le couteau passé à la ceinture, me parurent être des bouchers. De part et d'autre de la statue, sautillaient de petits clercs qui, balançant des encensoirs, ne cessaient de l'entourer d'odorantes nuées, sans soulager pour autant en aucune guise les souffrances de la bonne Vierge, laquelle avait la face et les tétins mutilés et sanglants, si du moins c'était bien du sang que ces taches de vermillon qu'on voyait en longues traînées aux meurtrissures et éclats de la pierre. « *Se non e vero, e bene trovato* » [1], me dit Giacomi à l'oreille.

Je sus plus tard que le stupide attentement qu'évoquait ce cortège s'était produit cent quarante-quatre ans plus tôt; un Suisse à la paye du roi avait perdu ladite paye aux dés et saillant de la taverne de la rue aux Ours où on l'avait plumé, se trouva si dépité et courroucé, et au surplus ivre à ne pas reconnaître un fil blanc d'un fil noir, qu'il se jeta sur une statue de la

1. Si ce n'est pas vrai, c'est bien trouvé.

Vierge qui bénissait les passants au carrefour, et dégainant son couteau, s'acharna à la vouloir occire. Il y faillit, mais comme on a vu, Marie en saigna d'abondance, et après un siècle et demi, saigne encore, en particulier lors de la procession au cours de laquelle on la promène, précédée de son assassin en osier, à travers rues et ruelles du quartier Saint-Denis jusqu'à son socle derechef, devant quoi, après chants, prières, encens (et quêtes), on brûle à ses pieds le Suisse en effigie.

Une foule, grosse assez, suivait la statue et le mannequin, louant en ses chants la benoîte mère et vouant son meurtrier à l'exécration des peuples et tourments infinis de l'enfer. Cela était chanté à tue-tête, d'une façon non point tant dévote que zélée et belliqueuse, la face enflammée, et ce qui me laissa béant, des couteaux, des haches, et des piques cy et là brandis, avec des cris furieux promettant au bûcher les athées, les juifs et les huguenots — ces cris étant accompagnés de regards sourcillants et menaçants lancés aux passants des rues, comme si on les eût suspectés de ne point adorer assez la Vierge martyrisée.

Comme cette procession tenait toute la largeur de la rue, nous nous rangeâmes tous quatre dans une encoignure grande assez, où se voyaient deux portes, l'une cochère, l'autre piétonne, afin que de laisser passer ces acharnés papistes et le saignant objet de leur culte, et pour moi, tandis que je l'envisageais, je tâchai de désarmer mes regards de l'apitoiement que me donnait cette superstitieuse mascarade. Cependant, cette neutralité n'y dut pas suffire, car Giacomi, me poussant du coude, me chuchota en italien :

— Mon frère, ces marauds nous envisagent en fort soupçonneuse guise. De grâce, découvrez-vous et faites le signe de la croix.

Ce que promptement je fis, et Giacomi, et Miroul, mais non Samson qui resta comme un bloc de glace, le corps roide, l'œil vide, le bonnet sur la tête.

— Samson, dis-je en oc de la façon la plus véhémente, quitte le bonnet, je te l'ordonne!

— Nenni, dit Samson, plus dur que diamant. C'est affaire de conscience. Je ne salue point les idoles.

— Samson, criai-je d'une voix basse et furieuse, encore une fois...

Mais je n'eus pas le temps de parler plus outre, une bonne trentaine de ces enflammés manants tout soudain nous encerclèrent, ou plutôt nous demi-cerclèrent, car fort heureusement nous avions le dos aux portes, et ceux-là brandissant leurs armes, rouges, vociférants, grinçant des dents, les yeux étincelants quasi hors de l'orbite, hurlaient à oreilles étourdies qu'ils allaient étriper ce sacrilège, ce démon, ce puant hérétique qui insultait à la benoîte Vierge. Criant sans pouvoir être ouï en cette infernale vacarme, à la fin je dégainai, Giacomi et Miroul aussi, mais c'est à peine si les courroucés marauds reculèrent d'un pas devant les moulinets de nos fers, criant de sales et atroces injures à mon pauvre Samson, lequel, sans mettre l'épée à la main, droit, roide, la tête haute et le bonnet dessus, leur faisait face sans broncher ni branler, appétant sans aucun doute au bonheur du martyre dans son irréfragable zèle.

— Samson! criai-je hors de moi en oc, c'est folie! Faut-il mourir pour un bonnet!

Mais à cela il ne répondit ni goutte ni miette, la face illuminée par le pensement de sa proche et éternelle félicité à la dextre du Père. Havre de grâce! pensai-je avec rage; il est tout aussi sottement zélé que les sottards qui nous assaillent! Et qui plus est, je voyais bien que son émerveillable vaillance, bien loin d'émouvoir la populace, ne faisait que la dépiter davantage, pour ce qu'elle y voulait voir la preuve

251

que mon malheureux frère s'était donné, corps et âme, à Belzébuth de qui il tirait cette surnaturelle force. Là-dessus, un quidam, qui, comme toujours dans cette sorte de foule, se trouve fol assez pour se croire inspiré par Dieu, hurla :

— Tue ! Tue ! La Vierge le veut ! Je l'ai ouïe !

A quoi ces enragés, reprenant en chœur, se ruèrent sur nous derechef, malgré nos pointes menaçantes jusqu'à ce que, reculant, nous fussions quasiment le dos aux portes :

— Ha ! Moussu ! me cria Miroul, que faire ? Les occire ?

Je secouai le chef sans répondre, voyant bien que nous nous trouvions dans un prédicament tout à plein désespéré, car il fallait soit les tuer, soit nous laisser tuer, mais de toutes guises, que nous répandions ou non le sang, ces marauds étaient si zélés à venger l'outrage fait à leur Vierge que, tôt ou tard, ils nous allaient sous leur nombre accabler. J'en étais à délibérer si je n'allais pas frapper aux portes contre lesquelles nous étions acculés, dans le fort mince espoir que vécût là un chrétien secourable, quand je vis, fendant la foule, un grand diable de sergent des Gardes françaises, lequel ayant bien six pieds quatre pouces de haut, portait la tête bien au-dessus de tous, carrait des épaules terribles, et tournait cy, tournait là une trogne si large, si gaillarde et si colorée qu'elle eût pu servir d'enseigne à une taverne. Ce quidam traversa comme beurre le peloton de nos assaillants, ne se servant que de sa canne pour se frayer un chemin, et réclamant le passage d'un organe à dominer tous les tambours de son régiment. Et c'est merveille assurément qu'un grand corps, un splendide uniforme et une grosse voix fassent tant d'effet sur une moutonnière multitude. Car tout ivre qu'elle fût du carnage qu'elle se proposait, celle-ci s'ouvrit devant le sergent comme les flots devant Moïse, si bien que parvenant devant nous et d'un geste abaissant nos épées, il se mit devant Samson, et de sa seule canne repoussant les assaillants, il s'enquit, d'une voix à faire frémir les murailles, de la raison de ce tumulte qui troublait l'ordre du roi. Les furieux reculant et tout soudain s'accoisant, fort ébaudis de l'apparence du gigantesque garde française, je profitai de ce répit pour venir à la dextre du sergent, et Giacomi à sa senestre, faisant à Samson un tel rempart de nos trois corps que nous le dérobions à la vue de la foule. De quoi profita Miroul pour se glisser à pas de loup derrière mon frère, lequel restait immobile, muet, et le cerveau comme embrumé dans le pensement de son propre martyre, et lui ôtant son bonnet sans qu'il s'en aperçût, le cacha dans son propre pourpoint qu'incontinent il reboutonna. Chattemitesse ruse qui fit merveille, comme on va voir mais que, sur l'instant, je n'aperçus pas, n'ayant d'yeux que pour le garde et la foule.

De celle-ci, qui maintenant grondait comme molosse tenu en laisse mais sans oser passer outre à la canne ensorcelée du sergent, se détacha à la fin un quidam, grand et fort assez, lequel à son tablier taché de sang et à son grand couteau, je reconnus pour être un boucher, ce qui me donna à penser que sa corporation nourrissait une particulière dévotion pour la Vierge mutilée, puisque j'avais vu quatre de ses compères porter la statue de Marie.

— Ces satans, cria le boucher, ces satans sacrilèges ont eu le front de ne pas quitter leurs bonnets au passage de la benoîte Vierge.

— Mais ils l'ont à la main, dit le sergent.

Et comme il disait, Giacomi, Miroul et moi, nous brandîmes chacun notre coiffe aux yeux de tous. Voyant quoi, la foule se mit à crier :

— Ce n'est pas eux, c'est l'autre !

— Quel autre? dit le garde.

— Sergent, dis-je d'une voix forte assez pour être ouï de tous, il s'agit, hélas, de mon pauvre frère, lequel, à la suite d'un refroidissement du cerveau, a perdu la raison.

— Et où est-il? dit le sergent.

— Mais derrière nous. Il est trop rassotté même pour s'ensauver.

Le sergent se retourna, vit Samson, et fort frappé de son apparence, le prit par le bras et l'amena face à la foule, où mon Samson resta tout aussi immobile qu'avant, son œil azuréen fiché avec une inexprimable douceur sur ces furieux, pour ce que, ne doutant pas qu'on allait l'occire, il se voyait trop proche des éternelles félicités pour ne point pardonner à ses bourreaux. A vrai dire, il n'avait pas l'air tant rassotté qu'absent de lui-même et du monde, mais on pouvait, certes, s'y tromper, et le sergent, ému de sa beauté et de son air suave, ne sut d'abord que penser de ce satan qui avait tant l'air d'être un ange, mais s'avisant au bout d'un instant que les boucles de cuivre de mon bien-aimé frère brillaient au soleil d'août il fit face aux mutins, et sourcillant, il dit d'une voix forte :

— Que me chantez-vous là? Ce gentilhomme suit la mode qui trotte : il n'a pas de bonnet.

A ces paroles, il se fit tout soudain dans la rue un émerveillable silence, les mutins envisageant Samson avec la plus extrême stupeur, l'œil tout agrandi, tandis que Samson lui-même, portant les deux mains à sa tête, dit d'une voix stupéfaite :

— Mon bonnet! Où donc est mon bonnet?

Et envisageant le pavé tout alentour de lui, il le cherchait en vain, béant et comme égaré. Eût-il voulu jouer la comédie qu'il ne l'eût pas jouée si bien, ni moi non plus, ni Giacomi qui étions sans voix à ce miracle, et jetions nos yeux cy, nos yeux là, imités en cela de la foule. Pour un peu elle nous eût aidés en notre quête de ce bonnet qui pour elle avait fait pourtant tout le sacrilège qu'elle voulait venger!

Nous en étions de cet étrange prédicament quand une commère du sacré cortège que je revois très bien en ma remembrance pour ce qu'elle avait le tétin et la croupière si conséquents qu'elle paraissait porter deux sacs par-devant, et deux autres par-derrière (ces derniers ayant, de par leur propre poids, glissé plus loin le long du dos) leva au ciel sa face ronde et rougeaude, et s'écria d'une voix forte :

— Que quérez-vous? Ma fé, vous ne trouverez rien, je vous le dis, moi, gros nigauds d'hommes! Il n'y a pas tant à se rompre la cervelle pour entendre ce qui s'est passé. Un bel ange de Dieu, qui passait par là, troublé de ce que ce pauvre fol roux — car il est roux, notez-le bien, comme souvent les fols — n'ait pas quitté son bonnet devant Notre-Dame de la Carole, le lui a tout soudain ravi et l'a emporté au ciel pour le jeter en offrande et trophée aux pieds de la benoîte Vierge, que le Seigneur son fils à jamais bénisse.

— Amen! cria la foule d'une voix, mais cependant, à ce que je voyais doutante et oscillante, car celle qui avait parlé n'était que garce et selon la populaire opinion, raison de garce se loge entre ses cuisses. Tant est que ne se décidant ni à occire mon Samson ni à le lâcher tout à fait, ces marauds ne branlaient mie, sans laisser pourtant d'être fort périlleux encore, si un autre inspiré de Dieu, parlant au nom de la Vierge, nous les relançait à la gorge. Je décidai alors de saisir au rebond la lourde balle que la commère avait lancée, et de faire, moi aussi, commerce de fallace et tromperie avec ces pauvres idolâtres. Certes, c'était menterie, mais n'est-ce pas d'un sage de parler aux hommes selon leur propre folie, quand le sens commun y fault et n'est d'aucun secours?

Et montant tout soudain sur une des bornes de la porte cochère, je m'écriai :

— Bonnes gens, je sens que notre commère a dit le vrai! Le bel ange dont elle parle eût pu brûler mon frère vif et le réduire en cendres au lieu que de lui ôter le bonnet. S'il ne l'a pas fait, c'est qu'il fut ému de pitié pour lui, pour ce qu'il est hélas, comme j'ai dit au sergent, fol à lier, ne sachant ni ce qu'il dit, ni ce qu'il fait, répétant à s'teure qu'il est huguenot, à s'teure qu'il est juif, et d'aucunes fois même qu'il est turc. Peut-on retenir contre un fol sa folie? Et sa déraison contre un enfantelet qui jase à tort? Ha! bonnes gens, cet innocent a le cœur si bon que le Seigneur, ne lui baillant pas la raison, a voulu, en sa mansuétude, lui bailler, à proportion, une face tant belle et claire et un corps si vigoureux que tout un chacun sût bien, en le voyant, que ce pauvre d'esprit est un ange que le Seigneur, à sa mort, recevra en son Paradis.

A quoi le sergent des Gardes françaises, soit que je l'eusse persuadé, soit qu'il voulût en finir avec ce tumulte des rues, cria d'une voix forte :

— Amen!

Cependant, la foule oscillait encore quand le même inspiré qui un instant plus tôt avait dit avoir ouï la Vierge lui commander d'occire mon pauvre Samson, oyant parler d'ange, et par la commère et par moi, s'écria que pour l'ange, cela était tout à plein sûr, qu'il avait vu, de ses yeux vu une grande lumière sur la tête de mon Samson, et que l'instant d'après, le bonnet n'y était plus.

Ce témoignage emporta tout. Il y eut grand émerveillement à cet évident miracle et on commença à envisager mon Samson avec des yeux nouveaux, les uns louant son angélique beauté, les autres plaignant son cerveau embrumé et perclus, tant est que les garces, s'enhardissant, s'approchèrent, le voulant toucher à l'épaule, ou lui prendre un cheveu (pour ce que le poil roux porte bonheur) et comme mon Samson, fort égaré, souffrait tout avec la plus édifiante patience, on lui porta du lait, on lui glissa dans la main des piécettes (qu'il ne refusa pas), on le parfuma de musc et de benjoin, mon joli frère faisant mille mercis à chacun. Cuidant en sa simplicité que les yeux de ces pécheurs s'étant dessillés, ils avaient renoncé à leur idolâtrie, il les appelait « mes frères » et « mes sœurs » de sa voix douce, tandis que ses yeux bleus les envisageaient avec une infinie bénignité. « Ha! Seigneur Jésus! disait l'une, c'est vrai que le pauvret tient de la lune! Nous aimerait-il tant s'il avait sa raison? » Et de lui baiser la main et le pourpoint. Tant est que les cœurs, touchés jusqu'aux larmes par sa candeur, sa beauté, et la suavité de son déportement, je crus un moment que la multitude allait porter mon bien-aimé Samson sur le pavois, et le promener dans les rues à la suite de la benoîte Vierge comme étant son miraculé.

Cependant, les prêtres dont aucun n'avait pu voir cette scène, pour ce qu'elle s'était passée tout à la queue de cette longue procession, finirent, à ce qu'on me dit plus tard, par s'inquiéter de n'être suivis que par une partie de leurs ouailles. Ils dépêchèrent quelques clercs pour ramener à eux le pieux troupeau, ce que les *missi dominici* [1] firent avec une émerveillable promptitude, tant hélas! en cette papiste Paris le clergé détient d'autorité sur ses sanguinaires brebis.

Quand ceux-ci enfin départirent afin d'aller bouter le feu, rue aux Ours, à un mannequin d'osier — chétive victime à immoler, je le concède, alors qu'ils eussent pu avoir le beau sang rouge de mon frère pour venger celui versé, cent quarante-quatre ans plus tôt, par la pierre meurtrie de leur idole — je

1. Envoyés du seigneur.

demandai au sergent des Gardes françaises s'il me ferait l'amitié de boire un flacon avec nous pour nous conforter de concert de nos émeuvements. Non sans avoir quelque peu balancé, il y consentit et avec mille civils merciements nous emmena en une taverne proche où il devait avoir ses aises, car à peine eut-il paru qu'une effrontée mignote lui apporta, tout souris et œillades, un vin excelse que pour une fois je ne payai pas au prix parisien. A nous cinq nous achevâmes ce flacon en un battement de cil, et j'en eusse par courtoisie commandé un second, si le sergent, levant la main, ne s'y était opposé disant qu'étant maître en fait d'armes au Louvre, il buvait peu, en particulier dans l'après-midi où devant donner quelques assauts en salle, il entendait conserver son vent et haleine. Je fus alors pour lui dire qui était Giacomi, mais je me ravisai, observant que Giacomi s'accoisait et gardait une face tout à plein imperscrutable, le maestro étant fort délicat quant à la qualité des personnes avec qui il voulait bien condescendre à croiser le fer, non point qu'il fût de soi outrecuidant, mais, comme on l'a vu, il prisait si haut son art qu'il eût été peu ragoûté de le rabaisser avec un fruste ferrailleur. Cependant, à de certains quasi imperceptibles signes, il me parut qu'il aimait assez le sergent, lequel avait, en effet, des manières et un déportement au-dessus de sa condition, étant un homme civil, allant à tout fort réservement, se taisant sur soi, sur autrui peu inquisiteur, et nullement paonnant, comme on eût pu l'attendre de sa taille et de sa force, lesquelles passaient tout ce que j'avais vu à ce jour. Si grave que fût sa voix, et dans les occasions, comme on l'a vu, un foudroyant tonnerre, il parlait dans le particulier d'une voix douce, et peu, le geste contenu, et l'œil serein.

Je me nommai, je lui dis de qui j'étais le fils, ce qui l'intéressa fort, son père qui l'avait précédé dans le métier des armes, comme son grand-père et son aïeul avant lui, ayant combattu sous Calais. Il sembla que ce « Calais » délia un peu sa langue, car il me dit être né à Thoulouse et s'appeler Rabastens, et comme, béant assez qu'il fût du Midi, je lui demandai comment il se faisait qu'il parlât français à la mode pointue, il sourit et me dit qu'il y avait labouré prou, les Parisiens en leur superbe souffrant mal un autre accent que le leur. A quoi, nous rîmes, et lui aussi, sachant bien ce que nous autres d'oc nous en pensions.

Nos becs s'étant dégelés en cette tacite entente, et observant qu'il ne faisait aucune question, ni sur la raison du tumulte de rue dont nous avions été l'occasion, ni sur mon bien-aimé Samson (alors même qu'il devait bien penser que mon joli frère, à l'observer plus outre, ne tenait aucunement de la lune), je sentis croître ma fiance en lui, et lui dis que j'allais visiter M. de Nançay en la rue des Sablons, et pourquoi.

— Ha! dit Rabastens, vous ne l'y trouverez point. Il n'est pas de présent en son logis. Il joue à la paume au Louvre.

— Au Louvre? dis-je. Y a-t-il un jeu de paume dedans le Louvre?

— Il y en a deux, dit Rabastens, non point dedans mais dehors, en appentis au mur d'enceinte, et fort commodément placés à dextre et à senestre du guichet d'entrée, rue d'Hostriche. Le capitaine qui, en dépit de son âge, reste un des plus habiles joueurs de la Cour, affectionne celui de senestre pour ce que son sol est plus uni, la lumière meilleure et les esteufs fournis par le paumier bien plus rebondissants. On nomme ce jeu-là, le *Jeu des Cinq Pucelles*, poursuivit Rabastens avec un souris, pour ce que le maître paumier a cinq filles qui attendent maris.

— Les auront-elles?

— Assurément. Le maître est des plus étoffés, le Roi lui ayant donné sa pratique.

— Le Roi joue-t-il ?

— Furieusement, dit Rabastens.

Et que ce mot convînt à merveille à Charles IX, c'est ce que je ne tardai point à apprendre, pour ce qu'on ne pouvait mettre le pied au Louvre sans qu'on vous dît partout avec quelle *furia* le roi soufflait dans ses trompettes, ou brandissait le marteau en sa forge, ou tirait l'arquebuse, ou chassait comme fol, de sa monture descendant pour tuer de sa main, et au cotel, la bête forcée, aimant voir son sang jaillir, et ses entrailles fumer.

Rabastens fort civilement m'offrit de me conduire au *Jeu des Cinq Pucelles* pour y voir M. de Nançay, devant lui-même se rendre au Louvre pour ses assauts. Et retournant à la rue de la Ferronnerie, nous y cheminâmes jusqu'à la Grand'Rue Saint-Honoré qui ne mérite guère d'être appelée grande, combien qu'on y voie de beaux hôtels de la noblesse.

Les noms des rues sur notre senestre qu'on avait taillés dans la pierre à hauteur de l'œil, étant devenus quasi illisibles de par l'usure des temps, Rabastens voulut bien nous les nommer, afin qu'au retour, nous puissions nous ramentevoir le chemin, sans le quérir d'un guillaume insolent. On passa ainsi la rue Tirechappe, puis la rue de Bresse, puis la rue des Poulies, et on tourna à senestre dans la rue de l'Hostriche, laquelle est la plus fameuse en Paris puisqu'elle amène au Louvre.

— Je l'appelle l'Hostriche, dit Rabastens, pour ce que mon père l'appelait ainsi. Mais d'aucuns Parisiens l'appellent l'Autruche. Et d'autres encore, l'Autriche. Et il n'y a pas moyen de savoir qui a tort ou raison, la gravure du nom dans la pierre étant tout à plein effacée.

— Mais, dis-je, n'y a-t-il pas un plan de la ville capitale où le vrai nom se pourrait lire ?

— J'ai ouï dire qu'il y en avait un, dit Rabastens, combien que peu de gens l'aient vu, et ceux-là affirment bien haut qu'il erre prou, et dans le tracé, et dans les appellations.

Ha! pensai-je. Etrange et anarchique cité où tout est si incertain : l'éclairage, la publique salubrité, la sûreté des manants et habitants et jusqu'au nom des rues! Cependant, je m'accoisai tant la vue du Louvre dont nous approchions m'emplissait de cette sorte de crainte quasi muette et terrassée que doit donner aux sujets d'un grand roi l'auguste siège de son pouvoir. Et encore que je ne sois point de ma complexion sujet à si abject émeuvement, cependant je ne laissai pas de me sentir comme rapetissé et par l'immense ville qui m'entourait et par la prodigieuse bâtisse qui commandait le royaume.

Ha! certes, ce n'est pas rien, dans le Sarladais, d'être le fils cadet du haut baron de Mespech, logeant en un château si bellement remparé, cousin des frères Caumont de Castelnau et des Milandes, allié de l'abbé de Brantôme, seigneur de Bourdeilles, et ami de tant de gentilshommes huguenots ou papistes du Périgord. Mais qu'étais-je céans? Que pesais-je? Que valais-je? En la ville capitale? Au pied du Louvre, hérissé de ses tours? Face au pouvoir royal, à ses Suisses, à ses gardes, à ses prisons, à ses canons — dont un seul eût pu jeter bas les murs de Mespech —, à ce souverain enfin, descendant d'une si haute lignée, maître absolu d'un des plus grands royaumes de l'univers, détenant le plus irrécusable empire sur les vies et les libertés de ses sujets, et qui plus est, solennellement sacré, oint par le saint chrême, onction porteuse d'un droit divin que même les huguenots n'oseraient disputer!

La muraille entourant le château commençait au tournant de la rue de l'Hostriche mais on n'en pouvait voir que les trois tourelles tout droit alignées, le roi ayant souffert qu'on construisît des maisons en appentis à cette clôture, ce qui en diminuait prou la valeur défensive. Mais le roi avait-il besoin de cette enceinte, de ces douves remplies d'eau et de la demi-douzaine de tours qui flanquaient son formidable palais pour se protéger, et contre qui ? Lui vers qui affluaient tant de richesses et tant de gentilshommes pour les lui conserver, lesquels étaient si zélés à le servir qu'ils eussent baillé leurs âmes en gage s'il l'avait quis.

Un valet paumier et quatre ou cinq gardes à pied, hallebarde au poing, interdisaient l'entrée du *Jeu des Cinq Pucelles*, et ne nous auraient point laissés pénétrer si Rabastens ne nous avait poussés devant lui, Miroul compris. Ce dont je lui sus grand gré, mon gentil valet ayant si bien et si promptement agi pour sauver mon Samson.

A vrai dire, ce jeu de paume parisien n'emportait la palme sur celui du Chancelier Saporta en Montpellier, que par ses tribunes, lesquelles, à ce que je vis, étaient remplies sur toute leur longueur de courtisans et de nobles dames, à n'y pas loger une épingle : raison sans doute pour laquelle Rabastens nous conduisit par un petit escalier, à une tribune fort petite mais plus élevée que la précédente et qui occupait le mur de fond, lequel était en bois, comme les tribunes, tandis que le mur opposé à celles-ci était fait sur toute sa longueur en pierres de brique fort bien jointes, afin qu'on y pût jouer comme on dit en Paris, *à la bricole*, j'entends en faisant ricocher la balle contre sa surface pour la mettre dans le camp adverse, sans passer au-dessus de la corde. Mais je dis mal en usant de ce mot que voilà, car les deux camps de ce jeu-là étaient séparés par une corde, certes, mais munie de franges rouges fort serrées qui allaient jusqu'à terre : raffinement qui était déconnu en Montpellier où parfois on se querellait dru pour savoir si l'esteuf était passé au-dessus, ou fautivement au-dessous, tandis que céans, les franges retenant la balle quelque peu, quand elle était lancée trop bas, on devait disputer moins : du moins je le cuidais.

La tribuniscule, comme eût dit Recroche, où nous mena Rabastens, n'était occupée que par un naquet qui se préparait, un morceau de charbon blanc en main, à marquer les points de la partie sur un tableau placé sur le devant et bien en vue des tribunes du public (que celle où nous étions, à angle droit, surplombait). Le naquet avait le visage fort couturé, une cicatrice sur le haut de son crâne chauve, la gambe senestre en bois et la mine d'un ancien soldat, qu'à coup sûr il était, car sourcillant fort à notre entrée, il s'adoucit tout à plein en voyant Rabastens et mettant sur son chef poli et luisant un grand chapeau à plumes comme en portaient les gardes à pied vingt ans plut tôt, incontinent il le retira pour faire au sergent un grand salut que celui-ci lui rendit sans chicheté.

— Monsieur le Sergent, dit le naquet, si ces gentilshommes sont avec vous, ils sont les bienvenus céans. Mais qu'ils ne se montrent point sur le devant, et demeurent en retrait, cette tribune-ci étant réservée à la marque.

— Je l'entends bien ainsi, dit Rabastens.

Sur quoi, nous saluâmes tous quatre le naquet, lequel se recoiffant de son grand chapeau (qui comportait autant de plumes que la queue d'un coq) nous l'ôta fort civilement, mais sans y mettre toutefois la pompe et la profondeur de son salut au sergent.

Pour moi, je n'avais d'yeux que pour les grandes tribunes, n'ayant jamais vu une assemblée plus richement attifurée en soie, en brocart, en perles et pierreries, ni aussi plus colorée, les courtisans tout autant que les dames, portant des vêtures où pas une manche ni un bas n'étaient du même ton, de sorte que vous eussiez cru un parterre de mille fleurs réunies et étalant sur soi les mille palettes de la nature.

Cependant, je fus distrait de ce gai et galant spectacle, par un grand remuement qui se fit dans ces tribunes à l'entrée de la reine-mère que je reconnus à sa vêture noire et au fait qu'elle était suivie de dames d'honneur d'une beauté à vous couper vent et haleine, lesquelles étaient à la vérité fameuses pour cette raison en le royaume entier, et qu'on eût dit voletant avec mille grâces en leurs brillants affiquets autour de la Médicis, comme autant de brillants morceaux de l'arc-en-ciel.

La reine-mère prit place au milieu de la tribune sous un dais fleurdelisé que j'eusse cru réservé au roi seul. Mais qu'elle l'usurpât tout de gob ne m'étonna guère, d'Argence ayant écrit à mon père qu'à l'entrée de Charles IX dans la ville de Metz, trois ans plus tôt, la Médicis avait exigé de passer les portes avant le roi son fils — vous avez bien ouï : avant le roi ! — et avec son propre cortège de dames et d'officiers. Ha ! certes, la Florentine avait fort à se revancher des rebuffades et des déprisements qu'elle avait essuyés, tant à la cour de François Ier que sous le règne de son époux Henri II, où, Diane de Poitiers régnant, même dans le lit conjugal elle n'était pas la première. Il semblait que de ce temps elle n'eût de nom que par l'injure. « La marchande », disaient d'elle les courtisans du Louvre à son arrivée de Florence. « Jézabel », disaient d'elle les huguenots après l'entrevue de Bayonne où elle avait attenté de barguigner le sang français avec le duc d'Albe, tâchant de troquer le massacre des protestants contre un mariage espagnol.

Je ne la voyais que de haut et de profil, sauf quand

elle tournait sa tête à dextre, ce qu'elle faisait souvent, ses gros yeux dilatés étant fort épiants de ce qui se passait autour d'elle. Elle me parut plus petite et plus grasse qu'encore on ne me l'avait dit, les joues rondes et bouffies, la lèvre pendante, mais cependant, de son corps, point languide en ses mouvements, mais bien à rebours, vive et gaillarde ; l'œil cependant soucieux, voilé d'une paupière lourde, par où elle tenait quelque peu du crapaud. Pierre de l'Etoile m'avait dit qu'elle prenait de présent grand ombrage de ce que Coligny eût l'oreille du roi et le poussât à la guerre dans les Flandres, cuidant que cette faveur de notre chef pût un jour menacer le grand pouvoir qu'elle détenait en l'Etat et la forcer à l'exil.

Je ne sais comment les splendides dames d'honneur, avec leurs belles vertugades, parvinrent derrière la reine-mère à se serrer en cette tribune déjà si pleine, mais tant est que je n'eusse pas été fâché de me trouver en le milieu de cette presse-là parmi le bruissement des cotillons, et que je me mis à y rêver furieusement, tant la beauté de la femme a de seigneurie sur nous et commande nos pensements sans même que nous y prenions garde. Cependant, me ramentevant tout soudain mon malheureux pourpoint, lequel, non content de n'être point à la mode qui trotte, avait le front de montrer sur son devant une dévergognée reprisure, j'en conçus un chagrin cruel, sentant bien que cette vêture me ferait tout à plein dépriser en si galante compagnie, et en outre, me priverait sans doute à jamais des mignardes joies que la petite maison de la rue Trouvevache m'avait le matin même promises. Que faire, cependant ? Sans pécunes et celles de Samson me faillant, pouvais-je porter remède à ce prédicament ?

J'en étais là de ces épines et pointures, quand pénétra lentement dans l'arène, en ses chausses et chemise, j'entends sans son pourpoint, un gentil-homme d'âge moyen et d'assez grande taille, mais bien pris, vert et vigoureux, le cuir tanné, l'œil gris, le sourcil épais, la face carrée, le point bien fourni et poivre encore plutôt que sel, la tête droite, et le jarret fort vif, combien qu'il marchât lentement. Il s'avança vers la reine-mère, et lui fit un profond salut auquel elle répondit d'une inclination de tête et d'un sourire gracieux, assez pour me donner à penser que ce gentilhomme était bien en cour. Ce qui me fut confirmé par les toquements de paume des courti-sans et des dames quand le nouveau venu, à leur tour, les salua à la ronde, d'un geste ample et gra-cieux.

— M. de Nançay, dit le naquet en se tournant vers notre mentor, a l'air de ne se point ressentir de sa chute de cheval !

— Ha ! dit Rabastens, le capitaine est bâti à chaux et à sable ! Il faudrait un boulet pour le jeter bas !

Un brouhaha de jaserie l'interrompit qui venait des tribunes, suivi d'un fort toquement des paumes. Et je vis alors qu'un second gentilhomme, lui aussi en chemise et chausses, était entré sur le terrain de jeu ; mais celui-là au pas de charge, courant saluer la reine-mère et revenant tout courant donner à Nan-çay une prompte brassée. Après quoi, voulant passer dans le camp opposé, il sauta la corde aux franges rouges, mais, chose étrange, la tête en avant, comme s'il plongeait en rivière, atterrissant au sol sur les deux mains et la nuque, et faisant un tour complet du corps sur lui-même, avant de se retrouver sur ses pieds, avec une dextérité incroyable : exploit qui fut fort applaudi par l'assistance.

— Que voilà, dis-je à Rabastens, un merveilleux saltarin ! Qui est ce gentilhomme ?

— Mais c'est le Roi, dit Rabastens à voix basse.

— Quoi ? dis-je. Ai-je bien ouï ? Le Roi ?

— Le Roi même.

J'en fus béant et on peut bien penser que je n'eus plus d'yeux que pour le souverain tandis que le maître-paumier s'avançait vers lui, suivi de deux valets-paumiers, l'un portant des raquettes, l'autre un panier rempli d'esteufs.

Charles IX me parut grand assez et bien proportionné, encore que fort maigre et un peu courbé, l'œil méfiant, la mine peu assurée et comme inquiète, le teint au demeurant malsain, tout agile et fort qu'il parût être. En outre, ses gestes et son déportement trahissaient, en même temps que le désir de paraître, une sorte de puérile peur de ne point paraître assez, sans rien de l'assiette et de la fiance en soi d'un homme de vingt-deux ans, et dont le pouvoir, s'il eût voulu exercer, eût été quasiment sans limites.

Avec le maître-paumier, je le trouvai à la fois trop familier et trop brusque, tout souris et, la minute d'après, sourcillant. Des raquettes dont on lui baillait le choix, il y en avait deux à croisillons de cordes, l'une carrée et l'autre ovale, et une troisième, ronde, tendue d'un parchemin. D'après ce que j'entendis par sa mimique, c'est celle-là que le maître-paumier lui recommanda, ce qui fit que le roi la refusa d'abord tout à trac, et l'air fort rogue, comme s'il eût jugé impertinente cette recommandation. Après quoi, il parut hésiter entre les deux raquettes à cordes et balancer entre l'ovale et la carrée qu'il prit tour à tour en sa dextre sans arriver à se décider. Cette oscillation menaçant de se perpétuer, le maître-paumier, le caquet nullement rabattu, lui proposa derechef celle qui était tendue de parchemin, et le roi, cette fois, l'accepta, mais, me sembla-t-il, d'assez mauvais gré et moins persuadé de ses mérites qu'impuissant à trancher entre les deux autres.

Le second valet-paumier lui donnant à choisir

dans le panier les esteufs à sa convenance, le roi eut un geste brusque et impatient pour rejeter la responsabilité de ce choix sur M. de Nançay, lequel s'en acquitta lentement mais fort bien, lançant les balles une à une contre le sol et retenant les mieux bondissantes.

— Nançay, dit le roi, je gage cent écus sur moi. Que gagez-vous?

— Cinquante écus sur moi, Sire, dit M. de Nançay.

— Par la Mort Dieu! cria le roi. Cinquante, c'est bien peu!

— Sire, dit M. de Nançay en le saluant, je gagerais davantage si j'étais plus assuré de vaincre.

A quoi le roi rit et parut content, et davantage encore quand un page de la Médicis vint annoncer que la mère du roi baillerait cent écus au vainqueur et au vaincu, cinquante. La brillante assistance toqua des paumes et bruissa de jaseries à cette annonce et quant à moi, je ne jurerais pas que la chose ne fût d'avance convenue entre la Florentine et M. de Nançay, afin que de toutes guises le capitaine ne laissât pas de plumes sur le terrain.

Les deux juges (lesquels étaient deux gentilshommes, l'un désigné par le roi, l'autre par M. de Nançay) incontinent quêtèrent d'un chacun les pécunes et les disposèrent en tas sur un petit tapis de velours bleu placé à l'aplomb des franges de la corde, le roi pendant ce temps sautant d'impatience et baillant dans le vide de furieux coups de sa raquette.

— Sire, dit M. de Nançay, jouerons-nous à la bricole?

— Je ne sais, dit le roi. Le voulez-vous?

— Je n'y ai point appétit.

Mais comme Charles IX, s'accoisant, ne se décidait point, M. de Nançay, contrefeignant pour acquis que la décision était prise, poursuivit :

— Sire, servez-vous d'abord ?

— Je ne sais, dit le roi. Je ne vois pas que j'y aie profit.

— Ni, Sire, que cela vous nuise, dit Nançay en souriant.

— Sire, dit l'un des deux juges, plaise à Votre Majesté de tourner raquette. La fortune décidera.

— Je choisis la marque, dit Nançay.

— Et moi le nu, dit le roi, prenant tant vite ce parti qu'il n'y en avait pas d'autre.

Le roi, appuyant au sol sa raquette sur le sommet de son bord ovale et la faisant tourner comme un toton, lâcha le manche. Elle tomba sur la marque et M. de Nançay eut le service, de quoi le roi parut dépit comme si, ne l'ayant pas, il y voyait tout soudain un avantage qu'il n'y avait pas d'abord discerné.

— Or, jouons ! cria-t-il en se reculant par petits bondissements, presque jusqu'à l'aplomb de notre petite tribune et le voyant ainsi prendre poste, les valets-paumiers qui devaient les esteufs ramasser coururent se placer, qui aux quatre coins, qui aux bords de la corde frangée. Le maître-paumier lança à M. de Nançay un esteuf parmi ceux qu'il avait choisis. Le capitaine le rattrapa de sa main senestre et incontinent se mit en posture de servir.

— Tenez, Sire ! cria-t-il.

Il lança la balle par-dessus la corde avec beaucoup de force, mais combien qu'elle rebondît loin de lui, le roi s'y ruant la frappa, et si vite et de si plongeante façon que Nançay ne put l'atteindre, même au rebond.

— Quinze à moi ! cria le roi, fort ébaudi.

A quoi le juge — car encore qu'ils se consultassent à chaque coup, un seul des deux parlait — répéta en écho :

— Quinze au roi !

Et le naquet, avec un grand mouvement de son

bras, comme s'il allait emboucher une trompette, marqua quinze au charbon blanc sur son ardoise, en chiffres moulés et pansus.

— Tenez, Sire! dit Nançay, mais cette fois le roi faillit à rattraper l'esteuf, même du bout de la raquette.

— Messieurs, vous êtes quinzains! cria le juge.

— Or, jouons, dit le roi, les dents serrées et sur place sautillant d'impatience et de dépit.

Cependant, Nançay, souriant, ne servait point.

— Qu'attendez-vous, Nançay? cria le roi avec rudesse.

— Qu'on me garnisse en esteuf, Sire, dit Nançay avec un salut.

Et en effet, d'après ce que je vis, la règle céans voulait que les valets-paumiers, ramassant la balle, la rendissent non au joueur, mais au maître-pau-mier, lequel avait seul le droit de l'envoyer à qui servait : lent et pompeux procès qui nous était en nos provinces déconnu. En même guise, un seul esteuf servait céans à une partie de soixante points, après quoi, on le mettait au panier et on en prenait un autre ; bonne disposition à mon sentiment pour ce qu'elle assure le même rebond au cours du même jeu, mais qui pousse aussi à la lenteur, n'y ayant qu'une seule balle à la fois, tandis que nous n'étions pas, en Montpellier, si raffinés, usant à la fois d'une demi-douzaine d'esteufs, quel que fût leur particulier rebond.

— Tenez, Sire! dit Nançay, le paumier l'ayant garni.

Qu'il l'eût voulu ou non, il servit cette balle si mollement que le roi, la prenant à la volée, la ren-voya en son camp de si foudroyante guise que Nan-çay ne la put toucher. Beau coup, quoique facile (mais à dire vrai, facile aussi à faillir) et que l'assis-tance applaudit à se navrer les paumes.

— Trente à Sa Majesté ! cria le juge.

— Garnissez, paumier ! cria le roi, fébrile et impatient.

Le paumier garnit Nançay qui servit, et cette fois fort assez. Et l'esteuf, haut rebondissant, le roi fit un très joli saut, et le renvoya sur le revers de Nançay qui, surpris, le remit si roidement sur le revers du roi que le roi y faillit.

— Messieurs, vous êtes trentains, dit le juge.

Sur quoi, pris de rage soudaine, qui fit la brillante assistance s'accoiser en un mortel silence, le roi jeta sa raquette à terre et la piétina, crevant le parchemin.

— Par la Mort Dieu ! cria-t-il, cramoisi et l'œil jetant des flammes. Paumier d'enfer ! Cette raquette n'est que bren et pisse, vertu Dieu ! Me veux-tu voir perdre, maraud ! Une raquette à cordes, ici, à ce bout, et vite !

A quoi, le maître-paumier, fort quinaud et penaud, accourut avec les deux raquettes à croisillons que le souverain avait d'abord écartées et qu'il déprisa derechef, les soupesant tour à tour, et en son dépit, les jetant au sol mais sans toutefois les briser. On en était là et le silence des tribunes devenait fort pesant quand un joli page, fort galamment vêtu d'un pourpoint cramoisi, saillit des tribunes, gagna le milieu de la corde frangée et faisant un profond salut au roi, dit d'une voix claire :

— Sire, M. de Nemours serait très honoré si vous consentiez à jouer avec sa raquette.

— L'honneur sera pour moi, dit le roi, revenant à la courtoisie aussi promptement qu'il l'avait quittée. M. de Nemours, reprit-il après un temps, étant le meilleur joueur du royaume.

Réplique qui fut fort applaudie et dégela les becs et les faces, l'assistance fort confortée se remettant comme devant à ses jaseries et clabauderies, dont n'étaient pas exclus cependant les souris, certains, à ce que je vis, fort effrontés et d'autres, tout à plein en irrision. Tandis qu'on allait quérir la raquette de M. de Nemours, je dis à Rabastens :

— Quel terrible coup de revers le capitaine a servi au roi !

— Il s'est laissé emporter par le chaud du moment, dit Rabastens avec un sourire. Sans cela, il ne l'eût pas baillé si roide.

Le naquet se retourna et m'envisageant, il me dit :

— Mon gentilhomme, jouez-vous ?

— Quotidiennement.

— Et où ça ?

— En Montpellier.

— Vous ne connaissez donc point M. de Nemours ?

— Nenni.

— Ha ! reprit le naquet en plissant son visage couturé, et se passant la dextre sur son crâne chauve, ce qui n'allait pas sans dommage pour la couleur de son cuir, ses doigts étant couverts de charbon blanc. Touchant les revers du capitaine j'entends bien qu'ils sont bons le possible. Mais vous verriez les revers de M. de Nemours ! Qui ne les a vus n'a rien vu !

— Ne joue-t-il pas contre le Roi ?

— Le Roi ne l'en a pas requis, dit Rabastens, avec un petit brillement futé de son œil gris.

— Or jouons ! cria Charles IX, brandissant la tant fameuse raquette qu'on venait de lui mettre en main dextre.

— Tenez, Sire ! dit Nançay.

Et se mettant en posture, il lança l'esteuf avec si peu de force qu'il toucha terre au quart à peine du terrain, le roi courant ventre à terre pour le cueillir au premier rebond, ce qu'il réussit, le bras tendu à l'extrême et à l'extrême bout de la raquette, l'esteuf franchissant à peine les franges et mourant quasiment sans rebond de l'autre côté. M. de Nançay, surpris, resta les deux pieds gelés au fond du terrain.

— Ha ! Sire ! cria-t-il en riant, voilà, comme eût dit votre illustre aïeul François Ier, un beau coup de moine !

A cette remembrance souvent évoquée à la Cour, le roi sourit d'un air fort atendrézi, et la brillante assistance toqua des paumes à tout rompre, tant je gage pour rendre hommage à la dextérité du souverain qu'à l'esprit d'à-propos du courtisan.

— Quarante-cinq à Sa Majesté ! cria le juge. Trente à M. de Nançay !

— Sire, dit Nançay, tenez ferme votre raquette enchantée. Je vais égaliser.

— Vertu Dieu ! cria le roi, fort gasconnant. Tu n'en feras rien ! La peste soit de toi, Nançay ! Le jeu sera à moi, sang de Dieu !

— Je cuidais, dis-je à voix très basse au sergent, que selon une ordonnance royale, nul paumier ne devait souffrir en l'enceinte d'un jeu de paume, blasphème, jurement ou impiété.

— Le Roi, dit Rabastens, la face imperscrutable, connaît fort bien cette ordonnance. C'est lui qui l'a signée.

— Hélas, dit le naquet qui me parut avoir une tournure d'esprit fort sérieuse, beaucoup de nos jeunes gentilshommes de cour cuident que les blasphèmes font l'homme plus vaillant et plus fort. Dieu leur pardonne ! C'est tout le rebours.

— Tenez, Sire ! dit Nançay et il servit un esteuf haut et mol que le roi voulut cueillir à la volée.

Il n'y faillit point, mais rabattant trop, la balle toqua la corde et retomba dans les franges, en deçà. Cependant, son propre roulement fit que, passant les franges sur le sol, elle s'arrêta au-delà.

— Le point est à moi ! cria le roi sans attendre la décision des juges.

Il y eut alors, dans la brillante assistance, des jaseries et des rires, lesquels n'étaient pas sans cause et que je n'eusse guère aimés, si j'avais été le souverain. Celui-ci, cependant, la raquette brandie, trépignait comme un enfantelet.

— Juges, la décision ! cria-t-il d'une voix aigre.

Les juges, qui conciliabulaient à voix basse, relevèrent la tête et celui qui avait la charge de la parole dit :

— Le point est disputé.

— Quoi ! s'écria le roi, tout soudain sourcillant, on dispute le point ? C'est scandale ! Mais l'esteuf est au-delà ! Et Nançay a failli à le rattraper !

— J'y ai certes failli, dit Nançay en souriant d'un seul côté de la face.

— Sire, dit le juge avec un salut, l'un de nous pense que l'esteuf, toquant la corde, est tombé en deçà, et a bien roulé ensuite au-delà, mais sous les franges.

— C'est scandale, cria le roi, qu'une telle opinion puisse se professer céans ! Que dit là-dessus Sa Majesté la Reine ? Je m'en rapporte à son sage jugement.

Il se passa alors un assez long moment au cours duquel les dames d'honneur de Catherine de Médicis se refermèrent sur elle comme un essaim d'abeilles autour de leur reine et cet essaim ayant bruissé et bourdonné tout à loisir, une des plus étincelantes dames s'en détacha et vint sur le jeu, ondulant en sa brillante vertugade, le tétin mignardement pommelant, l'œil en fleur, les lèvres fraîches, et si splendide en ses affiquets et de sa face si belle que mon cœur me battit comme cloche et que mes mâchoires se crispèrent dans le grand appétit où je fus tout soudain de la lécher tout au long de son adorable corps.

La belle fit au roi un tant profond et gracieux salut qu'il eût fallu être un tigre pour n'en être pas adouci.

— Sa Majesté la Reine, dit-elle d'une voix claire et suave, se ramentoit que lorsque votre auguste père Henri II se livrait à ce tant noble desport, et qu'un point était comme aujourd'hui disputé, il acceptait en sa royale condescendance que le point fût rejoué.

— J'obéirai donc à la Reine ma mère, dit le roi qui jamais de sa vie n'avait fait autre chose.

Et salua la belle messagère civilement, mais non sans quelque craintive timidité que, certes, je n'eusse pas montrée à sa place. Mais hélas, combien perdais-je à ne pas y être !

Le paumier incontinent garnit d'esteuf M. de Nançay, lequel prenant la posture du servant, dit :

— Tenez, Sire !

Et il servit si bien, en effet, son sire et maître, et si bas qu'il mit galamment l'esteuf dans les franges.

— Le point et le jeu sont à Sa Majesté, cria le juge, fort soulagé.

Et l'assistance à se navrer les paumes applaudit et la victoire du roi, et je gage aussi, l'adresse de M. de Nançay à ne pas être trop adroit.

Cette adresse-là se maintint tout au long des deux parties, le capitaine ne remportant qu'un jeu dans la première et deux dans la seconde, mais ces deux-là, alors que le roi en avait déjà cinq, commode avance qui laissait Charles IX sans inquiétude et d'humeur fort suave, encore qu'on pût voir qu'il était écumant et lassé à l'extrême.

Le roi changea de chemise sur le terrain et un de ses gentilshommes lui frotta rudement le cuir, tant devant que derrière, le roi cependant toussant à cœur fendre, mais n'omettant pas de réclamer les enjeux que le maître-paumier lui apporta, en un chapeau où je vis du haut de ma tribuniscule les écus briller. Havre de grâce ! Que j'eusse voulu que ce fût dans mon escarcelle qu'ils tintinnabulassent ! J'en avais l'usance prête !

Le roi gagnait cinquante écus à son capitaine des gardes et en recevait cent de sa mère, laquelle, je pense, avait trouvé ce moyen de marquer au roi son fils qu'elle le chérissait plus que Coligny, lequel, en son huguenote roideur, n'eût jamais consenti à être le spectateur, et moins encore le parieur, d'un aussi frivole desport. Le roi parut fort ébaudi de se garnir de ces cent cinquante écus, et dit tout haut (phrase qui fut dans l'instant répétée partout au Louvre) que ces pécunes étaient bien à lui sans qu'il eût à les demander à ses trésoriers. De qui pourtant la reine-mère avait requis les cent écus qu'elle lui avait baillés, sinon justement de ceux-là ?

— Le Roi, dit le naquet en se tournant vers nous et se passant derechef sa dextre tachée de charbon blanc sur la cicatrice de son crâne, est tout aussi souple, vigoureux et bondissant que son royal père, et ajouta-t-il à mi-voix, comme lui, il ne souffre guère de perdre.

— C'est vrai, dit Rabastens, mais Henri II avait plus de santé. Son fils ne se peut tenir de toussir, vider ses flegmes et se déchirer le poitrail. Raison pourquoi il s'épuise si vite. Demain il demeurera au lit tout le jour pour se remettre de cette partie-là.

Comme il disait, je m'approchai du naquet, et afin que de le remercier de sa complaisance, je lui mis deux sols dans la main, lesquels il repoussa d'abord, mais sur mon insistance, finit par empocher, mais d'une façon quasi brusque et bourrue, l'œil toutefois fort amical.

— Monsieur de Siorac, dit Rabastens, le capitaine est de présent désoccupé, et tout chaud de cette belle et bonne défaite qui le met si fort en faveur. Voulez-vous que nous saisissions l'esteuf au bond et que je vous mène à lui ?

— Ha ! sergent ! Que d'obligations je vous dois, que je ne pourrai jamais repayer !

— Aussi vous les quitté-je toutes! dit Rabastens avec un sourire. N'êtes-vous pas d'oc?

Comme nous descendions l'escalier à vis, Giacomi me retenant par le bras me glissa à l'oreille :

— Mon frère, voyez seul M. de Nançay. Je tiendrai compagnie à Samson.

J'acquiesçai, entendant bien ce que Giacomi voulait dire, et qu'il craignait que mon bien-aimé frère ne prononçât quelques paroles qui eussent pris le capitaine fort à rebrousse-poil. Et il est de fait que tout au long de cette partie de paume, mon esprit s'évadant, je m'étais fait sur mon Samson un souci à mes ongles ronger, tant je le voyais malhabile à vivre en notre papiste Babylone et prêt, en sa simplesse, à se jeter en d'inouïs périls. Et à la fin, si fort que je l'aimasse, j'en étais à regretter, pour sa sûreté et pour la nôtre, de ne l'avoir pas laissé en l'officine de Maître Béqueret, en Montfort-l'Amaury — d'autant qu'on m'en avait si vivement requis, et qu'il le voulait ardemment lui-même, n'appétant qu'à ses bocaux, et ne trouvant rien à mordre en cette Paris qui déjà m'enchantait pour tout ce que j'y voyais de beau et de brillant.

Rabastens, à l'entrée du jeu de paume, nous mena à une petite pièce dedans laquelle il entra sans toquer, me faisant signe de le suivre. M. de Nançay s'y faisait frotter le cuir par un valet-paumier que le maître-paumier, sans lui prêter la main, surveillait. Il conversait en même temps avec un grand hippopotame anglais, vêtu d'écarlate, le poil si blond qu'il paraissait blanc et la face tant large et rouge qu'un jambon, lequel lui faisait de beaux compliments sur son jeu, tout en riant et gloussant à gueule bec tous les trois mots, étant de sa complexion jovial et gaillard à l'extrême.

— Milord, dit M. de Nançay en m'adressant en *a parte* un signe de tête d'autant plus courtois qu'il ignorait encore qui j'étais, je vous fais mille grâces et merciements de vos aimables gentillesses. Mais, assurément, les sujets de la reine Elizabeth jouent à la paume tout aussi bien que nos Français.

— Point du tout autant ni aussi bien! s'écria le Milord en riant. Je suis amazé par le grand nombre de jeux de paume que j'envisage en votre Paris. Du Roi au plus petit valet, tout un chacun veut s'y mettre! (Il rit.) On dirait que les Français viennent au monde avec une raquette en main! (Il rit derechef.)

— Suivez-vous, en votre pays, les mêmes règles que nous, Milord? dit M. de Nançay, civilement souriant.

— Toutes, aux paroles mêmes, sauf que, avant de servir, vous dites : « Tenez! » et nous disons : « Tenetz! » que d'aucuns de nos ignoramus qui déconnaissant la langue française prononcent « tenis »!

— Et usez-vous des mêmes esteufs?

— Nous usons des vôtres, les nôtres étant mal bondissants.

— Des miens, dit le maître-paumier se mêlant sans vergogne à la conversation, et portant fort haut la crête, car c'est moi qui les vends à votre pays, Milord, et personne d'autre, pour ce que mes esteufs sont les meilleurs du royaume, étant façonnés audehors du meilleur cuir et au-dedans de bonne bourre d'étoupe, ou de poils de chien, et non pas de charbon blanc ou de son, comme font d'aucuns malfaçonniers que j'ai fait interdire par le roi.

— De poils de chien! dit le Milord, et il rit de nouveau à grandes dents, rire que je trouvai à la longue lassant tout autant que me paraissait émerveillable l'effrontée impertinence du maître-paumier qui n'avait au bec que son propre éloge et se paonnait en ses discours au point qu'on eût dit qu'il donnait des ordres au roi. Cependant, quand je connus mieux Paris et la Cour, je compris que ce guillaume ne faisait rien que se conformer à la commune usance, les Parisiens étant tant crédules et badauds qu'ils achètent toute gloire au prix qu'elle se donne elle-même. Raison pour laquelle tout un chacun embouche céans la trompette de sa propre renommée.

La jaserie continuant entre cet esclaffant Milord et l'outrecuidant paumier sur le sujet des esteufs, M. de Nançay prêtant l'ouïe, mais ne faisant que la prêter, étant, je gage, à mille lieues de là, j'eus tout le loisir d'envisager le capitaine des gardes, tandis que le valet le frottait d'arrache-peau. Il était grand assez, l'épaule carrée, la membrature sèche et musculeuse, pas une once de graisse ni sur les flancs, ni sur la bedondaine, la gambe longue et nerveuse et quant à la face, elle était carrée, le cuir tanné, le nez long tirant sur l'aquilin, une cicatrice au coin de la lèvre du dessous, laquelle était charnue, le poil, comme j'ai dit je crois, plus poivre que sel, le sourcil en revanche fort épais et fort noir, lui donnant, même au repos, une mine sourcilleuse que démentait son œil gris, lequel était fin, ironique, bénin assez et, me parut-il, assez décroyant de ce que les hommes sont accoutumés de croire ; le comportement assuré, cependant circonspect ; la manière courtoise ; la parole élégante. Et je ne sais quoi de poli qui me fit penser à un galet qui fût lisse devenu à force de s'être frotté contre d'autres galets à la Cour, non qu'il n'y eût aussi quelque dureté — non point certes de cœur, mais d'état et de prédicament — sous ce grain si suave.

Le Milord, suivi du maître-paumier et de son valet, s'en fut enfin, riant et gloussant, désencombrant la pièce et de sa rotondité et de son infinie vacarme, et Rabastens dit à son capitaine qui j'étais, s'excusant sur ses assauts de départir incontinent.

— Quoi! Un Siorac! s'écria M. de Nançay, en me donnant une forte brassée. Que je suis aise d'envisager céans, en sa solide chair, un fils du Baron de Mespech! Car si Baron a bien mérité de l'être, c'est Monsieur votre père, lequel a si galamment combattu quand nous avons repris Calais aux Anglais. Mais, Sanguienne! Ne peux-je prononcer ce nom de Calais sans que m'en batte le cœur! Et sans me ramentevoir la vaillance de nos grands capitaines sous ses murs! Le Duc de Guise! D'Aumale! d'Andelot! Thermes! Bourdin! Senarpont! Combien sont morts déjà! Que ces noms retentissent tendrement en ma remembrance! Mais nul plus haut et clair que celui de Siorac! Vertudieu! J'étais au coude à coude avec lui dans l'eau glacée jusqu'au col quand on traversa le fossé pour forcer la brèche que nos canons avaient ouverte dans le château de Calais! Et transi autant qu'un autre, Siorac se gaussait! Vous m'avez ouï, il se gaussait, abondait en mille saillies et badinages, tant gai et gaillard dans les dents de l'extrême péril était ce gentil compagnon! Lion au combat, colombe en la victoire! Et la ville prise, si bénin et piteux qu'il ne souffrit de ses soldats ni carnage, ni forcement de filles! Mais, poursuivit Nançay en me donnant une brassée derechef et me mettant les deux mains aux épaules pour mieux m'envisager, il est là! Je le vois! Vous avez son riant œil bleu, ses traits, son port, sa taille redressée et je ne sais quelle insatiableté à vivre et à aimer qui de lui émanait! Ha! Mon fils! Ne me dites point que Siorac est de présent chenu, chagrin et de tristesse chaffourré! Je ne vous croirais point!

— Capitaine, dis-je, il est quasi tant vert et tant vigoureux que vous-même, encore qu'il soit de dix ans votre aîné.

— Ha! dit Nançay avec un petit brillement de l'œil, court-il toujours le cotillon?

— Comme fol !

— Est-il prospère ?

— Il est fort étoffé !

— On ne le dirait point à voir votre pourpoint ! dit M. de Nançay en riant et encore que sa remarque me piquât fort, je n'en laissai rien voir et ris aussi. Havre de grâce ! reprit-il, un pourpoint à l'ancienne mode et qui pis est, reprisé ! Au Louvre ! A la Cour ! Tudieu ! Si nous étions de même taille et carrure, je vous prêterais un des miens !

Et combien qu'il rît, je voyais bien qu'il prenait la chose fort à cœur et s'en faisait pour moi du souci. De Calais et de mon père, il avait parlé en soldat. Mais de mon pourpoint, il parlait de présent en homme de cour. Et en sa sollicitude, voulut incontinent me donner l'adresse de son tailleur afin que je puisse, à la chaude, rhabiller mon délabrement. De force forcée, il me fallut lui confesser que mon père ne m'avait pas garni de pécunes assez pour que je fisse face à ces débours.

— Ha ! dit-il, Siorac est toujours autant ménager de son or ! Et je gage, huguenot comme jamais.

— Inébranlablement.

— Hélas, dit M. de Nançay, c'est là que j'ose penser qu'il erre. Un capitaine devrait laisser aux clercs les choses de la religion. Il est vrai qu'à y réfléchir un peu, la nôtre abonde en absurdités manifestes. Mais bah ! Il n'est que de les avaler avec le reste. Pour moi, j'ois la messe sans y penser le dimanche et communie une fois l'an. Le monde n'en veut pas davantage. « Pour vivre heureux, comme dit Ronsard, il n'est que la simplesse. »

« Et la faveur du Roi », ajoutai-je en mon for, et pas plus à Ronsard qu'à M. de Nançay, elle n'a jamais failli, ce grand poète hurlant avec les loups aux chausses des réformés. Mais de la religion de mon père dans laquelle j'entends demeurer (quoique sans zèle aucun), oyant ce que j'avais ouï du capitaine des gardes, je ne voulus pas disputer et m'accoisai. Ce que voyant, M. de Nançay, dont l'œil gris était fin et futé, me demanda mon affaire. Je lui dis tout, et mon duel, et le procès qu'on me faisait, et la grâce du roi que je venais quérir céans.

— Ha! dit-il, pour vos entrées au Louvre, il n'est que vous me les demandiez : c'est chose faite. Et de votre duel je parlerai dans mes alentours pour que cela remonte jusqu'au Roi et qu'il soit en votre faveur prévenu. Mais cela n'y pourra suffire. Il faudra vous présenter au Roi. Et encore qu'il soit moins sourcilleux sur la vêture que le Duc d'Anjou, je ne peux rêver vous présenter à lui comme vous voilà fait. Tout revient donc à votre pourpoint, et aux pécunes qu'il vous faut pour en faire façonner un nouveau.

— Mais, dis-je, qui me pourrait prêter ces pécunes et sur quelles garanties, étant cadet ?

— Moi, dit M. de Nançay, qui incontinent reprit : si du moins je n'étais endetté jusqu'au cou, vivant au Louvre bien au-dessus de mes moyens, ma solde de capitaine des gardes ne m'étant payée que quand les caisses du Roi sont pleines, autant dire jamais. Ha! Monsieur de Siorac, poursuivit-il en se lissant du doigt la moustache, laquelle était fine et longue, ce qu'il faudrait en votre prédicament, c'est qu'une de nos galantes et généreuses dames vous vête sur sa cassette, comme j'en connais céans qui le font pour les mignons avec qui elles ont leurs commodités. Mais, hélas, c'est là tout justement le point ! comment même approcher ces belles et brillantes dames vêtu comme je vous vois ?

Ha! lecteur! Quelles griffes ce discours enfonçait dans mon cœur, moi qui me désespérais dans le pensement que je ne pourrais, fagoté comme j'étais, affronter le lendemain Mme des Tourelles, laquelle m'avait dit, comme peut-être on s'en ramentoit, et de me vêtir de neuf, et de me rabattre le poil, le second commandement étant certes plus aisé à satisfaire que le premier. Ha! me disais-je en tournant en gausserie mon chagrin, quelle fée de sa baguette me pourrait muer mon poil tombé en fastueux habit! Hélas! Je le vois! On est fort peu de chose en la Cour sans la vêture! Noblesse, mérite, savoir, rien ne prévaut au Louvre que la montre! Il faut paraître, ou n'être rien!

J'en étais à ces épines et pointures et mon humeur en mon humiliation très à la vinaigre quand entra sans toquer dans la pièce un gentilhomme de mon âge, de ma taille et quasiment de ma tournure, sauf qu'il était de sa face plus beau que je ne suis, et superbement vêtu du plus émerveillable pourpoint de satin bleu que j'eusse jamais envisagé, même au Louvre, lequel salua du salut le plus bref M. de Nançay et dans l'instant même où je l'admirai le plus, me jeta, de haut et de côté, un regard de si insolent déprisement que, pâlissant en mon soudain courroux, je le contr'envisageai avec toute la haine en laquelle mon admiration s'était tout soudain muée, et d'autant plus forte et folle que le quidam m'avait d'abord plus séduit comme taillant la splendide figure que j'eusse voulu à la Cour montrer. Le gentilhomme resta béant de mon œillade et comme il redoublait de hauteur à mon endroit, je la lui rendis derechef avec usure, mon œil bleu étincelant, à ce que Nançay me dit plus tard, si bien que de nos yeux, nous barguignâmes je ne sais combien de pistolétades qui nous eussent l'un et l'autre étendus raides si la poudre avait pris le relais des regards. Tant est qu'à la fin, l'inconnu, sentant le ridicule de prolonger cet étrange prédicament, me tourna le dos, ce dos même me témoignant l'infini dédain qu'il pouvait mettre en sa roideur et en ses épaules haussées. Mais moi, de rage frémissant, je m'avançai alors sur la même ligne que ce superbe et, faisant un profond salut à M. de Nançay, je lui demandai mon congé et, me relevant, décochai à l'inconnu en ma soudaine retraite, et comme à la Parthe, un coup d'œil si meurtrier que c'est merveille s'il ne chut pas tout à trac sur le carreau.

Hélas, c'est en moi que cette flèche-là resta fichée, navrant mon âme aux déprisements si peu accoutumée, fort outré que j'étais que ce beau fat de cour m'eût osé piétiner à la seule vue de mon pourpoint. Sanguienne! Ce n'est pas de la pointe de mon regard mais de celle de mon épée, et sur le sang de son cœur, que j'eusse voulu me revancher! Je me le rugissais en mon for, les lèvres serrées comme cordes d'arbalète, les poings, en mon pensement, crispés sur les poignées de mes armes tandis que, ivre en mon fol courroux, et les tempes me battant, le corps roide et les muscles bandés, je saillais comme fol de la pièce où m'avait reçu le capitaine des gardes. Il me fallut un long moment, mon œil étant trouble et ma voix, en mon gargamel, étranglée, pour que je pusse voir, ouïr et suivre mes bons compagnons par les rues et ruelles de la capitale, jusqu'au logis de Maître Recroche, tant cuit, recuit et rebouilli en ma fureur que, tout au long de ces pas et démarches, je ne dis mot ni miette, craignant de hurler comme loup si, d'aventure, j'ouvrais le bec. Et au logis enfin, insupportable à moi-même, et ne souffrant plus la vue de mon prochain tant j'étais mortifié, je quittai mes frères et Miroul, leur disant d'une voix sourde et l'œil fiché à terre, que, me sentant sale et sueux, j'allais me baigner ès étuves, et qu'ils allassent à la repue sans moi qui n'y avais pas appétit.

Un guillaume à qui, en mon persistant courroux, je quérais mon chemin d'un ton rogue et sévère (moi qui suis pourtant de ma complexion tant bénin que courtois) fut si étonné de mes impérieuses façons qu'il me quitta incontinent son bonnet et me dit, la voix tremblante :

— Ha ! Monseigneur ! Si vous quérez de bonnes étuves, propres et bien famées, où ne sont point admis lépreux, vérolés, truands et mal vivants, c'est aux Vieilles Etuves Saint-Honoré, en la rue du même nom qu'il faut aller. C'est à deux pas et un prince n'y saurait déchoir ! La barbière d'étuves est si dextre qu'elle vous tond le cas d'une garce ou vous rase le vit d'un homme en un tournemain. Et on y a, enfin, en ces étuves, tant de commodités que d'aucuns y mangent et même y passent la nuit afin que non pas courir les périls des rues à regagner sa chacunière après la tombée du jour.

Ayant dit, il voulut à force forcée m'accompagner jusqu'aux dites étuves, me parlant le bonnet à la main et de si humble et peureuse guise que le remords me prit de l'avoir tabusté. Sur quoi, voulant mettre de l'huile en mon vinaigre, je lui demandai d'un ton plus doux comment il se faisait qu'il avait les deux lèvres fendues.

— Ha ! Monseigneur ! cria-t-il tout tremblant, vous vous gaussez ! Vous le savez aussi bien que moi !

— Nenni ! dis-je béant.

— Ha ! Monseigneur ! Vous vous moquez !

— Sanguienne ! criai-je, je te dis que non !

— Quoi ! dit le gautier, l'œil tout à plein écarquillé. Vous jurez aussi ! Mais c'est tout justement pour mes jurons et blasphèmes (maudite habitude dont j'ai failli à me déprendre) qu'on m'a les lèvres fendues ! Hélas ! Amende ! Carcan ! Lèvres fendues ! Rien n'y a fait ! Je jure encore comme crocheteur !

— Ou, dis-je tout bas entre mes dents, comme Roi de France au jeu de paume.

— Monseigneur, poursuivit le guillaume sans

m'ouïr, quand vous m'avez à l'abord si vivement adressé, j'avais le bec tout chaud encore d'un blasphème que j'avais poussé ayant mis par aventure le pied dans l'ordure de la rue. De sorte que je crus, à vous voir si abrupt, que vous m'aviez ouï, et que vous m'alliez tout de gob dénoncer.

— Et qu'eût-on fait, cette fois ?

— On m'aurait la langue coupée.

— Ha ! dis-je, quelle barbarie ! Le juge croit-il plaire au Christ en étant si impiteux ? Et pourquoi te dénoncerais-je, compagnon ?

— Pour toucher le tiers de l'amende.

— Et à qui vont les deux autres tiers ?

— L'un au clergé, et l'autre au Roi.

— Au Roi ! dis-je, la bonne justice et la belle équité ! Compagnon, poursuivis-je en lui mettant un sol à la main, merci de ton escorte. Va en paix, et par la Sang Dieu, comme on dit au Louvre, ne jure plus ! Tu n'es pas né assez haut pour ça.

Cette rencontre m'avait quelque peu revivifié de mon mortifiement, et plus encore la bonne apparence des étuves, lesquelles étaient fort belles et fort propres, le dallage lavé, un beau carreau bleu et blanc revêtant les murs jusqu'à la hauteur du chef, et ci et là, des plantes et des fleurs pour la commodité de la vue.

L'étuvière était une grande et forte garce dont les bras étaient tant gros que des cuisses, et les cuisses, quand je la vis debout, tant épaisses que tronc de chêne centenaire, les tétins si énormes que pressés par la basquine, ils lui remontaient quasi sous le nez, ce qui la contraignait à garder la tête fort en arrière ; celle-ci était molle et bouffie, l'œil n'ayant que des fentes plus étroites que meurtrières de rempart pour envisager le chaland, lequel, assise derrière une sorte de comptoir, elle épiait et guettait comme le chat, un oiseau. J'observais qu'en jasant, elle soufflait fort et par à-coups, et j'en fis incontinent la diagnostique que vivre quotidiennement dans les vapeurs des bains lui avait dérangé le rythme du cœur.

— Mon bon gentilhomme, dit-elle d'une voix tant ténue, essoufflée et petite qu'elle paraissait avoir peine à se frayer un chemin à travers sa massive et graisseuse charnure, voulez-vous estuver ou baigner ?

— Cela dépend, dis-je. Quels sont vos prix ?

— Pour soi estuver : deux sols. Pour soi baigner : quatre sols. Pour soi baigner en chambrette, séparé du commun : cinq sols. Pour une baignoire et une peignoire : deux deniers chaque.

— Une baignoire et une peignoire ? dis-je, étonné de ce parisien jargon, qu'est cela ?

— Même chose. Monsieur, nous nommons peignoire, celle que l'on met sur le corps pour le sécher après le bain et baignoire celle qu'on dispose au fond de la cuve à baigner pour défendre votre cul des aspérités du bois. Les quérez-vous ?

— Oui-da. Et la chambrette aussi.

— Mon gentilhomme, dit l'estuvière avec un petit brillement de l'œil, avec une couche la chambrette ?

— Oui-da.

— C'est un sol de plus. Y passerez-vous la nuit, mon gentilhomme ?

— Je le crois.

— Un sol encore. Quérez-vous une barbière pour vous rabattre le poil sur le corps ?

— Que oui.

— Deux sols.

— Ha ! Ma commère ! criai-je, que longue est cette addition ! Vous m'étranglez !

— Non point ! dit-elle, devenant écarlate, et sa poitrine se gonflant sous l'effet de son indignation, elle renversa d'autant la tête en arrière. Ces prix sont d'honnêtes prix fixés par le Prévôt et que vous voyez sur le mur affichés. Nous n'avons licence de leur donner du ventre que lorsque bois et charbon se raréfient à Paris. Monseigneur, faites-moi la grâce de me payer d'avance, c'est neuf sols quatre deniers.

Je me soulageai d'autant l'escarcelle et l'estuvière appelant à tue-tête « Babeau ! Babeau ! » de sa grêle petite voix, une chambrière apparut, brune et court vêtue, les pieds nus et les bras aussi, lesquels étaient si plaisamment rouges et ronds qu'ils vous donnaient appétit d'y mordre. Ha ! pensai-je, voilà une garce des villages, et que ces villages soient des alentours de Paris, peu importe, elle me ramentoit en sa robuste femmelleté la Cathau de Cabusse ou la Jacotte de Coulondre.

L'estuvière, prenant à une pile sur le comptoir deux linges fort épais, les tendit à Babeau qui s'en saisit et les pressant contre son tétin comme elle eût fait d'un amant, me fit au-dessus d'eux une rapide œillade et me disant qu'elle me précédait, marcha si vivement au-devant de moi que j'avais peine à la suivre, fort marri qu'elle abrégeât par sa vivacité cette poursuite-là, trouvant à l'accoutumée une fort grande commodité à envisager une jolie mignote tandis qu'elle trotte devant moi.

Babeau me descendit en un sous-sol et m'ouvrit une chambrette dont la fenêtre, aspée de barreaux, donnait à ras d'un petit jardin. La chambriscule était fort propre à la vérité, la couche elle aussi proprette et large assez, et la cuve à baigner d'une forme qui m'étonna, n'étant point un baquet, mais une sorte de petit bateau en bois, sauf que l'eau était dedans et non dehors, et celle-ci chaude et fumante. Ayant posé la peignoire sur le lit et étendu la baignoire au fond de ladite cuve, Babeau de moi s'approcha et entreprit de me déboutonner.

— Quoi, Babeau ? dis-je, tu me dévêts ? Suis-je une dame pour mériter chambrière si accorte ?

— Mon gentilhomme, dit la Babeau, c'est la coutume de dévêtir le chaland, et d'autant que je dois aussi, vous voyant nu en votre natureté, observer si vous n'avez point bubon de peste, charbon, bouton, ou chancre au guilleri.

— Voilà qui va bien, dis-je. Je trouve cette règle vôtre fort bonne, étant médecin.

— Quoi ? dit-elle, n'êtes-vous point homme noble ?

— Je le suis et de surcroît, docteur médecin.

— Ha, Monseigneur, dit-elle, rougissant en sa jolie vergogne, pour ce que vous êtes médecin, vous dirai-je ce qui me point ?

— Dis-le-moi.

Et se haussant sur la pointe des pieds, elle me dit quelques mots à voix basse à l'oreille. A quoi je ris :

— Ce n'est rien, Babeau, dis-je. Je te dirai les herbes et où les mettre.

J'eus mille mercis pour cette promesse-là, et le déboutonnage se poursuivant alors de ses doigts féminins en suave façon, je lui dis en manière de gausserie :

— Ha ! Babeau ! Quelle imprudence ! Me déshabiller comme tu fais, c'est tout juste te prendre le bras dans la roue d'un moulin. Tout y passe tout de gob : le bras, l'épaule, le tétin, la croupière ! Et te voilà, pauvrette, saillant à l'autre bout, toute moulue et rompue !

A quoi elle rit.

— Ha ! Monsieur ! cria-t-elle, que vous êtes donc divertissant ! Mais hélas, cela ne se peut ! Mon mari est compagnon boucher, et tant jaloux et furieux qu'à toute heure du jour, il irrompt céans, son grand cotel à la main, criant : « Où est Babeau ? Si la mâtine me plante des cornes, je lui mettrai les tripes à l'air ! » Raison pourquoi, Monseigneur, dit-elle avec une révérence, tant beau et bien membré que vous soyez, je ne passerai point par la roue du moulin...

Ceci fut dit avec tant de gentillesse que je n'en fus aucunement piqué, n'ayant parlé que par badinage, et voulant voir jusqu'où iraient les tendres soins de la drolette.

Cependant, la Babeau m'ayant mis nu, m'observa fort curieusement et de fort près, ne laissant pas un pouce de peau sans l'envisager. Après quoi, elle voulut bien me déclarer aussi sain et gaillard qu'aucun fils de bonne mère en France, et me prenant par la main, m'amena jusqu'à la cuve à baigner.

— Es-tu sûre, Babeau, dis-je, balançant avant d'y entrer, que ton eau est tant propre et saine que moi ? Vient-elle de la rivière de Seine ?

— Y pensez-vous, Monsieur, cria-t-elle, la rivière de Seine ! Et pourquoi pas, pendant qu'on y est, le cloaque de la place Maubert ? Cette eau-là vient de notre puits, lequel est tous les ans curé.

Je m'immergeai, conforté par cette assurance. Ha ! lecteur ! Quel paradis d'avoir un corps quand on le baigne ! Comme l'eau claire et caressante vous le fait délicieusement sentir en toutes ses fermes et pleines parties ! Dieu sait par quelle bonne fortune, alors que les soins que nous prenons de notre carcasse demandent par ailleurs tant de labour et de peine — comme de nous abstenir du trop boire ou du trop manger —, celui-là nous vient tout à l'aise, si plaisant et si commode que le laver est tout ensemble un devoir et une volupté. Ha ! certes ! Je ne puis souffrir ces sottards qui inventent un devoir inverse en leur embrumée cervelle, vont répétant qu'un gentilhomme se doit d'avoir l'aisselle un peu surette et les pieds fumants. Havre de grâce ! Faut-il puer pour avoir le droit d'être noble ? Et quelle gloire est celle-là dont une princesse du sang se paonnait, se vantant de ne s'être pas décrassé les mains de huit jours ? Et que penser de cette duchesse dont on disait à la Cour en se gaussant que si on lui voyait les ongles noirs, c'était qu'elle était accoutumée à se gratter le corps. Sanguienne! A ces très hautes et puissantes dames qui pulvérisent leur peau encroûtée de tous les parfums du monde, je préfère mille fois la rustique Babeau, ses beaux bras rouges et son robuste corps lavé d'eau claire, luisant comme un écu tout neuf. J'ai ouï dire qu'un prêtre papiste, en chaire, dénonçant l'immoralité des étuves et requérant leur suppression, louait saint Benoît Labre de sa crasse, de sa vermine, de l'odeur infecte qu'il exhalait, laquelle était si nauséeuse qu'elle faisait raquer les mendiants les plus sales. Dieu bon! L'homme peut-il tomber plus bas en son inhumaine folie? Faut-il empester pour être un saint? N'y a-t-il point de salut hors l'ordure?

Après m'avoir laissé un temps folâtrer et dilater dans la chaleur de l'onde, la Babeau me requit de me lever, et me savonna exactement toutes les parties du corps sans en excepter aucune, ce qui me fut, comme bien on pense, de vif et grand plaisir et d'autant que cette suave onction me ramentevait ma bonne Barberine quand, à Mespech, elle récurait en un baquet, de ses fortes et douces mains, mes enfances impubères. Et combien plus délicieux ce savonnage-là en mon âge viril, Babeau, que ce fût la courtoise coutume de son état, ou qu'elle fût sans détour en sa rusticité, ne laissant pas de louer bien haut les objets de son nettoiement, ajoutant aux mignonneries de sa dextre les caresses du verbe. « Ha Monsieur, disait-elle, quelles fortes épaules! Et quel profond poitrail! Que musculeux vos bras et que longues vos jambes! Que bien fournies, vos toisons, et du blond le plus beau! N'est-ce pas pitié d'avoir à rabattre ce poil pour complaire à nos raffinées! Où sont l'usance et le profit de faire de l'homme une femme, et bien vainement, car dans trois jours, vous serez plus piquant qu'hérisson dans le lit, alors que de présent votre poil est tant doux et laineux que brebis ! » Ce disant, elle me passait dessus, qui cy, qui là, sa main ensavonnée.

Si plaisant que fût ce moment, il le fallut bien finir, et la Babeau m'ayant rincé, me requit de saillir de la cuve et m'enveloppant de la peignoire — laquelle me tombait jusqu'aux orteils tant longue elle était — me frotta à l'arrache-peau.

— Mon gentilhomme, dit-elle tandis que sur la couche je m'étendais à l'aise, dispos et étirant mes membres, je m'ensauve et vous envoie la barbière d'estuves. Elle est fort dextre : vous en serez content.

— Babeau, dis-je, prends-toi un sol en mon escarcelle.

— Un sol, Monsieur ! C'est prou !

— C'est peu pour ta gentillesse. Prends, Babeau !

— Ha ! Monsieur ! Avez-vous tant fiance en moi que de me laisser fouiller vos pécunes ?

— Que oui !

— Monsieur, tous mes mercis ! Penserez-vous à mes herbes ?

— La fois proche. Tant promis, tant tenu.

— Ha ! Mon gentilhomme ! Que je vous aurai une douce dent ! Oserais-je vous baiser adieu ?

— De tout cœur.

Et la bravette garce, avant que de me quitter, me claqua sur la joue un franc et sonore poutoune, mais vivement et le pied déjà sur le recul, comme si elle eût craint que mes bras se refermassent sur elle. Je n'y pensai point, ou pour dire tout à plein le vrai, quand j'y pensai, la porte était déjà sur elle claquée et close.

Je cuidais que la barbière d'estuves devait être une vieillotte ou, comme nous disons en oc, une ménine, et celle-là flétrie et dure et rechignée. Et, lecteur, que charmé je fus de voir entrer en ma chambriscule, avec son petit attirail, une fort jeune blondelette qui, me faisant dès l'abord un gentil souris, me dit s'appeler Babette.

— Quoi! dis-je, Babette après Babeau? Qu'est cela? L'a-t-on fait exprès?

— Non point, dit-elle, c'est mon nom, et c'est le sien aussi. Et encore que Babeau soit joli, je tiens Babette pour plus mignard.

Sur quoi, elle rit, étant fort rieuse de sa complexion, comme je le vis quand elle se mit à l'ouvrage, car elle ne cessa de jaser et de s'ébaudir tout le temps qu'elle me faucha mon pré, usant d'abord de ses ciseaux pour me dégrossir et d'un rasoir bien affûté pour me rendre ras et lisse comme joue de chanoine. Non que j'aimasse cette tonte autant que le savonnage, mais s'il y fallait passer pour plaire à la baronne, autant que ce fût par cette mignote-là — laquelle, quand il fallut que sa lame tranchante contournât mon plus viril ornement, le saisit à pleine main senestre sans gêne ni vergogne aucune, me laissant dans le doute si c'était là de sa part subtile ribauderie ou candide simplesse en l'exercice de son état. Toutefois, comme je ne laissais pas de me dégourdir en raison de son empoignade, laquelle mêlait la douceur à la fermeté, elle dit en se gaussant :

— Monsieur, si cela continue, je m'en vais le lâcher. Il tiendra bien debout sans mon aide.

— Garde-t'en bien, Babette, dis-je, la voix quelque peu étouffée. S'il n'est soutenu, il pourrait retomber sur le tranchant de ton cotel.

A quoi, elle rit derechef, mais sans pour autant perdre un seul coup de rasoir, tant vive elle était, et tant émerveillable, sa dextérité. Cependant, ces alentours que je dis étant redevenus aussi lisses que dans mes maillots et enfances, elle ne laissa pas, pour tondre plus outre, que de lâcher la prise, tant est que je lui dis, plus marri que badin :

— Ha! Babette, il ne fallait pas commencer si tu ne devais point finir.

— Finir? dit-elle, l'œil tout soudain fort sérieux. Monsieur, appétez-vous à plus qu'on ne vous peut bailler?

— Et pourquoi diantre, dis-je assez fâché, ne peut-on plus outre?

— Pour ce que je suis fille, dit-elle en battant du cil.

— Hé! je le vois bien que tu es fille, dis-je, non sans humeur.

— Monsieur, vous ne m'entendez point. Pucelle je suis, et pucelle me veux, ayant fait serment à la benoîte Vierge de demeurer en cet état jusqu'à mes noces.

— Ha! Babette! dis-je au bout d'un instant, je te crois. Mais n'est-ce pas un étrange métier pour pucelette que d'être barbière d'estuves?

— J'ai appris cet état de mon père, dit la Babette, pour ce que mon père n'avait point de fils, et comme par aventure il a perdu maintenant l'usance de son bras, il me le faut bien nourrir ce jour d'hui, et ma mère, et moi-même.

— Mais Babette, dis-je, tandis qu'elle raclait ma cuisse senestre, n'es-tu pas exposée, chaque jour que Dieu fait, à la licence et la brutalité des chalands? Surtout quand tu laboures comme en ce soir, seulette en une chambre? N'ont-ils jamais attenté de te forcer?

— L'oseraient-ils, dit Babette, quand j'ai ceci en main? Et le manie si dextrement?

Et la blondelette, sourcillant et sa pupille bleue jetant des flammes, leva haut son rasoir, m'envisageant, ce faisant, d'œil à œil. Cependant, ce qu'elle lut dans le mien l'apaisa tout de gob, et me souriant à nouveau, en sa simplette guise, elle se remit à l'ouvrage et l'acheva, sans souffle reprendre, en un tournemain.

A elle aussi je baillai un sol, déçu que j'étais en ma tant faible chair, mais dans le même temps m'émerveillant de sa vaillance et de sa fermeté.

— Ha! Monsieur! dit-elle, la merci Dieu et à vous, vous le prenez bien! A l'accoutumée, je n'ai au départir qu'injures et déprisement pour prix de mes refus.

Et elle me donna, elle aussi, un petit poutoune à la joue qui m'émut le cœur, et le cœur seul. Quel étrange animal que l'homme! Et qu'il est double, toujours, en toutes les encontres de la vie, le corps tirant à hue, et l'âme à dia!

Cependant, pour ne rien te celer, lecteur (comme j'en ai fait l'audacieuse gageure en ces mémoires), je n'étais point tout à plein en repos sur ma couche après ces deux rencontres-là, me trouvant, de Babeau à Babette, comme un esteuf que deux raquettes se fussent renvoyé sans fin à la volée; et d'autant que le repoussis d'une garce, s'il est fait à la douceur, me désarme, sans laisser pour autant que me désespérer, pour ce qu'il me donne, au surplus, le regret de la gentillesse qu'elle m'eût montrée si elle avait consenti à mon appétit.

J'en étais là de ce pensement et, en outre, fort incertain si Mme des Tourelles, le lendemain, ne me repousserait pas aussi, à la seule outrageante vue de mon pourpoint reprisé (auquel cas, par surcroît d'irrision, je lui aurais fait en vain le sacrifice de mes toisons), quand on toqua à mon huis, et l'estuvière entra, la tête fort haute, comme j'ai dit, du fait de ses tétins rebéqués, et la prunelle luisante en les fentes de ses paupières.

— Mon gentilhomme, me dit d'une voix aigrelette cette montagne de femme, qui me parut d'autant énorme qu'elle me dominait de plus haut, pour ce que j'étais étendu et elle debout à mon chevet, quérez-vous à manger?

— Oui-da, dis-je, un rôt et un flacon.

— Nous sommes sans rôt ce jour. Deux œufs et un brin de jambon vous agréeraient ?

— A merveille.

Cependant, encore que tout eût été dit, elle ne s'ensauvait pas, mais restait plantée là, sa bedondaine et ses tétins me surplombant comme falaise sur mer.

— Monseigneur, reprit-elle après s'être un temps accoisée, quérez-vous cette nuit de la compagnie ?

— De la compagnie ? Pour quoi faire ? dis-je étonné et dans ma béance, je m'assis sur mon séant.

— Pour ce que vous savez.

Parole qui me donna furieusement à penser. Ha ! me dis-je, Babeau et Babette, vous avez jasé ! Et savoir quel rôle on fait jouer céans à votre fraîche et irréfragable vertu ? Etes-vous, à votre insu, les boute-en-train de ce haras ? N'excitez-vous pas en votre simplesse l'appétit des chalands que pour qu'il soit satisfait par d'autres, au plus grand profit de l'estuvière ?

— Ma commère, dis-je en fermant mes pétales, mais à demi, j'incline peu, étant médecin, aux vénales amours.

— Hé ! Monsieur ! dit l'estuvière, comme indignée, qu'ois-je de votre bouche ? Fi donc ! Nous ne sommes point céans au bordeau ! Mais ès les plus vieilles et renommées étuves de Paris ! Nous n'y tenons point boutique de putains et ribaudes !

— Ma commère, dis-je, point d'offense.

— Aussi n'en prends-je, dit l'estuvière avec dignité. La compagnie dont je vous parle est celle d'une honnête garce qui laboure le jour de son état, et la nuit orne de sa présence le repos des gentilshommes que je lui recommande.

— Ma commère, dis-je, que cela est bien dit ! Et pour moi, combien m'en coûtera-t-il de cet ornement-là ?

— Trois sols pour elle, et trois pour moi.

— Voilà qui me paraît fort équitablement réparti, dis-je avec un sourire bien plus raisin que figue. Et dis-moi, comment est cette honnête garce ?

— Vive, brune, frisquette. Peu d'appas, mais ceux qu'elle a, toujours en mouvement.

— Peux-je la voir, ma commère, avant que de dire tope ?

— Assurément. Je ne vends pas chat en poche.

Mais jamais chat, en poche ou non, n'eut moustaches plus hérissées que moi, ni plus flairant les pièges tandis que j'attendais, craignant qu'on ne me déguisât en honnête garce « une ribaude des rues ». De reste, rêveux et sommeilleux, je n'avais point tant appétit de présent à folâtrer qu'à gloutir et dormir, étant las de ce long jour qui ne m'avait apporté que déboires.

Enfin on toqua à l'huis, et la première entra cette masse de graisse derrière laquelle, étant si large et haute, je ne vis point d'abord celle qu'on m'amenait. Mais l'estuvière se détournant pour la prendre par la main, je l'envisageai tout à plein et n'en croyant pas mes yeux, je me levai d'un bond, et dis à l'estuvière d'une voix précipiteuse :

— Tope ! Commère, laisse-nous !

— Monseigneur ! Il faut payer d'avance.

— Voici tes trois sols ! dis-je, fouillant dans mon escarcelle. Sanguienne ! Laisse-nous !

N'entendant rien à cette manière abrupte et quelque peu effrayée aussi de mon ton, elle s'ensauva et je courus jusqu'à l'huis le verrouiller derrière elle, puis revenant lentement vers la garce, laquelle, la face dans les mains, pleurait à chaudes et amères larmes, je lui dis avec reproche mais doucement assez :

— Alizon ! Qu'est cela ? Tu vends ton devant ès étuves ? Cependant, elle ne répondait miette, collant ses deux mains à sa face. Et les épaules en délire secouées, tremblante du chef à l'orteil, elle sanglotait son âme.

— Ha! Alizon! dis-je, attendant de la saisir aux poignets pour l'envisager œil à œil, qu'est cela? Qu'est cela? Es-tu tournée ribaude?

— Ribaude, Monsieur! cria-t-elle arrachant ses poignets de mes mains et me montrant son pleurant visage, de chagrin et courroux chaffourré, m'osez-vous bien appeler ribaude! Ne m'avez-vous point vu labourer chez le chiche-face Recroche de l'aube à la nuit, et de la nuit à l'aube? N'ayant dormi ces deux derniers jours que trois petites heures en tout sur le carreau de l'atelier, pendant que mon pleure-pain de maître faisait antichambre chez la Baronne? Ha! Monsieur! reprit-elle d'une voix vibrante et coléreuse, est-ce à faire la putain que mon pauvre dos est courbatu et navré? Mes pauvres yeux, rougis et mes doigts, plus piqués d'aiguilles que face de pendu par corbeaux? Et cuidez-vous qu'une putain cramante soit comme je le suis tant tuée de sommeil?

— Alizon, remets-toi, dis-je, ému de son ton et de ses entrecoupés propos. Prends place, là, sur cette escabelle. Sèche tes grosses larmes. Pardonne le mot ribaude s'il t'offense. Mais toi, une tant honnête et labourante garce! Céans! Es étuves! Vendant ton corps pour trois sols!

Et lui prenant le bras, je tâchai de la faire asseoir, mais derechef j'y faillis, car s'arrachant à ma main, elle se recula, l'œil encore fort courroucé, quoique toujours dans les larmes noyé.

— Et en quoi, cria-t-elle tout soudain, me laissant tout étonné par la soudaineté de sa griffe, en quoi avez-vous plus de justifiement à m'acheter que moi, à me vendre!

Pour le coup, j'eus le bec gelé, et m'accoisant non sans vergogne (pour ce que mon huguenote cons-

298

cience, me poignant à la chaude, me disait qu'elle avait raison) je l'envisageai sans piper.

— Ha! reprit-elle en s'asseyant enfin, je me vendrais à moins! Je me vendrais pour une nuit de sommeil, si je n'avais besoin de ces trois sols pour élever mon enfantelet.

— Ton enfantelet! dis-je béant. Je te croyais fille, Alizon.

— Mais, je le suis, dit-elle. Le galant qui m'a engrossée m'avait juré mariage. Mais à peine vit-il l'enflure de mon ventre que le traître s'est au Diable de Vauvert ensauvé, me laissant sans un seul sol vaillant pour payer nourrice!

— Une nourrice! dis-je, t'en faut-il une à force forcée?

— L'étrange question! cria Alizon, tout à la vinaigre. Peux-je coudre, un enfant dans les bras?

— Mais n'as-tu point mère, sœur ou tante?

— Point, dit Alizon, les lèvres serrées. Je suis seule. La peste a tout raclé.

— Ha! Alizon! dis-je en m'asseyant sur le lit face à son escabelle et en lui prenant la main. Quel prédicament est le tien! T'entends-je bien? Le salaire de Recroche ne suffit point à ton pain quotidien et à payer la nourrice : raison pour quoi tu viens céans.

— Et quelle autre? cria Alizon en m'arrachant sa main derechef et en m'envisageant tout soudain, sourcillante et rancuneuse, son œil tout flambant de son ire. Cuidez-vous peut-être que j'aime les hommes? Vous êtes-vous apensé que je souffre d'un cœur allègre ces pourceaux qui ont des pécunes assez pour m'acheter une de mes nuits et me font labourer dans leur lit comme chienne lubrique alors que je n'ai, moi, qu'appétit à dormir?

J'envisageai Alizon sans piper, toute rebéquée et redressée, son petit œil noir brillant, son cou menu, sa guêpeuse taille, petite mouche d'enfer se débattant vaillamment dans les toiles de la male fortune, et fort piquante aussi, car elle était de gueule bien fendue, jouant vite et bien du plat de la langue, le parler parisien pointu et précipiteux, les mots partant comme coups de griffe. Sanguienne! Ces pourceaux dont j'étais me restaient sur le cœur! Et me levant, j'allais à mon escarcelle, et y prenant pécunes, je revins à elle et lui dis sans aigreur, mais l'œil quelque peu froidureux :

— Alizon, je suis un homme, non un pourceau, prends ces trois sols et va-t'en dormir chez toi tout ton saoul.

Mais à ces paroles son ire redoubla, et se levant de son escabelle, pâle en sa furie, les narines pincées, plus crachante que chat sur braise, elle cria :

— Qu'ois-je? Vous me feriez la charité! Suis-je mendiante aux porches de l'église? Vous ai-je aumône quémandée? Suis-je tombée si bas? Monsieur, dit-elle, en m'ouvrant la main et en y prenant les trois sols, qu'incontinent elle fourra en une poche de son cotillon, rien ne vous donne et rien non plus n'accepte de vous! Tant payé, tant tenu! Mon corps est à vous pour la nuit!

Et incontinent, sans jaser plus outre, ni m'envisager, l'œil à terre et les lèvres serrées, elle se dévêtit tout à plein. J'osais à peine la regarder tant en ma vergogne je me sentais à moi-même odieux, jouant un rollet qui me repoussait fort, et ne sachant pourtant que faire pour m'en tirer.

Dieu bon! Que faire, en effet, en ce prédicament? La rhabiller de force forcée? Quérir l'estuvière? Mais qu'y pourrait entendre cette grosse ribaude sinon qu'Alizon avait failli à accommoder le chaland, ce qui l'eût fait chasser peut-être? Ne sachant quoi résoudre, je tournai le dos à ma pauvre petite guêpe et tirai jusqu'au fenestrou aspé de fer qui donnait à ras le jardin. Il n'était pas clos et par là venait un petit air frais en cet août étouffant, lequel je respirai avec avidité, le pensement en grande confusion, mais inclinant à la tristesse et au déprisement de soi.

Je me retournai enfin et j'envisageai Alizon nue en sa natureté, et non sans honte, puisque ce droit, je l'avais acheté pour trois sols. Elle était tant mince que je l'avais imaginée, mais en même temps plus ronde que je ne l'eusse cru, et fort frémissante encore de son courroux, l'œil à terre, la lèvre de ses propres dents mordue, toutefois, vive et frisquette à me donner de l'appétit si le cœur — le sien — avait été de la partie. Mais sans dire mot ni miette, sans m'envisager davantage que si j'avais été table ou escabelle, Alizon s'étendit sur la couche, l'œil clos, roide et froide à vous geler. Sanguienne ! Que j'étais las tout soudain, et de cette longue journée et de ma traverse avec Alizon !

Ainsi dans la maussaderie et la mauvaise conscience, j'allai m'étendre auprès d'elle sans piper et sans la toucher, fût-ce du bout des doigts. N'est-ce pas inique, pour peu qu'on y réfléchisse un petit, d'acheter un corps au rebours de la volonté d'une âme ? Et pourtant, avec quelle légèreté j'en eusse pris mon parti, si l'honnête garce dont l'estuvière m'avait hameçonné n'avait pas été Alizon ! Je vis bien que la pauvrette m'avait en sa fierté navrée, pris tant à rebrousse-poil qu'elle allait demeurer plus morte que souche à mon flanc, l'œil clos et la bouche cousue, tant est que, ne voulant rien faire, et ne sachant que dire, j'eusse été souche moi-même, si je ne m'étais avisé de lui demander si son enfantelet était garce ou garçon et quel âge il avait. Cette question, à ce que je vis, décloua le cercueil et la morte sortit du tombeau.

— C'est un garçon, dit-elle avec vivacité (tout épuisée et tuée de sommeil qu'elle était l'instant d'avant), beau et bien membré, et qui va sur ses un an.

— Et le vois-tu souvent, Alizon ?

— La merci Dieu, tous les jours que Dieu fait, la nourrice logeant dans la rue où j'ai moi-même ma chambrette. Et quelle liesse est la mienne de le voir téter la bonne garce, à s'teure lui mignardant le tétin, à s'teure lui prenant le cheveu, et tout à son suçotement, lui jetant, et à moi aussi, de ses yeux si gracieux, mille petits ris et œillades.

— Parle-t-il ?

— Comme un ange de Dieu ! Benoîte Vierge, comme il bégaye de bonne grâce ! Double les mots ou les contrefait à sa fantaisie que c'est à rire d'aise que de l'ouïr gazouiller de sa gentille voix, faisant entendre ce qu'il ne peut dire par des gestes et des signes de ses petits doigts. Ha ! Monsieur ! Tant il est de mon cœur proche, que je l'aime aussi quand il est dépiteux et fâché, se verse de soi à terre, rue des coups de pied, fait sa petite lippe, pleure et huche à gorge déployée, et le tout pour une noix qu'il a perdue ou semblable chosette. N'est-ce pas émerveillable ?

On toqua à l'huis et Babeau, tirant à moi, m'apporta mon dîner qu'Alizon, me parlant toujours de son petit Henriot, accepta sans garde prendre et comme à l'étourdie, de partager. Mais, à la vérité, jamais part ne fut plus promptement dépêchée, tant stridente paraissait sa faim.

Cependant, le repas glouti, elle s'accoisa derechef et s'en alla de nouveau s'étendre sur le lit, aussi roide et froide que devant, l'œil clos et les mains sur sa poitrine croisées comme celles d'un gisant de marbre sur un tombeau. Cependant, je vis bien au pli plus doux de sa lèvre que je l'avais apazimée en lui parlant de son enfantelet et qu'elle mettait de présent quelque application à conserver sa pierreuse apparence.

Tant est que m'allongeant le long de cette statue, je

pris cette fois sa gentille tête brune en bouclettes frisottée sur mon épaule, mon bras sous son col passé. Quoi fait, je ne bougeai ni ne parlai pendant un tant long moment qu'à la fin elle me dit d'une petite voix sommeilleuse :

— Monsieur, qu'attendez-vous ?

— Paix là, Alizon ! dis-je, prenant un ton sévère qui certes n'allait pas avec mon sentiment. N'ouvre pas le bec, je te prie, je suis dans mes méditations.

— C'est que, Monsieur, dit-elle d'une petite voix déjà fort embrumée, si vous tardez davantage, tuée que je suis de fatigue, je m'en vais m'acagnarder dans un sommeil dont un coup de canon ne me tirerait point.

— Paix ! dis-je. Paix, Alizon ! Ne me trouble pas davantage !

Sur ce commandement elle s'accoisa, et tandis qu'elle s'endormait quasi dans la minute, sa tête qui ne pesait guère plus lourd qu'un oiseau sur mon épaule roula dans le creux de mon cou et s'y logea avec tant de puérile fiance en cette abandonnée posture que j'en fus tout ému. Ha ! Certes ! Je n'étais pas impiteux à son malheur, moi qui me croyais pauvre comme Job, pour ce que je n'avais pas les écus qu'il fallait pour me parer d'un pourpoint de cour et qui pourtant avais dépensé, en cette seule nuit ès étuves, le salaire que l'infortunée mignote gagnait chez Recroche pendant cinq interminables jours. Que cruelle est la vie pour ces pauvres garces qui, en plus des maux que souffrent les hommes de leur condition, pâtissent au surcroît d'une enflure de ventre qu'elles ne désirent point, fruit tant mal accueilli hors mariage qu'on les montre du doigt si elles le gardent, et qu'on les pend tant et court si, comme ma pauvre Fontanette, elles tâchent de s'en défaire.

De m'être ramentu ma pauvre Fontanette m'ayant serré le cœur et mis les larmes au bord des cils, j'envisageai Alizon avec un plus intime et familier émeuvement, comme si les deux garces n'avaient été que les deux tristes faces d'une même fortune, l'une vendant son devant ès étuves pour nourrir son pitchoune, et l'autre pendue pour l'avoir occis sur le commandement du misérable qui le lui avait fait. Havre de grâce! Quel profond sommeil elle dormait en sa brune et suave nudité, tout abandonnée contre mon flanc, les épines et les pointures de sa tant dure vie oubliées pour la durée de la miséricordieuse nuit, mais non point la grande amour qu'elle portait à son petit Henriot, si j'en cuidais le demi-souris qui, d'avoir tant parlé de lui, demeurait dans le pli de sa tendre lèvre.

Sur ce dernier pensement, étant moi-même fort las de ce long jour, où j'avais tant vu et vécu, je me sentis glisser dans le sommeil comme dans l'eau chaude d'un bain, quelque peu me gaussant de moi-même, mais sans aigreur, et fort étonné d'être tant content, pour une fois, d'être chaste, et d'avoir payé six sols pour le demeurer.

CHAPITRE VI

Ha! L'étrange réveil que j'eus le lendemain en la chambrette où je m'étais la veille au soir si continemment endormi aux côtés d'Alizon.

D'Alizon, justement, point la plus petite trace ne vis-je, tandis que je battais du cil, attentant d'éclaircir mon regard embrumé; et de sa vêture, pas la moindre non plus, ma gentille mouche d'enfer, à l'aube, ayant dû s'envoler pour gagner l'atelier de Maître Recroche et y labourer tout le jour. Cependant, je n'étais point seul et mon œil enfin clair, je vis dans cette même pièce où j'étais, me tournant le dos, et regardant par le fenestrou en ras de jardin, un quidam vêtu de noir, à qui sa minceur et sa haute taille donnaient une fort élégante tournure, et qui se tenait là, gracieusement déhanché, la main senestre posée sur sa taille, et debout sur un pied comme un héron. N'en croyant pas mes yeux, et de mes doigts me testonnant le cheveu, je me dressai sur mon séant et j'allais interpeller le gautier et quérir de lui, sourcillant, ce qu'il faisait céans, quand, au mouvement que je fis, il se retourna; et béant, je reconnus Fogacer.

— Sanguienne, Fogacer! criai-je, me levant et courant, nu que j'étais, lui donner une forte brassée. C'est magie! Comment diantre me trouvâtes-vous?

Il fut quelque temps avant que de me répondre, me rendant mes baisers avec tant d'embarras (se ramentevant sans doute ses folies en le carnaval de Montpellier) que je ne laissai pas que d'en être en mon for diverti, et le lâchant enfin (pour ce que je le serrais très fort, ayant tant de liesse à le revoir) je commençai incontinent à me vêtir.

— Eh bien, dit Fogacer, reprenant souffle, et se remettant par degrés de mes assauts, je connais un fort joli clerc, en Notre-Dame de Paris, lequel a plus à se glorifier dans la chair que n'importe quel ange du ciel...

Quoi disant, il sourit sinueusement et arqua son sourcil diabolique sur son œil noisette.

— Sauf, dis-je, que les anges, eux, n'ont pas de sexe. Mais poursuivez, Fogacer, cet ange ne vole-t-il pas contre pécunes jusques en haut des tours de Notre-Dame pour montrer Paris aux curieux?

— Celui-là même, Siorac. Aymotin, pour le nommer, m'a dit le quoi, le qu'est-ce et le logis.

— Et du logis, qui vous a conduit céans?

— Miroul. Il vous a suivi hier en tapinois pour pourvoir à votre sûreté, le soir tombant déjà, et apprenant de l'estuvière que vous passiez la nuit, rassuré, il s'est allé coucher. Je l'ai vu ce matin chez Recroche.

— C'est lui, l'ange, dis-je tout ému des soins que mon gentil valet avait pris de ma vie.

— Mais, cet ange-là vous garde mal en votre faible chair, dit Fogacer, écartant ses bras arachnéens (et l'air de se gausser, et de lui-même, et de moi), car si j'en cuide ce qu'on m'a dit, vous ne dormîtes pas seul. Ha! Siorac! Es étuves! Est-ce prudent? Ignorez-vous que la maladie de Naples et les garces d'étuves ont entre elles une naturelle affinité?

— Fogacer, dis-je en souriant d'un seul côté de la face, le ciel m'est témoin que je sors de ces étuves tant sain que j'y suis entré.

— Le ciel vous entende! dit Fogacer qui ne croyait ni à Dieu ni à Diable comme peut-être le lecteur se ramentoit.

On toqua et la blondelette Babette entra.

— Mon gentilhomme, dit-elle, la laitière vient que de passer. Quérez-vous, et votre ami aussi, une bolée de lait, du bon pain blanc de Paris et du beurre frais de nos villages?

— Sanguienne, Babette! dis-je, plus un mot. La salive m'en coule en bouche. Fogacer, une bolée de lait?

— De grand cœur, mais bouillu, dit Fogacer.

Et tandis que la blondelette vivement s'ensauvait, elle ne laissa pas que d'être suivie en sa retraite par deux paires d'yeux, la première appétante, et la seconde, froidureuse.

— Est-ce là, dit Fogacer avec un déprisement infini, une de ces ribaudes d'étuves?

— Nenni! dis-je. Elle est pucelle pucelante et de soi toute verrouillée pour son mari futur. Fogacer, peu vous y connaissez. Dans le grand livre de la Nature, vous avez sauté les pages féminines.

— Bien m'en a pris, dit Fogacer. Si en mes appétits je ne penchais où vous savez, je n'eusse pas dû fuir Montpellier en grand danger d'être brûlé. Si je n'avais pas fui, je ne me serais pas réfugié en cette Paris que voilà et je ne serais pas ce jour d'hui, aide et assistant du Révérend docteur Miron, médecin de Son Altesse Royale, le Duc d'Anjou.

— Quoi! criai-je. Fogacer, c'est merveille! Etes-vous jà monté si haut en Paris? On dit grand bien de l'illustre Miron.

— Et on dit mal. C'est un âne enjuponné. Et un chiche-face à frémir. C'est à peine si de ses festins d'écus, je ramasse quelques miettes.

Sur quoi, il rit à gueule bec, arquant son satanique sourcil.

— Par surcroît, reprit-il, je peine fort à celer à Miron que j'en sais plus que lui, car à la vérité, s'il en avait conscience, et s'il était humble assez, il me pourrait dire ce que saint Augustin dit au Seigneur : *Scientia nostra, scientiae tuae comparata, ignorantia est* [1].

— Ha! Fogacer! dis-je, n'êtes-vous point là quelque peu outrecuidé ?

— Point du tout. Je suis humble à vergogner une nonne. Des soixante-deux médecins, Siorac, qui en cette Paris exercent leurs meurtriers talents, il n'en est pas plus de cinq ou six, dont je suis, qui savent qu'ils ne savent rien. Les autres, Miron compris, ne sont que saltarins qui charlatanent en fraude et friperie, tromperie et fallace et qui, se paonnant de leur mauvais latin, déifient leurs méchantes drogues, comme moines, leurs reliques de saints.

— Ha! Fogacer! dis-je, pour le coup, vous vous déprisez trop. Vous n'êtes point, comme vous dites, ignorant, ayant disséqué et labouré si diligemment en vos longues années d'études en Montpellier.

— J'ânonne, dit Fogacer, j'ânonne là où il faudrait lire. Que sais-je de la géographie du corps humain ? Que savez-vous, Siorac ?

— L'ABC.

— Et qui vous l'a appris ?

— Servet, Vésale, Ambroise Paré.

— Servet, reprit Fogacer avec son long et sardonique sourire, a été brûlé par votre Calvin à Genève. Vésale, condamné à mort par l'Inquisition de Sa Majesté très catholique. Et Ambroise Paré, le seul qui soit vif encore, est honni et déprisé par les professeurs de l'Ecole de Médecine de Paris pour ce qu'il est chirurgien et non pas docteur en leur bavarde et ancienne médecine, qui n'est que viande creuse, superstition inane, tradition éculée...

---

1. Notre science, comparée à la tienne, n'est qu'ignorance.

Sur quoi, la blondelette Babette entra, portant un plateau fumant devant ses ronds tétins.

— Voici du moins, dis-je en riant, des viandes plus substantifiques. Mangez, Fogacer, mangez! *Vita brevis est* [1]! et l'art en ce temps si bref est si long à apprendre.

Et combien qu'à tous deux la médecine nous parût s'enliser, de présent, dans les disputations verbales et scolastiques, nous gloutîmes fort allégrement cette saine chère, Fogacer me contant le quoi et le qu'est-ce de sa précipiteuse fuite de Montpellier, récit que je ne veux répéter céans, craignant que s'en offensent les délicates dames qui me lisent, et d'autant que leur suave sexe ne fut point présent en ces aventures. Pour moi, lorsqu'il eut fini, je contai à Fogacer l'histoire de mon duel avec Fontenac, les iniques poursuites dont j'étais l'objet, et la quête où j'étais de la grâce du roi et de mon Angelina.

— Et qu'opinez-vous, dit Fogacer, de cette grande Paris où vous voilà jeté?

— Ses beautés sont innombrables; son ordure, infinie.

— Ha! dit Fogacer en se levant avec un rire, et en étirant ses longs bras qui parurent tout soudain emplir la chambriscule, toujours aussi vif de la langue, à ce que je vois, Siorac. On vit mieux ailleurs, assurément. Mais à Paris, on encontre tant de talents, tant de merveilleuses diversités dans les complexions et les déportements, tant de richesses, tant d'art aussi. Avez-vous vu les nymphes que Jean Goujon a façonnées pour la fontaine des Innocents?

— Point encore.

— Ha! Siorac! Vous qui êtes tant raffolé du corps de la femme, courez les voir! Vous en serez content. Moi-même qui ne vois là que de beaux mouvements arrêtés dans la pierre, j'en suis ému.

1. La vie est brève.

Et m'envisageant de son œil noisette, tant aigu et futé sous son sourcil arqué, il gloussa, puis posant le pied sur son escabelle et pliant le genou comme eût fait un maître en fait d'armes pour éprouver la souplesse de son jarret, il ajouta, la mine tout soudaine sérieuse :

— Siorac, je m'ensauve. Je suis attendu par le docte Miron au Louvre, et comme point ne veux qu'en son incrédible stupidité il me tue par ses drogues le Duc d'Anjou, *in absentia mea*, pour ce que, à dire le vrai, je suis fol de Son Altesse...

— Quoi ! dis-je béant. Vous prisez tant le Duc ? Ce monstre qui commanda à Montesquiou d'occire Condé prisonnier !

— Ha ! Huguenot ! s'écria Fogacer en riant. Vous n'allez pas pleurer ce petit brouillon de Condé ! N'avait-il pas osé prendre les armes contre son Roi ? Votre Coligny — qui vous branche un soldat qui a désobéi —, que ferait-il à l'encontre d'un féal rebelle, s'il était Roi ? Et que n'a-t-on fait, des deux parts, au temps des troubles ? Dois-je vous ramentevoir la Michelade ?

— J'y étais, hélas !

— Dans la réalité, poursuivit Fogacer avec une chaleur bien éloignée de ses coutumiers sarcasmes, Henri d'Anjou est un homme de beaucoup d'esprit ; à l'intrigue excelse ; ferme en ses projets ; souple en leur exécution et, par surcroît, bon général.

— Ho pour ça ! dis-je, c'est Tavannes qui a gagné pour lui les batailles de Jarnac et de Moncontour !

— Du moins Henri eut-il la finesse d'écouter ses éclairés avis, ce que Charles IX, tant impatient qu'infantin, n'eût sans doute pas fait.

— Sanguienne, Fogacer ! criai-je, s'il est si fort votre ami, que ne me recommandez-vous à Anjou pour la grâce que je quiers de son frère !

— Cette recommandation vous tuerait, Siorac ! Le Roi hait son frère.

— Il le hait?

— Du plus profond de la tripe. Le Roi, après Dieu n'aime rien tant que sa mère, laquelle ne l'aime point, mais aime Henri d'Anjou dont elle fut dès l'enfance raffolée. C'est elle qui a façonné à ce fils tant chéri ce grand pouvoir qu'il a dans l'Etat, et qui le fait quasi l'égal du Roi, lequel est tant jaleux, et du frère et du Duc, qu'il le supporte à peine près du trône. Il le voudrait voir à des lieues de là. Hors de France, s'il se pouvait! Marié à Elizabeth d'Angleterre, ou si la chose fault, élu du moins Roi de Pologne, à Varsovie exilé, entouré de soudards, le bec gelé par les frimas. Tudieu! Savez-vous que Charles IX laboure de toutes ses forces à éloigner Anjou du Louvre? Tant il est à la fin impatient de ce vice-royaume que la Reine-Mère lui a taillé à l'intérieur du sien. S'il osait, il daguerait de sa main ce frère tant brillant. Mais étant pieux autant que borné, il craindrait de perdre son âme à être le Caïn de cet Abel!

— Cet Abel! dis-je en souriant, ne faites-vous pas le Duc trop angélique?

— Mais ne savons-nous pas, dit Fogacer avec son sinueux sourire, qu'il y a ange et ange en cette vallée de larmes?

Havre de grâce! me pensai-je en me détournant quelque peu, sont-ce là blanches brebis du même enclos? Douces colombes du même colombier? Et beaux chiots du même chenil? Que dois-je entendre? le duc aussi? Cette subtile confrérie s'étendrait jusqu'au Louvre?

— Fogacer, dis-je, gloutissant la dernière bouchée de ce beau pain blanc de Paris que je tiens pour le meilleur du monde, vous qui êtes orfèvre en la maison du Roi, éclairez ma lanterne et ôtez-moi d'un doute: où sont la rime et la raison de ce mariage de Margot avec notre Navarre?

— La rime *ou* la raison ? dit Fogacer arquant son sourcil diabolique.

— Les deux.

— La rime, c'est de donner en cette cloche matrimoniale même son fraternel aux huguenots et papistes en les réconciliant dans un mariage princier, joignant Navarre à France.

— Et la raison ?

— Il la faudrait quérir de notre Machiavel en cotillon noir, laquelle vous appelez Jézabel. C'est elle qui voulut ce mariage et le fera contre vents et marées, contre le pape, s'il le faut.

— Et la raison ?

— D'Etat. Coligny est austère, mais vieil et mal allant. Navarre, jeune, insouciant, apparemment fol, huguenot peu zélé, courant comme cerf le cotillon. Que si Coligny meurt de sa belle mort — ou d'une mort moins belle —, Navarre devient le chef du parti réformé et le voilà caressé à la Cour par la Reine-Mère, par sa femme Margot, par les dames d'atour, otage, par surcroît, de son beau-frère le Roi ; on peut espérer qu'il se convertira et si on n'y fault point, voilà votre parti tout à plein décapité.

— Le beau calcul ! dis-je. Qu'en opinez-vous ?

— Que c'est sagesse à vue courte et nez plus bref encore. Que si Jézabel avait le nez plus long, elle eût flairé chez Navarre une finesse infinie. Et enfin que Navarre, ayant une tête, a fort besoin d'un corps et ne se coupera point de ce corps avant que sa puissance soit mieux assise en ce royaume.

— Navarre serait donc des deux le plus grand Machiavel ?

— Assurément. Navarre est profond assez pour faire le fol, désarme le Roi par son étourderie, et charme la Cour par « une cordialité qui fait croire à son cœur ». Dixit le grand paumier-esteufier Delay.

— Le connaissez-vous ?

— Je connais l'univers! dit Fogacer avec une gravité gaussante, c'est-à-dire tout ce qui entre ou sort du Louvre, du plus grand au plus petit, lequel n'est pas toujours tant petit qu'il le semble.

— Ce petit-là, c'est vous-même, je gage, dis-je en souriant, vous-même, Fogacer, qui avez l'œil tant affûté à observer vos alentours.

— Il a bien fallu, dit Fogacer en soupirant, que je croisse en ruse et en finesse, étant dès mes enfances en grand danger d'être brûlé pour n'être point semblable aux autres. Je m'ensauve, Siorac, fort marri de ne pouvoir rien faire pour la grâce que vous requérez. En revanche...

— En revanche?

Mais laissant sa phrase inachevée, il sourit son lent, sardonique et sinueux sourire, et son œil noisette fort malicieux fiché dans le mien, il me prit la dextre dans ses longues mains fines et fermes et me dit :

— Je ferai mieux, Siorac. Connaissant, comme j'ai dit, l'univers, il se pourrait que je vous aide à retrouver en cette immense Paris Angelina de Montcalm.

— Savez-vous où elle loge? criai-je, quasi soulevé de terre à ces mots.

— Je le saurai.

— Fogacer! m'écriai-je.

Mais sans plus piper, et lâchant ma dextre, il pivota comme ballerine sur ses deux pieds ailés et déjà s'en allait de son pas sautillant, long et mince en sa vêture noire.

Derrière son comptoir, immuablement trônant en sa graisseuse masse, l'estuvière, quand je lui payai ma collation matinale, quit de moi si j'étais content et du bain, et de la chambrière qui me l'avait donné et de la barbière qui m'avait tondu, et de ma compagne de nuit.

— Oui-da! dis-je, comme rat en paille!

— Adonc, vous reviendrez, dit cette montagne de femme, l'haleine tant courte qu'entre chaque mot elle soufflait.

— Assurément, ma commère.

— En ce cas, mon beau gentilhomme, dit-elle, peux-je vous supplier de ne point donner à Babeau un sol pour le boire, et à Babette autant?

— Et pourquoi donc? dis-je, béant.

— Pour ce que, dit l'estuvière, vous me les gâtez toutes deux, leur donnant pour une heure à peine de labour la demie de ce que je leur donne pour un jour entier.

— J'y réfléchirai, dis-je froidurément, et incontinent lui montrai mes talons, fort dégoûté de cette aigre chicheté.

Il faut bien avouer que la Grand'Rue Saint-Honoré, qui était mon chemin, est plus propre que bien d'autres en la capitale pour ce qu'elle compte tant de beaux hôtels de la noblesse, le Louvre étant si proche, de sorte que le pavé est net assez, et qu'on y respire un bon air, lequel, à saillir des étuves tôt le matin comme je faisais, avait je ne sais quoi de vif, de piquant et d'exhilarant que je n'ai jamais humé qu'en Paris et qui pour ainsi parler, vous donne des ailes : raison pour quoi, j'imagine, les manants et habitants de cette grande ville sont si précipiteux en leurs paroles, si vifs en leurs affaires, et si bouillants en leurs passions, étant comme grisés par l'air qu'ils insufflent en leurs poumons. Et qui plus est, alors qu'on était en août et que le midi en la capitale fut quasi tant étouffant qu'en Montpellier, le matin était d'une fraîcheur tant rebiscoulante qu'on avait envie de pépier comme un oiseau et de s'élancer dans la lumière argentée et brumeuse de la pique du jour en déployant ses plumes, rayonnant d'espérance et comme enivré d'être en vie.

Ainsi en fut-il de moi en ce matin-là, cheminant sur le pavé d'un pas tout bondissant, oublieux de mon déprisé et reprisé pourpoint lequel pourtant — torturante tunique de Nessus — m'interdisait l'accès au roi et le recours à sa grâce. Il est vrai qu'en mon pensement, depuis que Fogacer (tant bon et bénin dans les dents de ses impiétés) m'avait promis de retrouver mon Angelina, je la voyais dans mon nuage marcher à mes côtés, en ses pas et démarches tant lents et langoureux et, tournant vers moi son long cou élégant, m'envisager de ses beaux yeux de biche, dont rien jamais n'égalera pour moi la douceur pénétrante.

Cependant, je ne laissais pas de muser qui cy qui là badaudant à la parisienne, et il n'était boutique en cette grande rue (qui en compte de si belles) dont je ne léchasse le carreau, comme se dit céans, m'ébaudissant des curiosités qu'on y voyait étalées, tant et si bien qu'entrant dans une échoppe, j'y achetai un toton que je me divertis à faire tournoyer sur sa pointe en lui imprimant l'initial branle entre le pouce et l'index, jeu qui m'avait ravi en mes maillots et enfances, le pauvre Faujanet m'ayant façonné je ne sais combien de ces totons, et aussi des toupies, dont le tournoiement se perpétuait par le moyen d'un fouet. Je payai deux sols le toton, qui m'avait touché le cœur en me ramentevant le nid où j'avais mis mes plumes, ma conscience huguenote me reprochant incontinent ce débours inutile et fol (après tout le pécune dépensé ès étuves) et pour l'apazimer, je me dis que je baillerais la babiole au retour à Mespech à ma petite sœur Catherine, laquelle, à vrai dire, avait maintenant seize ans et pensait à tourner la tête des hommes plutôt que les toupies.

Comme je traversais l'atelier de Maître Recroche, Coquillon, fort affairé à ne labourer point, me sourit d'une oreille à l'autre de sa très large bouche et Baragran, me saluant civilement, me dit que mon Miroul pansait mes chevaux en l'écurie, et que mes frères, en son opinion, dormaient encore, n'ayant rien ouï remuer sur sa tête. Quant à ma petite mouche d'enfer, encore qu'elle parût fraîche et délassée après les onze heures qu'elle avait dormi en mes tant chastes bras, elle cousait, bien droite sur son escabelle, l'épaule en arrière tirée, brunette et frisquette à ravir, mais cependant, comme je passais, l'œil tout à plein baissé, ne me donnant ni mot, ni souris, ni regard et pas même un salut.

Cependant, à peine étais-je retiré en ma chambrifime, qu'on toqua à l'huis et Alizon apparut, la face fort fermée, son œil noir et rond plus brillant que boule de jais, lequel m'envisageait sans amour aucune, et l'air très rebiqué.

— Monsieur, dit-elle, une chambrière qui, à ce que je cuide, est du logis de M. le Grand Audiencier a apporté céans une lettre pour vous.

Et au bout de son bras, roidement la tendant, elle tournait déjà les talons quand de ma dextre arrêtant sa froidureuse épaule, je lui dis :

— Alizon, qu'est cela ? Me gardes-tu une dure dent ?

— Monsieur, dit-elle, l'œil tout soudain courroucé et s'arrachant à ma main, mais sans s'ensauver, m'avez-vous bien envisagée ? Suis-je laide et décrépite ? Suis-je souillon en taudis ? Ou vieillotte en grabat ? Et croyez-vous que la Baronne des Tourelles, à lui ôter ses plumes, est mieux faite que moi ?

— Nenni, Alizon, dis-je, voyant bien vers quoi ce grand courroux tirait, tu es faite au tour, jeune et lisse, propre comme un sol neuf, mince et frisquette, le tétin à croquer.

— Vous vous gaussez, Monsieur, dit-elle, son œil de jais jetant feu et flammes, je suis vieille, flétrie et je pue. Si je n'étais ainsi, auriez-vous dormi douze heures à mon côté sans prendre ce qui était à vous ?

— Mais, Alizon, criai-je, le pouvais-je après que tu m'eus fait honte de t'avoir achetée !

— Et que vous importait ce que je disais en ma colère ! Le vin était tiré ! Il vous le fallait boire ! Et ne pas m'offenser une deuxième fois en me déprisant.

— Moi, criai-je, béant, te dépriser ! Je t'ai bien à rebours respectée, en ne te voulant point échanger contre pécunes.

— Benoîte Vierge ! hucha-t-elle, hors d'elle-même, je ne veux pas de ce respect-là ! Il fait trop bon marché de mon corps, lequel, Monsieur, est plus beau, plus poli et plus suave que celui de vos titrées ribaudes.

— Alizon, dis-je, qui le sait mieux que moi, qui t'ai vue nue en ta natureté !

— L'appétit est dans le manger, point dans le voir ! cria Alizon toutes griffes dehors en sa furie, lesquelles n'osant ficher en ma face, elle enfonçait en ses paumes.

— Te pouvais-je réveiller, Alizon, toi qui dormais comme une souche !

— Souche ! cria-t-elle, chacun de mes mots redoublant son ire, suis-je une souche ! Souche aurais-je été si vous m'aviez prise ? Ho que non ! Tenez, Monsieur, voilà vos pécunes ! Je ne les veux point !

Et saisissant en la poche de son cotillon les trois sols que je lui avais la veille baillés, elle les jeta à la volée à travers la chambrette et, après ce beau coup, se croisant les bras sur la poitrine, me défiant, et de la tête aux pieds tremblante, elle m'envisageait d'un œil plein de feu. Je tirai vers la porte et m'y adossant, je dis avec assez de calme :

— Alizon, ramasse ces pécunes. Ils ne sont pas à toi, mais à ton petit Henriot.

— Quoi ? dit-elle tout soudain radoucie, vous vous ramentevez son nom ?

— Je me ramentois et son nom, et tout ce que tu m'as dit de lui, qu'il te jetait de ses yeux gracieux mille petits souris et œillades tandis qu'il tétait sa nourrice, lui mignardant le tétin de ses petits doigts roses.

— Mes paroles mêmes! dit-elle fort émue, et de statue de sel en quoi elle s'était changée redevenant femme, elle dit plus doucement : Monsieur, aimez-vous les enfants?

— Je suis d'eux raffolé.

— Ha! mon noble Monsieur, dit-elle d'une voix où s'entendaient des pleurs, que je suis malheureuse qu'il y ait eu entre vous et moi ces étuves. J'en avais rêvé autrement. Me déprisez-vous? Répondez.

— Nenni, dis-je, c'est nécessité et non point avarice qui t'a poussé ès étuves.

Et tirant vers elle, je la pris dans mes bras, en lesquels ma petite mouche d'enfer se laissa aller à la chaude sans plus bourdonner ni piquer.

Et tandis qu'elle s'accoisait comme un moineau navré dans le creux de la main, je la tins ainsi un long moment, doutant si je devais ou non l'étendre sur ma couche et pourtant, tout grand appétit que j'y eusse, je m'en abstins, pensant qu'Alizon n'en serait pas fort contente après coup, y ayant entre elle et moi ces trois méchants sols qui gâchaient tout, nous laissant, quoi qu'on fît ou qu'on ne fît pas, tout vergognés et rebiqués. Cependant, tous deux nous taisant et tous deux l'un contre l'autre serrés, sans que la parole laissât la place aux actes, le prédicament n'eût pas manqué d'être embarrassant, si me ramentevant tout soudain le toton que j'avais quis, je n'avais pensé à le lui bailler pour son petit Henriot.

— Ha! Monsieur! dit-elle en s'écartant et riant à gueule bec (partie, à ce que je cuide, pour cacher son émeuvement), voilà bien les hommes! Mon petit mignon est bien trop petit pour jouer au toton! Je m'en vais le lui garder pour quand il sera grand assez. Ha! Monsieur! La grand merci! Que bénin vous êtes en votre cœur!

Et se jetant dans mes bras, les siens, qui étaient ronds et frais, autour de mon col, elle me piqua la face de mille petits poutounes. Après quoi ramassant ses pécunes et les remettant en poche de son cotillon, elle me baisa derechef, mais moins à la fureur, et s'en fut, à ce que je vis, les larmes au bord du cil, mais vive, preste, et dans l'escalier du logis, d'un degré à l'autre dansant.

Je dépliai la lettre qu'Alizon m'avait remise et qui était bien, comme elle s'était apensé, de Pierre de l'Etoile, lequel me priait à dîner ce même jour à onze heures en son logis de la rue Trouvevache où je trouverais compagnie qui « encore qu'elle ne sera pas féminine, ne laissera pas cependant de vous plaire : le très illustre Ambroise Paré et le très docte Ramus, assurément l'homme le plus savant du royaume en la philosophie et la mathématique ».

Je bondis en ma liesse à cette invitation : « Ha! le bon l'Etoile! » criai-je tout haut, et j'allai incontinent toquer à l'huis de mes frères pour leur dire de se rendre sans moi ce matin à la repue de Guillaume Gautier, rue de la Truanderie.

Je trouvai Giacomi debout se lavant la face dans le bassinicule que j'ai dit, et mon beau Samson, allongé sur la couche, nu en sa natureté, mi-rêveux, mi-éveillé, et la mine chagrine.

— Ha! mon frère bien-aimé, dit-il en se levant pour me donner une forte brassée, à peu me profite d'être avec vous en cette Paris que si peu j'aime. Je ne vous vois jamais : ni hier soir où nous dînâmes sans vous, ni cette nuit que vous passâtes ès étuves, ni ce onze heures où vous serez chez le Grand Audiencier, ni ce soir où la Baronne des Tourelles vous baille à souper. Du moins promettez-moi, mon

Pierre, de rester à coucher chez elle en raison des périls des rues, le soir tombé.

Quoi oyant, Giacomi se retournant et essuyant l'eau dont sa face ruisselait, me donna une œillade et un souris, ayant fort bien entendu que mon joli frère n'avait pas mis malice à sa recommandation.

— Samson, je vous le promets, pour autant que cela de moi dépende, dis-je, rendant à Giacomi son sourire. Mais Samson, il faut prendre la chose avec plus de patience. Nous ne sommes point céans à Mespech où nous passions ensemble et le jour et la nuit, sans nous jamais quitter, mais en Paris où il y a une tant grande diversité d'affaires et d'obligations que nos chemins vont l'un de l'autre s'écartant.

— Ha! dit Samson en se testonnant ses belles boucles de cuivre des cinq doigts de sa main senestre, s'il en est ainsi, il fallait, Monsieur mon frère, me laisser en Montfort-l'Amaury, en l'officine de Maître Béqueret. A exercer mon état, j'eusse gagné quelques pécunes au lieu que d'en dépenser céans à ne rien faire en cette moderne Babylone. Vous ne quérez point ma présence pour demander votre grâce, et quelle commodité trouvé-je, moi, en cette Paris tant sale et corrompue, où le luxe insolent fait bon ménage avec la luxure et dont les manants et habitants, aveugles à la pure vérité des Saintes Ecritures, adorent des idoles de pierre ès rues promenées? Ha! mon frère, je n'aspire qu'à quitter au plus vite, comme Loth, cette ignominieuse Sodome avant que le Seigneur visite de son ire la lèpre de ses iniquités en la réduisant en cendres...

Ayant dit, et me tournant le dos, il alla à son tour se laver dans le bassinicule, me laissant tout béant de ce sombre prêche qui donnait comme assurée, et quasi souhaitable, la destruction de la capitale. Ha! mon doux frère, pensai-je, comment pouvez-vous, en votre zèle, accueillir un pensement si cruel? Que connaissez-vous du monde, vous-même aveugle ? Vous flattez-vous de l'idée que Montpellier est moins corrompue que Paris, étant ville petite ? Et ne vous ramentevez-vous point que Loth, lui-même, ce juste que vous appétez à être, ne résista ni au vin ni à l'ardeur lascive de ses filles ?

Giacomi se vêtant et Samson se lavant, et tous deux accoisés, je m'allai asseoir sur une escabelle, tout songeard, étonné de la fureur où je voyais mon tendre frère, et cependant admirant son corps blanc, tant lisse et tant poli que Babette n'eût pas eu à labourer prou pour le mettre à la mode qui trotte. Je doutai en l'envisageant que poil, comme on le veut, soit synonyme de virile force, car Samson possédait la seconde, sans pouvoir se paonner du premier ; Dalila, en ses desseins funestes, ne l'aurait pu assurément tondre que de peu, le cheveu lui-même, quoique bouclé et abondant, étant fort court. Mais si belle que fût cette quasi féminine lissure, le muscle apparaissait partout, non point sec et saillant comme chez M. de Nançay, mais enveloppé d'une plaisante et ronde charnure, tant est que Samson était homme, non point tant par la texture que par le dessin de son corps, son épaule étant si large et sa taille si mince.

Cependant, Giacomi étant vêtu et me faisant signe de son œil tant vif et parlant qu'il quérait de s'entretenir avec moi, je quittai la chambrifime de Samson et je m'en fus dans la mienne où le maître en fait d'armes incontinent me rejoignit.

— Monsieur mon frère, dit-il, que ne laissez-vous Samson départir pour Montfort-l'Amaury puisqu'il y appète tant ! Il n'est point céans en son élément, ayant contre cette Paris *il dente avvelenato* [1] et, de surcroît, le pensement si roide et si entier qu'il y a

1. La dent empoisonnée.

péril à le laisser ès rues divaguer, le peuple parisien tenant les huguenots en si âpre et stridente détestation.

— Giacomi, dis-je, ce que vous opinez là, je me le répète à moi-même depuis que les processionnaires de Notre-Dame de la Carole l'ont failli écharper. Cependant, je balance encore. Mon père me l'a confié à ma garde, et j'hésite à l'envoyer si loin de mon œil à Montfort.

— Mais votre œil, dit Giacomi, ne le suivra pas davantage céans. Vous vaquez en Paris à tant d'affaires diverses, dit-il avec un sourire, que pendant ce temps, notre pauvre Samson, tout à plein désoccupé, pleure ses lointains bocaux. Les heures vides, comme vous le savez, pèsent plus lourd que les pleines.

— Mais, vous-même, Giacomi...

— Ha! dit-il. Moi! Il n'en va plus de même pour moi! Je vais de ce jour labourer de mon état comme aide du sergent Rabastens duquel je me suis fait connaître tandis que vous parliez à M. de Nançay.

— Quoi! Giacomi! criai-je, aide de Rabastens! Vous, un maître! Vous une personne de qualité!

— Je n'y ai pas vergogne, dit Giacomi avec un sourire, Rabastens étant homme de bien, et je ne peux vivre sans tirer, l'exercice de mon art m'étant aussi nécessaire que le pain quotidien. Et à vrai dire, la vie étant si chère en cette Paris que voilà, je trouverais aussi de la commodité à gagner quelques sols, ce qui soulagera d'autant l'escarcelle de mes frères bien-aimés.

— Ha! Giacomi! dis-je, en lui donnant une forte brassée et sur les joues trois au quatre poutounes qu'il me rendit sans chicheté, tout de moi est à toi, tu le sais.

— Et tout de moi à toi, dit Giacomi gravement, y compris mon labour et les quelques pécunes que j'y pourrais gagner. Que ne peux-je en huit jours faire à ma pratique suer assez d'or pour te façonner le pourpoint qu'il te faut.

— Ha! Giacomi! dis-je, en poussant un soupir à faire tourner un moulin, qui m'eût dit, quand je fis faire celui-là que je porte en Montpellier avec les écus de Mme de Joyeuse et que je m'en fus le lui montrer, me paonnant en ma gloire, qu'il me serait un jour à si grande opprobre en Paris! Et cette reprisurette, comme dit Recroche! Tudieu! Ne suis-je pas autre chose que ma vêture? Ma vaillance et ma science comptent-elles pour rien? Ha! Giacomi! Le monde et ses us me ragoûtent si peu que si j'étais papiste, je prendrais le froc du moine!

— *L'abito non fa il monaco* [1]! cria Giacomi en riant. En outre, il y a froc et froc et le vôtre, il vous le faudrait de la plus fine bure! Vous n'auriez cesse que d'être abbé!

A quoi, nous rîmes tous deux. Et sur la promesse que je lui fis de l'aller voir en ses assauts au Louvre dans l'après-midi, il me quitta, et prenant mon écritoire et mon papier, je descendis à l'atelier, y étant là sur une grande table près des fenêtres où je m'installai, Baragran et Alizon interrompant leurs coutumières clabauderies dès qu'ils me virent tailler ma plume.

— Compagnons, dis-je, vous pouvez jaser. Je n'en écrirai pas plus mal.

— Ha! Monsieur! Je n'oserais! dit Alizon. Quel grand tournement de cerveau se doit trouver à mettre noir sur blanc! Ecrire ne peux, mais lire assez, ajouta-t-elle non sans redresser la crête, et ne sais-je pas la grande peine où je suis pour déchiffrer même une petite lettre? C'est dit, Monsieur, le bec je n'ouvrirai, tant que vous serez à vos écritures.

---

1. L'habit ne fait pas le moine.

— Moi non plus, dit Baragran.

— Moi non plus, dit Coquillon, me baillant un grand sourire de sa large bouche.

Quoi dit, l'apprenti se remit à son dur labour, lequel consistait à agacer le chat avec une boule de chiffon qu'il promenait qui cy qui là au bout d'un fil.

— La grand merci à vous trois, dis-je.

Mais des trois, deux seulement tinrent parole. Car lorsque je fus parvenu au bout de la page, Alizon dit :

— Que voilà une longue lettre, Monsieur ! L'écrivez-vous à une dame ?

— Nenni. A mon père, Alizon.

— Et à Madame votre mère ?

— Point. Elle est morte en couches.

— Et voilà comme nous mourrons toutes, nous autres femmes, dit Alizon avec un soupir, et sans même aller au bout de notre naturelle vie.

— Paix là, Alizon, dit Baragran, ne vois-tu pas que tu brouillonnes notre gentilhomme ?

— Paix toi-même, gros sottard ! dit Alizon redressée et sifflante comme serpatille sur sa queue. Monsieur, ajouta-t-elle, changeant de ton et plus douce qu'agnelet nouveau, vous aurais-je fâché par mon petit babillage ?

— Point du tout.

— Mille pardons cependant, Monsièur. A l'avenir je serai plus muette que *souche*, reprit-elle, souriant d'un air fort entendu en prononçant ce mot.

Mais ce fut, comme devant, promesse creuse, car me voyant cacheter la lettre à mon père, et incontinent en commencer une autre, elle me dit :

— Ha ! Monsièur ! Pour le coup, vous écrivez à une dame !

— Nenni. J'écris à un apothicaire en Montfort-l'Amaury.

— En Montfort-l'Amaury ! cria-t-elle. Je connais un guillaume qui demain s'y rend sur sa terre et vous pourra sous deux jours la réponse rapporter...

— Mais se chargera-t-il de ma lettre ? dis-je. Il ne me connaît point.

— Mais il me connaît, moi, dit Alizon, et le fera, si je l'en quiers.

— A merveille, Alizon, je te fais mille mercis !

Et je lui baillai un gentil regard, pensant en mon for qu'en toutes choses, patience est bonne, puisqu'à souffrir que la mignote jasât continuellement pendant mes écritures, j'avais gagné une tant prompte estafette.

Ma lettre au Maître Béqueret étant cachetée de mon sceau, je la confiai donc à Alizon et incontinent elle la mit dans son giron comme si ce fût un billet d'amour que je lui eusse écrit, m'adressant « mille petits souris et œillades » comme elle avait dit que faisait le petit Henriot. Tout cela ne laissa pas de me faire chaud au cœur, au milieu des épines qui me venaient de ma vêture, sans toutefois la pointe en émousser.

Telle est pourtant ma bondissante complexion que de tout tracas je me relève tant vite qu'un esteuf dès qu'il a le sol touché. Sur le dernier tendre souris qu'Alizon m'adressa avant que de se remettre à son aiguillée, onze heures sonnant à la chapelle des Saints-Innocents (lesquels étaient bien assurés de le demeurer à jamais, puisqu'ils n'étaient plus vifs), je saillis d'un pas alerte du logis pour me rendre rue Trouvevache, bénissant, à chaque pas, l'aimable bénignité de M. de l'Etoile, et le cœur me battant fort dans l'allègre pensement de déjeuner chez lui en si docte et célèbre compagnie.

Que ce fût sa charge de Grand Audiencier ou l'héritage de ses parents qui le rendît si étoffé, le logis de Pierre de l'Etoile n'était ni chiche ni chétif, et la salle où il nous bailla à manger (laquelle était sise au premier étage) se recommandait par de belles boiseries de chêne fort bien cirées, d'une cheminée où un veau aurait pu être mis à rôtir en son entièreté, et sur la façade, par une suite continue de fenêtres grandettes assez, lesquelles n'étaient point garnies de petits carreaux brouillés sertis de plomb, mais de belles vitres carrées et transparentes, comme la mode, surtout en Paris, s'en répandait alors dans les maisons de la noblesse. J'en fis mon compliment à Pierre de l'Etoile que je trouvai seul, vêtu de noir, la bouche chagrine, le nez long, roide en ses épaules et sa nuque, l'œil cependant aussi mouvant et vif que son corps l'était peu, encore qu'il me parût ce jour plein de mélancolie.

— Ha! Monsieur! dis-je, quelle commode clarté baille à cette belle salle cette continuité de fenêtres et ces grands carreaux que voilà.

— Oui-da! dit-il après m'avoir donné une forte brassée, tant clair est le logis que l'habitant est sombre.

— Quoi Monsieur? dis-je, fort surpris de ce ton, êtes-vous déconforté?

— Infiniment. Cette année a été en beaucoup de sortes malencontreuse pour moi, affligé que je fus de diverses maladies de corps et d'esprit, frappé en mes biens de pertes extraordinaires, accablé d'affaires et de procès, rejeté de mes proches, déprisé et inquiété de tous, jusqu'à des faquins, valets et chambrières... Par surcroît, tant travaillé de mes péchés, ajouta-t-il en baissant la voix et l'œil fiché à terre, que je redoute de mourir à la mort et crains de vivre à la vie.

— Ha! Monsieur! criai-je, fort frappé d'un sentiment si cruel pour soi, laissez là des pensées tant amères et vivez plus à l'aise selon la pente où votre complexion vous pousse. N'allez point, de grâce, permettre à l'Au-Delà de vous gâcher votre En-Deçà! Ni à la mort de vous perdre la vie! Et pour le reste, que juge le souverain juge, quand le moment viendra!

— Ha! mon cher Siorac! dit l'Etoile, un soudain souris sur sa face chagrine, la clarté de cette salle, c'est vous qui l'y apportez par votre accent chantant et votre tant allègre et bondissante humeur! Ha! Que j'aime et vous envie la félicité de votre disposition! Les péchés ne paraissent pas peser plus lourd sur votre épaule que roitelet sur la branche d'un chêne!

— C'est que, dis-je, j'ai telle fiance en la bénignité du Créateur que je ne pense pas qu'il nous gardera une dent si mauvaise des pauvres petits plaisirs que nous aurons qui cy qui là grapillés en notre vie si brève.

— Hélas! On ne nous l'enseigne pas ainsi! dit l'Etoile avec un grand soupir.

— Aussi en cuidé-je davantage mon intime sentiment que le dur prêche d'un prêtre encoléré, me reposant comme j'ai dit, en la suave bonté et bénignité du Christ, lequel pardonna à la ribaude comme à la femme adultère.

— C'étaient garces, dit l'Etoile avec un soupir, et tant faibles sont les garces que le pardon leur est plus volontiers donné.

— Faibles? dis-je en riant. Ne le sommes-nous pas tout autant?

A quoi je ne sus pas ce qu'il aurait répliqué pour ce qu'entrèrent au même moment dans la salle le chirurgien Ambroise Paré et le révérend Maître ès arts, Pierre de la Ramée, que l'on appelait Ramus en le français latinisé de nos écoles. Je ne sais s'ils étaient dans le quotidien grands amis, mais ils se tenaient par le bras et avaient je ne sais quoi de parent dans la mine, combien que leurs faces, et volume et symétrie de corps fussent différents.

Ambroise Paré, qui avait alors soixante-trois ans, était moyen de taille, l'épaule large, fort robuste sans aller jusqu'à l'embonpoint, le cheveu gris, rare et court, la barbe fluviale mais peu fournie, la face longue, la joue creuse, le nez gros et arrondi du bout, l'œil vif, brillant, jaune brun, à s'teure grave, à s'teure rieur. Ramus, qui était de dix ans son cadet, paraissait grand davantage pour ce que sa taille était plus élancée, et alors que Paré, comme l'Etoile, était austèrement vêtu de velours noir, Ramus portait un pourpoint de satin bleu avec des manches à crevés et un col de dentelle blanche rabattu au lieu de la petite fraise huguenote sur laquelle la tête de Paré était si roidement posée. Cette vêture de Ramus et l'épée qu'il avait au côté lui donnaient du noble, et en effet, il l'était, encore que né d'un gentilhomme ruiné, il eût dû, en ses jeunes ans, faire le valet au collège de Navarre pour pouvoir, la nuit, se nourrir aux lettres.

Son œil était brun foncé et fort perçant sous un sourcil noir irascible dessiné en accent circonflexe, le nez aquilin et impérieux, la mâchoire forte, avancée, belliqueuse, de poivre et de sel barbue, et enfin, sur cette forte face était posé comme un auguste dôme un large crâne aussi poli qu'un œuf.

L'un et l'autre m'accueillirent avec beaucoup de bonne grâce quand Pierre de l'Etoile à eux me présenta, Ambroise Paré faisant incontinent un fort grand éloge de l'Ecole de Médecine de Montpellier, la plaçant fort haut au-dessus de celle de Paris, laquelle il opinait être sans remède enfoncée dans l'ornière de la scolastique. Quoi dit, et Pierre de l'Etoile l'y invitant, il prit place à table et tout soudain se mit à gloutir tout ce qu'un petit valet et une chambrière lui mirent sur son écuelle, ayant un appétit strident, mais non à l'étourdie, car avant que d'avaler, il remuait longuement en son bec chaque bouchée comme s'il tâchait d'y discerner le bon et le mauvais : habitude qui m'étonna fort, avant qu'il l'expliquât par l'attentement que l'on avait fait, lors du siège de Rouen, de l'empoisonner.

Au mot de scolastique que Paré avait prononcé,

Ramus tressaillit comme un cheval qui sent l'éperon et à peine assis, sans rien toucher aux mets, se lança contre ladite scolastique, son œil jetant des flammes, en une vive et furieuse diatribe, mêlant français et latin mais traduisant celui-ci incontinent pour ce qu'il était déconnu d'Ambroise Paré, lequel était venu à la chirurgie par son état de barbier et ne s'était point nourri ès arts comme Ramus avait fait.

— Ha! Vous dites bien, Paré! cria-t-il, vous dites bien, « l'ornière de la scolastique », laquelle est tant néfaste en ma philosophie qu'en votre médecine, ne consistant qu'en vaines disputations, verbales et nominales, comme si ces grands jaseurs qui contrefont les doctes n'avaient d'autre labour que de gloser sur Aristote, ce païen étant le Dieu qu'ils adorent, et qu'ils mettent, en ses prétendues vérités, au-dessus même de Moïse ou du Christ. Havre de grâce! Je ne peux supporter cette idolâtrie-là, et pas davantage que je ne souffre celle qui prend pour objet Marie, mère du Christ, et les Saints.

— Monsieur de la Ramée, dit l'Etoile, de grâce, mangez votre rôt tant qu'il est chaud. Et je vous prie, n'impugnez point céans la religion du Roi, laquelle, ajouta-t-il avec un sourire ambigueux, se trouve aussi être la mienne.

— Mon hôte, dit Ramus d'un ton plus doux, vous avez l'esprit si droit, si ouvert et si tolérant qu'à peu que je n'oublie que vous êtes papiste. Je vous demande mille pardons de mes paroles, et à Monsieur de Siorac aussi.

— Quant à moi, dis-je, il n'y a pas offense. Je suis de la religion réformée.

— C'est merveille, dit Ambroise Paré, mettant en un coin de sa bouche la viande qu'il allait mâchonnant, mais cependant sans la gloutir, l'examen qu'en faisait sa langue n'étant pas terminé. Mon cher l'Etoile, nous sommes trois, vous êtes seul. C'est donc vous céans l'hérétique. Plût au ciel que les réformés fussent en le royaume dans cette proportion de trois contre un.

— Si cela était, dit l'Etoile en souriant d'un seul côté de la face, c'est le tiers où je suis qu'on irait persécutant.

— Hélas, je le crains fort, dit Ambroise Paré.

Ayant dit, il se remit à son mâchonnement, la langue et le palais fort attentifs, l'œil absent, sa pensée circonspecte tournée pour ainsi dire au-dedans de sa bouche comme s'il eût suspecté le bon l'Etoile de le vouloir empoisonner.

— Pour moi, dit Ramus, je ne persécuterais personne, et pas même les ânes enjuponnés de la Sorbonne qui condamnèrent mon livre sur Aristote.

— Mais il faut bien confesser que votre livre *contre* Aristote était fort violent, dit l'Etoile. N'avez-vous pas osé écrire cet adage sulfureux : « *Quaecumque ab Aristotele dicta essent, commentitia esse* » ?

— Traduisez, je vous prie, dit Paré.

— « Tout ce qu'a dit Aristote n'est que fausseté. »

— Ho! Ho! dit Paré.

— Confessez, Monsieur de la Ramée, dit l'Etoile, que c'était là agiter un chiffon rouge devant les taureaux sorboniques.

— Pauvres taureaux! dit Ramus avec un air d'infinie irrision.

A quoi nous rîmes.

— Quoi d'étonnant après cela, dit l'Etoile, si, non contents de condamner votre livre, d'aucuns Sorbonicules ont requis le Roi de livrer son auteur au bûcher!

— Sanguienne! criai-je, le bûcher pour avoir médit d'Aristote!

— N'ai-je pas dit qu'ils en faisaient un Dieu? dit Ramus sourcillant.

— Hélas, dit Ambroise Paré en interrompant sa lente et passive mastication, ce siècle est tel que nous pâtissons prou en tous arts de l'excessive autorité des Anciens. Il en est de votre Aristote en philosophie comme d'Hippocrate et Galien en médecine. Dès qu'un petit pédant les cite, il n'est plus que de se mettre à genoux et joindre les deux mains. Tout en ce siècle est religieux en diable, et point seulement le seul légitime domaine de la religion.

— L'autorité! cria Ramus, son œil brun sous son circonflexe sourcil jetant tout soudain feu et flammes. L'autorité suprême des Anciens, voilà où le bât nous blesse!

— La voulez-vous tout à plein détruire? dit Pierre de l'Etoile, comme effrayé.

— Non point, dit Ramus, mais la mettre en sa place, qui n'est point la première. Nulle autorité, reprit-il avec force en dardant en avant son menton belliqueur, nulle autorité ne se doit souffrir au-dessus de la raison. C'est la raison, bien au rebours, la reine et la maîtresse de l'autorité.

— A vous suivre, dit Pierre de l'Etoile, comme tout soudain douteux, craintif et oscillant, quels bouleversements ce serait en tous les ordres de la pensée! Qu'opinez-vous, Paré?

Ambroise Paré gloutit la bouchée en bouillie réduite et portant son gobelet aux lèvres, en but du bout du bec un petit coup précautionneux, comme s'il eût soupçonné son vin d'être arseniqueux. Après quoi, il dit d'une voix grave, mais tant calme et quiète que celle de Ramus était tempétueuse :

— Les Anciens, en mon art du moins, ont dit de bonnes choses, mais il ne sied point de s'endormir sur leur labour comme un pourceau sur sa ribaude. Les Anciens n'ont pas tout vu ni tout su. Je dirais qu'ils nous ont bâti des échauguettes dans le rempart d'un château et nous, de présent, postés dans ces échauguettes, nous verrons plus loin qu'eux.

Le cœur me battit à ouïr ce sentiment, tant il me parut ouvrir à la connaissance de l'homme un champ merveilleusement infini. Cependant, je ne laissais pas d'apercevoir que Pierre de l'Etoile s'agitait sur son escabelle comme s'il trouvait trop de nouveauté et d'audace en ce que Paré et Ramus avaient dit.

— Il est en tout cas, dit-il, comme s'il voulait de sujet changer, une ribaude sur laquelle les pourceaux parisiens ne s'endormiront plus. La belle huissière est morte. Je l'ai su hier à la tombée du jour.

— Quoi! dit M. de la Ramée, la belle huissière! Mais elle était fort jeune!

— Et d'une force à faire une centenaire, dit Paré. Je l'ai, l'an dernier, soignée. Elle était saine et gaillarde. Et le dedans tant bon que la charnure était belle. De quel mal la pauvrette fut-elle emportée?

— D'un *miserere* [1].

— C'est hélas sans remède, dit Ambroise Paré d'un air chagrin, comme s'il eût lamenté les limites de son art.

— Peux-je demander, dis-je, qui était cette belle huissière tant famée?

— L'épouse d'un huissier du palais, dit l'Etoile, et fort connue des Parisiens tant pour sa beauté que pour l'excessive légèreté de sa cuisse. Mes amis, poursuivit-il, désirez-vous ouïr les vers badins qu'un juge du palais lui a consacrés ce matin en guise d'épitaphe?

— Mais volontiers, dit Paré, lequel, pour mieux ouïr, avala la bouchée qu'il venait si lentement de broyer entre ses fortes dents.

M. de la Ramée ne dit rien, mais tandis que Pierre de l'Etoile tirait de son pourpoint un papier, il souriait, relevant son sourcil circonflexe et l'air tout amoustillé.

1. Appendicite.

— Messieurs, dit Pierre de l'Etoile, voici l'épitaphe de la belle huissière :

> *Hélas ! Elle aima tant les vits*
> *Quand elle était pleine de vie.*
>
> *Monsieur l'huissier jamais n'avait*
> *Si souvent en main la baguette*
> *Que sa femme, pour son jouet,*
> *Le fourniment d'une braguette.*
>
> *Elle en eût plus exécuté*
> *Au corps en une matinée*
> *Que son mari n'en eût cité*
> *Pour le moins en une journée.*
>
> *Or d'oncques, Messieurs, qui avez*
> *Vivants, caressé cette dame,*
> *Dites à Dieu ce que savez*
> *Pour le salut de sa pauvre âme.*

Nous rîmes tous quatre à ventre déboutonné de ce petit pasquil, mais non point tous quatre en même guise, l'Etoile comme s'il eût aimé en son for qu'il revengeât la morale, Ramus en gaillard gentilhomme, Paré avec une ombre de mélancolie et moi-même comme étonné que ces grands esprits fussent autant ébaudis de ces petits vers que de communs bourgeois. Je ne laissais pas non plus de trouver à prime nez quelque légèreté en cette gausserie touchant une jeune morte, mais quand je connus mieux Paris, je compris que tout, y compris la tombe, y devenait matière à brocards, épigrammes et quatrains égratigneux, tant est qu'il me fallut bien de force forcée en convenir : l'humeur de cette fière capitale n'est point au naturel émeuvement, la tyrannique usance de la Cour comme de la ville voulant qu'on s'y paonne davantage de son esprit que de son cœur.

— Révérend Maître, dis-je en me tournant vers Pierre de la Ramée, Aristote est-il en votre opinion tout à plein erroné, tant est que rien de lui ne trouve grâce à vos yeux ?

— Si fait, dit Ramus avec un vif brillement de l'œil, Aristote a un grand mérite : il enseigna la mécanique, preuve qu'il ne déprisait point la populaire et commune usance de la mathématique comme Platon avait fait, lequel ne voyait en elle qu'une pure contemplation, sans permettre à ses disciples de se souiller en mettant la main à ses applications. Ha ! Monsieur ! Que de mal a fait au monde cette lamentable erreur de Platon ! Car, à laisser dépérir l'usance que l'on fait de la mathématique, la mathématique elle-même dépérit. Raison pour quoi, depuis les anciens Grecs, la mathématique a fort chétivement prospéré au point qu'en France elle est ce jour d'hui tout à plein désenseignée, et n'est connue, pour les besoins de leurs états, que des marchands, des navigateurs, des orfèvres et des trésoriers royaux.

— Quoi ? dis-je, béant, la mathématique en France désenseignée, alors qu'en Allemagne, elle fleurit ! Comment cela est-il possible ?

— Monsieur de Siorac ! dit Ramus, sa forte face s'animant de dol et de courroux, le Roi ayant créé pour moi la première chaire de mathématique du Collège Royal, je l'occupai non sans éclat ni utilité pendant dix ans — au bout desquels ayant quitté la religion du Roi, je dus aussi quitter ma chaire, laquelle fut achetée par un quidam qui savait à vrai dire quelque mathématique, mais bientôt lassé par l'âge, la revendit. Et savez-vous qui l'acheta ?

— Non point, dis-je, étonné de la fureur qui agitait Ramus, ses mains, ses bras et sa tête branlants en son irréfrénable ire.

— Un indocte! hucha Ramus, un indocte qui n'en sait totalement rien! un indocte qui n'en a fait ni étude ni profession! un indocte qui publiquement se gausse de la science qu'il est censé enseigner et a le front de répéter que la mathématique n'est qu'abstraction tant vaine et fantastique qu'elle ne peut apporter aucune utilité à la vie humaine!

Ayant dit et comme étouffé par son propre courroux, il s'accoisa, tout le corps cependant frémissant. Et comme je l'envisageais béant et à vrai dire quasi douteur et incrédule, Pierre de l'Etoile, discernant ma doutance, dit d'un air grave :

— Cela est vrai, Monsieur de Siorac, combien que cela puisse paraître en raison incrédible. Cet « indocte », comme dit M. de la Ramée, se nomme Charpentier, il ne sait pas un traître mot de la mathématique et s'il a pu en acheter la chaire au Collège Royal, c'est en raison du puissant appui que lui apportèrent le Duc de Guise et les Jésuites, pour ce que notre quidam est catholique zélé, dévot, hurlant avec les loups, au demeurant petit homme venimeux, fielleux et rancuneux qui hait à mort notre ami que voilà — lequel a confondu son abyssale ignorance.

— Ha! dit Ambroise Paré, arrêtant sa lente mastication, je connais bien ces haines sorboniques! A chaque fois que les découvreurs de notre temps, saillant de l'ornière scolastique, ont trébuché sur quelque vérité, il n'est ni petit pédant en Sorbonne, qui, juché sur Aristote comme un corbeau sur un clocher, n'ait croassé contre eux un milliasse d'injures! Ainsi contre moi pour avoir osé mettre la main à la pâte et découvrir au bout de mon cotel ce que mes censeurs n'avaient pu trouver dans leurs livres. Et pourtant, bien peu chaut à la commune usance et à l'utilité publique qu'un quistre hérissé de grec aille pillant Hippocrate et en sa chaire royale caquette de la chirurgie, si sa main n'y a d'abord besogné! Ce n'est point dans une bibliothèque mais c'est sur le champ de bataille que j'ai imaginé de ligaturer les artères.

— Ha! Révérend Maître! criai-je avec chaleur, les navrés de nos guerres vous en auront une reconnaissance éternelle, car à vrai dire la cautérisation des plaies des amputés par l'huile et le feu entraînait un pâtiment affreux!

— Lequel, dit Ambroise Paré en secouant la tête, venant après l'amputation, était si strident que souvent il entraînait la mort. Quoi observant et ayant dans les oreilles les hurlements des soldats dont on brûlait cruellement les membres amputés, je me dis que, le flux du sang s'écoulant par les artères, il me suffirait, les ayant pincées, de les lier pour que le flux cessât.

Ce qui parut tout simple à être énoncé aussi simplement qu'il le fit, tant est enfin qu'on s'étonnait qu'aucun chirurgien au monde n'y eût rêvé avant lui. Et pourtant, me pensai-je, celui-là qui l'a trouvé ne savait ni grec ni latin, et n'était point docteur médecin!

— Vous avez bien dit, Paré, dit Ramus s'échauffant, mettre la main à la pâte, voilà ce que nos escouillés de Sorbonne ne sauraient à quiconque pardonner, eux qui sont assis dans leur trou de rat à se conchier sans fin de leur fausse science livresque! Ainsi l'indocte Charpentier, déprisant ce qu'il ne sait, va répétant que « compter et mesurer sont les fientes et les ordures de la mathématique ». Et nos platoniciens d'applaudir, qui mettent la contemplation des idées au-dessus de tout. Et certes, poursuivit-il (ce mot « certes » trahissant le huguenot, comme je le savais de la veille par Mme des Tourelles), les théorèmes de la mathématique sont, de soi, admirables et profonds, mais combien plus émerveillables les fruits qu'on en tire pour la commodité de l'homme ! Je tiens les spéculations sur l'essence des entités mathématiques pour vaines et sans profit. La fin des arts est dans l'usance qu'on en fait, tant est qu'il est à la fin au rebours du bon sens de chercher l'or au-dedans de la terre si on néglige de cultiver les légumes à sa surface.

— Ha ! dis-je, l'excellent apophtegme et comme il agréerait à mon père s'il le pouvait ouïr de vous !

— Raison pour quoi, reprit Ramus, Archimède est grand, point seulement par ses théorèmes, mais par les applications qu'il en fit : la vis sans fin, la poulie, les roues dentées, les machines de guerre, et jusqu'à ces grands miroirs par quoi il incendiait les navires romains qui assiégeaient sa petite patrie. Savez-vous, Monsieur de Siorac, poursuivit-il en se tournant vers moi qui l'oyais avec ravissement, savez-vous que les Sorboniques m'ont blâmé pour avoir inséré dans mon livre sur l'arithmétique des méthodes de calcul qui sont de commune usance parmi les marchands de Saint-Denis ? On n'a point osé dire que ces méthodes étaient fausses et, havre de grâce ! comment l'eût-on prouvé ? Mais on a prétendu qu'elles étaient souillées par la pratique qu'en faisaient les gens mécaniques ! Ha ! cria-t-il en élevant les deux bras en son récurrent courroux, le mauvais préjugé de ces pédants pédantizés !

— Monsieur de la Ramée, dit l'Etoile avec un sourire, si votre ire se rallume encore, elle va vous bailler de la bile à gâter votre digestion. Goûtez avec sérénité ces crêtes et rognons de coq et ces culs d'artichaut. Ce sont mets si délicats que je m'étonne que la Reine-Mère en ait failli crever.

— Elle en a glouti plus que de raison, dit Ambroise Paré, étant ogresse à table, comme on dit qu'elle l'était au lit du vivant d'Henri II. L'Etoile, vous qui savez tout et de la Ville et de la Cour, et en êtes comme la vivante et quotidienne chronique, est-il vrai que l'Evêque de Sisteron est mort ce lundi passé, en Paris, et en aussi mauvaise odeur qu'il a toute sa vie vécu ?

— Hélas ! Ce n'est que trop vrai, dit l'Etoile, moral et morose comme à son accoutumée, ce prélat était de tous les pourceaux d'Epicure le plus orde et le plus sale. Charitablement visité sur son lit de mort par une belle et noble dame qui lui demandait ce qu'elle lui pouvait bailler pour l'assister en ses derniers moments, il lui répondit sans vergogne : « Donne-moi ton cas. Rien ne me plaît de toi que lui. Ce qui fut cher aux vivants doit l'être aussi aux mourants. »

— Et le lui bailla-t-elle ? demanda la Ramée, l'œil tout allumé. Poussa-t-elle la charité si loin ?

— Qu'en eût-il fait ? dit l'Etoile. Il était en sa tout extrême extrémité et toutefois vomissant mille profanités encore, au moment même que de comparaître devant son Créateur.

— Et de quelle méchante grâce ce vilain homme accueillit les bons offices de cette noble dame ! dit Ambroise Paré, de sa voix tant calme et quiète, encore que son œil jaune-brun montrât de la mélancolie, comme chaque fois qu'on parlait devant lui de la mort, laquelle il tenait pour sa grande et personnelle ennemie. N'est-ce pas émerveillable, reprit-il, que de frustes soldats montrent plus d'humaine gratitude qu'un évêque ? Je me ramentois qu'en 1552 — il y a déjà vingt ans de cela — étant au siège de Metz chirurgien de M. de Rohan, je vis qu'on avait laissé pour mort sur le rempart un soldat de sa compagnie. Trouvant, à l'examiner, qu'il respirait encore, quoiqu'une arquebusade lui eût percé d'outre en outre le poumon droit et que le médecin de M. de Rohan eût jugé qu'il était perdu, je le fis porter en ma maison et tout un mois, je me fis à son

338

chevet tour à tour son médecin, son apothicaire, son chirurgien et son cuisinier. Dieu voulut qu'à la fin il guérît et les hommes d'armes de sa compagnie, émerveillés que j'eusse tant labouré à arracher l'un des leurs aux dents de la mort, me baillèrent chacun un écu, et les archers, un demi-écu. Certes, poursuivit-il, je n'ai point à me plaindre de la générosité de mes princiers patients. J'ai reçu d'eux pécunes et pierreries, mais largesse est facile à profonde bourse. Et davantage suis-je ému par le cœur de ces mercenaires qui chacun tirèrent un écu de leur pauvre escarcelle, alors même que le navré n'était point leur parent.

Ha ! pensai-je, et que dire alors du cœur d'Ambroise Paré, baillant tant de jours d'infatigables soins à cet humble homme d'armes de qui il n'attendait rien que le bonheur de l'avoir rendu à la vie ?

— Révérend Maître, dis-je, la blessure au poumon de ce pauvre galapian me met à l'esprit que j'ai ouï le Roi toussir au jeu de paume d'une rauque, vilaine et inextinguible toux dont on le dit coutumier.

— C'est vrai, dit Ambroise Paré, avec un soupir, et j'en suis bien marri, étant le chirurgien du Roi et non son médecin. Car pour moi, je me suis souvent apensé qu'une maladie du poumon — que ce soit naturelle intempérie ou plaie d'arquebuse — se peut guérir et curer pour peu que le patient se tienne en repos sans toussir, sans parler, sans fatigue, fuyant à se donner branle et à suer. Hélas, le Roi fait tout le rebours : il tousse à cœur fendre. Il rugit au lieu que de parler. Il souffle à perdre vent dans ses trompettes. Il sue à sa forge. Et il s'exténue à la chasse et au jeu de paume.

— Le lui dites-vous pourtant ?

— Tous les jours. Mais le Roi, en ces matières, n'a fiance qu'en son médecin, lequel est un âne de la plus sorbonique espèce et flatte son funeste penchant aux desports les plus violents. Plus sage serait de le pousser à quérir un quiet refuge au sein des « doctes vierges », comme dit votre périgordin Montaigne.

— Charles IX aime-t-il donc les Muses ? dis-je béant.

— Oui-da ! Il lit les vers. Il en écrit. Il ronsardise à la fureur.

— Tous les Valois sont raffolés des arts, dit l'honnête l'Etoile, sans que je pusse savoir, à son morose ton, s'il les en louait. La Reine-Mère protège Bernard Palissy et Jean Goujon. La Princesse Margot parle latin à merveille. Et l'éloquence française du Duc d'Anjou est d'une infinie suavité.

Cet entretien m'apportait tant de lumières sur toutes choses, petites ou grandes, que j'eusse voulu qu'il ne finît jamais. Mais le repas fini, Pierre de la Ramée s'excusa de nous devoir quitter, sur ce qu'il devait visiter dans l'heure un marchand de la rue Saint-Denis dont il était curieux, pour ce qu'il avait, cuidait-il, une prompte et émerveillable méthode pour calculer les variétés des monnaies, des mesures et des poids, faisant négoce quotidien avec d'autres marchands d'Italie et d'Angleterre.

— *Dico atque confirmo*, dit-il avec un sourire en se levant, *nullum esse in Academia Paris mathematicis artibus eruditum quem non familiarem carumque habeam*.

— Traduisez, je vous prie, dit Ambroise Paré.

— Je dis et j'affirme qu'il n'est homme instruit des mathématiques en l'Académie de Paris que je ne tienne pour mon familier et mon ami, fût-il, ajouta-t-il en sourcillant tout soudain, un de ces gens mécaniques que l'indocte Charpentier tient en si grand déprisement.

Voyant Ramus sur sa retraite, Ambroise Paré qui seul eût délayé davantage, mâchonnant si lentement ses viandes, se leva aussi, disant qu'il cheminerait en sa compagnie, ayant affaire pareillement au quartier Saint-Denis (qu'on appelle aussi « la Ville » comme peut-être le lecteur se ramentoit), devant conjoindre les os d'un genou rompu, raison pourquoi il avait, le matin, fort curieusement étudié un squelette de supplicié qu'il conservait en son logis, et du genou et des parties qui s'y trouvaient avait fait un dessin qu'il me montra et que je trouvai excelse et minutieux. Ils voulurent bien l'un et l'autre me donner, au départir, une forte brassée, et le cœur m'en battit fort tant ils m'avaient émerveillé par leur science, leur audace et leur humanité.

— Des deux, dit Pierre de l'Etoile, quand l'huis du logis eut claqué derrière eux, le plus fameux est Ambroise Paré pour ce qu'il est l'allié des hommes contre la menaçante mort. Mais j'opine, quant à moi, que Pierre de la Ramée est le plus grand esprit, son intelligence embrassant tous les arts, et jusqu'à la mathématique qu'il connaît mieux que nul autre en France. Ce réformé, honneur de son Eglise, voudrait réformer toutes choses où se trouve quelque abus : l'enseignement, la grammaire, l'orthographe, étant en son esprit si vaste, hérétique en tout, comme Ambroise Paré l'est en médecine. Raison pour quoi on a tenté l'un et l'autre de les occire, si haineux et venimeux sont en ce royaume les champions de la tradition.

— Il paraît fort courroux contre ce Charpentier, dis-je.

— Non sans raison, reprit l'Etoile. Le cruel de l'affaire touchant cette chaire de mathématique qu'occupe cet homme indigne, c'est que Ramus, au Collège Royal l'ayant fondée, l'a en sa largesse pourvue, quand il la quitta (pressé par la persécution), de cinq cents livres de rentes à verser à quiconque en deviendrait le titulaire. Ainsi l'indocte Charpentier, non seulement n'y enseigne pas la science qu'il ne veut point connaître mais, par surcroît, s'engraisse des deniers de Ramus au nom d'un legs qui n'est pas révocable.

— Ha! dis-je en serrant les poings, il y a de quoi faire pleurer les anges!

Hélas! Les anges pleurèrent bien davantage quelques jours plus tard en cette nuit si funeste pour les miens de la Saint-Barthélemy : Ramus s'étant dissimulé dans une cave pour échapper aux massacreurs, des écoliers du Collège Royal que Charpentier avait lancés à ses trousses, après les avoir enflammés de haine contre son génial rival, l'y découvrirent, tirèrent de lui rançon sous promesse de vie, puis ses pécunes en poche, incontinent l'éventrèrent à coups d'épieu et ses entrailles lui saillant du corps, le traînèrent par les rues. Après quoi lassés de ce jeu monstrueux, ils revinrent au cadavre et leur abjecte et aveugle furie n'étant point encore apaisée, ils le mirent en pièces.

Il faisait jà fort chaud et le soleil tout à plein brillait quand je quittai Pierre de l'Etoile après mille grâces et merciements pour sa bonne repue et l'émerveillable entretien auquel j'avais eu le grand heur d'assister.

— Ha! Monsieur de Siorac! dit-il sur le seuil du logis, ces temps sont si vils, bourbeux et corrompus que c'est bien rare liesse pour moi que de converser avec de bonnes et honnêtes gens qui n'ont à cœur que l'utilité publique et l'avancement du genre humain. Au rebours, poursuivit-il en baissant la voix jusqu'au murmure, son œil jeté cy jeté là sur les passants de la rue, il est de certaines personnes dont le zèle est si frénétiquement fol qu'il vous gâte céans l'air qu'on respire. Si vous étiez que d'aller, ce dimanche qui vient, ouïr le prêche en l'église Saint-Eustache, vous en seriez étrangement édifié.

— Je n'y manquerai pas, dis-je d'un ton benoît et comme secrètement gaussant, car certes je voyais bien vers où tiraient les sympathies de Pierre de l'Etoile, tout papiste qu'il fût, ou se proclamât.

Portant mes pas, dans la touffeur du jour, rue de la Ferronnerie, pour aller quérir mes frères bien-aimés chez Maître Recroche, je trouvai mon Samson fort content de passer avec moi les heures de l'après-midi et Giacomi joyeux dans le pensement de se dégourdir l'épée avec Rabastens au Louvre. Voyant leur allégresse, je résolus de faire un heureux de plus en disant à Miroul de suivre notre compagnie encore que sa présence ne fût pas, sans les chevaux, tout à plein nécessaire. Mais quoi! Mon gentil valet est beaucoup plus qu'un valet pour moi, et ne savais-je pas que mon père lui avait commandé de ne me point quitter afin que de tâcher de tempérer par sa sagesse le bouillant de ma complexion.

Le guichet du Louvre était grand ouvert, y ayant là, entrant et sortant, une foule de gens vêtus de brillantes et éclatantes couleurs, mais tandis que le flot des sortants s'écoulait librement par la grande porte, la presse était considérable pour l'entrée, qui se faisait par le portillon et un par un, devant deux gentilshommes, l'un fort corpulent, assis sur une escabelle, et l'autre debout au côté du premier, un mantelet rouge jeté sur l'épaule. Mon tour venu, je dis le nom de mon père et mon affaire, et le gentilhomme assis, m'envisageant de la tête aux pieds, non sans sourire quelque peu de mon pourpoint, dit, levant la tête, à son compagnon :

— Connaissez-vous un Siorac qui est Baron de Mespech en Périgord?

— Moi non, dit le gentilhomme au mantelet rouge, mais j'ai souvent ouï son nom sur les lèvres de d'Argence. Mespech combattit sous Guise à Calais.

— Ha! dit l'autre, Calais! Maintenant que vous me nommez Calais, bien je me ramentois que Nançay m'a parlé hier de son fils que voilà, et de son pourpoint reprisé.

A quoi je rougis excessivement d'être ainsi signalé par tout le Louvre aux officiers du roi.

— Monsieur, me dit le gentilhomme assis, en voyant ma furieuse confusion, ne prenez pas offense, je ne juge point des gens à leur vêture. Je tiens de Nançay que Monsieur votre père est fort vaillant et que vous suivez ses traces, étant hardi et fort haut à la main.

— Toutefois, Monsieur, dit gravement le gentilhomme qui, en dépit de la touffeur, portait sur les épaules la cape rouge que j'ai dite, si vous voulez bien ouïr mon avis, ne prenez point trop vite la mouche si d'aucuns gentilshommes céans, qui sont fort prompts à la gausserie, comme on l'est à Paris, sourient de votre pourpoint. Ni le Roi ni son frère le Duc d'Anjou ne souffrent les querelles. C'est crime capital au Louvre, si près de leurs augustes personnes.

— Monsieur, dis-je en le saluant, je tâcherai de suivre votre conseil.

Je passai donc, ayant nommé comme étant de ma suite mon frère, le maestro Giacomi et mon valet, lequel, tandis que je traversais la cour du Louvre, s'évanouit tout à plein, de sorte qu'au moment de pénétrer dans le Louvre pour gagner la galerie où Giacomi devait faire ses assauts, je l'espérai quelques instants, l'œil de tous côtés, impatient, quasi courroucé et du pied tapant le pavé. Mais je n'eus point le temps d'ouvrir le bec quand je le vis enfin, car apparaissant à mon côté tout soudain qu'il avait disparu, son œil marron tout ébaudi, il me dit en oc, mais d'une voix quasi précipiteuse qu'un galapian de la capitale :

— Mon noble Moussu, de grâce, ne me tabustez point. Je ne me suis absenté que pour votre service, ayant quis d'un garde à pied, dont je me suis pensé qu'il venait de nos provinces, qui étaient le gentilhomme assis au portillon et l'autre debout.

— Et le sais-tu, Miroul ?

— Certes, Moussu, dit Miroul prenant maintenant tout son temps et son œil marron de plus belle s'égayant.

— Eh bien, parle ! dis-je.

— C'est à savoir, Moussu, dit Miroul, l'œil tout à plein pétillant. Fis-je bien de vous quitter, je ne sais ? Je vous ai vu de loin, fort sourcillant et contre moi piqué.

— Miroul, tu te moques ! Parle !

— Ha ! Moussu, je le vois ! Vous êtes encore tout rebroussé !

— Je vais l'être, si tu tardes plus outre.

— Quoi, Monsieur ! Vous vous fâcheriez contre moi qui me suis donné tant de peine et labour pour savoir le qui, le qu'est-ce et le pourquoi ?

— Ha ! Miroul ! dis-je en prenant le parti de rire, que cher tu me fais payer ce petit sourcillement ! Que serait-ce si je t'avais grondé ?

— Moussu, dit-il en riant aussi, appétez-vous à apprendre ce que j'ai appris ?

— Ne t'en ai-je pas deux fois prié ?

— Prié, Moussu ? M'avez-vous prié ? *Brevis oratio penetrat caelos* [1]. Mais, Moussu, poursuivit-il me voyant sourciller derechef, c'est assez badiné. A folâtrer plus outre, je craindrais de lasser votre patience.

---

1. Une brève prière ouvre le ciel.

— Ma patience, Vertudieu !

— Voici, Moussu. Le gentilhomme qui était assis au portillon pour reposer sur ses genoux le poids de sa bedondaine est M. de Rambouillet. Il appartient au Roi. Quant au grand maigre qui se tenait debout, la main aux hanches, la patte longue, l'air fort bravache et le cuir tanné, c'est M. de Montesquiou. Il est capitaine des gardes du Duc d'Anjou, raison pour quoi il porte cette cape rouge, même en août.

— Quoi, Montesquiou ! dis-je à voix basse. Le meurtrier de Condé ! Je n'aime pas son œil !

— Je l'aime assez, dit Miroul. Tout *bravaccio* qu'il soit, il a l'air franc. Et bien m'a plu son homélie sur les duels.

Et comme je m'accoisais, rêveux et songeard, au nom de Montesquiou, lequel me faisait, pour ainsi parler, toucher du doigt nos défaites de Jarnac et de Moncontour, Miroul reprit :

— Moussu, appétez-vous à savoir pourquoi de si hauts gentilshommes gardent ce jour le guichet du Louvre, au lieu que non pas un simple sergent des gardes à pied ?

— *Diga me* [1].

— Pour ce qu'on attend le nonce du Pape qui doit la Reine-Mère visiter.

— Ha ! dis-je *sotto voce*. Je n'en augure rien de bon. Qui ne sait que le Pape et Philippe II d'Espagne se conjuguent pour obtenir du Roi notre mort ?

— Et comment l'obtiendra-t-il, dit Miroul, notre Coligny ayant la faveur du Roi ?

Tout ceci fut dit en oc, et de bouche à oreille, mais nous eussions pu le hucher à tue-tête sur la place publique, tant la foule bruyante et chatoyante des courtisans qui, de toutes parts, nous pressait, nous prêtait peu d'attention, étant tout occupée d'elle-même, et tout courant à ses affaires, bien que oisive.

1. Dis-le-moi.

La galerie où le maestro livrait ses assauts avec Rabastens, lesquels étaient déjà commencés quand nous y pénétrâmes, et Samson, bec bée, les envisageant, était une longue salle fort bien éclairée par de hautes fenêtres qui donnaient sur la rivière de Seine, mais si complètement dégarnie de meubles qu'on n'y voyait pas même une escabelle, tant est que les gentilshommes qui tiraient, ne voulant point poser leur pourpoint à terre, les devaient mettre sur les bras de leur valet.

Comme il y avait dans cette galerie trois ou quatre assauts simultanés, le battement et froissement de tous ces fers l'un contre l'autre toquant, ainsi que les halètements et les cris des adversaires, l'odeur de leur sueur mêlée à celle de la sciure sur le parquet épandue, produisait une sorte d'excitation que je trouvais, quant à moi, infiniment plaisante.

Je ne laissais pas que d'être émerveillé par la force qui émanait du gigantesque Rabastens tandis qu'il affrontait Giacomi et d'autant qu'il tirait, lui aussi, à l'italienne et non sans art, à ce que je vis. Mais Giacomi était si serein, et branlait si peu, ne rompant jamais, le corps bien en ligne, et le bras tout à plein déployé, lequel était fort long, sa lame miraculeusement présente et preste partout où celle de Rabastens surgissait, que je n'éprouvais que peu de doute quant à l'issue de cet amical assaut, où Giacomi, cependant, jouait la défensive pour non point, je gage, offenser la fierté du Français par des touches trop répétées.

Les combattants se mesuraient du côté des fenêtres et le public se pressait du côté du mur, une petite cordelette rouge, tendue à deux pouces du sol, les séparant des assauts. Cependant, entre les duellistes il n'y avait point de division, tant est que d'aucuns, en rompant sous le choc d'une furieuse attaque, pouvaient toquer du dos le dos d'un gentilhomme engagé ailleurs et grandement l'incommoder. Auquel cas, l'assaut s'interrompant, il y avait de part et d'autre grandes cérémonies d'excuses et de réciproques salutations tant avec le corps qu'avec l'épée. Je fus étonné de ces politesses, importées, je gage, par les maîtres italiens, car l'usance des courtisans, en dépit de leurs brillantes et multicolores vêtures, m'avait paru rude et fruste, tant au jeu de paume que dans la cour du Louvre et les salles que j'avais traversées, où j'avais vu ces élégants jouer des coudes sans merci, bousculer homme ou femme, marcher sur les pieds d'un chacun, cracher et se moucher à la pistolétade, insoucieux sur quoi ou sur qui tombaient leurs phlegmes, voire même soulever d'un doigt les masques des dames, sinon même d'une main hasardeuse leur pastisser au passage la croupière. Il est vrai que cette offense était plus dans le geste que dans le fait, nos raffinées étant, à ce qu'on m'avait dit, garnies à cet endroit d'un rembourrement, nommé haussec ou vulgairement faux cul, lequel était façonné de manière à rondir leurs avantages et qui devait leur servir de bastion ou de bouclier contre d'aussi impertinents assauts.

Cependant, Miroul me quittant sans gare crier comme à son accoutumée, je le suivis de l'œil, et le voyant se mêler aux valets qui portaient sur leurs bras les pourpoints de leurs maîtres, je conclus qu'il allait butiner pour moi tout un pollen de nouvelles qu'en effet, sur moi revenu, aussi vite que vole mouche à miel, il me dégorgea tout à trac.

— Moussu, dit-il à voix basse, appétez-vous à connaître le grand Silvie?

— Je ne sais qui est Silvie.

— Un Italien, et le maître en faits d'armes du Duc d'Anjou, et réputé le meilleur maître du royaume, encore que le Roi lui préfère Pompée.

— Qui est Pompée?

— Un Italien.

— Sanguienne! N'y a-t-il point de Français en cet état?

— Si fait. Carré qui apprit les armes au Prince de Navarre. Et Rabastens.

— Et qui te semble à toi le meilleur de tous? dis-je, sachant bien que je l'allais prodigieusement flatter en lui quérant cela, Miroul étant raffolé de ce noble desport dans lequel, sous Giacomi, il avait grandement avancé.

— Ha! Moussu! dit-il, baissant la voix davantage, selon mon cœur, c'est le maestro Giacomi. Mais si j'en crois mon œil, c'est Silvie.

— Comment est-il?

— Un grand échalas si mince qu'on croit qu'il va casser. Mais il ne casse point, étant comme sa lame d'un acier bien trempé.

A quoi je ris, aimant tout de mon gentil Miroul, et son français, et son oc, et aussi son latin, ou du moins les perles latines dont il aimait orner coquettement son langage.

— Or donc, dis-je, prenant Samson par le bras, allons voir ce grand artiste *pingere cum gladio*.

— *Pingere cum gladio*? dit Miroul. Qu'est cela?

— Peindre avec l'épée.

Et comme il s'accoisa tout le temps qu'on mit à fendre tous trois la presse pour atteindre le fond de la galerie où tirait le grand Silvie, j'entendis, au remuement de ses lèvres, qu'il se répétait ma citation avant que de la jeter toute chaude dans la gibecière de sa mémoire.

Havre de grâce, que j'eusse admiré Silvie, ce maître émerveillable, et le plus prodigieux peut-être qui fût en ce royaume, si tout soudain mon œil n'était tombé sur le gentilhomme qui croisait le fer avec lui. Sanguienne! Mon sang jeune à sa vue me bouillut le cerveau, et mes ongles en mes paumes enfonçant, à peu que je perdis vent et haleine par le courroux qui, tout soudain, me fit trembler et tressaillir comme feuille d'automne sur un arbre. Car je voyais là, tout juste devant moi en sa chemise de soie brodée, agile et bondissant comme faon en forêt, le fat de cour qui la veille, dans la pièce du jeu de paume où un valet étrillait M. de Nançay, m'avait accablé de ses insolents et déprisants regards. Tudieu! Ma rage s'en réveilla de plus belle, me secouant, comme j'ai dit, de la tête aux pieds, et me gorgeant jusqu'au gargamel d'un dépit d'autant âcre et amer que haïssant ce coquardeau à la limite de la haine, je ne laissais dans le même temps de l'admirer, si bien proportionné en sa membrature, si dextre en son branle, si habile à l'épée. Ce qui ajoutait encore à ma fureur, c'était que ce muguet n'était point sans me ressembler par l'âge, la taille, la tournure, la couleur du cheveu et de l'œil et jusqu'à cette ardeur à vivre qui se lisait en ses traits, encore que ceux-ci fussent plus beaux que les miens. Cette ressemblance ne pouvait qu'elle n'empirât les choses. Car, lecteur, imagine que tu vois dans un miroir ta terrestre apparence, portée à une entière perfection, et que cet être si parfait, au lieu que de te sourire comme un frère, t'envisage au rebours avec une irrision infinie, et tu entendras mieux la cause, la racine et l'étendue de mon mortifiement.

Cependant, l'outrecuide galant, non seulement tirait à merveille, dissimulant sa force et son art sous la plus nonchalante grâce, mais ne laissait pas, l'œil fixé sur la lame voltigeante du grand Silvie, d'échanger, ce faisant, de badins propos avec deux gentilshommes qui, debout non loin de l'endroit où j'étais, l'envisageaient avec une amitié tant intime et que c'était merveille que d'en observer entre eux les manifestes signes. Le plus âgé de ces deux seigneurs pouvait tirer sur les quarante ans, le visage noble et comme poli, l'œil épiant et sagace, le corps allant s'épaississant mais sans bedondaine, sa vêture, marron clair avec des crevés jaunes, j'entends quasiment d'une seule teinte de deux tons différents, tandis que celle de son jeune compagnon était tant bariolée de couleurs diverses que vous eussiez dit une prairie au mois de mai. Celui-ci, à mon sentiment, n'avait pas vingt ans et était de sa face si beau et resplendissant qu'à part mon bien-aimé Samson je n'avais vu à ce jour personne qui l'égalât.

— Moussu, dit Miroul qui avait suivi fort curieusement mes regards, appétez-vous à connaître le quoi et le qu'est-ce de ces beaux gentilshommes ?

— Oui-da, et aussi de celui qui tire avec Silvie. De celui-là surtout.

— J'entends bien, dit Miroul. A vous voir, il m'a semblé que vous ne l'aimiez pas prou.

Incontinent il s'évanouit, fluet et vif, dans la presse, comme anguille entre les roches se coulant.

— Mon frère, dit Samson l'œil en fleur, ce gentilhomme que voilà est tant habile que beau. A peu qu'il ne manie l'épée aussi bien que son maestro.

— Plaise à Dieu, dis-je les dents serrées, qu'il soit tant bénin qu'il est plaisant à voir.

Cependant, le jeu des deux duellistes était si prompt, si fin, si délié, leurs deux lames s'attachant l'une à l'autre aussi continuement que si chacune d'elles avait pressenti à chaque instant quelle botte l'autre allait porter, que l'intérêt si vif que j'y prenais n'avait pas laissé d'apazimer par degrés le courroux que la remembrance des regards offensants du quidam avait en moi revivifié.

— Moussu, dit Miroul surgissant à mon côté comme diable saillant de terre, et parlant fort bas en oc, le grison en pourpoint marron clair est le marquis d'O. Il n'est pas de gentilhomme dans le royaume qui ait un nom plus bref, ni à ce que j'ai ouï, le bras plus long.

— Et le damoiseau sur l'épaule de qui il a posé sa dextre ?

— Ce frisquet poupelet est M. de Maugiron, cadet de fort haute famille. Le *tertium quid*, à savoir l'arrogant muguet que vous n'aimez pas prou, se nomme Quéribus. Tout jeune qu'il soit, il est baron. Tous trois sont au Duc d'Anjou, et lui sont dévoués jusqu'à la mort, et même au-delà. Tant est qu'ils vendraient leur âme pour lui, s'ils en avaient une.

— Est-ce un valet qui t'a dit cela, Miroul ? dis-je en quelque doutance.

— Il l'a dit plus malgracieusement. Et je ne sais si c'est vrai. Il sert un gentilhomme qui appartient au Roi, et entre la maison du Duc et la maison de son frère le Roi, il m'a semblé que l'amour n'était ni grande ni fraternelle.

A cet instant, le grand Silvie, lequel était long et mince quasiment comme sa propre épée, et présentait à l'œil si peu d'épaisseur et de corporelle substance qu'on se demandait comment la pointe d'une lame le pouvait jamais atteindre, rompit d'un pas (ce qu'il ne faisait jamais en ses assauts) et se redressant de toute sa prodigieuse taille, salua à l'italienne le baron de Quéribus, signifiant ainsi que la leçon, si leçon il y avait, était finie. A quoi Quéribus répondit par un salut de même facture, mais non point de pareille amplitude tant il s'en fallait que son bras et sa taille fussent aussi conséquents que ceux du maestro. Sur quoi, un valet accourant, lui prit l'épée des mains pour lui épargner le labour de la remettre au fourreau, et un autre lui tendit son pourpoint, lequel était comme le mien taillé en satin bleu pâle, mais tant magnifique, brodé, emperlé et à la mode façonné que le mien l'était peu. Quéribus, l'enfilant à la diable, se dirigeait vers le marquis d'O et de Maugiron, le visage rieur et quelque gausserie prête à éclore sur ses lèvres, quand tout soudain il m'aperçut, le dévorant des yeux. Sa face alors se gela, et sa lèvre pincée en irrision, son œil sourcillant avec la dernière hauteur, il me jeta un regard de si infini déprisement que ma haine pour lui flamboya derechef. Incontinent soulevé d'un extraordinaire courroux par l'odieuse répétition de ses offenses, et lui rendant un œil meurtrier, je portai sans que j'en susse ma dextre à la poignée de mon épée, et l'eus peut-être en ma folie tirée, si Miroul, béant, ne m'avait posé la main sur mon bras, laquelle main, pour ainsi parler, me réveillant de ma transe, je pivotai sur mes talons, très à l'abrupt, et, ivre de mon ire, fendis la presse sans ménager personne, voyant à peine les alentours tant la fureur m'aveuglait, Miroul et Samson me suivant, le premier ayant quelque idée de mon grand émeuvement, le second sans y entendre rien et répétant de son infantine voix : « Qu'est cela ? Qu'est cela ? » Tant est qu'à la fin, tournant la tête, je lui dis d'une voix irritée :

— Mon frère, ne pouvez-vous que vous ne zézayiez ?

A quoi s'accoisant et rougissant, mon pauvre Samson eut l'air si marri qu'une grande honte me vint de ma méchantise et ralentissant ma précipiteuse allure, comme nous saillions du bâtiment dans la cour du Louvre, je vins me mettre à son côté, glissai mon bras sous le sien, et le serrai sans piper contre mon flanc, marchant avec lui au même pas et l'aimant davantage à proportion que je l'avais davantage navré.

Miroul qui cheminait à ma dextre, la face fort inquiète levée vers moi, voyant que j'étais quelque peu m'adoucissant, me dit en oc :

— Moussu, avez-vous eu de fâcheuses paroles avec ce muguet ?

— Nenni, dis-je du ton le plus bref. Des regards seulement.

— Dieu soit loué! dit Miroul avec gravité. J'augurais pis.

— Parole ne peut être pis que cette sorte de regard.

— Mais, Moussu, dit Miroul avec un sourire, vous avez rendu œil pour œil. Restons-en là! Vous êtes en cette Paris pour demander au Roi votre grâce d'un duel. Irez-vous, ce faisant, vous en mettre un autre sur le dos? Ce serait folie. Et d'autant que cette fois, vous pourriez y laisser la vie. Le bélître tire émerveillablement.

— Ha! Miroul! dis-je. C'est là tout justement le point. Si ce coquelet ne tirait pas si bien, il n'oserait point faire à tous vents l'insolent. Et pour moi, si je baisse la crête devant ses humiliants regards, il me tiendra pour faible de cœur et couard.

— Moussu, que vous importe son pensement? Couard vous n'êtes. Ce fat va-t-il vous pousser au champ clos rien que par la peur que vous aurez qu'il vous croie lâche? N'est-ce pas lâcheté aussi que de se laisser gagner à la main par le déprisement d'un homme?

— Qu'est cela? dit Samson qui oyait bec bée cette disputation. Monsieur mon frère, vous a-t-on offensé?

— Nenni, dis-je avec quelque impatience. Il ne s'agit que de regards.

— Moussu, reprit Miroul avec gravité, peux-je vous ramentevoir que Monsieur votre père vous a fait commandement de prendre mes avis dans les extrémités?

— Miroul, dis-je en souriant d'un seul côté de la face, je les prends. Que me conseilles-tu?

— Moussu, si vos yeux et les yeux de ce coquardeau continuent à se contr'insulter à chaque encontre, les paroles vont suivre. Et elles seront irrémédiables. Je vous conseille donc, tant qu'il en est temps encore, de cesser de l'envisager si derechef il vous envisage, feignant d'ignorer l'affront, afin de ne pas avoir à le relever, comme on dit que s'avisa le Maréchal de Tavannes, lequel contrefit le sourd quand Coligny, en son emportement, osa mettre son courage en doute.

— Miroul, dis-je l'œil sur le pavé, je me persuade à la fin que ton avis est bon. Je le vais suivre.

— Ha! Moussu! dit Miroul d'une voix fort alarmée, vous en aurez l'occasion de présent! Et bien plus tôt que je n'aurais cru! Voici ce batteur de fer qui tout droit vers nous se dirige, flanqué du Marquis d'O et de Maugiron. De grâce, Moussu, gardez l'œil fiché au sol, ou sur moi, ou sur Samson et jasez en oc comme devant, sans faire mine du tout de le voir!

— Il faut bien avouer, Miroul, dis-je en oc, la tête baissée mais par-dessous mes cils envisageant en tapinois le baron de Quéribus qui s'avançait, magnifique en sa vêture et superbe en sa hautaine face et le cœur me battant tout ensemble de la haine et de l'admiration qu'il me donnait — il faut bien avouer, dis-je, que ces mignons de couchette sont la plus exécrable race de vermine à qui le ciel ait jamais permis de ramper sur la surface de la terre.

— Ha! Moussu! dit Miroul terrifié, que dites-vous là? Le périgordin est-il à ce point déconnu?...

Mais il ne put parler plus outre, car Quéribus nous croisant flanqué de ses acolytes, et tournant la tête de notre côté par-dessus son épaule, dit d'une voix forte et claire :

— Ces rustres parlent d'oc.

Lâchant le bras de Samson, je me retournai comme si aspic m'avait au talon piqué, et tremblant en mon ire de la tête à l'orteil, je dis d'une voix furieuse mais cependant contenue :

— Rustres, Monsieur?

— Ha! Moussu! cria Miroul au désespoir.

— Rustres, Monsieur! dit Quéribus avec un profond salut. Rustres, du latin *rus, ruris*, campagne.

— Monsieur, dis-je en le saluant à mon tour, il y a offense!

— J'opine qu'il n'y en a point! dit le Marquis d'O dont les regards étonnés allaient de Quéribus à moi et posant impérieusement la main sur le bras de Quéribus, il ajouta :

— Le Baron de Quéribus a dit : ce rustre parle d'oc. Il désignait le valet et non le maître.

— Je désignais les deux, dit Quéribus avec la dernière nonchalance.

— Quéribus! dit le Marquis d'O sourcillant, qu'est cela? Un cartel! Céans! Au Louvre! Bravez-vous les commandements du Roi et de *Monsieur?*

— Nenni! dit Quéribus parlant d'une voix fort douce, tout en m'assassinant de regards insolents, pour moi je n'ai point vu offense dans le mot rustre, par quoi j'entends un soldat à pied de campagnarde souche. Monsieur de Siorac, arrivant tout droit de son Périgord, ne peut qu'il ne soit campagnard.

Ha! pensai-je, le galant a quis mes noms et origines de M. de Nançay et à quel dessein, je le vois. Cependant, je m'accoisai pour ce que je voyais bien que Quéribus, sans renoncer du tout à sa querelle, me la voulait voir endosser.

— Monsieur le Baron, dis-je enfin, j'agrée votre explication. Il me plairait toutefois que vous consentiez à reprendre ce mot de *rustre*, quand bien même il ne désigne pour vous qu'un soldat, pour ce qu'il ne convient pas, ce me semble, d'en habiller un gentilhomme.

— Il me semble au rebours, dit Quéribus, la voix suave et le regard meurtrier, qu'il convient fort à un gentilhomme qui a eu l'heur d'être élevé parmi les porcs.

— Quéribus! cria le Marquis d'O.

— Monsieur le Baron! dis-je avec assez de calme, à y réfléchir un petit, ne sommes-nous pas tous des sortes d'animaux, les uns raisonnant, les autres, à ce que je vois, mal raisonnant. Et cuidez-vous, poursuivis-je en le saluant derechef, que le rat rustique soit tant inférieur au rat urbain?

A quoi ce poupelet de Maugiron, fol et insoucieux comme on l'est parfois à son âge, tout soudain rit à gueule bec, ce qui ne laissa pas de poindre et piquer Quéribus davantage.

— Rat, Monsieur? dit-il fort sourcillant.

— Urbain, dis-je.

— Il y a offense! cria Quéribus, encore que sur un ton moins offensé que triomphal.

— J'opine qu'il n'y en a point! dit vivement le Marquis d'O, Monsieur de Siorac s'étant lui-même désigné comme le rat rustique.

— Monsieur de Siorac se rend à lui-même justice, dit Quéribus avec hauteur, il ne me la rend pas à moi. Monsieur, répondez. Suis-je un rat?

— Urbain, dis-je. Du latin, *urbs*, *urbis*, la ville.

— Ha! s'écria Quéribus sur le ton de la plus déprisante irrision. *Urbs*, *urbis*! M. de Siorac décline! Comme son courage!

— Quéribus! cria d'O.

— Monsieur le Baron, dis-je, vous m'avez donné le premier l'exemple de cette déclinaison.

A quoi le petit Maugiron rit derechef.

— Oui-da! cria Quéribus tout soudain hors de lui et brûlant ses vaisseaux, riez, Maugiron, riez! M. de Siorac rira davantage quand j'aurai ajouté une boutonnière à la reprisure de son ridicule pourpoint!

— Pour le coup, Monsieur le Marquis, dis-je en me tournant vers d'O, il y a eu offense, défiante, provocante et publique. Je vous prie de m'en donner acte.

— Je vous en donne acte, dit le Marquis d'O d'un air chagrin.

— Monsieur le Marquis, dis-je en m'inclinant profondément, je loge en Paris chez le maître-bonnetier Recroche, rue de la Ferronnerie : on est sûr de m'y trouver le matin. Monsieur de Maugiron, je vous salue. Monsieur le Baron, poursuivis-je d'un ton glacé, je suis votre très humble serviteur et à vos commandements à toute heure dévoué.

— Monsieur, c'est moi bien manifestement qui suis votre serviteur, dit Quéribus d'une voix suave en me saluant. Et tandis qu'il se relevait, le courroux et la hauteur tout à plein effacés de ses traits par on ne sait quelle sorcellerie, il me jeta un œil qui, à mon immense étonnement, n'était point inamical, bien le rebours. Etonné, je le fus davantage quand je me surpris moi-même à lui rendre un regard nullement rancuneux. Et ainsi nous envisageant quiètement, œil à œil, nous esquissâmes en même temps une sorte de fugitif sourire, comme si toute la scène où nous nous étions si durement affrontés n'avait été qu'une sorte de masque à l'abri duquel nous scellions une amitié tant soudaine qu'intime. Qu'il fallût à force forcée nous couper la gorge avant d'en arriver là, voilà qui pourtant à la réflexion ne laissait pas que de me poindre.

— Ha! Moussu! dit Miroul au désespoir et quasi se tordant les mains tandis que nous nous éloignions dans la cour, il ne fallait pas relever le mot « rustre ». Vous étiez aveugle, il vous eût fallu rester sourd!

— Qu'est cela? Qu'est cela? dit Samson, son teint de lys tournant à la pâleur de mort, un duel avec ce bretteur! Ha! mon frère, il vous tuera!

— Ou si vous le tuez, Moussu, vous y perdrez le chef! dit Miroul, la voix comme étouffée tant, je gage, le nœud de la gorge le serrait. Un Baron! un brillant courtisan! Un gentilhomme du Duc d'Anjou! Ha, Moussu, C'est folie!

— Qu'y peux-je ? dis-je. Si je n'avais point relevé le mot « rustre », Quéribus eût poursuivi sa persécution plus avant.

— Hélas ! Je le cuide aussi ! dit Miroul avec un gros soupir.

— Ha ! Monsieur mon frère ! dit Samson, les larmes au bord du cil et me saisissant le bras, si ce méchant vous tue, je le défierai !

— La bonne chose ! dit Miroul, il vous tuera aussi !

— Et de votre mort, Samson, je serai au ciel très conforté, dis-je en riant. Mais mon frère, n'en jasons pas plus outre et fermons une bonne fois le livre des lamentations. Je me propose d'instruire M. de Nançay de cette vilaine traverse et quérir de lui ce qu'il en opine.

M. de Rambouillet à qui je m'adressai pour savoir où j'aurais chance de rencontrer le capitaine des gardes à pied me dit qu'il ne l'avait point vu encore, mais qu'il pouvait par aventure se trouver au *Jeu des Cinq Pucelles* où il était accoutumé de s'ébattre, y ayant peu de monde en la paume à cette heure. Je dépêchai donc Miroul à Giacomi en sa galerie pour lui dire où nous allions, et repassant avec Samson le guichet du Louvre, je toquai à l'huis gros et massif des *Cinq Pucelles*, lequel s'ouvrant à peine, un valet-paumier me demanda mon nom et mon affaire. Je les lui dis, et incontinent le maître paumier-esteufier Delay apparut, lequel portant haut la crête comme à son ordinaire, mais cependant fort courtois, me dit qu'il me reconnaissait pour le gentilhomme périgordin qu'il avait vu avec M. de Nançay la veille, et que je n'avais qu'à entrer, le capitaine étant attendu pour faire une partie de quatre. Ce disant, le maître Delay nous mena dans la tribune, à cette heure vidée de tout public et, s'asseyant sans tant de façon à mon côté, me fit à la parisienne mode des questions infinies sur moi-même, ma parentèle et ma province. Je ne l'oyais que d'une oreille et ne répondais que tant que je le devais sans faillir à la politesse, mon attention étant engagée par deux gentilshommes qui, en chausses et chemise, battaient l'esteuf l'un contre l'autre par-dessus la corde à franges, un troisième gentilhomme, debout à côté de ladite corde, servant de juge et paraissant fort impatient de ne pouvoir se joindre au jeu. Du moins, j'en augurais ainsi à son air et aussi pour ce qu'il était en chemise et tenait à la main une raquette qui ne lui était, en tant que juge, d'aucune usance.

— Ha, dis-je, voici sans doute les gentilshommes qui attendent M. de Nançay pour faire un quatre. Comment se nomme le plus grand des trois? Il joue fort bien.

— Quoi! dit le maître Delay comme indigné, vous ne le connaissez point? Vous vous gaussez! Le monde entier connaît le Duc de Guise!

— Nenni, dis-je, étant à Paris de trois jours seulement, combien que j'en eusse beaucoup ouï parler chez moi, mon père, le Baron de Mespech, ayant servi sous le sien à Calais.

— Je le dirai à Henri de Guise, dit Delay non sans bonhomie, il ne vous en aimera que plus, vénérant la mémoire de son père assassiné.

— Et quel est, dis-je, le gentilhomme qui lui relance l'esteuf?

— Ha! dit Delay, voilà bien le piquant! Ce seigneur est le gendre de l'homme qui fit tuer son père.

— Mais, dis-je non sans quelque prudence et un pied déjà sur le recul, est-il constant que c'est Coligny qui fit assassiner François de Guise? Le Roi l'a lavé de cet infamant soupçon.

— Ha! dit Delay, le Roi joue son rollet et son rollet est de tromper son monde.

Il dit cela en baissant la voix et l'air fort mystérieux, étant atteint de cette fièvre de cour qui veut qu'on paraisse toujours tout informé de tout. Hors cette parisienne faiblesse, j'aimais assez le maître-paumier pour ce qu'il était rond comme cochonnet au jeu de boule, et de la croupe, et de la bedondaine, et de la face, l'œil à fleur de tête et tout à la fois naïf et renardier.

— Le Duc de Guise est fort beau, dis-je en le regardant bondir qui cy qui là sur le terrain.

— Laquelle beauté fut bien proche de lui coûter la vie, dit Delay à basse voix avec un sourire friand. Le Roi faillit l'occire quand il découvrit son clandestin commerce avec la Princesse Margot.

A vrai dire, tout ceci, même à Mespech, ne nous était pas déconnu, grâce aux lettres de d'Argence, mais je laissais jaser le bonhomme puisqu'il y avait appétit, pensant que je trouverais en ses ivraies quelques bons grains que je pourrais picorer.

Cependant, je considérais le duc à la paume et le trouvai fort gaillard, agile et dextre, et sa face, un apte miroir à tourner les têtes des alouettes de cour, ayant l'œil velouté et fendu, le trait fin, et une mignarde moustache, joliment retroussée sur des lèvres dessinées à ravir.

Il s'en fallait pourtant que sa beauté allât avec ses talents, lesquels, à ce que j'avais ouï de la frérèche, étaient fort minces, le Guise ne s'étant que bien mal illustré du côté papiste en nos guerres civiles, n'ayant hérité de son père ni le génie militaire, ni la politique finesse. Et pourtant, c'était merveille comme l'esprit de parti remédiait à ses insuffisances. Il n'était en l'Eglise catholique chaire de cathédrale, école, sacristie, séminaire ou même confessionnal qui ne résonnât quotidiennement de son idolâtre éloge, le duc passant dans le royaume pour le seul irréfragable défenseur de la foi vaticane, Charles IX étant peu sûr, Coligny ayant son oreille. Le duc laissait entendre que, descendant de Charlemagne, il avait davantage de droits au trône de France que Charles IX. Moines et curés allaient partout le répétant en murmures feutrés, tant est qu'à la fin, ce grand et beau duc ne pouvait paraître ès rues de la capitale, superbe sur son étalon noir, que le sot peuple n'accourût de toutes parts pour lui baiser les mains, les pieds et le sabot de son cheval. Etrange Paris qui, catéchisée par ses prêtres, se façonnait un autre roi que le roi de France!

— Vous observerez, me dit le maître-paumier Delay, que M. de Téligny n'a pas un revers fort bon et que son service est peu sûr. Jouez-vous, Monsieur de Siorac?

— Beaucoup mieux que Téligny. Un peu moins bien que Guise.

— Et votre joli frère? dit Delay en se penchant pour mieux envisager mon Samson, lequel rêveux, songeard et fort chagrin, m'imaginait déjà, je gage, une épée en plein cœur.

— Fort peu.

— Est-il toujours si accoisé?

— Toujours.

— N'est-ce pas émerveillable! dit Delay. Il est tout juste le rebours de moi qui n'ai pas d'heures assez dans la journée pour y dégorger les paroles qui me gonflent les joues.

A quoi je ris, et il rit aussi, étant de sa complexion assez bonhomme encore que fort outrecuidé et rusé. Voulant détourner son attention de mon frère tant je craignais de celui-ci quelque discours malencontreux sur le sujet de la religion, je lui dis:

— D'où vient que Guise consente à jouer avec le gendre de l'homme dont il cuide qu'il fit occire son père?

— Le Roi le veut ainsi, dit Delay, et prêche la

réconciliation. M. de Téligny a servi d'intermédiaire entre Coligny et le Roi avant que se fît le présent accommodement entre les huguenots et nous. Et de ce temps, le Roi accable de ses bontés ce Téligny, lequel les prend pour argent comptant.

— Opinez-vous qu'il ne le devrait pas ? dis-je en tournant la tête et en envisageant curieusement le maître-paumier.

— Mon gentilhomme, dit Delay en souriant d'un seul côté de la face, à la Cour on ne doit faire fond sur rien. Tout est mouvant : la faveur et la défaveur. En outre, qui est aimé d'un roi, se trouve haï de l'autre.

— Quoi ! dis-je béant, mais nous n'en avons qu'un !

— Nous en avons quatre, dit Delay à voix basse : le roi sacré et oint. Le roi de la Reine-Mère : le Duc d'Anjou. Le roi des huguenots : Coligny. Et Guise, le roi de Paris.

— A le considérer à la paume, dis-je *sotto voce*, le roi de Paris fait mille grâces au gendre du roi des huguenots. Voyez comme il lui sourit et paraît quasi vergogné de lui gagner tant de points.

— Il lui sourit, dit Delay, mais s'il ne craignait l'ire du Roi, il l'égorgerait à l'instant comme un poulet. Et Coligny aussi. Et tous les hérétiques.

La merci Dieu, Delay avait prononcé tout bas ces paroles de sorte que mon gentil frère ne les ouït pas. Sans cela nous eûmes été en grand danger qu'il ne les relevât, et c'en eût été bien fini de la fiance que le maître-paumier plaçait en moi, et de ses jaseries où je trouvais prou à gloutir, tant cet homme qui était de la Cour sans en être savait de choses sur ses princiers chalands.

A mieux envisager les batteurs d'esteuf devant moi, il me parut qu'en effet le sourire de Guise était tant faux que celui de Téligny, candide et non rogné.

Lequel Téligny, qui venait droit de son Rouergue, était de son corps agile assez et de sa face aimable et bénin, et me sembla-t-il, se paonnant assez (en la simplicité de son cœur) d'être à la Cour tant bien reçu et caressé par le roi et les grands.

— Et, dis-je, quel est ce gentilhomme qui fait le juge de la partie et paraît tant impatient que Nançay vienne pour faire un quatre ?

— Le Chevalier d'Angoulême. Mais on l'appelle le bâtard pour ce qu'il est le fruit d'une fornication entre Henri II et une Irlandaise.

— Il est fort noir, dis-je : le cheveu, le sourcil, l'œil, la couleur de peau.

— Et l'âme, dit Delay. Observez ses yeux, fort enfoncés dans l'orbite et fort rapprochés l'un de l'autre, signe d'une complexion tirant sur le cruel. Toutefois, le Roi aime ce noiraud si noir, le veut plus proche de lui que chemise de peau, et lui confie ses basses œuvres.

— Ses basses œuvres ?

— Nul n'ignore céans, me dit Delay à l'oreille, que c'est au bâtard que le Roi commanda de tuer le Guise, quand celui-ci eut l'impertinence de besogner Margot. Si le Guise ne s'était pas incontinent marié, le bâtard l'eût occis.

Ha ! pensai-je, en quel monde la fortune m'a jeté ! Le Guise égorgerait Téligny sur un signe du roi, et sur un signe du roi, le bâtard eût dépêché le Guise. Et cependant, ils sont là tous trois à jouer à la paume, courtois et souriants. Sanguienne ! Quelle Cour est-ce donc que celle du royaume de France ! Ce ne sont que tendres brassées, amicales œillades et suaves paroles. Mais tel qui vous sourit lundi, vous dague le mardi !

Sur cette réflexion, me ramentevant mon duel avec Quéribus (dont pour dire le vrai, quelque effort que j'eusse fait, le pensement ne m'avait pas quitté de tout le temps que j'avais parlé au paumier), je me sentis fort peu assuré de mon avenir en cette ville traîtresse, ce qui ne laissait pas que de me chagriner excessivement, aimant de si grande amour notre terrestre vie.

— Ha! Je vois bien! dit le paumier Delay, le bâtard s'impatiente que Nançay ne survienne. Mon noble Monsieur, consentiriez-vous à faire le quatre, si ces gentilshommes le veulent?

Je fus tant étonné que je ne pus que je n'acquiesçasse, et voilà le rond maître-paumier qui, se levant, traverse, bondissant comme esteuf, le terrain de paume et va bourdonnant comme frelon à l'oreille du Guise, du bâtard et de Téligny. Incontinent, il me revint dire que c'était fait, et que j'eusse à me mettre en ma chemise pour ce que, dit-il à ma très grande vergogne, « je n'aimerais pas que ces très hauts seigneurs vous vissent en ce pourpoint ».

Après quoi, m'ayant mis en main une fort bonne raquette, le paumier me présenta au bâtard, au gendre de l'Amiral et à Guise, dans le camp de qui il me plaça de son autorité.

— Ha! Monsieur de Siorac! dit le duc de Guise fort gracieusement, c'est pour moi un grand bonheur que de connaître le fils du Capitaine de Siorac dont jamais mon père ne faillit à citer le nom quand il racontait le siège de Calais : récit que je l'ouïs faire plus de cent fois en mes enfances.

— Monseigneur, dis-je en lui faisant un profond salut, je l'ai ouï aussi raconté par mon père, lequel avait les talents et la vaillance du vôtre en grande vénération.

Ce qui, pour vrai que cela fût littéralement, n'était des deux côtés qu'eau benoîte de Cour, le beau duc sachant bien de quel côté était mon père, et lui-même allié juré du pape et de l'Espagnol, ne rêvant d'accéder au trône de France que dans le sang des huguenots : long dessein qu'il dissimulait sous l'aimable masque de sa courtoisie — son âme vaine étant patiente de tout, hors de ne pas régner.

Je ne jouai que quelques instants à la paume, assez pourtant pour que le Guise me fît de grands compliments sur mon jeu et voulût bien me dire, au moment où, M. de Nançay survenant, je dus quitter l'arène, qu'il serait content que je fusse à nouveau son partenaire, si l'occasion s'en présentait : promesse qui, chose étrange, me parut sincère assez, le jeu de paume lui tenant tant à cœur.

Nançay n'était point seul, M. de Montesquiou le suivant, et venant à moi en la tribune où je remettais mon pourpoint, me dit fort roidement que le duc d'Anjou lui avait commandé de me conduire incontinent en sa présence, ainsi que mon frère, nouvelle que j'ouïs avec un prodigieux étonnement, et le maître-paumier aussi, lequel, dès qu'il vit Montesquiou s'approcher de moi, pointa à l'environ ses rondes oreilles.

— Ha ! Monsieur ! dis-je, en lui montrant la reprisure de mon pourpoint, comment peux-je me présenter à Son Altesse fait comme me voilà ?

— J'ai mon commandement, dit Montesquiou, son masque tanné, barré de deux traits noirs fort épais, ses sourcils et sa moustache. La chose, Monsieur de Siorac, ne souffre pas de retard. Refuseriez-vous de venir, poursuivit-il sans l'ombre d'un sourire, que je vous ferais porter jusqu'à Son Altesse par mes gardes.

— Quel fardeau ce serait pour eux ! dis-je en souriant, et quel équipage pour moi ! Monsieur de Montesquiou, je vous suis : vous m'avez persuadé !

Mais à mon sourire, Montesquiou ne répondit que par la plus sérieuse et sourcillante face, de sorte que lorsque nous fûmes, Samson et moi, dans la cour du Louvre, cheminant devant lui comme moutons devant chien de berger, je me retournai, et lui dis à basse voix :

— Monsieur de Montesquiou, est-ce grave ?

— Je ne sais, dit-il, le visage imperscrutable, mais Son Altesse avait l'air fort courroucée, et son commandement n'admettait point de délai.

Ralentissant encore mon pas et le laissant venir à ma hauteur, j'envisageai en m'accoisant les deux traits noirs qui lui barraient les traits, lesquels, de ce fait, ne paraissaient point trop accommodants. A la fin, son silence me pesant fort, je dis, attentant derechef à badiner :

— A voir votre mine, Monsieur de Montesquiou, on dirait que vous me menez à un juge qui m'enverra cette nuit épouser la Bastille !

— Je ne sais, dit Montesquiou, ouvrant à peine la bouche. Avez-vous querellé ?

— Oui.

— Cela, en ce cas, se pourrait.

CHAPITRE VII

M. de Montesquiou nous conduisit en l'aile nouvelle du Louvre, en une suite de salles où le gros des courtisans n'avait pas accès, lesquelles, j'entends les salles, étaient superbement décorées de plafonds à caissons dorés où se voyaient peints en un triomphe à l'antique, des casques, des lances, des coutelas et des piques, les murs étant tendus de magnifiques tentures, et les parquets recouverts de fort grands et somptueux tapis : ornements que j'eusse, je cuide, admirés à œil ébloui si le cœur ne m'eût affreusement toqué tant du mauvais prédicament où je me trouvais que de l'auguste et courroucée présence devant laquelle j'étais mené — Samson, à mes côtés s'accoisant, et me jetant des regards tant piteux que le nœud de ma gorge m'en nouait —, j'étais, en outre, fort vergogné de tailler devant Son Altesse Royale si piètre figure en mon pourpoint, et j'eusse fort préféré être vêtu sobrement de velours noir comme mon bien-aimé frère, plutôt que d'arborer devant le prince cette vêture déprisée.

Je ne vis pas d'abord le duc d'Anjou, pour ce qu'il était entouré de jeunes et chatoyants gentilshommes qui, à notre entrée, vers nous se tournant tous ensemble, nous envisagèrent aussi curieusement que si nous avions été d'étranges animaux amenés le matin même des Amériques, et se parlant à voix basse, branlaient continuellement la tête, le torse et les membres, se pinçotaient la barbe, se déhanchaient, se carraient sur un pied et de leurs mignonnes mains se tapotaient les bouclettes, frisures et ratepenades qui ornaient leur tête, s'exclamant à'steure : *En ma conscience* et à'steure : *Il en faudrait mourir*, phrases que j'avais déjà ouïes sur les lèvres de la baronne des Tourelles, et qu'ils susurraient du bout des lèvres comme si, à les prononcer ainsi, elles acquéraient je ne sais quel charme et autorité.

J'observais que malgré la touffeur, ils portaient tous une cape, laquelle était si courte que c'est à peine si elle escarmouchait leur taille de guêpe. Toutefois, d'aucuns ne la gardaient attachée que sur le côté droit de l'épaule, de sorte que sur ceux-là, elle pendait plus bas, et voletait quand ils pivotaient sur leurs talons, tant est qu'on eût dit l'aile unique de ces multicolores oiseaux. Je remarquai que quasiment tous affectaient d'avoir une manche de pourpoint tout à plein ouverte, tandis que l'autre était fort étroitement boutonnée, et les deux de couleurs différentes (ainsi que les crevés bouillonnants) et si amples en l'épaulure que vous auriez logé une bourse sous l'aisselle, les chausses à rebours non pas bouffantes, mais étroites et froncées comme des caleçons de femme, les bas d'une autre couleur que les chausses, et le dextre d'une autre teinte que le senestre, encore qu'en camaïeu ; la fraise sur quoi reposait leur tête comme sur un plat, fort large et les godrons qui la fronçaient, amidonnés du blanc le plus pur ; sur le chef, au-dessus des frisures que j'ai dites, un bonnet à l'italienne surmonté d'une aigrette qui ne fut point sans me ramentevoir l'escoffion que portait ma mère ; le sourcil épilé en fine et délicate arcade, la face pimplochée de blanc et de rouge encore qu'à la discrétion, une perle ou un diamant pendant à une oreille, mais non aux deux, l'œil tout à la fois adouci et défiant, la main baguée et délicate posée sur la poignée de l'épée, qu'à ce que j'ouïs, ces dangereux muguets maniaient tous à la perfection, étant au demeurant, encore qu'ils parussent si mols, hauts à la main, bravaches et vaillants à périr, comme bien ils le montrèrent en nos guerres.

Mon Samson béait à envisager les attifures et affiquets de ces émerveillables dont il n'avait jamais vu le pareil, même au Louvre où le commun courtisan, encore que bigarré, eût fait grise et terne figure de coq de basse-cour, comparé à ces coquecigrues. Quant à moi, fort vergogné par tous les yeux luisants braqués sur moi, quasi suffoqué par les parfums dont ces coquardeaux se pulvérisaient, et entendant mal leur langue tant leur parole était blèze, mignarde et molle, les mots tombant tout à plein désarticulés de leurs lèvres, je n'osais avancer plus outre, leur presse étant si grande, mais cependant tâchant de porter haut la crête à défaut d'un plumage aussi rutilant que le leur.

— Messieurs, écartez-vous, je vous prie! cria Montesquiou, lequel, avec sa face tannée et les forts traits noirs la barrant, avait l'air d'un grand corbeau au milieu de ces oiseaux des îles, et de reste les aimant peu à ce qu'il me sembla, et ceux-là le lui rendant bien, à voir le peu de bonne grâce qu'ils mirent à lui livrer le chemin, affectant des mines, tordant le nez comme si le capitaine eût pué, d'aucuns même mettant la main à l'épée, comme s'ils allaient tout de gob le pourfendre : mimiques que Montesquiou dédaigna de voir, n'ayant d'œil que pour le prince a qui il dit après un raide mais profond salut jusqu'à mettre le genou au sol :

— Votre Altesse est obéie : voici les Messieurs de Siorac.

Sur quoi le silence se fit, ces beaux damoiseaux tout soudain s'accoisant, la mine confite et l'œil quasi dévot, le duc ayant fait signe, d'un geste de sa belle main, qu'il allait parler.

A vrai dire, il délayait à le faire, nous inspectant fort curieusement Samson et moi, et aussi peut-être, tâchant de peser sur nous de tout le poids de son pouvoir, y ayant deux façons de se taire en ce monde, celle du sujet et celle du prince ; car encore que le duc d'Anjou fût assis sur un fauteuil point du tout orné, et celui-ci au niveau même du sol, ce fauteuil avait l'air d'un trône tant le duc y siégeait avec majesté, bien différent en cela de son frère Charles IX, qui même en sa plus menaçante ire, paraissait infantin. Non que le duc fût accoutré différemment des poupelets qui l'entouraient, les extravagances que j'avais chez eux observées se retrouvant en lui (qui en était, à vrai dire, l'origine et la source) sauf toutefois qu'il était, ce jour, voué à une seule couleur, étant vêtu d'un pourpoint de satin blanc orné de pierreries et de perles, celles-ci innumérables, et disposées en rangs serrés sur les épaules et la poitrine.

Il ne me parut point de sa face tant beau qu'on me l'avait dit, son nez valois étant long et lourd comme chez son père et son aïeul, mais ses yeux ne laissaient pas de racheter cette imperfection, étant très à l'italienne, larges, noirs, fendus et par surcroît vifs, méfiants, épiants, brillants, et porteurs en eux de je ne sais quelle grâce d'esprit qui prévenait dès l'abord en sa faveur, de sorte qu'il n'avait qu'à vous envisager pour déjà vous séduire.

Pour moi, je ne l'étais pas tout à plein, pour ce que contr'envisageant le duc avec tout le respect du monde, il me sembla que sa physionomie allait moins à la liesse et à la débonnaireté — lesquelles chez un grand sont toujours rassurantes — qu'à l'amertume et à la mélancolie, comme cela était manifeste au pli de sa lèvre, laquelle laissait voir que cet homme tant jeune, et tant comblé des dieux, n'habitait point à l'aise dans sa peau.

J'observai encore que le duc portait mince et fine moustache tombant aux commissures (ce qui ne laissait pas que de souligner le pli que je viens de dire), petite mouche de poils sous la lèvre inférieure et fort léger collier de barbe, le tout du plus beau noir, comme le cheveu qui bouffait sous son bonnet à aigrette, mais dégageant bien de toutes parts le front, lequel était haut, large et lumineux.

— Monsieur de Siorac, dit le duc d'Anjou d'une voix basse, suave et comme flûtée, et l'œil grave mais non point sourcillant, est-il constant que vous soyez entré en querelle en la cour du château avec M. de Quéribus ?

— Oui, Monseigneur, dis-je en lui faisant un profond salut.

— Et qui de vous deux est à l'origine de ce différend ?

Question qui ne laissa pas que de m'embarrasser, d'autant que Quéribus, que je n'avais point aperçu en entrant n'ayant d'yeux que pour le prince, m'apparut alors à ma dextre, toujours flanqué du marquis d'O et de Maugiron, mais, toute superbe disparue, pâle, quinaud, plus décomposé que je n'étais moi-même, et craignant fort, à ce que je vis, de perdre les bonnes grâces de son maître. A quoi réfléchissant, et me disant un éclair que je n'avais, moi, rien à redouter de tel, étant huguenot, et en cette qualité, étant hors faveur déjà, je me résolus à désobérer quelque peu le baron de sa coulpe.

— Monseigneur, dis-je, la faute n'en est ni à l'un ni à l'autre, mais à mon pourpoint lequel, M. de Quéribus envisageant, ne put qu'il ne sourcillât. Sur quoi, je sourcillai aussi ; M. de Quéribus sourcilla de ce

sourcillement, et tous deux, des regards passant aux
paroles, nous en échangeâmes quelques-unes qui
furent assez vives pour nous piquer l'un et l'autre,
encore que l'occasion en fût bien chétive, étant née
tout entière du déprisement d'un pourpoint reprisé.

A quoi, Son Altesse daigna sourire, goûtant fort les
giochi di parole [1], comme bien on le vit en la suite de
cet entretien.

— Quéribus, dit le duc, qu'opinez-vous de la rela-
tion que M. de Siorac a faite de vos encontres?

— Qu'elle est généreuse à l'excès et me décharge
trop.

Ce disant, Quéribus me salua gracieusement, salut
qu'incontinent je lui rendis.

— Querelleur Quéribus! dit le duc (lequel parut
content de cette allitération que les courtisans
saluèrent d'un murmure ravi), avez-vous, hors son
pourpoint, d'autres griefs et plaintes touchant M. de
Siorac?

— Aucun, Votre Altesse.

— Le haïssez-vous?

— Bien au rebours, dit Quéribus non sans chaleur. Il faut être fort vaillant pour oser à l'épée
m'affronter, et fort débonnaire pour ne me point
garder mauvaise dent de mes insolents regards. Je ne
connais M. de Siorac que d'hier, mais jà je l'aime et
je l'estime prou.

— Et cependant, vous alliez lui couper la gorge!
dit le duc tout soudain sourcillant et haussant la
voix, et non seulement vous! Mais les seconds entre
eux! et les tiers! Ha! Mes beaux amis! poursuivit-il
en s'adressant à l'assistance, n'est-ce pas démence
que ces différends qui prennent journellement entre
vous, en ce château même! Près de la personne du
Roi — crime capital par les lois du royaume — et

1. Jeux de mots.

différends pour quoi? Sinon pour des occasions infimes et de néant, comme ce pourpoint. Ne dirait-on pas que s'entre-tuer est pour vous une sorte de desport auquel il ne faut pas plus de raisons que pour une partie de paume? Prenez garde, pourtant, que ce monstre qu'on appelle *querelle*, gagnant pied parmi la noblesse, ne l'aille petit à petit dévorant. Que si on voulait bien compter chaque année ceux qui, en le royaume de France, perdent la vie en ces duels, on trouverait qu'il s'est donné des batailles, tant étrangères que civiles, où ne sont point morts tant de jeunes et vaillants seigneurs qui eussent pu, avec le temps, servir dignement leur Prince et atteindre à de hautes dignités au lieu que non pas périr sur un pré en le bourgeon de leur âge. Mes beaux enfants, reprit le duc (lequel avait tout juste mon âge et n'était notre aîné que par son rang), saurait-on imaginer plus folle folie qu'un gentil-homme, sans nulle haine en son cœur pour un sien compagnon de cour, mais bien plutôt ayant à lui quelque obligation d'amitié, aille l'occire au nom de je ne sais quel devoir de fausse galanterie et de faux point d'honneur?

Cette belle et forte remontrance, si bien prononcée en français si suave, accoisa tant nos mignards muguets que vous eussiez pu ouïr une épingle tomber sur le tapis, chacun retenant son souffle à proportion de ses fautes, lesquelles étaient grandes à voir les mines que l'on tirait qui cy, qui là, à l'alentour, n'y ayant point là, je gage, de ferrailleur qui n'eût tué son homme en ces sortes de discordes privées.

Le duc, cependant, continuait à se taire, assis en son fauteuil en une guise fort élégante, ses belles mains (dont j'appris plus tard par Fogacer qu'il les adoucissait par des pâtes et des onguents) posées avec légèreté sur les accoudoirs du fauteuil, et ses beaux yeux noirs fichés sur ceux de Quéribus, comme s'il attendait qu'il parlât dans le sens que lui-même désirait, mais sans lui vouloir dire.

— Que fais-je donc, Monseigneur? dit Quéribus, qui, pâle et quasi tremblant, paraissait au désespoir d'avoir déplu à son maître. Dois-je incontinent m'accommoder à M. de Siorac et lui faire quelque excusation?

A quoi le duc, la tête haute et l'envisageant œil à œil, ne répondit goutte ni miette, gardant sans broncher ni piper sa majestueuse immobilité.

— Eh bien donc, puisqu'il le faut, dit Quéribus, en tordant fort le nez dans la violence qu'il se faisait pour s'abaisser devant moi, Monsieur de Siorac, je vous prie...

Mais je ne le laissais point achever, les choses n'allant pas le train que je voulais. Tirant au baron tout soudain, je le pris dans mes bras et, l'y serrant, lui dis à forte voix :

— Ha! Monsieur de Quéribus! Ce n'est point une excusation que je veux, c'est votre amitié, et elle seule!

A quoi il rougit et rit, et pâlit, et rit encore et démantelant tout soudain ses défenses, me serra à son tour à étouffer, et me donna cent baisers sur les joues, à quoi je répondis sans chicheté, trouvant plus de plaisir à ces mignonneries que je n'en eusse certes encontré à la pointe de son épée. Car, à dire le vrai, il y était d'une telle force qu'il m'eût en un battement de cil étendu sur le pré, si l'affaire s'y était décidée.

Cependant, se déprenant enfin de cette étreinte et de cent tendres toquements (de l'un comme de l'autre) sur les épaules et sur le dos, Quéribus fort rouge derechef, s'écarta de moi un petit et la larme au bord du cil, et cependant la face riante, me dit :

— Siorac, j'avoue céans et je confesse que vous n'êtes point plus rustre que moi.

— Ni vous, dis-je, plus rat que moi.

— Ni votre pourpoint, dit-il, plus vilain que le mien.

— Quoi! dit le duc d'Anjou tout soudain, pensez-vous cela, Quéribus?

— Assurément, Monseigneur, dit Quéribus en le saluant.

— Ha! J'en suis bien aise! dit le duc, car vous voyant, Siorac et vous, en vos embrassements, je n'ai pas laissé d'observer que vous étiez de même taille et corpulence, et la pensée m'est venue qu'en gage de l'amitié que vous vous juriez, vous pourriez échanger vos pourpoints.

A cette pensée-là qui était un commandement, il y eut des Ho! et des Ha! et des rires dans l'assistance, laquelle toutefois le duc envisagea à l'environ d'un air si roide qu'ils moururent aussitôt. Je vous laisse à penser la longue et silencieuse mine que tira Quéribus en se dévêtant et se revêtant, moi-même n'osant trop m'ébaudir de m'enrober en sa riche dépouille, son déplaisir me touchant au cœur dans le nouveau sentiment où j'étais pour lui. Et encore que les muguets qui étaient là crevassent presque de se rentrer leur moquerie, leurs joues tant tendues que crapauds se gonflant, tant agissait sur eux le souverain empire du duc que pas un n'éclata, ceux mêmes dont les yeux gaussaient trop, les fichant à terre dès qu'ils se cuidaient sous le feu de son altier regard.

— Voilà qui paraît fait à la mesure, dit le duc sans se départir de sa gravité, et qui va bien à l'un comme à l'autre de ces amis jurés. Quéribus, poursuivit-il, je vous sais gré de votre complaisance, et je vous en saurais un meilleur si vous consentez, l'espace d'une heure, à vous promener par le Louvre, ainsi attifuré, avec M. de Siorac.

— Ha! Monseigneur! s'écria Quéribus en pâlissant, me devez-vous soumettre à pareil tourment?

— Baron, dit le duc, auriez-vous vergogne, devant nous qui l'ordonnons ainsi, à vous montrer en ce pourpoint?

— Devant vous, Monseigneur, point! Mais devant les autres!

— Les autres ne sont rien où nous ne sommes pas, dit le duc d'Anjou, avec tant de majesté qu'elle me donna à penser qu'il oubliait parfois qu'il n'était pas le roi de France.

— Baron de Quéribus, reprit-il, je vous verrai céans dans une heure. M. de Siorac aussi.

C'était notre congé. Il s'y fallut plier, et départir tous deux de cette salle, moi en sa gloire et lui en ma loque, Samson nous suivant, fort aise, je gage, de me voir sauf, et plus muet que souche. Muet, Quéribus l'était aussi et rouge, et en son excessif abaissement tremblant comme feuille, la crête fort rabattue et subissant au désespoir une punition pour lui plus cruelle que la mort, tant est immense la vanité de nos gens de cour, si différents de notre noblesse huguenote, laquelle incline plus à l'être qu'au paraître, et davantage à la possession des biens qu'à leur somptuaire ostentation.

— Ha! Baron! dis-je en le prenant par le bras et en lui parlant à basse voix, ne tirez point cette longue et chagrine mine. On rira de vous à proportion de votre renfrognement. Affectez au rebours un air riant, content, tout assuré de soi, et à ceux qui s'étonneront sur le chemin à vous voir ainsi accoutré, répondez en gaussant: j'ai fait une gageure avec M. de Siorac et j'en veux être le gagneur.

— Vertu Dieu, Siorac! dit Quéribus, vous avez autant d'esprit que de vaillance. Le conseil est bon. Je le vais suivre. Il ne sera pas dit que ceux qui ne m'aiment pas prou céans auront la joie de me voir la queue basse!

Sur quoi, il se redressa, et carrant l'épaule, la tête

haute, et le jarret tendu, il saillit avec moi au soleil
d'août en la cour du Louvre, les lèvres entrouvertes
en un sourire encore quelque peu jaunâtre et
façonné. Et moi, le voyant en ces dispositions et
décidé à les fortifier, j'imaginai de lui conter pour
l'égayer ma traverse avec la jeune sorcière Mangane
en Montpellier, laquelle, ayant forniqué avec moi sur
une tombe pour ce qu'elle me prenait pour Belzébuth, m'avait, sa méprise reconnue, méchamment
noué l'aiguillette, sortilège qui, pendant dix jours,
m'avait laissé tout escouillé. Récit qui fit rire Quéribus à gueule bec et jusqu'aux larmes, et se tenant les
côtes.

— Ha! Siorac! cria-t-il, que vous êtes donc divertissant! Et penser que le sachet du seigneur de Montaigne fit le miracle de vous rendre l'usance de votre
glaive, alors qu'il était vide! Vertu Dieu, je parle du
sachet, et non du glaive!

A quoi il rit de plus belle, et moi aussi, et jusqu'à
nous plier en deux en notre liesse. Ce que voyant,
l'attention des courtisans (lequel mot devrait venir
de *courre*, et non de *cour*, tant ils paraissent haletants à se ruer après les grands pour en tirer faveur),
leur attention étant, dis-je, attirée par notre hilarité,
plus d'un vint quérir de Quéribus le pourquoi de son
étrange attifure et n'obtenant de lui aucune réponse
tant il riait, se prit d'appétit à déceler le dessous de
notre grande gausserie, et d'autant qu'ils nous
voyaient suivis de Samson, tout rêveux, de Giacomi
revenu de ses assauts, de mon Miroul béant et de
Montesquiou (lequel, je gage, devait s'assurer que
nous ne nous cachions point, l'heure durant, dans
quelque retraite) à telle enseigne que tous ces
curieux, se mettant queue à queue, nous eûmes bientôt à la croupière une belle suite de gens, dans la
rage où ils étaient, y ayant à la Cour tout autant de
badauds qu'à la ville, de s'éclairer sur ce grand et

conséquent mystère d'un pourpoint reprisé porté par un muguet.

Ce cortège, comme bien on pense, nous donna fort à rire. Cependant, Quéribus, me serrant le bras, me dit à l'oreille sur le plus folâtre ton :

— Siorac, je vous soupçonne d'être de la même Eglise que le Grand Prieur de France.

— Mais qui est ce grand personnage ? dis-je alarmé assez en mon for qu'il parlât d'Eglise à un huguenot.

— Le bâtard d'Angoulême. La merci Dieu, il n'en a que le titre et les revenus. Car s'il avait à bénir ou absoudre les dames, le diable sait de quel goupillon il userait, n'y ayant pas en tout le royaume plus fol coureur de cotillon. Savez-vous ce que le Duc d'Anjou dit de lui ?

— Vous me l'allez conter, je gage.

— « Le Grand Prieur ne veut que personne ne meure. Il n'est d'autre nation que celle des vies. »

— Et de quelle guise écrivez-vous « vies » ? dis-je en faisant l'innocent.

— Mais tout juste la vôtre ! dit Quéribus.

Sur quoi nous rîmes tous deux à ventre débou-tonné, et moi d'autant davantage que, jetant un œil, tout cheminant derrière moi, je vis que d'aucuns de notre moutonnière suite riaient aussi sans rien avoir ouï et sans entendre miette à notre liesse, comme pour faire accroire aux autres qu'ils en savaient la raison.

— Ha ! Vertudieu, Siorac ! dit Quéribus, quel gen-til compagnon vous faites et que pitié c'eût été de vous occire, miroir que vous êtes de tous les talents qui font un galant gentilhomme. Du reste, poursui-vit-il non sans un grain de vanité, à vous envisager plus outre, il m'est avis que vous n'êtes pas sans me ressembler quelque peu.

— Quéribus, dis-je en contrefaisant un soupir,

vous me flattez. J'ai le cheveu blond, vous l'avez doré ; l'œil gris-bleu, le vôtre est du plus bel azur ; le teint clair, le vôtre est blanc ; le nez droit, le vôtre droit aussi, mais plus délicatement ciselé, ainsi que vos lèvres, lesquelles sont si bien faites que je ne conçois pas que les dames n'en soient pas toutes raffolées. En un mot, Baron, je dirai que je suis l'ébauche et vous, le dessin achevé.

Encore que j'eusse parlé pour moitié par gausserie, ce beau discours jeta Quéribus dans le ravissement et s'arrêtant, il me prit derechef dans ses bras et me donna cent baisers en disant :

— Ha ! Siorac ! Ha ! mon ami ! Ha ! mon autre moi-même ! Jà, je vous chéris tant que je ne voudrais plus vous quitter. Disposez, je vous prie, de ma maison, de ma bourse, de mes chevaux. Vertudieu ! Je suis prêt à vous bailler tout ce qui est en ma possession, et au-delà ! Et s'il est quelque belle en cette Cour à laquelle vous ayez appétit, il n'est que vous la nommiez et Vertudieu ! Elle sera à vous ! J'y emploierai toutes mes forces !

Il me sembla qu'ici Quéribus gasconnait et qu'il faisait bien un peu le fendant et le mangeur de charrettes ferrées. Je me trompais. Car lorsque je connus mieux la Cour, je découvris que tout était à l'excès chez nos Parisiens : l'amitié comme la haine. Tel gentilhomme qu'on me cita, quitté quinze jours par son intime compagnon, se laissa en deuil pousser barbe et cheveu et quasiment renonça en son chagrin le boire et le manger, ou n'en prit que juste ce qu'il fallait pour survivre jusqu'au retour de l'absent.

Je fis mille grâces et merciements à ce tant fervent ami qui, une heure auparavant, me voulait la gorge couper : à mon tour je l'embrassai et poutounai à la fureur et lui dis que la belle était élue déjà et qu'elle me baillait ce soir même à souper, et plus peut-être, en une petite maison de la rue Trouvevache. Au nom de cette rue, Quéribus fit un long ris, éclatant et allègre.

— Ha, Siorac! dit-il. Je connais la dame. C'est la Baronne des T.! Il n'est pas à la Cour de gentil-homme un peu bien fait qu'elle n'ait ainsi convié à ses petits soupers, mais *caro mio*, c'est maigre viande! La dame est une archi-coquette, vous n'aurez pour potage que des mignonneries et la futée ne baille rien au-delà de ses lèvres; elle vous amuse par de petits casse-gueule, et pour le pot ou le rôt, se dérobe tout à plein.

Comme il disait, on le toqua un petit à l'épaule, et nous retournant nous vîmes M. de Montesquiou qui, la face austèrement barrée de ses deux traits noirs (lesquels m'étonnaient pour ce que je ne voyais pas comment ils lui pouvaient permettre une mine riante) nous dit que l'heure était passée, et que nous étions que de retourner en la salle où Son Altesse avait dit qu'elle nous attendrait.

Nous tirâmes donc de ce côté, Montesquiou arrê-tant de la main notre panurgienne suite au seuil de la bâtisse, et Quéribus et moi fort contents de nos gaies jaseries, l'œil en fleur, la lèvre encore gaus-sante, et la joue quasi usée de tous les baisers que nous avions échangés.

J'étais tant fasciné par le duc d'Anjou et par la subtilité tout italienne de son déportement (mais n'était-il pas par sa mère un Médicis, héritier des grâces, des ruses et de l'amour du beau de sa famille florentine?) que je me promettais beaucoup d'agré-ment à le revoir et à l'ouïr, encore qu'un scrupule me tracassât — guère plus gros qu'un petit caillou dans une botte, lequel sans vous empêcher de cheminer, vous ramentoit pourtant qu'il est là — à tant admirer un adversaire juré de mon parti, le vainqueur de Jarnac et de Moncontour, et le meurtrier de Condé par la main de ce même farouche Montesquiou qui m'escortait jusqu'à lui. Que si, pourtant, comme le maître Delay avait dit, il y avait quatre rois en ce royaume déchiré — Charles IX, Coligny, le duc d'Anjou et le Guise — comment s'étonner que chacun des quatre, se sentant menacé par l'autre, ne songeât qu'à sa destruction, n'y ayant entre eux que de temporaires alliances pour faire échec à l'un des quatre ? Et en cette présente, étrange et quasi contre-nature conjonction où l'on voyait Charles IX faire de notre Coligny son conseiller — en méfiance de sa mère, en haine de son frère — celui-ci pouvait bien entrer en quelque entente avec Guise, alors même qu'il ne pouvait que redouter, pour le trône des Valois, sa démesurée ambition, comme bien la suite le montra. C'est ainsi que le parti papiste, Coligny ayant l'oreille du roi, avait de présent comme Janus deux têtes sous le même bonnet, Anjou et le Guise, chacune d'elles ne pouvant qu'elle ne rêvât que l'autre tombât pour lui laisser la place.

Etant dans les dispositions que j'ai dites, je fus fort déçu à l'entrée dans la salle de n'y pas voir le duc d'Anjou, non plus que la foule des courtisans mais à peine cinq ou six personnes parmi lesquelles je reconnus Fogacer, aux côtés d'un personnage fort grave dont l'honnête face me plut assez et qui devait être le médecin Miron (qui, pour dire le vrai, ne se révéla point à l'usance tant sot et ignorant que Fogacer avait dit, bien le rebours). A notre vue se détachant de ce groupe, un gentilhomme grand assez, bien fait, le front fort assuré, et l'œil audacieux (lequel, comme je le sus plus tard, s'appelait Du Guast) vint à notre encontre et nous dit :

— Messieurs, Son Altesse n'a pu vous attendre, étant appelée par la Reine sa mère. Il a toutefois, avant son partement, dicté une lettre pour le Baron de Quéribus qu'il m'a chargé de lui remettre.

Quoi disant, Du Guast la remit à Quéribus qui incontinent l'ouvrit, la lut et, la joie la plus exaltée éclatant tout de gob sur sa belle face, me dit en sa frémissante liesse :

— Ha Dieu ! Le bon, loyal et débonnaire Prince ! Et comment pourrais-je vivre mille vies sans les lui vouer toutes ! Lisez, Siorac ! Cela vous touche aussi.

Lecteur, j'ai gardé cette lettre, ayant tant fait que Quéribus à la fin me la bailla, et la voici, hélas en l'écriture d'un secrétaire, mais signée de la main du duc et en son propre style.

« Monsieur de Quéribus,

« Je ne vous saurais remercier assez de la complaisance que vous avez mise à faire mon commandement, par où je connais votre bonne volonté à mon endroit, et vous assure que vous aurez occasion à connaître la mienne. M. Du Guast vous remettra un pourpoint de moi pour remplacer celui qu'on vient de vous voir en ce château, lequel doit être rendu à M. de Siorac, sans qu'il ait à rendre celui que vous lui avez baillé et qui doit rester le gage de votre foi jurée, étant l'un et l'autre à jamais frères et amis, comme deux os qui se conjoignent solidement après qu'ils se sont par rupture disjoints.

« Le père de M. de Siorac a bien servi mon grand-père à Cérisoles, et mon père à Calais, et encore qu'il soit de la nouvelle opinion, n'a jamais tiré l'épée contre son Roi, étant huguenot loyal et fidèle comme le brave La Noue. Je me vois assuré que son fils sera pareillement très affectionné à mon service et à celui du Roi, mon seigneur et bien-aimé frère. Ayant vu que sa fortune de présent ne lui permet pas de tenir son rang en ce château comme il le devrait, je commande à Du Guast qu'il lui verse deux cents écus sur ma cassette, afin que lui et son tant joli frère se vêtissent comme ils le jugent bon.

« Quéribus, mon gentil museau, je ne te veux plus querelleur, mais t'ayant toujours aimé et faisant encore, ton obéissance ne peut qu'elle ne redouble l'amitié et l'affection que je te porte. Baron, aimez-moi toujours, je vous prie. Vous m'obligerez à vous et je vous assure que je le reconnaîtrai. Votre bien bon ami.

Henri. »

Mon Quéribus fut quasiment transporté hors de lui par l'inouïe félicité que lui donnait le pourpoint que Son Altesse avait porté. Du Guast le lui tendant, non sans sourire d'un seul côté de la face (tant peut-être, il enviait ce privilège sans précédent), le baron l'endossa et le boutonna de ses mains tremblant de joie, la gloire inondant son visage ébloui. Il se tenait, je gage, infiniment plus honoré de ce don que s'il avait reçu du roi le collier de l'ordre de Saint-Michel ou du nonce un chapelet de grains d'or béni par le pape.

Cette princière vêture était façonnée en satin bleu pâle (comme celle que j'avais reçue de Quéribus) et encore qu'elle fût garnie d'autant de pierreries et de perles que la blanche attifure portée par le duc d'Anjou au cours de notre entretien, je tiens pour tout à fait assuré que le baron ne comptait pour rien les très conséquentes pécunes qu'il eût pu tirer de ces garnitures au regard de l'intime et particulière faveur du prince, et des suaves paroles dont il l'avait accompagnée dans sa lettre.

Mais pour moi il ne m'échappait pas, tandis que Du Guast jetait un à un dans mon escarcelle les brillants et tintinnabulants écus, que le duc ne liait tant Quéribus à ma personne que pour nous lier tous les deux à lui-même. Il tâchait, pour ainsi parler, à tuer deux pigeons d'une seule arquebusade, tâchant de passer la bride aux duels de cour et nous attachant à lui tant par ses largesses que par les cajoleries d'une lettre dont il savait bien, en la dictant, que nous l'allions l'un et l'autre chérir, dans la suite des temps, au-delà même de ses présents.

Ha ! certes, je ne pouvais que je ne me ramentevais que le duc était, par sa mère, le petit-fils d'un seigneur florentin, à qui Machiavel avait dédié son ouvrage fameux sur le gouvernement des hommes. Bien savait le duc qu'on commande les bras et les cœurs des gentilshommes par l'honneur autant que par les apanages. Mais dans l'application de ce grand précepte, quelle souple finesse, en cette lettre si manifeste ! Quelle italienne *gentilezza*, ou rien ne faillait, pas même un vrai émeuvement ! Combien étonnant ce passage du « vous » au « tu », où quasiment dans la même phrase il commande le dévouement d'un sujet et lui demande son amitié ! Toutefois au-dessous de ces mignonneries, comment ne pas ouïr aussi une autorité qui ne souffrait pas de réplique (*les autres ne sont rien*, avait-il dit, *où nous ne sommes pas*) et sous la patte de velours une griffe prête à saillir.

J'observai aussi qu'au lieu que de parler du culte des huguenots comme le faisaient injurieusement les papistes zélés, comme de la *religion prétendue réformée*, le prince avec plus de courtoisie et de débonnaireté nous désignait dans sa lettre comme *ceux de la nouvelle opinion*, langage mesuré auquel il resta fidèle même quand l'appela à assiéger La Rochelle ce roi qu'il appelait *Monseigneur et bien-aimé frère* et qui était assez peu le premier, et très peu, le second.

Quéribus eût voulu ne me point quitter et avec moi et Samson souper, et comme je lui ramentevais que j'étais attendu rue Trouvevache, il attenta de me dissuader de me rendre chez cette « archi-coquette », arguant que si j'avais appétit à la gaillardise, il savait où m'introduire pour que j'eusse satisfaction. Mais je n'y consentis pas, tant parce que je ne voulais pas faillir à la baronne des Tourelles, que parce que je ne voulais point laisser Quéribus occuper tout mon temps, à quoi je le voyais enclin dans le bouillant de son amitié. Cela n'est pas à dire que je ne l'aimais pas, bien le rebours, mais j'y voulais mettre de prime face un peu de réserve, afin que je pusse demeurer maître des heures de ma vie.

Je le quittai enfin non sans une dernière brassée et je ne sais combien de baisers, de palpements, de toquements d'épaule et de dos, de serments de nous servir toujours, d'affectueux regards, de larmelettes de joie. Et je l'envisageai, tandis qu'il s'éloignait dans ses princiers atours, dans la cour du Louvre, au soleil à peine déclinant. Encore qu'il ne fît que marcher, son pas était si bondissant que vous eussiez dit qu'il courait sur la pointe des pieds au sommet d'une colline, comme s'il allait prendre son envol au ciel de la félicité.

— *Heu ! Quam difficilis gloriae custodia est* [1] ! dit une voix sardonique et me retournant, je reconnus Fogacer, le sourcil arqué et l'œil brillant, fort semblable à une grande sauterelle noire, laquelle me mettant la patte sur l'épaule, poursuivit en m'envisageant avec son lent et sinueux sourire : Siorac, *mi fili*, c'est à moi que tu dois ces tendres embrassements du tumultueux Quéribus, lesquels valent mieux assurément que la pointe de son épée dans la gorge — botte secrète qu'il apprit du grand Silvie — car te voyant tantôt d'une fenêtre du Louvre aux prises dans la cour avec ce périlleux bretteur, j'en ai incontinent informé le Duc, avec le résultat que tu sais. En quoi, je débats en moi-même si j'ai eu tort ou raison. Assurément, ce n'est pas rien que de te garder en vie, *mi fili*, toi que j'ai nourri aux tétins de

---

1. Hélas ! comme il est difficile de conserver la gloire !

philosophie et de logique, les deux stériles mamelles d'Aristote, mais d'un autre côtel, ne t'ai-je hissé au Capitole si splendidement vêtu, et l'escarcelle si bedonnante, que pour qu'on te précipite dans le vide du haut de la roche Tarpéienne ? *Fortuna vitrea est. Tum cum splendet frangitur* [1].

— Fogacer, qu'est-ce à dire ? dis-je, ouvrant les yeux tandis que mon Samson, Giacomi et Miroul (lesquels deux m'avaient rejoint dès que j'avais sailli de la bâtisse) m'entouraient, tout à plein accoisés et béants, et de mon inouïe fortune, et de l'avertissement que ce noir et sautillant échassier me venait corner à l'oreille.

— Siorac, poursuivit Fogacer, approchant sa tête de la mienne (mouvement qui fut incontinent imité de Samson, de Giacomi et de Miroul, tant ils étaient anxieux d'ouïr le reste), il ne se passera pas une heure sans que la Cour apprenne que vous avez reçu du Duc d'Anjou ces faveurs inouïes. Le soir même, Pierre de l'Etoile en sera averti. Demain, la ville entière.

— Eh bien, quel est le mal ? dis-je.

— Extrême ! dit Fogacer sans plus gausser. De ce jour, Siorac, tu seras réputé comme étant du parti du Duc d'Anjou, donc suspect aux trois autres. Aux huguenots, bien sûr, ceux-ci t'allant faire face très froidureuse d'être si avant dans l'amitié du vainqueur de Jarnac et de Moncontour. Aux guisards qui redoutent la finesse du Duc bien plus que celle du Roi. Au Roi enfin.

— Au Roi ? Comment cela serait-il possible ? m'écriai-je, la parole blèze et bégayante en mon émeuvement.

— Ne vous l'ai-je pas dit ? Le Roi hait son frère, et

1. La fortune est comme le verre. Dans le temps même où elle brille, elle se casse.

du premier au dernier, il abhorre ses amis. Siorac!
Entendez toute l'ironie de votre prédicament:
jusqu'à ce jour d'hui, vous ne pouviez vous présenter
au Roi en raison de votre pourpoint reprisé. Vous
pouvez maintenant en votre splendide vêture vous
présenter à lui, mais le Roi, pour le coup, ne vous
recevra pas.

— Ha! Fogacer! dis-je avec la dernière amertume,
que dites-vous là? Mais si cela venait à être, j'aurais
misérablement failli à l'entreprise qui fut cause de ce
long voyage, de ces périls inouïs, de ce temps gas-
pillé, de ce grand débours de pécunes. Aurais-je dû
repousser les écus d'Anjou et refuser ce pourpoint?

— Y pensez-vous? Le Duc vous en eût haï, et votre
Quéribus aussi. Et sa bonne lame eût pris le relais de
son offense.

— Ainsi, dis-je, stupide de béance et de désespérance, et les jambes sous moi tremblant, sans l'avoir
voulu, sans le désirer, par la seule hasardeuse mécanique des événements enchaînés l'un à l'autre, me
voilà du parti du Duc, moi, un huguenot, détesté des
guisards, suspect du Roi, en mauvaise odeur auprès
des miens.

— Ha! Mon bien-aimé frère! s'écria tout soudain
Samson, son œil azuréen tout illuminé de son candide zèle, c'est le ciel qui parle céans par la bouche
de Fogacer! (A quoi Fogacer arqua son sourcil diabolique.) Rendez incontinent à ce Duc corrompu ses
écus corrupteurs et à ce frivole poupelet l'attifure qui
vous colle à la peau comme le rouge manteau de la
grande prostituée. Qu'avez-vous à faire de la grâce
du Roi! N'avez-vous point l'absolution de votre conscience pour avoir occis le méchant Fontenac?
Fuyons, mon frère, les vilaines gens de cette
moderne Babylone! Cherchons asile aux champs à
Mespech en nos douces retraites paternelles, loin des
vices et des abominations de cette Paris puante!

Ce beau discours, explosant au milieu de nous, nous laissa béants, hormis Miroul qui dit en oc *sotto voce*, son œil marron s'égayant :

— Ce rouge manteau est en satin bleu pâle.

Cependant, comme j'allais encore une fois en mon tracassement me courroucer contre mon pauvre frère, Giacomi me posa la main sur le bras et dit sur le ton le plus suave et la dextre rassemblant le bout de ses doigts devant lui :

— Samson ! N'avez-vous pas ouï ? *E une questione di fatto e non di principio* [1]. Pierre ne peut qu'il n'ait la grâce du Roi sans laquelle il serait en danger de décapitation, même à Mespech. Il ne peut être introduit au Roi qu'en ce pourpoint, et non en celui que Miroul porte sur le bras. Et s'il refusait les largesses du Duc, il serait aussi en péril de sa vie. Voulez-vous voir occis à toutes mains ce frère tant chéri ?

A quoi Samson, les larmes aux cils, s'accoisa tout quinaud, n'ayant jamais des traverses de la vie qu'une vision biblique et pastorale. Ha ! certes ! Mon bien-aimé frère était peu idoine à se régir sagement en la ville et la Cour, où moi-même, à peine arrivé, m'étais jeté dans les toiles comme lièvre étourdi au sortir d'un fourré. Ha ! Que j'eusse voulu mon Samson à cent lieues de là, ou du moins à Montfort-l'Amaury où j'avais écrit au Maître Béqueret pour requérir qu'il le logeât au moins le temps que je demeurerais en la capitale. Et de présent, j'avais d'autant plus appétit à cet éloignement qu'il ne m'avait pas échappé avec quelle faveur le duc d'Anjou, en notre entretien, l'avait envisagé, l'appelant dans sa lettre « mon tant joli frère » ! Havre de grâce ! Il n'eût plus manqué à mon prédicament que cette faveur se précisât davantage, et que mon frère, qui était par bonheur un peu lent, finît par

_____

1. C'est une question de fait et non pas de principe.

l'entendre! Ciel! Que de feux, de flammes et de braises bibliques jailliraient de sa bouche! Et dans quel renouveau d'inouï péril nous serions tous jetés!

Non que je crusse que tout l'alentour du duc d'Anjou fût fogacérien, encore que cette usance qu'on nomme en France le « vice italien » et en Angleterre le « vice français » n'y fût pas, à ce que j'avais observé, tout à plein déconnue, le duc lui-même, à ce que j'ouïs plus tard, paraissant balancer entre deux passions ayant des objets différents. A dire le vrai, je n'avais pas laissé de nourrir quelque doutance à ce sujet touchant le Marquis d'O, le petit Maugiron et Quéribus, mais pour celui-ci, j'avais répondu tout de gob par la négative, ayant observé, tandis que nous tournions dans la cour du Louvre afin qu'il y pût parader dans mon déprisé pourpoint, que, tout jaseur et rieur qu'il fût, il n'avait pas manqué une seule fois d'être fort hameçonné par les belles qui passaient, les envisageant d'un air friand qui montrait bien que son appétit le portait tout à plein à Eve et non à celui qui fut avant elle créé, n'en étant que la prime et primitive ébauche.

Mais revenant à mes moutons, lesquels n'étaient pas si blancs en dépit de l'éclat de mon plumage et du bedon de ma bourse — et envisageant avec le dernier sérieux Fogacer, Giacomi et Miroul (qui était de droit en mes conseils et par le commandement de mon père), je dis à basse voix :

— Eh bien, mes amis, que fais-je ?

— *Aspettate domani* [1], dit Giacomi.

— *Patienti vincunt* [2], dit Fogacer. La Cour oublie. La faveur passe. La disgrâce aussi.

Miroul dit en oc, branlant le chef :

— *Samenas sezes en Brial.*

1. Attendez demain.
2. Les patients l'emportent.

N'auras tot l'estiu [1].

— Nous voilà donc unanimes, dis-je.

— Mais moi, je n'ai pas opiné, dit Samson d'un air tant marri et navré que je lui pris le bras et le serrant contre moi, lui dis à caressante voix :

— Opine, mon Samson.

— Nous demeurons, dit Samson, la voix tout étranglée par le nœud de sa gorge. Cependant, Monsieur mon frère, je voudrais quérir de vous la promesse de quitter cette Babylone que voilà, le moment que le Roi vous aura sa grâce baillée.

— Je le promets, Samson, dis-je incontinent.

Promesse qu'à la légère je fis, et qu'à la légère je ne tins. Hélas pour moi, car il m'en coûta gros et il m'en cuisit fort, et de fort tragique façon, comme je dirai.

Expectant, espérant, insoucieux, comme m'en avaient requis mes amis, je les quittai rue de la Ferronnerie pour qu'ils allassent se conforter à la bonne repue de Guillaume Gautier et, suivi du seul Miroul qui fit tant qu'il obtint de m'accompagner, je dirigeai mes pas vers la petite maison de la rue Trouvevache où la baronne des Tourelles m'avait convié à souper. L'huis à notre toquement s'ouvrant après qu'un œil nous eut envisagés derrière la grille de judas, je trouvai le joli petit valet Nicotin, me confrontant d'un œil gaussant.

— La baronne est-elle là, Nicotin ?

— *En ma conscience*, je ne sais ! dit Nicotin qui trouvait fort naturel de parler comme sa maîtresse ou nos muguets de Cour, n'oyant jamais que ce langage-là.

— Et Corinne ?

— Je la vais quérir, Monsieur, s'il vous plaît, dit-il avec un profond salut qui me parut teinté d'une

---

1. Sème les petits pois en avril.
   Tu en auras tout l'été.

moquerie polie, laquelle m'enlevait le prétexte de lui mettre le pied au croupion sans toutefois m'en quitter l'envie.

— Ha! Moussu! J'enrage! dit Miroul tandis que le petit valet abandonnait la place. Ces Parisiens ont une sorte de civilité gaussante qui me tourne le sang en eau. Et jusqu'à ce drolissou qui vous trousse en salutation sa petite impertinence.

— Tu lui bailleras deux sols pour moi. Cela l'adoucira.

— Deux sols! Je lui baillerai un soufflet. C'est tout le picotin que ce Nicotin aura de moi. Et un grand coup de pied de par le cul.

A quoi je ris.

— Ha! Moussu, reprit Miroul, j'augure mal de notre soirée céans. Tel valet, telle maîtresse. On va nous amuser, je gage.

— On me l'a laissé craindre, dis-je à basse voix. Mais, Miroul, comment le savoir si je n'attente rien?

— Ha! Moussu! Ce serait pitié! Si vous faillez, vous resterez quinaud sur le tapis avec votre poil rabattu! Et que dira notre Barberine à vous voir ainsi dénudé?

— Ha! Miroul! dis-je, pour le coup, c'est toi qui te moques!

Mais il ne put répondre. Corinne entrait, le tétin pommelant à demi sorti d'un corps de cotte émeraude, son cotillon étant émeraude aussi, bordé de deux raies vert amande. La garce était fort saine et proprette et accorte. De pimplochement, pas le moindre; le front lavé d'eau claire, l'œil vif, la denture éclatante, la lèvre fort friande, le cheveu blond tressé en deux longues nattes mignonnant ses joues roses.

— Cornedebœuf, Moussu! dit Miroul à voix basse, l'œil lui sortant quasi de l'orbite.

— Ha! Mon noble Monsieur! s'écria Corinne en

plongeant au sol en une révérence indiscrète. Après quoi, tirant vers moi, elle me dit en son parler de Paris, si vif et si précipiteux :

— Ha ! mon gentilhomme ! Que splendide vous êtes ! Que j'ai d'aise à vous voir ainsi attifuré ! *En ma conscience, il en faudrait mourir !* Ce satin ! Cette façon ! Cette épaulure ! Cette coupe à la mode qui trotte ! Ces perles ! Et du plus bel orient ! On voit bien que ce ne sont point là verroteries de Lyon ! Que Madame serait donc confortée à vous envisager en ces beaux affiquets !

— N'est-elle point au logis ? dis-je, me redressant et la face froidureuse.

— Madame a dû délayer sa venue céans étant retenue en son hôtel par une inattendue traverse, mais elle vous prie que vous soupiez sans elle, vous promettant de vous joindre sur le minuit.

Quoi disant, Corinne, après une de ces révérences qui l'abaissaient si commodément à la vue, me prit par la main et me conduisit en une petite pièce douillettement close et tapissée de velours pourpre, où trônait une riche table fort bien mise éclairée de quantité de chandelles et chargée de viandes si odorantes que la salive m'en vint en bouche.

— Sanguienne, Corinne ! m'écriai-je, voilà qui est bel et bon. Mais c'est triste chère que de gloutir seul, serait-ce sur une nappe brodée d'or et en vaisselle d'argent. Si tu veux bien de moi comme maître et faire mon commandement, tu me tiendras compagnie et mon Miroul aussi.

— Ha ! Monseigneur ! dit Corinne en s'enroulant sur elle-même comme le serpent d'Eden autour de l'arbre de la connaissance et en me jetant une œillade qui m'eût conduit tout droit hors Paradis, si déjà nos ancêtres n'en avaient été boutés hors. Si je vous veux comme maître, Monseigneur ? Me le quérez-vous ? Ordonnez, je vous prie. Je serai à votre commandement plus docile, pliable, façonnable et soumise que toutes les épouses mises à tas du Grand Turc.

A quoi l'œil marron de Miroul s'égaya et Corinne sortant dans le beau balancement de son cotillon émeraude bordé de vert amande pour commander à Nicotin d'apporter deux couverts, mon gentil valet tira vers moi et me dit en oc d'un air fort coquinou :

— Moussu, je ne sais si la maîtresse vous sera farouche, mais la chambrière est déjà à jeter en gibecière, et si chaude qu'elle se va de soi déplumer.

— Justement, dis-je à basse voix. Je n'aime pas cela. Fille aime à être priée, et celle-ci n'y met pas de façons assez. Je crains quelque piège ou filet où l'on me fasse donner du nez pour faire de moi un grand sot. Pourquoi me ferait-on amuser à battre et contrebattre cette petite tour, si l'on voulait me livrer le château ?

— Ha ! Moussu ! dit Miroul, si j'étais vous, je n'irais pas chercher si loin, ce grand voyage nous ayant laissés en tant d'interminables jours dans l'aigreur de la chasteté.

— Quoi ! Maraud ! dis-je, oses-tu bien parler de continence quand tu me soufflas sous mon nez la chambrière de Mme Béqueret en Montfort ?

— Ha ! Moussu ! dit Miroul en souriant, c'est là l'incommodité du rang de gentilhomme. On n'y a pas la familiarité des servantes si à l'aise que les valets. Mais voilà, revenant, votre esclave turque. Prenez, Moussu, si m'en croyez. Ce qui est pris est pris.

Suivant Corinne, tout souris et œillades, le petit valet Nicotin apparut, l'œil chagrin et la face fâchée, apportant deux couverts, fort dépité en son for qu'il ne pût pas prendre place à table, Miroul y étant admis. Quoi voyant, je me laissai atendrézir par ses petites mines boudeuses (car il était tant mignard et joli qu'une garce, et la joue tant lisse et douce que la barbière Babette n'y eût rien trouvé à rabattre) et d'un autre côtel, ne voulant point pour ennemi ce petit frelon, je lui commandai d'apporter un couvert pour lui, ce qui le fit sauter de joie, l'œil en fleur et le souris ravi, et courant à moi comme un enfant, il me baisa la main avec mille mercis gracieux. Sur quoi, Corinne à nouveau sortie, je lui glissai quelques sols aux doigts, ce qui ne laissa pas que de me le conquérir tout à plein, avec mille grâces encore et des regards si suaves qu'ils me donnèrent à penser qu'hors le château lui-même, j'eusse pu à mon gré muser céans de la tour à l'échauguette. Mais lecteur, bien tu sais que je ne suis ni attiré ni repoussé par ces fantaisies-là, les trouvant comme étrangères à ma complexion, tant est qu'enfin, je les souffre sans trop de sourcillement chez les autres, encore qu'elles soient tenues pour fort peccamineuses par nos Eglises et fort durement punies par le bûcher — châtiment qu'en mon opinion, on eût pu laisser au souverain juge le soin de décider en l'autre monde, au lieu que de se jeter en celui-ci en ces cruelles extrémités.

Je n'ignore point que d'aucuns ne manqueront pas de tordre le nez à me voir ainsi m'enroturer au souper avec une chambrière et deux petits valets. Mais pour moi qui, à Mespech, fus élevé à l'ancienne, primitive et rustique mode, qui veut que le domestique mange avec le maître, je n'y vois pas malice et n'y crois pas déchoir, cuidant en outre que si la chambrière est bonne à mettre au lit, elle le doit être aussi à mettre à table, la vue suppléant, en ce cas, au toucher. En outre, je tiens qu'il n'est souper si délectable qui puisse se passer de la compagnie de nos semblables et à dire enfin le vrai tout à trac, mon écuelle s'ennuie quand je suis seul.

N'en déplaise à de certaines gens, je ne laissai pas que d'observer aussi que Nicotin et Corinne étaient d'apparence saine et salubre, l'œil clair, le teint lisse et l'haleine fort fraîche, et j'oserais dire que j'étais plus ragoûté de prendre le potage au pot avec le même cuiller qu'eux que je le fus en de certains dîners chez des grands (que je ne veux nommer) et où je tâchai, en me cachant, à essuyer le commun outil du pli de ma serviette, tant la boutonneuse bouche dont il sortait m'inspirait peu de fiance. Ha ! Comme j'aimerais qu'en ce royaume, les raffinés au moins mangent comme nos bons et propres Suisses qui, en leurs repues, baillent un cuiller à chaque convive afin que chacun soit assuré de ne porter à sa lèvre que ce qui l'a déjà touchée.

Les viandes en ce petit souper furent abondantes et délectables, et les vins aussi, encore que de ceux-ci j'usai avec modération, me gardant de trop carouser, sachant bien que Bacchus, à le mignonner à l'excès, n'est qu'un ami trompeur de Vénus, y portant d'abord pour y faillir ensuite. Corinne le savait aussi, je gage, car elle ne me poussait point à boire, mais bien au rebours, à l'envisager en sa blonde pulpe, l'œil fort allumé, le teint vif, le torse trémoussant et des regards à enflammer des étoupes : manège qui ne laissait pas de m'intriguer prou, pour ce que la maîtresse, survenant sur le minuit, risquait fort, au train où allaient les choses, de trouver son rôt dévoré par la servante. Et à quoi pouvait bien rimer tout ceci, je n'en avais pas la moindre moitié d'un pensement, tant est que je m'avançais en cette affaire comme un chat, la moustache hérissée, l'œil épiant, et la patte déjà sur le recul.

Cette bonne repue finie, Corinne se leva de table d'un air fort résolu, mais la taille amollie, le parpal haletant, ses jolies tresses blondes dansant sur ses joues roses, et d'un ton étouffé mais qui ne souffrait réplique, elle commanda à Nicotin et Miroul de débarrasser la table de ses mets et reliefs. A quoi ils firent mine d'obéir, mon Miroul, son œil marron fort égayé et le Nicotin avec un air entendu qui me donna à penser.

— Mais devant que vous nous laissiez, mes mignons, dit Corinne, je veux que nous portions une tostée à M. de Siorac, avec le vœu qu'il soit autant heureux et félice en ses amours qu'il est superbe en sa vêture.

Ayant dit, elle plaça au fond d'un beau verre de cristal garni de filets d'or une croûte de pain rôtie qu'en Paris on appelle *tostée* (dont les Anglais, à ce que j'ouïs, ont fait *toast*, cette nation étant accoutumée à nous singer en tout), lequel verre elle emplit à ras bord d'un beau vin de Bourgogne, puis, y trempant ses mignonnes lèvres, en suça une gouttée et le tendit à Miroul qui, entendant incontinent cette cérémonie (en notre Périgord pourtant tout à plein déconnue) en but une bonne lampée et plus grande encore, celle qu'avala Nicotin avant que de me tendre avec grâce la coupe, laquelle, prenant à mon tour à deux mains, je vidai à cul sec (avec toute la gravité que me parut appeler l'occasion) et, saisissant la tostée qui était tout au fond — ce que je pense je devais faire —, la gloutis galamment.

— M. de Siorac a bu ! s'écria Corinne tandis que les deux valets m'applaudissaient à paumes rompues. Il a bu et mangé la tostée que je lui ai portée ! Il sera donc heureux et félice en ses amours si Dieu le veut !

— Or çà, poursuivit-elle l'œil en feu, vaquez mes mignons, de présent. Allons, qu'on s'y mette ! Et sur l'heure ! Et sans barguigner ni délayer plus outre. J'ai affaire seule à M. de Siorac.

Sur quoi, m'enserrant le poignet de sa petite main, elle me mena à un petit cabinet attenant où, à la lumière d'une seule chandelle — laquelle se consumait sur soi —, on voyait un grand lit tendu de pourpre où s'amoncelait la plus grande confusion de coussins que j'eusse jamais vue. Mais de l'envisager plus outre, je n'eus guère le loisir car, prestement derrière moi fermant l'huis et tirant le verrou, Corinne me jeta les bras autour du col et me posa sur mes lèvres sa bouche fraîche.

Ha! lecteur! Quelle tostée ce fut là! Et qu'il me fallut de fortitude pour qu'elle ne finît pas incontinent sur les coussins que j'ai dits. Havre de grâce! Que je détestais en mon for (et hors de mon for aussi) le vétilleux point d'honneur qui m'interdisait d'être complaisant à la servante quand la maîtresse s'était promise!

Mais quoi! La vanité a sa part en ces ventures-là. Le plaisir n'y suffit pas. Il y faut aussi quelque gloire. Et encore qu'à Mespech je ne fusse pas sans goût ni amitié pour mon petit serpent de Gavachette (à qui les pécunes du prince me permettaient de présent de bailler la bague en or qu'elle avait quise de moi à mon département), Mme de Joyeuse m'avait appris, et un grand esprit m'avait loué, de prendre mon déduit en la dignité de mes amoureuses.

Ce n'est pas qu'un titre m'éblouisse, ni que je place la baronne au-dessus de la chambrière. Cependant, si ce sont là les mêmes fleurs, ce n'est pas le même bouquet. Lisant quelques années plus tard les *Essais* de Michel de Montaigne, j'y vis qu'il y parlait non sans friandise des « dames parées et sophistiquées ». Le mot me plut, soit que Montaigne l'eût forgé de soi à partir de « sophisme », soit plutôt qu'il en usât par analogie avec les vins que l'on tâche de raffiner par de savants mélanges (procédé que l'on nomme *sophistiquerie* en nos provinces du Midi). Et pour moi, touchant les femmes, je sens bien ce que Montaigne entend par là : car j'aime qu'une garce ne soit pas trop simplette et qu'elle sache nous faire éprouver par son art et ses détours tout le prix de ce qu'elle baille. J'abhorre certes les archi-coquettes quand rien ne vient après leurs trompeuses mines. Mais, il faut bien confesser que lorsque la place a volonté de se rendre, les mignardes manières, les subtils jeux, les souris, les mots à double entendre, les œillades ambigueuses ajoutent un je ne sais quoi de taquinant aux premières escarmouches qui n'est pas sans rehausser le prix des dons ultimes.

Or de Mme des Tourelles, je ne savais que ce que Quéribus m'en avait dit (où entrait peut-être le dépit d'un amant malheureux) et, tenant que la preuve du fait est dans le fait, je voulais être assuré que cette haute et galante dame me voulût assez de mal pour ne me point faire tout le bien qu'elle m'avait promis. Car enfin, commande-t-on à un amant de se rabattre le poil sur le corps entier si l'on n'a pour dessein que de lui faire sur les lèvres quelques baisotements ?

— Corinne, dis-je, en défaisant les mains qu'elle avait nouées autour de mon col et en mettant entre elle et moi toute la longueur de mes deux bras, qu'entends-tu, ma mignote, par ces gentillesses ? Quelle affaire est-ce là ? Où me veux-tu mener ?

— Havre de grâce, Monseigneur, me dit-elle, n'est-ce pas clair assez ? Ne vous ai-je point dit que je suis pliable à votre volonté ? Qu'attendez-vous pour me soumettre plus outre ? N'avez-vous point appétit à moi ?

— Fort bien tu as senti que oui.

— Adonc, Monsieur, laissons les jaseries ! N'allez point faire comme le faucon mal dressé. Votre gibier vole droit. Fondez sur lui.

— Corinne, dis-je en riant, c'est assurément un bien bel et tendre oiseau que je me mettrais sous le bec et les griffes. Mais de présent, c'est une autre proie que je chasse.

— Ha ! Mon gentilhomme ! cria-t-elle, ne pouvez-vous chasser les deux ? Et dégageant ses poignets de mes mains, elle me voulut remettre autour du cou le frais licol de ses bras, mais je me dérobai de cette attaque et, la saisissant aux épaules, j'écartai de moi à force son tant joli et suave corps dans la doutance où j'étais de lui pouvoir résister, si derechef il s'accolait au mien.

— Fi donc, Corinne ! dis-je sourcillant. Tu volerais les prémices à ta maîtresse et ne lui laisserais que la moitié de la moisson ! Est-ce là bien agir envers une noble dame qui t'admet en sa familiarité et te traite si bien ?

A quoi Corinne rougit excessivement et dit comme indignée :

— Ha ! Monseigneur, j'aime Madame la Baronne de très bonne amitié, je lui suis tout à plein loyale et dévouée, et je fais en tout son commandement !

— Quoi ? dis-je, le fais-tu de présent ? Oserais-tu le prétendre ?

— Oui-da ! dit-elle fort courroucée.

— Corinne ! tu me confonds ! Ce serait sur le commandement de Mme des Tourelles que tu me bailles céans ton petit corps ? Peux-je le croire ?

— Cuidez-le ou non, Monsieur, cria-t-elle, l'œil enflammé, c'est le vrai, j'en atteste céans la benoîte Vierge et tous les saints du Paradis.

— Mais à quelle fin ? m'exclamai-je, levant les bras au ciel.

— Aux fins de vous essayer.

— De m'essayer ? dis-je béant, et pourquoi ?

— Pour connaître si vous avez des mérites assez pour que Madame vous admette aux familiarités qu'elle désire.

— Tudieu ! hurlai-je, soudain ivre de rage. Est-ce là Paris ? Sont-ce là nos raffinées de Cour ? M'essayer ! A-t-on jamais ouï pareille impertinence ? Suis-je un étalon pour qu'on m'éprouve avant que de me mener au haras ? Me va-t-on passer anneau au mufle comme un taureau ? Sanguienne ! Voilà qui est insufférable ! Qui est cette haute dame et jusqu'où se paonne-t-elle en sa royale estime pour que je sois, moi, confiné dans les banlieues et faubourgs de son bon plaisir ?

— Monsieur, dit Corinne non sans y mettre quelque aspérité (bonne garce qu'elle était, pourtant). Je n'entends goutte ni miette à ce discours. Nos beaux gentilshommes de Cour n'y font pas à l'accoutumée tant de façons et se ragoûtent assez bien de moi.

— Ce n'est pas là le point, Corinne, dis-je, l'œil quelque peu adouci. Tu possèdes en ta mignarde personne de quoi damner tous les saints dont tu parles. Je ne déprise point tes appas, bien le rebours, mais ne peux que je ne me rebèque contre l'outrecuidance qui veut faire de toi mon juge. Mamie, ajoutai-je en retirant incontinent le verrou, ouvrant l'huis et passant dans la salle où nous avions soupé, porte-moi de quoi écrire. Je veux m'en expliquer sur l'heure à ta maîtresse, ne la voulant point attendre céans jusqu'au minuit.

Miroul et Nicotin achevaient de débarrasser la table de ses reliefs et ouvrirent de fort grands yeux à nous voir si tôt reparaître, Corinne fort rouge, et moi fort sourcillant. Mais nos valets ne pipèrent mot, tant manifestes étaient mon ire et la confusion de la chambrière.

La bonne garce eût bien voulu, je gage, me refuser écritoire, plumes et papier tant elle sentait que ma lettre à sa maîtresse n'allait point être des plus douces, mais elle n'osa, et la paupière baissée, m'apporta ce que j'avais requis. Sur quoi, ayant pris le temps de la réflexion en taillant une plume à ma convenance et gribouillé de prime un brouillon que je voulais par-devers moi garder, j'écrivis ce qui suit à la baronne des Tourelles :

« Madame,

« Il n'est de peines que je n'ai prises pour me plier aux commandements que vous me fîtes hier en votre coche, et si vous m'aviez fait l'honneur d'être en votre logis, quand sur votre invitation je vous y ai visitée, vous m'eussiez envisagé comme vous me vouliez : pour le corps, tant imberbe que Nicotin et pour la vêture, tant paré qu'un muguet.

J'ai toutefois trouvé que ma complaisance ne pouvait aller aussi loin que vous l'eussiez voulu pousser, m'étant apparu, à la réflexion, qu'il y avait peu de considération pour moi à me dépêcher votre chambrière aux fins d'éprouver mes talents.

Ayant trop de déférence pour vous-même et votre rang pour oser suggérer que mon valet Miroul fasse de son côté l'épreuve de ceux que vous pouvez avoir, je ne vois d'autre issue à ce prédicament que d'abandonner les beautés enivrantes à quoi, en notre première encontre, vous m'aviez encouragé à prétendre et de renoncer, d'ores en avant, à l'honneur de me dire, Madame,

Votre humble, obéissant et respectueux serviteur,
Pierre de Siorac. »

Je pliai et cachetai ce poulet et le remis à Corinne, laquelle montrait une mine fort quinaude et une joue de dépit rosissante entre ses blondes tresses.

— Ha ! Monsieur ! dit-elle, je ne sais ce que vous lui avez gribouillé, mais Madame sera dans tous ses courroux que vous l'ayez osé affronter, et pour moi, je suis perdante d'une soirée dont je me promettais prou, étant de ma complexion ainsi façonnée que le premier gautier venu me met en Paradis, et vous à plus forte raison, Monseigneur, qui avez l'air si galant et si vif.

A dire le vrai, je ne laissai pas l'aimable garce sans qu'il m'en cuisît, et lui mis quelques sols dans les doigts avant que de la quitter.

Nous dégainâmes, Miroul et moi, dès qu'on fut dans la rue, l'heure étant tardive et la nuit noire assez, et prîmes soin de cheminer dans le milieu de la rue et quasi dans l'ordure et le bren du ruisseau pour qu'on ne nous courût pas sus à l'improviste d'une encoignure de porte.

— Ha ! Moussu, dit Miroul qui, étant gaucher, me gardait à senestre comme je le gardais à dextre, il faut bien avouer que vous êtes un grand fol d'avoir sacrifié votre solace et délice à votre point d'honneur et qui plus est, de vous faire une ennemie de cette fière Baronne ! Ne pouviez-vous laisser les choses aller leur train, qui n'était pas d'une nature à vous navrer beaucoup, au lieu que de défier cette haute dame ? Soyez assuré qu'elle attentera de se revancher sur vous.

— Ha ! Miroul ! dis-je, je t'entends ! Mais faut-il abjectement ramper sous les pieds d'une belle pour être à la fin en sa couche admis ? Mme de Joyeuse, toute Vicomtesse qu'elle fût, ne m'eût osé jouer un tour d'une telle impertinence, si impérieuse qu'elle fût en ses humeurs. Pourquoi souffrirais-je chez Mme des Tourelles cette méchante chatonie ?

— Mais Moussu, dit Miroul, c'est une dame de la Cour, et à la Cour, à ce que je vois, on ne fait pas les choses à la débonnaireté comme en nos provinces du Midi, mais en guise fort féroce, comme bien vous vîtes cet après-midi avec M. de Quéribus. Moussu, il nous faut être pliable davantage aux usances de la capitale, ou nous allons tout perdre, je le crains.

Mais Alizon qui avec Baragran et Coquillon était encore au labour quand nous parvînmes chez le Maître Recroche (combien que la nuit fût vieille déjà et avancée) opina autrement quand elle me vint chercher ma chandelle en ma chambre, l'œil fort content de me voir si tôt au logis, ayant su par Miroul où j'allais, chez qui et pourquoi.

— Ha! mon gentilhomme, dit-elle, bien vous fîtes! Vous n'eussiez rien eu de toute guise! La Baronne est fort dirigée, dit-on, par son confesseur et ne veut point être adultère à son époux, encore qu'elle aime à s'en donner l'apparence, pour être à la mode qui trotte. Mais si j'en crois Corinne, il ne se passe rien en la petite maison de la rue Trouvevache, sinon des familiarités avec elle-même et Nicotin.

— Mais, dis-je béant, ces familiarités, ne sont-ce pas des péchés aussi?

— Y pensez-vous, Monsieur? dit Alizon très à la vinaigre. Une chambrière et un petit valet? Cela ne compte point. Ils sont trop bas.

Le Maître Recroche me vint dire le lendemain que l'avoine et le foin s'étant à Paris grandement raréfiés du fait de l'énorme afflux du peuple en la capitale et les prix de ces nourritures ayant pris en conséquence beaucoup de ventre, il était fort marri d'avoir à quérir de moi, non plus un sol par cheval, mais deux, et pour l'eau qui les abreuvait, il en voudrait d'ores en avant quatre sols au lieu de deux.

— Quoi, dis-je, Maître Recroche, l'eau a-t-elle pareillement enchéri que l'avoine et le foin? Ne la tirez-vous pas de votre puits?

— Lequel, Monseigneur, dit-il en me faisant un profond salut où, comme à son accoutumée, il mettait quelque irrision, a tant diminué que je redoute qu'il s'assèche tout à plein : raison pourquoi, le niveau de mon eau baissant, son prix monte d'autant.

— Maître Recroche, dis-je, dix sols pour mes quatre chevaux de selle et mon cheval de bât. Et quatre sols de surcroît pour l'eau qu'ils boivent : cela fait quatorze sols par jour pour mon écurie. C'est exorbitant de raison.

— Monseigneur, dit Maître Recroche, en me faisant un deuxième salut et celui-là jusqu'à traîner par terre le bout de ses bras arachnéens, l'exorbitance n'est pas tant grande qu'elle apparaît. Vendriez-vous à un orfèvre une seule des perles qui ornent votre tant superbe pourpoint, que vous auriez de quoi nourrir tout l'an chez moi votre chevalerie.

— Ha! Maître Recroche! dis-je, je vous entends enfin! Vous me faites le prix à la perle et non au foin. Mais tope! Ne discutons pas plus outre. Vous aurez vos quatorze sols.

— Peux-je, cependant, Monseigneur, me dit Recroche en me saluant une troisième fois (tous ces saluts étant la cause, je gage, de cette sorte de bosse qu'on lui voyait entre les épaules), peux-je présumer assez de votre débonnaireté pour vous bailler un avis?

— Présumez et baillez de grâce, Maître Recroche. Je vous ois.

— Comme vous n'avez pas de coche pour aller en la Cour mais cheminez à pied, ces perles que voilà vous mettent en quelque danger de volerie. Que ne les vendez-vous à bon prix à tel orfèvre de mes amis et les remplacez par des fausses, lesquelles sont tant bellement imitées qu'on vous les cuide pour vraies.

— Mais, dis-je, les truands, les cuidant telles, me les voudront aussi dérober.

— Ha! Que non! dit Maître Recroche, les tirelupins, eux, ne s'y tromperont pas!

A quoi je ris et assurai Maître Recroche que j'allais rêver à loisir à son sage conseil, suspectant en mon for que l'orfèvre à qui il aspirait à me voir vendre mes perles ne laisserait pas de l'intéresser peu ou prou à ce barguin. Havre de grâce! pensai-je en le regardant s'éloigner, Alizon a raison. Ce chiche-face tondrait un œuf et tirerait pécunes de tout, même d'un pavé.

Alizon que je retrouvai, allègre et vive au labour le lendemain en l'atelier, encore que l'œil rougi de sa trop courte nuit, me demanda si j'étais encore dépité que Mme des Tourelles m'eût failli, et me fit de grands compliments sur mon pourpoint, ce qu'elle n'avait la veille songé à faire pour ce qu'elle était, dit-elle, tant aise et contente de me revoir si tôt au logis. A quoi rougissant malgré son teint de brugnon, ma gentille mouche d'enfer ajouta que, pour bien faire, il me faudrait non pas un, mais trente pourpoints de cette qualité, nos élégants de cour tenant à déshonneur de n'en point changer tous les jours.

— Ha! Alizon! dis-je, touchant la dame que tu sais, je m'attache fort peu où je ne sens pas de tendresse. Ces archi-coquettes sont tout juste comme des tortues : on ne sait où porter la main pour les caresser. Et imagine-t-on, en désespoir, de les retourner sur le dos, ce n'est encore que carapace, et rien qui flatte les doigts et émeuve le cœur.

A quoi Alizon s'esbouffa et me souhaita bon vent et bon heur dans ma quête au Louvre : mais hélas, après ce que m'avait dit Fogacer, je n'y allais plus que d'une fesse, espérant peu que le roi me reçût après les grâces et les faveurs qu'Anjou m'avait prodiguées. Et en effet, à peine en eussé-je touché un mot ce matin-là à M. de Nançay (lequel je trouvai au jeu de paume des *Cinq Pucelles* attendant le bâtard d'Angoulême pour y faire sa partie) que le capitaine me dit de n'y plus songer pour le moment, pour ce que le roi avait ouï que je m'étais donné à son frère, tout huguenot que je fusse, et que si je l'aimais tant, je n'étais que de le suivre en Pologne quand le duc d'Anjou serait élu roi, ce que, par la Sang Dieu, il priait tous les jours le Seigneur d'accomplir.

— Mais, Monsieur de Nançay, dis-je, avez-vous dit au Roi combien tout ceci fut fortuit, hasardeux et né, par aventure, d'une querelle de néant avec M. de Quéribus?

— Oui-da! Mais le Roi en ses colères se ferme comme huître et ne veut rien ouïr.

— Je n'ai donc plus, dis-je, la crête fort rabattue et la mine chagrine, qu'à m'en retourner en mon Périgord, la tête ne me tenant pas plus ferme aux épaules qu'à ma venue céans.

— Ne désistez pas si vite, dit Nançay en baissant fort la voix. L'homme dont nous parlons, poursuivit-il non sans quelque aigreur, s'encourrouce, s'obstine, jette feu et flammes et tout soudain démord, et fait tout le rebours de ce qu'il a juré. C'est un toton que la même main fait tourner qui cy qui là, mais toujours en ronflant.

— Et quelle est cette main ? lui quis-je, tout béant que le capitaine des gardes parlât ainsi du souverain.

— Femelle et florentine.

— C'est donc par elle qu'il faut passer.

— Gardez-vous-en : la dame est pour l'instant peu ouïe, votre Coligny ayant seul l'oreille du Roi. Il le séduit par son projet de guerre dans les Flandres où papistes et huguenots se jetteraient tout ensemble pour secourir la révolte des gueux contre l'Espagnol. Le Roi aime le rêve de ce fracas guerrier, lui qui pourtant ne peut tenir plus d'un jour à cheval sans tousser à mourir et raquer ses poumons.

Nançay n'en put dire davantage, le bâtard d'Angoulême, l'œil, la peau et le cheveu de jais, survenant à grands pas, suivi de Téligny, l'aimable et candide gendre de Coligny, lequel avait l'air, emboîtant le pas du Grand Prieur de France, d'une blanche colombe suivant un noir corbeau.

— Çà ! dit le bâtard d'une voix rude sans saluer personne, puisque Nançay et Siorac se trouvent être là, faisons un quatre sans tant languir.

Et sans prier aucun de nous d'opiner, il me mit à sa façon abrupte dans le camp de Téligny, prenant avec lui Nançay, ce qui lui devait assurer une facile victoire, dont il voulut par surcroît tirer quelques écus en gageant. Mais Nançay s'y refusa tout de gob, ne voulant point tondre le camp des huguenots, tant il était manifeste que le doux Téligny en était le talon d'Achille.

Tandis que le maître esteufier Delay faisait éprouver les balles une à une par le capitaine, je m'approchai de Téligny et quis de lui s'il pourrait faire en sorte que j'approchasse Coligny afin de faire tenir par lui ma requête au roi, lequel ne me voulait point recevoir, pour ce qu'il me cuidait du parti du duc d'Anjou.

— Que vous le soyez ou non, dit Téligny d'un ton fort courtois, cela, par malheur, ne changera rien à l'affaire. L'Amiral de Coligny s'est fait une règle irréfragable de ne présenter au souverain aucune requête personnelle, pour ce qu'il ne désire user de l'influence qu'il tient de lui que pour les grandes affaires du royaume.

Ha! pensai-je en mon for, voilà bien nos huguenots! Le devoir seul! Le devoir nu! Les personnes ne comptent pas! Ha! que je crains pour cette rigueur et cette droiture au sein d'une Cour où toutes les perfidies sont de mise!

Cette partie de paume fut mauvaise assez, tant le Grand Prieur montra d'humeur à ne pas gagner autant qu'il l'eût voulu, incivil, encoléré, grondant, jetant comme son demi-frère le roi sa raquette à terre avec d'effroyables jurons (lesquels faisaient tressaillir le pauvre Téligny), disputant les points perdus à la fureur et nous jetant de fort méchants regards quand nous gagnions un jeu, ce qui arriva plus d'une fois, M. de Nançay, mécontent de ce que le bâtard ne l'eût pas consulté pour faire les camps, ne jouant que mollement et de mauvais cœur, et sans user prou de son terrible revers.

Je ne peux en ma remembrance me ramentevoir le bâtard d'Angoulême tel qu'il fut ce jour-là sur ce paisible terrain de paume sans que deux images me reviennent tout soudain assiéger et affliger l'esprit : tel, en effet, je le vis deux fois encore, à la lumière d'une torche en cette nuit sinistre de la Saint-Barthélemy, l'épée dégainée et poussant du pied le cadavre de Coligny que ses assassins venaient de défenestrer de sa maison de la rue de Béthisy; et une dernière fois, le jour de sa mort quatorze ans plus tard, en juin 1586, à Aix-en-Provence où je me trouvais, non que je cherchasse à rencontrer ce furieux, certes, mais le hasard voulut que je fusse là quand il se prit de querelle avec Altoviti, le capitaine des galères de Marseille, qu'il accusait d'avoir écrit sur lui de méchantes lettres à la Cour. Sur quoi, Altoviti le niant, ce démenti, publiquement baillé, mit le Grand Prieur en tel irréfrénable courroux que, sans égard à la dignité de sa charge, sans cartel, sans défi, sans honneur, il dégaina et passa l'épée roidement au travers du corps d'Altoviti, lequel tomba à genoux mais, tant mortellement navré et outré qu'il fût, eut encore la force de tirer de son pourpoint une dague, et d'en donner dans le ventre du Grand Prieur. Après quoi, il expira, le Grand Prieur huit heures plus tard le suivant au tribunal du souverain juge, exhalant jusqu'à son dernier souffle contre Altoviti des blasphèmes affreux.

Sans Quéribus je pense que j'eusse eu le sentiment de consumer au Louvre les jours de cette vie si brève en une vaine attente. Mais le baron était raffolé d'escrime, il n'avait de cesse qu'il ne s'y exerçât matin et soir, et n'ayant quant à moi rien à faire qu'à espérer que mollît à mon endroit la volonté du souverain, je le suivais dans la salle que j'ai décrite, tirant à s'teure avec Giacomi, à s'teure avec Silvie, lequel avait pris son compatriote italien fort en amitié, n'étant pas de ces hommes dont le petit caractère gâte le grand talent, bien le rebours. Ainsi, loin de redouter en Giacomi le rival qu'un cœur moins élevé eût craint, il l'avait recommandé aux gentilshommes de son école et lui avait amené des élèves.

Il fallait se lever bon matin pour les voir tirer l'un contre l'autre, ce qu'ils faisaient quotidiennement, mais comme en secret, rien n'usant davantage l'habileté d'un maître en faits d'armes que d'avoir à croiser l'épée tout le jour avec des partenaires malhabiles. Je n'ose dire s'ils étaient ou non de même force, et au contraire de ce que mon gentil Miroul avait dit, j'opine qu'il était impossible de le discerner car, dans leurs assauts, aucun n'évitait les touches de l'autre, ni ne comptait les siennes. Ce n'était pas là le train qu'ils allaient. Ils labouraient à se surpasser en de certaines passes qu'ils s'entr'enseignaient, sans toutefois aller jusqu'à se confier la mécanique de leurs bottes secrètes. Silvie était renommé pour une qui portait à la gorge, laquelle il n'avait apprise au duc d'Anjou et à Quéribus qu'après leur avoir fait jurer de n'en user que pour défendre, au désespoir, leur vie, ce maigre géant, tant mince et souple qu'un fil, professant comme Giacomi une merveilleuse débonnaireté, aimant plus son prochain qu'aucun pasteur ou prêtre, à tout un chacun bénin et courtois, n'aimant son art que pour soi et fort ennemi des cartels et du sang. Toutefois, s'il faut trouver un défaut, il m'apparut qu'il était peut-être un peu vain, tout au contraire de mon frère Giacomi qui poussait l'oubli de ses talents jusqu'à l'humilité et n'ayant en Paris mentionné qu'à moi-même qu'il possédait — le seul au monde de présent — la fameuse botte du jarret, dite encore de Jarnac, pour ce que le baron de ce nom en avait usé en duel loyal vingt-cinq ans plus tôt contre La Châtaigneraie, l'ayant apprise d'un illustre maestro italien dont Giacomi avait recueilli l'héritage.

Le 10 août qui était un dimanche, Pierre de l'Etoile m'envoya un billet par son petit valet pour me mander qu'il passerait me prendre comme il avait dit qu'il ferait, pour m'emmener à l'église Saint-Eustache (fort proche, étant sise au bout de la rue des Prouvelles) pour ouïr le prêche du curé Maillard, lequel était aimé du populaire pour sa tumultueuse éloquence.

En effet, sur les dix heures, Coquillon vint me dire que M. le Grand Audiencier m'attendait en l'atelier, où je le trouvai, m'expectant, roide et vêtu de noir, le nez long, la mine rechignée, mais cependant, en ses clabauderies tout ensemble paillard et indigné des mauvaises mœurs du siècle.

— Ha! dit-il en m'envisageant en souriant d'un seul côté de la face, voici le pourpoint dont on a tant jasé! Mon cher Siorac, qu'ois-je? Vous querellez! Anjou vous aime! Le Roi vous hait! Et la Baronne des Tourelles cherche quelqu'un pour vous assassiner.

— Quoi! dis-je en saillant dans la rue de la Ferronnerie, a-t-on si mauvaise dent chez les garces en Paris?

— En le royaume entier, Siorac, dit l'Etoile, la lippe amère. Il n'est pas au monde d'animal plus malicieux que la femme, ni de bête plus lubrique que l'homme.

— Ho! Ho! dis-je, le pouvez-vous prouver?

— Mille et mille fois, dit l'Etoile en secouant le chef. Oyez plutôt ceci. M. de Neuville, conseiller au Parlement de Paris, lequel est homme jeune, étourdi, de peu de savoir, d'encore moins de sagesse, de cervelle tant mesquine qu'il ne saurait faire cuire un rôt, se gasconne sottement partout de la grosseur de son vit. Or, avisant qu'en face de son logis, en ruelle étroite assez, loge une belle marchande souvent à sa fenêtre, il affecte en cet août d'apparaître nu à la sienne, se paonnant de ses virils avantages, lesquels la dame, s'en ayant l'œil repu, s'avise toutefois de s'aller plaindre à son mari et celui-ci, se postant caché à sa fenêtre, vous tire tout soudain sur le galant une petite arbalète à galet, lequel galet offusque et navre tant cette belle cible que voilà notre conseiller au lit. Ceci se passa, Siorac, hier, dans cette même rue des Prouvelles où nous voilà cheminant.

— Ha ! dis-je en riant, mon cher l'Etoile, c'est merveille ! Comment savez-vous tout cela ?

— Pour ce que je passe pour tout savoir, dit l'Etoile, de sorte qu'il ne se tourne pas un œuf dans Paris sans qu'un vaniteux gautier coure me l'apprendre, quérant de moi, pour m'affronter, si je le sais.

J'observai, comme nous approchions de l'église Saint-Eustache, qu'y affluait un grand concours de peuple venant des rues circonvoisines.

— Ce Maillard, dis-je, est-il si docte ?

— Point du tout. Il n'est qu'un de ces milliers de prêtres et de moines qui façonnent l'opinion des Parisiens.

— Des milliers ? dis-je béant. Y en a-t-il tant et tant ?

— Ha ! Siorac ! dit l'Etoile en baissant la voix. Ils pullulent ! Il y en a au moins dix par rue, et il y a quatre cent treize rues dans la capitale. Siorac, gardez-vous en Saint-Eustache de sourire, ou de rire, à ce que dira d'absurde ce Maillard : ses fidèles vous écharperaient.

— Faites-moi fiance, dis-je en lui donnant du coude : je serai benoît et confit en diable.

Ha ! lecteur ! Le curé Maillard, quand il apparut en chaire ! Quelle basse et violente trogne il montrait à ses ouailles, le nez gros et comme lubrique, la bouche large et saignante, l'œil enflammé, les sourcils broussailleux, la peau rouge et boutonneuse et des mains de mazelier plus propres à manier le cotel en boucherie qu'à donner l'absolution.

— Ce jour d'hui, dit-il l'œil baissé et d'une voix basse et sourde qui en son prêche allait tout soudain s'enfler comme un tonnerre, je parlerai des femmes et des hérétiques.

Ayant dit, il s'accoisa et parut prier, et encore que le peuple fût fort nombreux en l'église, il se fit un tant grand silence que vous eussiez pu ouïr fuser un pet de nonne.

— Ha! femmes! Ha! filles! Ha! demoiselles! dit le curé Maillard en martelant son pupitre du poing, vous qui ne vivez que de vanités et de lubricités, prenez garde! Vous qui ne savez que faire pour induire les hommes en tentation! Vous qui vous pimplochez la face pour attirer le chaland! Vous qui vous mettez sur la tête ces belles perruques et ratepenades dont le cheveu blond s'éparpille et ondoye sur vos fronts emperlés! Ha! femmes, que faites-vous? Le Seigneur vous a donné un visage et vous vous en inventez un autre! Le Seigneur vous a donné un corps et vous vous en façonnez un autre! Vous remontez et pommelez vos tétins par des basquines! Vous gonflez vos hanches par des vertugades. Vous rondissez vos croupières par des faux culs! Vous vous haussez sur des talons, vous minaudez, vous prodiguez souris et œillades, vous vous dandinez en marchant, de sorte que seulement vous envisager, c'est déjà grièvement pécher!

Ici le curé Maillard ferma les yeux et, les lèvres remuant, parut prier tandis que les fidèles, attendant la suite, retenaient leur souffle.

— Ha! femmes! Ha! filles! Ha! demoiselles! reprit Maillard d'une voix menaçante, martelant derechef son pupitre de ses énormes poings, pensez-vous bien à ce que vous faites? Vous qui craignez tant la honte que vous ne voudriez vous montrer nues même à votre mari, vous avisez-vous ce qui viendra après que vous aurez comparu au tribunal du souverain juge après votre mort?

Et s'accoisant de nouveau un petit, Maillard reprit d'une voix tonnante :

— Je vais vous le dire céans. Pour punition de vos vanités et débordements, les diables en Enfer vous mettront nues ; les diables mille et mille fois vous traîneront nues par tout l'Enfer, non devant un homme, mais devant cent mille qui à gorge déployée riront et se gausseront de vous, voyant vos hontes et vergognes. De quelle confusion serez-vous alors saisies, quand vous vous verrez traînées toutes nues, montrant à découvert ce que vous avez de plus honteux, et menées en cet appareil par tout l'Enfer mille et mille fois en un grand fanfare de trompettes, les diables riant et se moquant, et criant : « Voyez ! Voyez ! Voici la paillarde ! Voici la putain ! Voici Dame une telle de telle rue en Paris — la nommant et nommant la rue — laquelle a tant et tant de fois paillardé, avec un tel, et un tel, et un tel, et beaucoup d'autres ! »

« Et alors cent mille, et autres cent mille personnes qui, en votre vie, femmes, vous auront très bien connues, vos parents morts, vos amis, vos voisins, tous passionnés contre vous d'une haine mortelle, accourront vous voir pour se moquer de vous, disant l'un à l'autre : « La voilà nue, la ribaude ! La voilà, la loudière ! Sus, sus, les diables ! Sus, démons, sus ! Sus, furies ! Jetez-vous tous ensemble sur ces putains cramantes ! Et qu'on leur rende en tourments et supplices ce qu'elles ont eu de plaisirs en leur vie ! »

Ayant huché ces paroles de toute la force de ses poumons, le curé Maillard s'accoisa, la face cramoisie, les poings fermés sur son pupitre, son œil miclos envisageant ses ouailles, et comme épiant sur elles les effets de son propos lequel, à ce que je vis, me parut contenter davantage les hommes que les femmes, pour ce qu'on eût dit, à l'ouïr, que seules celles-ci péchaient, et non ceux-là. Et pour moi, glissant un œil cy, un œil là, je trouvais mes voisines tout à la fois apeurées et rebelles, et comme sentant les poindre assez l'injustice qui leur était faite, ce qu'elles n'osaient montrer autrement que par des furtifs regards qu'elles entr'échangeaient. Que Maillard sentît ou non cette mutinerie, ou qu'il se laissât emporter par la volupté de ces peintures d'Enfer, je ne sais, mais reprenant souffle et voix, et touchant les supplices et tourments que les diables infligeraient aux pauvres garces dénudées, il entra si longuement en détails si horribles et repoussants que je ne saurais ici les répéter de peur d'offenser les dames qui me lisent.

Pour le coup, à celles qui étaient présentes là, il ne faillit pas à leur faire bien peur d'avoir commis le crime d'être de leur doux sexe, comme s'il eût voulu se revancher sur lui de s'en être interdit l'accès par ses vœux.

Par surcroît, ce prêche, pour fol et cruel qu'il fût en ses accents, me paraissait fort inutile car je ne sache point que les terreurs de l'au-delà aient jamais prévalu dans le cœur des hommes sur les voluptés de l'heure, d'autant que dans la religion papiste, il suffisait aux pécheresses d'une confession auriculaire pour les laver de leurs péchés, et leur refaire une âme impollue. Tout au plus pouvait-on attendre de cette bourbeuse éloquence qu'elle accrût dans la semaine à Saint-Eustache le nombre des pénitentes et le nombre des deniers qu'il leur faudrait verser aux prêtres qui les absoudraient.

Mais tout finit, et quelque complaisance qu'y mît Maillard, il arriva au bout des tourments affreux qui attendaient en l'Enfer la plus douce moitié de l'humanité en châtiment des paillardises commises avec l'autre moitié. Reprenant souffle alors, car il s'était fort échauffé à détailler tous ces supplices, il s'accoisa, pria un long temps en silence, et reprit d'une voix sourde :

— Si grands que soient les débordements des femmes, et si justes que soient les punitions dont elles seront dans l'Enfer impiteusement visitées, les uns et les autres ne sont rien en comparaison des crimes affreux et répétés commis contre notre Sainte Mère l'Eglise, contre la benoîte Vierge Mère de Dieu, contre tous nos saints, contre Dieu même, par les sanguinaires suppôts de la religion prétendûment réformée. Ha! mes frères! Depuis un mois, on a vu ces huguenots maudits affluer par centaines, et encore par centaines, en cette Paris que voici, riant et ricanant comme diables cachés en alcôves adultères, pour assister à ce mariage infâme — je dis bien à ce mariage infâme! — qui doit unir, Dieu lui-même s'en voilant la face, une grande Princesse catholique, sœur de notre souverain, avec le faux et cauteleux renard réformé de Navarre. Ha! ciel! Peut-on unir l'eau et le feu en une union contre nature et, j'ose dire, prostituée! Se trouvera-t-il en ce royaume un seul évêque renégat pour la célébrer, alors que s'y oppose de toutes ses forces notre Saint Père le Pape? Et si la male fortune veut qu'elle se fasse dans les dents mêmes de son opposition, ne sera-t-elle pas, cette épouvantable union, l'œuvre et le fruit de ce même Satan qui donna au sinistre chef des huguenots l'oreille de notre pauvre Roi, lequel est incité à l'heure par ce perfide et corrupteur conseiller à secourir les gueux huguenots des Flandres contre les armées de Sa Majesté très catholique, Philippe II d'Espagne, lequel est ce jour d'hui le plus sûr rempart de notre foi romaine en la chrétienté... Ha! mes frères! Souffrirons-nous plus outre d'être empoisonnés en cette Paris que voici par ces hôtes indésirés qui, grouillant comme vers en charogne, s'introduisent en vos logis pour corrompre vos croyances et s'ils y faillissent, ne rêvent que de vous détruire tout à plein, et vos âmes, et vos corps. Ha! mes frères! Quel malheur est le vôtre s'il vous faut garder ce venin diabolique en l'estomac et le laisser gagner votre foie pour l'étouffer plutôt que de le raquer pour être allégés et guéris! Ha! mes frères! Croyez-moi! Il ne faut qu'un peu de cœur et de courage pour vous débarrasser à jamais de cette vermine foisonnante et mettre enfin à exécution l'œuvre de sainte extermination recommandée par le Saint-Père, laquelle vous mettra à jamais en repos, vous, vos femmes, vos enfants et les enfants de vos enfants. Ha! mes frères bien-aimés! Que si vous participez à cette bonne œuvre tout soudain vous saisissant du plus sacré des glaives pour extirper par ses humaines racines l'hérésie maudite de Dieu, alors je vous le dis, au nom de Dieu le Père, du Christ et du Saint-Esprit, votre salut sera à jamais assuré en le séjour des bienheureux et vous entrerez tout droit au Paradis, sans passer par le Purgatoire, le sang d'un seul hérétique, je dis bien d'un seul, vous purifiant de tous les péchés que vous aurez pu auparavant commettre. Oui, mes bien-aimés frères, je vous le dis en vérité: eussiez-vous commis jusque la minute même où je parle toutes sortes de crimes, d'offenses, de paillardises et d'atrocités, eussiez-vous même tué père, mère, frère, sœur et cousin, tous ces péchés vous seront remis quand vous armerez vos bras pour venger Dieu de ces méchants et sauver la Sainte Église catholique, apostolique et romaine des puants hérétiques qui tâchent de la jeter bas.

Ayant huché à tue-tête et oreilles étourdies ces mots épouvantables, avec un grand martèlement et batture de son pupitre, le curé Maillard s'accoisa et reprit au bout d'un temps d'une voix soudainement basse, suave et pateline:

— C'est là la grâce que du plus profond de mon

cœur paternel, je souhaite à tous céans, mes frères, en vous exhortant à prier Dieu instamment qu'il plaise à sa bonté et miséricorde de vous assister en la tant juste et louable entreprise que je viens de dire. Mes frères, communiant tous ensemble en cet édifiant et confortant pensement de la proche extirpation de l'hérésie en ce royaume, *ad maximam Dei gloriam* [1], je vous convie à réciter avec moi un *Pater* et un *Ave*.

— Pour l'amour du ciel, me glissa l'Etoile à l'oreille en me touchant le bras, cessez, Siorac, de tressaillir comme canard décapité, et de grâce, priez, priez à fort haute voix! Chacun est céans épié de tous, et ce serait votre mort, et la mienne aussi, si on pouvait soupçonner que vous êtes contraire à ce que vous venez d'ouïr.

Jetant alors à l'entour un regard circonspect, je vis tant d'yeux luisants de zèle, de courroux et de haine, que j'obéis au bon l'Etoile et, le cœur navré, joignis ma voix à celle de cette foule qui requérait dévotement du Dieu de pardon et d'amour le courage d'occire une partie de la chrétienté. Et encore que je le fisse à haute voix et non sans labourer un petit à me ramentevoir l'*Ave Maria* que pourtant Barberine m'avait en mes enfances appris et que j'avais d'autant volontiers récité deux fois le jour que dans ma puérile imagination Marie et Barberine se confondaient quelque peu, j'eusse prié du bout des lèvres et du bout du cœur avec ce peuple égaré si je n'avais donné à mon oraison une direction tout autre que la sienne, l'infléchissant vers le souhait d'un fraternel accommodement entre les papistes et nous, afin que jamais aucun des deux partis ne répétât sur l'autre le massacre de la Michelade, lequel, à vrai dire, avait marqué mes vertes années de son inoubliable horreur.

1. Pour la plus grande gloire de Dieu.

418

— Siorac, me dit l'Etoile quand nous saillîmes enfin de Saint-Eustache, pas un mot, je vous prie, avant que nous ayons gagné votre logis : on nous pourrait ouïr.

Il me fallut donc mon frein ronger et mon ire ravaler jusqu'à ce que nous fussions dans l'atelier de Maître Recroche, lequel était vide, tout labour étant interdit les dimanches et les fêtes des saints, celles-ci étant bien trop nombreuses au goût de Maître Recroche, lequel n'aimait guère les curés pour ce que, disait-il, « à chaque prêche, ils vont inventant un saint nouveau qu'il faut chômer : aubaine pour les quêtes et ruine pour les négoces ».

— Mon cher l'Etoile, dis-je, le nœud de la gorge noué par ce que je venais d'ouïr, prêchent-ils donc à ce train infernal en toutes les églises, chapelles et abbayes en Paris ?

— A la vérité, dit l'Etoile en haussant les sourcils, il y a des curés plus doux que ce Maillard, mais il y en a de pis.

— Ha ! dis-je tout à plein confondu, mon bon, mon honnête ami, qu'est cela ? Qu'est cela sinon un appel à la meurtrerie ?

— Roide et manifeste. La raison pourquoi vous en êtes étonné, c'est qu'en vos provinces, vous n'alliez pas à messe. Pour moi, j'ois ce langage tous les dimanches et s'il m'indigne chaque fois, c'est à peine s'il me surprend encore. Ha ! mon cher Siorac, croyez-moi ! Ne musez pas céans plus qu'il ne faut pour vos affaires. Tirez, tirez dès que vous le pourrez ! Vous seriez plus en sûreté chez le Grand Turc qu'en cette Paris que voilà !

Comme il parlait, on toqua à l'huis, et n'y ayant personne au logis à s'teure, je fus ouvrir, et distrait que j'étais en mon pensement par le grave entretien où j'étais, je vis une dame, grande et fort bien vêtue, et que, malgré son masque j'eusse pu, à son allure et à ses cheveux blonds, reconnaître mais, l'ayant saluée quasi froidureusement, je quis d'elle qui elle voulait voir au logis.

— Mais vous, mon gentil frère, dit-elle en se retirant de la bouche le petit crochet qui tenait son masque devant sa belle face, vous, dit-elle de sa voix suave, de prime vous, et après vous, qui vous savez.

— Quoi! criai-je béant, Dame Gertrude du Luc! Ha! que je suis aise de vous voir!

— Ha! mon bien-aimé frère! dit la blonde Normande en me jetant ses bras autour du col et en m'accolant à me faire perdre vent et haleine, quelle solace de vous avoir là où je vous ai après tant de mois!

Ce disant, elle me pressait plus fort contre son doux parpal, et je n'eusse su comment éviter les chaudes lèvres qui parcouraient ma face, si je n'avais passé la tête par-dessus son épaule, ayant tout juste le temps de voir, en cette posture, le bon l'Etoile, le nez long et la lèvre boudeuse, se déconforter fort de nos embrassements, et quitter l'atelier à la fureur l'huis claquant derrière lui, tant le Grand Audiencier tenait en détestation les amours hors mariage, alors même qu'il avait trouvé si peu de délices en sa propre matrimonie.

— Madame, dis-je en la prenant par sa douce main et la menant s'asseoir sur une escabelle, pour ce qu'assise, le péril où elle me mettait me paraissait moindre. Que faites-vous céans, apparaissant par miracle comme une *dea ex machina* [1], dans le temps même où j'avais le plus besoin de vous?

— Mais il n'est pas de miracle, dit-elle, je viens, comme tout un chacun d'un peu bien né dans le royaume, assister au mariage de la Princesse Margot et de cet infâme hérétique, encore que le cœur me

---

1. Une déesse descendue du ciel.

saigne de cette union contre nature, et passant, comme c'est mon chemin, par Montfort-l'Amaury, Mme Béqueret, qui venait de recevoir une lettre de vous, m'a dit où vous gîtiez. Mais est-il constant, mon joli frère, dit-elle en battant du cil et en faisant mine de se lever derechef (mais d'une main sur l'épaule je l'en empêchai), est-il constant que vous avez de moi un besoin si strident ?

— Quoi, Madame ? dis-je, Mme Béqueret ne vous a point dit ce que je quérais d'elle ?

— Elle m'a confié qu'elle y était consentante, mais sans m'en confier le propos.

— Et vous-même, Madame...

— Ha ! Pierre, cria-t-elle, ne me « Madamez » point plus outre ! M'aimez-vous donc si peu ? dit-elle, prenant une petite mine si affligée et si chattemi-tesse qu'elle ne laissa pas de me faire redouter un renouveau de ses assauts.

— Ma gentille sœur, dis-je, faisant plus ferme la pression de ma main, sur laquelle, tournant son cou gracieux, elle coucha sa face et posa ses chaudes lèvres (et, Tudieu, que ces jolies féminines façons me mollissent et me gagnent !). Vous-même, poursui-vis-je en avalant ma salive, pourriez-vous, si je le requérais, loger chez Mme Béqueret en Montfort ? Vous y recevrait-elle ?

— Assurément ! Mais qu'y ferais-je, tant loin de mon Samson, et de vous, et de Paris, et des belles fêtes qu'on y va donner pour le mariage de la Prin-cesse ?

— Ha ! Madame ! criai-je, il le faut ! Samson court ici de par sa roideur et candeur les plus cruels dan-gers.

Et tout de gob je lui contai cette fâcheuse traverse de la procession où mon bien-aimé frère, faute de se découvrir devant la statue mutilée de Notre-Dame de la Carole, faillit perdre la vie.

— Ha! dit-elle, je le craignais! Il est tant pur et noble et innocent qu'un ange, mon gentil petit huguenot. (Ha! pensai-je, celui-là au moins n'est pas « infâme ».) Mais, par la benoîte Vierge, ma vengeance serait terrible, si on me le tuait, cria-t-elle en mettant la main à une forte dague qu'elle portait à la ceinture, par quoi je vis que la belle Normande venait à peine d'arriver de son voyage, et aussi fraîche pourtant, et vigoureuse, que si elle saillait de son lit.

— Tant peu me chaudrait votre vengeance, mamie, dis-je, et à vous aussi, si Samson n'était plus vif. Ma sœur, il faut résoudre et promptement. Samson ne peut demeurer céans, criant ès rues à tous échos qu'il est de la religion et qu'il abomine les idoles et les saints.

— Mais que faire? Que faire? cria Dame Gertrude, fort déconfortée.

— Je vais vous le dire : laissez là les fêtes d'un mariage qui aussi bien vous ragoûte fort peu. Prenez mon Samson et l'emportez en votre giron en Montfort-l'Amaury. Mettez-le le jour parmi les bocaux de l'officine; la nuit où vous savez; le dimanche, à messe. Et Vertudieu! Il sera sauf! Céans, je crains le pis, s'il y demeure.

A quoi Dame Gertrude du Luc s'accoisa, la paupière baissée sur son œil vert (qui tant me ramentevait celui d'une belle chatte que nous avions à Mespech) et comme elle se mordait les lèvres, je vis bien qu'elle balançait entre les joies qu'elle s'était promises des splendides fêtes du mariage princier et d'un autre côtel, de la grande, quoique peu fidèle, amour qu'elle nourrissait pour mon joli Samson. En outre, la voyant attifurée comme une reine, et quasi aussi resplendissante en ses beaux affiquets que Mme des Tourelles, j'imaginais qu'elle avait en la capitale autant appétit à être vue qu'à voir; qu'elle eût voulu, pour ses emplettes, courre à loisir les boutiques de la Grand'Rue Saint-Honoré et du pont Saint-Michel; mettre un nez à la Cour où sa beauté eût pu appeler de galantes encontres; et non seulement envisager les merveilles du royal mariage mais mieux encore, les conter à sa parentèle de retour en sa Normandie. Au lieu de cela, je l'invitais à s'aller serrer dans un désert de campagne où ne voyant pas le jour mon joli frère (enterré qu'il était dans ses bocaux), elle n'aurait d'autres ressources que de s'appasser au lit comme marmotte sous terre afin que de se refaire des forces pour la suivante nuit.

— Ma sœur, dis-je froidureusement assez, quoi que vous décidiez, pour moi sachant que le Maître Béqueret veut bien de mon Samson, et Samson ayant, lui, grand appétit à labourer en l'apothicairerie, pour ce qu'il s'ennuie céans à périr, j'ai résolu de le mener demain à Montfort-l'Amaury sans tant languir ni délayer, que vous soyez ou non des nôtres.

— Ha! mon frère! cria-t-elle en se levant, une opportune larmelette faisant resplendir ses yeux verts, que vous êtes avec moi, roide, méchant et tabusteur! Fi donc! poursuivit-elle, est-ce là reconnaître la grande et fraternelle amour que je nourris pour vous? A peine suis-je en Paris que vous m'enlèveriez Samson, ou si j'entends le suivre, vous m'ôteriez mes belles fêtes?

— Ha! Gertrude! criai-je, bien je vous connais là! Vous voulez tout avoir! Et Samson! Et les fêtes! Et que sais-je encore? Mais ma sœur, poursuivis-je, que ne départez-vous ce demain pour Montfort-l'Amaury avec mon Samson et y demeurez avec lui une semaine. Après quoi vous revenez seule, je dis seule à Paris, pour les fêtes princières, et les fêtes passées, incontinent vous rejoignez Montfort.

— Ha! mon frère! Quel saint vous faites! criat-elle. Vous avez trouvé la seule heureuse issue à mon prédicament!

Ce disant, la larmelette tout à plein évaporée par sa bondissante liesse, elle me piqua deux ou trois poutounes sur la face et me laissant, virevolta dans le large balancement de son cotillon en criant :

— C'est donc résolu ! Je pars ! Je pars ! Ha ! mon frère ! J'ai des ailes ! Où est cet ange de Dieu que je l'emporte ?

Et elle, me suivant tout courant dans l'escalier, et moi la devançant, mais la face tournée vers elle, je la vis, pour aller plus vite, soulever des deux mains ses belles jupes, son beau teint blond rosissant et son œil vert plus vif que chatte tenant moineau en ses petites dents.

De la chambrechette où Samson dormait encore, Giacomi étant, je gage, à ses dévotions, elle ne vit rien. Ni le plancher mal raboté, ni le mur sale, ni l'infime exiguïté, ni le mobilier misérable, ni le fenestrou ouvert sur le cimetière des Innocents, rien, dis-je, que mon joli frère, dormant nu sur sa couche en la touffeur de l'août. Il est vrai qu'il était là, resplendissant en sa natureté et la virile symétrie de son corps, blanc de peau, cuivre de cheveu et l'œil azuréen, sinon que cet œil, on ne le voyait pas encore, puisqu'il dormait...

— Ha ! benoîte Vierge ! cria Dame Gertrude en joignant les deux mains, ne dirait-on pas un Jésus ? Et ne pourrait-on avancer que mon Samson est d'une beauté divine ?

— Divine, Madame ? dis-je en souriant.

— Ha ! mon frère ! cria-t-elle en me baillant sur la main une petite tape, que vous êtes donc malicieux et rebéquant à me ramentevoir mes péchés alors que j'attente de les oublier dans l'instant où je les commets, remettant mes remords à plus tard !

— Ma sœur, dis-je en lui baisant le creux de la main (celle qui m'avait frappé) — lequel était chaud, suave et parfumé — pardon un milliasse de fois

424

d'avoir vilainement joué le rabat de joie et le chattemite, moi qui, pourtant, place ces joies-là au-dessus
de toutes les autres! Mais ma sœur, poursuivis-je,
plus un mot, je vous laisse à votre beau péché. Je
viendrai vous prendre à souper. Et demain nous
départons pour Montfort à la pique du jour.

Sur quoi l'ayant sur ses deux douces joues poutou-
née encore, je m'en fus et refermai l'huis sur elle, sur
eux devrais-je dire, non sans un âcre soupir et quelque picanier pincement de mon cœur.

Ma chambre en sa solitude me faisant horreur, je
redescendis, tout songeard et rêveux, en l'atelier où
je ne cuidais trouver personne, Miroul étant à panser
les chevaux, quand j'y vis Fogacer tout vêtu de noir,
déambulant sur ses longues pattes, ses longs bras
derrière le dos, lequel à ma vue, arquant son sourcil
diabolique, me dit avec son long et sinueux sourire :

— Ha! vous voilà bien vite redescendu de votre
petit perchoir, *mi fili*. Adonc la Dalila que j'ai vue
devant moi cheminant rue de la Ferronnerie ne destinait point ses outrages à vous, mais à Samson.
Mais peut-être, *mi fili*, si j'en cuide ce que j'ai ouï, les
hautes dames qui rabattent le poil des galants ne
vous sont point non plus tout à plein déconnues.
Tant pareilles sont les garces aux sauterelles sur
champ de blé! *Causa mali tanti foemina sola fuit* [1].

— Havre de Grâce! m'écriai-je, faut-il d'une seule
conclure à toutes? *Parcite paucarum diffundere cri-
men in omnes* [2], dit Ovide.

— Quoi? dit Fogacer, Ovide? Mais il courait le
cotillon! Quelle autorité est-ce là! Fiez-vous plutôt à
mon Plaute : *Qui potest mulieres vitare vitet* [3].

— Ha! Fogacer! dis-je en riant, oyez plutôt le très

1. La cause de tout ce mal ne fut due qu'à la femme.
2. Evitez d'attribuer à toutes les fautes de quelques-unes.
3. Qui peut éviter les femmes, qu'il les évite.

sage Sénèque, *multum interest utrum peccare aliquis nolit an nesciat* [1].

— Mais bien je sais! dit Fogacer, bien je sais! Mais n'y incline point! *Trahit sua quemque voluptas* [2].

Ayant de la sorte pédantisé, quoiqu'à la gausserie, et échangé nos maximes latines en matinale courtoisie, nous nous baillâmes hilarement une forte brassée. Ainsi en va-t-il du jargon de chaque état : la cicéronienne langue pour vos révérends docteurs médecins, et pour vos muguets de cour les *en ma conscience*, les *il en faudrait mourir*, et jaseries de moindre suc et substance que notre beau latin, la gibecière de leur mémoire n'étant pas si garnie.

— Je vous ai vu au prêche du curé Maillard, dit Fogacer, superbe en votre pourpoint emperlé, mais tirant une mine fort longue à ouïr ces appels au carnage, lesquels m'ont tout à rebours excessivement réjoui et comme conforté en ma philosophie.

— Quoi? dis-je, béant, réjoui? conforté? N'est-ce pas là tout le contraire que Dieu enseigne?

— Mais duquel de vos Dieux parlez-vous, *mi fili*? dit Fogacer en arquant son sourcil diabolique. Celui de l'Evangile qui est doux et bénin? Ou celui de la Bible?

— Mais c'est le même!

— Ho que nenni! Celui-là foudroie Onan pour avoir à terre sa semence jetée, brûle Sodome, crame les sodomites, massacre par la main d'Israël je ne sais combien d'honnêtes idolâtres, et supplicie les pécheurs en Enfer. N'est-il pas manifeste que celui-là, bien loin de nous avoir créés, a été façonné par l'homme, et à sa triste image, tant il est cruel et rancuneux?

1. Il y a une grande différence entre quelqu'un qui ne veut pas pécher et quelqu'un qui ne sait pas.
2. A chacun sa volupté.

— Ha! Fogacer! m'écriai-je! De grâce taisez-vous! Tant plus je vous aime tant plus j'abhorre vos blasphèmes!

— Quoi! dit Fogacer avec son lent et sinueux sourire, mes blasphèmes! Mais je suis, moi, d'une infinie débonnaireté, et ne requiers la mort de personne au nom de la religion de Guillaume ou Gautier, fût-elle papiste ou réformée. Siorac, avez-vous bien ouï Maillard? Un huguenot m'a prêté cent écus. Je l'encontre. Il me réclame son dû. Je l'occis. Ma dague devient dès lors « le plus sacré des glaives ». Et me voilà sauvé de la hart, absous, et promis sans purgatoire au séjour des bienheureux. Cuidez-vous que Maillard soit le seul à prêcher cette doctrine-là? A la vérité, le huguenot a remplacé le juif dans la détestation de notre Sainte Eglise. « Tue! Tue! Tue! » Voilà ce qui se dit, et se crie, et se huche chaque dimanche en tous les prônes du royaume, ceux des vôtres ne valant pas mieux!

— Les miens!

— Ha! Siorac! La Michelade! Et je ne sais combien d'autres atrocités huguenotes! *Mi fili*, oyez bien ceci : toute religion ne peut qu'elle ne soit tyrannique et, en ses effets, cruelle, pour ce qu'elle prétend parler au nom d'une vérité absolue, laquelle on ne peut donc récuser sans offense capitale.

— Ha! Fogacer! dis-je, vous parlez là des zélés et non des bonnes et honnêtes gens.

— Mais qui sont ces bonnes et honnêtes gens? dit Fogacer, l'œil tout soudain aigu. Feu La Boétie, Montaigne, Ambroise Paré, Ramus, notre pauvre maître Rondelet, Pierre de l'Etoile, Michel Servet que brûla votre Calvin en Genève, vous, moi, toutes gens qui voulons mettre un peu de raison dans le pensement des hommes et avancer le savoir du siècle. *Mi fili*, répondez! Iriez-vous sacrifiant la vie d'un seul papiste pour faire triompher votre Eglise?

— Ha que non! criai-je sans balancer, comme si la réponse se fût trouvée toute prête en mon for, et à mon insu, de longtemps délibérée.

A quoi, Fogacer m'envisageant, l'œil fort brillant, et un sourire sur ses sinueuses lèvres non point tant sardonique qu'amical, me dit d'une voix basse et comme étouffée :

— Vous êtes donc bien moins croyant que vous le cuidez être, Siorac, puisque vous récusez la victoire de votre foi au prix de la vie d'un seul homme.

— Mais je crois! dis-je, comme ébranlé pourtant par le sentiment qu'il venait d'exprimer et qui se présentait pour la première fois à mon entendement avec une nouveauté qui en décuplait la force.

— Je ne sais, dit Fogacer. Je ne sais si vous croyez, ou seulement croyez croire. Ou encore si vous n'êtes pas d'un parti bien davantage que d'une Eglise, ce parti étant celui de votre père, lequel vous chérissez de grande amour.

A ceci qui m'émut et me laissa tout songeux, je ne répliquai rien, me proposant d'y rêver à loisir — loisir que je n'eus pas, loisir que nous n'avons jamais, l'existence nous chevauchant et nous éperonnant continuement d'un besoin à un appétit, d'un appétit à une amour, d'une amour à une ambition, tant est que nous atteignons enfin le bout de notre chemin sans avoir rien résolu de nos traverses intimes, ce qui est vrai, hélas, même à l'âge où j'écris, mon ruban de vie bien dévidé déjà, et pourtant tout autant incertain et douteur qu'en ce jour d'août 1572 où je débattis avec Fogacer de la cruauté des croyances.

— Fogacer, dis-je au bout d'un moment, je suis, comme vous savez, fort tracassé de mon infélice et malheureuse grâce. Pensez-vous que par Anjou je pourrais atteindre la Reine-Mère, et celle-ci prévenir le Roi en ma faveur?

— Ha! la Reine-Mère! dit Fogacer, la Reine-Mère ne pense qu'à soi et ne craint que pour soi. Imaginez, Siorac, l'humiliation de son règne où même dans le lit d'Henri II, elle n'était pas la première. Il meurt, elle prend le noir pour ne le plus quitter. Elle prend le pouvoir aussi. Voici Catherine régente, et sous François II comme sous Charles IX, dominant ses fils par ses malices, ses cajoleries et ses larmes, elle règne, mais non point sans partage ni péril, menacée à dextre par les Guise, à senestre par les huguenots. C'est une femme forte, mais en ses treize ans de pouvoir, elle n'a cessé de trembler, et tremble ce jour comme jamais.

— Mais de quoi?

— De perdre sa seule grande amour : le sceptre. Votre Coligny a étourdi le Roi par le rêve guerrier de cette expédition des Flandres. Charles IX la veut, ne la veut plus, et la veut derechef. Et si Coligny l'emporte, Catherine se voit déjà départir pour l'exil en Florence. Or, Catherine qui est femme de grande ruse, mais de petites vues, n'a pas d'idée, hors une seule : régner. Et croyez-vous qu'en le prédicament où elle est, elle va oser affronter Charles IX en lui parlant d'un petit huguenot que ledit Charles s'est mis en tête de haïr pour ce qu'il le croit à son frère?

— Ha! Fogacer! dis-je en secouant le chef, j'entends bien que je ne compte pas davantage qu'un grain de poussière dans les grands vents qui s'élèvent au royaume de France, mais mon ami, d'après ce que je viens d'ouïr, Coligny court les plus grands périls.

— Mon fils, cuidez-vous qu'il l'ignore?

Et pivotant sur ses talons, Fogacer, sautillant sur ses longues gambes comme un insecte noir, se mit à marcher qui cy qui là dans l'atelier, jetant un œil comme distrait à la cheminée, un œil à la fenêtre puis de nouveau aux degrés qui menaient à l'étage et tout soudain s'arrêtant, il se campa sur ses interminables pattes et croisant les bras, il m'envisagea en souriant d'un sourire tout ensemble entendu et allègre.

— *Mi fili*, dit-il, si comme on le prétend, *amare est gaudere felicitate alterius* [1], alors je vous aime prou, pour ce que je me réjouis grandement de la liesse dont je vais inonder votre âme.

— Ha! dis-je, Fogacer, si liesse il y a, baillez-la-moi sans tant languir. J'aurais bien métier d'un peu de gaîté! Depuis que je suis en Paris, je ne marche que de traverses en tracassements. Tout me fault même les garces!

— Siorac, dit Fogacer, les joues toutes gonflées de sa nouvelle comme d'un bon vin qu'il n'eût pas voulu recracher trop vite, vous ramentevez-vous ce juge dont je fus l'ami en Montpellier et grâce à qui je pus vous avertir de fuir quand le tribunal que vous savez vous voulait serrer en geôle?

— Fort bien. Je lui suis infiniment redevable. Et à vous aussi.

— Vous le serez derechef. Cet ami montpelliérain, qui quitta Montpellier dans le même temps que moi, loge de présent en la capitale, et encore qu'il ait abandonné ses charges et ses offices, connaît fort bien un juge en Paris. *Asinus asinum fricat* [2], si du moins j'ose dire « âne », car ils sont tous deux fort savants.

— Moussu, dit Miroul en entrant dans la pièce fort à l'étourdie et sans voir Fogacer l'interrompant, faut-il seller votre cheval ou irons-nous encore à pied?

— Selle-le, Miroul! s'écria Fogacer avec un long geste de ses deux bras, et le tien aussi et leur mets

1. Aimer, c'est se réjouir du bonheur de l'autre.
2. L'âne se frotte à l'âne.

des ailes par surcroît, comme à Pégase, pour courre à la fureur! Vous en aurez bientôt l'occasion!

— Et ce juge? dis-je, béant que Fogacer commandât mon valet à ma place, lequel d'ailleurs ne branlait mie, ouvrant fort grands ses yeux vairons et comme cloué sur place.

— Ce juge a rendu son arrêt dans une affaire de moulin où un certain seigneur était défendeur, l'arrêt lui donnant raison. Mais du diable si je me ramentois le nom de ce seigneur! De grâce, Siorac, aidez-moi!

— Comment le peux-je?

— Mais il ne se peut que vous n'ayez ouï parler de ce moulin, lequel est sis dans un village au nord de Paris, fort fameux pour sa bonne farine de blé et les beaux pains dorés qu'en façonnent ses manants et qu'ils vendent en la capitale. Mais du diable si je me ramentois le nom de ce village!

— Vous vous gaussez, Fogacer, dis-je, dépité de ses délibérés délais. Qu'entends-je à ce moulin? En quoi me touche-t-il?

— De fort près! D'autant que ce seigneur dont je parle et qui, à ce que je cuide, a un château dans nos provinces du Midi, avait hérité d'un sien cousin ce moulin, legs que le fils dudit cousin contestait aigrement, d'où cet interminable procès, et son heureuse issue pour votre ami.

— Mon ami! Mais quel ami? Ha! Fogacer, j'enrage! Vous vous jouez!

— Ha! dit Fogacer, voilà qui me revient par bribes petites en l'esprit: le village où ce moulin tourne ses belles ailes — lesquelles sont celles qui portent non loin de là vos belles espérances — se nomme Gonesse.

— Gonesse? dis-je. Gonesse? Je connais ce nom!

— Moussu, dit Miroul, n'est-ce pas ce moulin dont je cuide bien que vous m'avez dit qu'on le disputait à M. de Montcalm.

— Montcalm! criai-je tout soudain hors de moi. Fogacer! Vous savez où il gîte en Paris! Et vous ne le dites pas!

— Je l'ai su, dit Fogacer arquant son sourcil diabolique, mais du diable si je me ramentois le nom de sa rue! Ma mémoire n'est plus ce qu'elle fut!

— Ha! Fogacer! huchai-je en me jetant sur lui et en l'empoignant aux épaules, vous vous jouez de moi! Parlez! Tudieu! Parlez!

— Sanguienne! s'écria Fogacer, quelle usance est-ce là? Et saisissant mes poignets en riant, il se dégagea avec une souplesse et une force que je n'eusse pas attendues de lui. Voilà bien l'ingratitude des amants! *Ingratis servire nefas* [1]!

— Le gîte! Fogacer, le gîte!

— Mais comment, ingrat Pollux, meubler mes oublis et rhabiller mes lacunes? Ha! Ma remembrance est plus trouée que fromage où s'est nichée souris! Tout ce que je me ramentois, cria-t-il en riant à gueule bec et en mettant entre lui et moi, comme en jouant, la largeur de la table, c'est que le heurtoir dudit logis figure le géant Atlas en train de porter le monde.

— La rue, Fogacer, la rue!

— Miroul! cria Fogacer, selle les chevaux! Selle-les comme l'éclair, fils! Et qu'ils volent!

— La rue, Fogacer!

— La rue porte tout justement le nom de ces petites figurines en bronze dont on fait des heurtoirs et qu'on nomme céans des marmousets.

— La rue des Marmousets! criai-je. En la Ville? En la Cité? En l'Université?

— En la Cité! Mais où courez-vous, Siorac?

— Aider Miroul!

— Je vous suis, Siorac! cria-t-il en se ruant sur

1. Il n'est pire chose que servir les ingrats.

mes talons. Un cheval ! Un cheval aussi pour moi !
Par tous les bons diables de l'impossible Enfer, poursuivit-il, sa voix sonnant haut et clair dans mon dos,
j'ai grand appétit, démêlant pour vous vos chemins,
à vous conduire au plus court en votre Eden, lequel
vous devrait être d'autant cher qu'il n'en est pas
d'autres : j'en donnerais en gage mon âme péris-
sable !

CHAPITRE VIII

Havre de grâce! Quelle liesse m'habitait tandis que Fogacer me précédant, et Miroul trottant à mon étrier dextre, je descendais sur ma Pompée la Grand'Rue Saint-Denis dont en ce dimanche toute boutique était fermée et traversai le pont Notre-Dame désert, lui aussi, de tout charroi pour gagner la cité et en prolongement de la rue de la Verrerie dont Fogacer au passage me jeta le nom, la rue des Marmousets. Et encore que le pavé fût quasi vide en ce midi, le peuple, vu la touffeur, s'étant retiré chacun en sa chacunière, le chemin me parut infini, mesuré à l'aune de ma griève impatience.

— Fogacer, criai-je, la parole blèze et bégayante et le cœur me cognant comme battant de cloche dans le poitrail, avez-vous jà reconnu le logis dont l'huis porte le heurtoir que vous avez dit?

Il se tourna vers moi, le bec ouvert, mais ne l'oyant pas, je poussai ma Pompée jusqu'à la hauteur de sa botte et lui répétai ma question.

— J'y fus, dit-il, avant que de vous visiter et c'est tout justement cette maison devant laquelle vous pouvez voir cette coche de voyage et ces valets qui lui chargent le toit de quantité de bagues et de paquets.

A cette vue, je me crus quasiment pâmé en ma soudaine appréhension. Je démontai et jetai mes rênes à Miroul et sur mes gambes qui me portaient à peine tant elles tremblaient, m'avançai à pas chancelants vers la porte, laquelle était ouverte, laissant passer un continu va-et-vient de valets affairés qu'un *majordomo* qui avait les yeux fort noirs et le cuir de la face fort tanné, commandait en provençal. Je m'approchai de ce quidam qui me parut ne m'être pas déconnu, me nommai et quis de lui de m'annoncer à son maître.

— Ha! Monsieur de Siorac! dit-il, bien je vous ramentois pour vous avoir vu une ou deux fois à Barbentane ces cinq années passées, et bien sais-je quelles infinies obligations vous a notre châtellenie, ayant souvent ouï de Madame que sans vous à cette heure, il n'y resterait âme, bête ou pierre. Je vais vous annoncer à M. de Montcalm.

— Mais, dis-je avec une courtoisie qui me passait à peine la gorge tant elle était nouée, ne le vais-je point importuner? N'êtes-vous point sur votre département?

— Ha que si! dit le *majordomo* en levant les bras au ciel, et avec quelle allégresse, Dieu le sait! Car cette Paris, ajouta-t-il en oc, est une villasse qui nous ragoûte peu et ses arrogants manants moins encore. Nous eussions dû les quitter sur les huit heures si le loueur nous avait amené à temps la coche que voilà. Mais il n'y a pas à se fier à la parole de ces coquins. Monsieur de Siorac, je vous prie d'espérer un petit. Je vous annonce.

Ha, pensai-je, je ne trouve mon Angelina que pour la perdre! Et encore ne me dois-je pas trop lamenter de la fortune, car sans l'impertinence du loueur, j'eusse failli tout à plein à l'envisager. Sur cette consolation qui me confortait peu, le *majordomo* réapparut, un peu moins accueillant, me sembla-t-il, qu'à notre première encontre, et me priant de le suivre d'un ton poli, mais l'œil baissé, il me conduisit en un petit cabinet où, après un salut un peu court, il me laissa, marri de ce changement d'humeur qui ne présageait rien de bon. Et en effet, quand l'huis s'ouvrit, M. de Montcalm marcha vers moi, un souris aux lèvres mais l'œil froidureux assez, l'air pressé et expéditif. Sans faire mine de s'asseoir, il me dit comme je me levai :

— Ha! Monsieur de Siorac, que je suis aise de vous voir! (Mais, sanguienne, que peu il y paraissait!) Je n'ai point oublié les grandes obligations que je vous dois (et jamais gratitude ne fut plus ingratement exprimée) et n'était pas que vous arrivez céans comme j'en dépars, ayant mon procès gagné, j'eusse aimé vous avoir à ma table et vous consacrer plus de temps que de présent ne peux.

— Monsieur le Comte, dis-je, je serais au désespoir de vous délayer, mais ayant su par bonne fortune où vous étiez logé, j'ai voulu vous présenter mes devoirs, étant moi-même en Paris depuis le début de ce mois pour y quérir la grâce du Roi.

— Je l'ai appris de Nançay le premier jour où je vins au Louvre, dit M. de Montcalm, et j'ai fait de sincères vœux pour que vous ne faillissiez point en votre entreprise.

Ha! pensai-je, ces « sincères vœux » n'allaient point, semble-t-il, jusqu'à s'enquérir du logis de l'homme qui, cinq ans plus tôt, l'avait arraché aux caïmans du bois de Barbentane, le sauvant de la mort (et sa femme et sa fille du déshonneur) aux mains de ces gueux sanguinaires. Ce pensement me gelant le bec, je m'accoisai et envisageai en silence M. de Montcalm; il me parut lui aussi pâtir à ce moment de quelque embarras, y ayant en lui une contradiction manifeste entre son apparence qui était imposante assez, étant de haute taille, le sourcil broussailleux, l'œil perçant et la face sévère, et son intime for, lequel était moins assuré qu'il l'eût voulu, et peut-être lui baillait quelques épines et pointures à reconnaître si mal les obligations qu'il proclamait si haut me devoir. Tant est que ne se décidant point à me donner mon congé — si fort qu'à cet instant il le désirât — et moi-même ne le prenant pas, pour ce que je voulais voir sa fille — ce que j'entendais bien qu'il ne voulait permettre, étant si contraire à nos projets —, nous restions ainsi confrontés, debout, muets, et polis, comme attendant qui allait se décider à relancer l'esteuf dans le camp de l'autre. Et nous fussions demeurés ainsi face à face comme deux augures (encore que peu enclins à rire) si un gentilhomme richement vêtu et d'assez bonne mine, quoique un peu gros par le travers du corps, n'était entré dans le petit cabinet en disant :

— Monsieur mon père, il est temps, Mme de Montcalm et Angelina ont pris place dans la coche et vous espèrent.

— Monsieur de Siorac, dit alors M. de Montcalm prenant la balle à la volée, ce gentilhomme est M. de la Condomine qui nous accompagne à Barbentane où il doit marier ma fille.

Je restai sans voix à ouïr cette affreuse nouvelle, si calmement débitée, et je me sentis à ce point pâlir que je fis à M. de la Condomine un salut plus profond qu'il n'eût fallu, mais qui eut du moins l'avantage de me remettre un peu de sang à la face.

— Monsieur, dis-je enfin en tâchant d'affermir ma voix, je suis votre serviteur.

A cela M. de la Condomine, qui avait l'air d'un grand fat et qui peut-être savait ce qu'il en était d'Angelina et de moi, ne dit ni mot ni miette et ne répondit que par un salut. Sur quoi, envisageant M. de Montclam œil à œil, et me décidant à brûler mes vaisseaux pour ce que je voyais qu'on voulait dans le néant me rejeter tout à plein, je dis en articulant les mots avec force et sur le ton d'une courtoisie tant appliquée qu'on y pouvait voir une sorte de défi :

— Monsieur le Comte, je vous serais infiniment obligé si vous vouliez bien me permettre de présenter mes devoirs à Mme de Montcalm et à votre fille avant votre département.

M. de Montcalm, qui était de sa complexion colérique, rougit de la rage que je lui donnais de lui mettre ainsi le cotel sur la gorge, ne pouvant en honneur refuser à l'homme qui lui avait sauvé la vie la civilité d'un adieu. Mais ne voulant pas la lui bailler non plus, il prit le même parti que celui qu'il avait élu comme gendre et me faisant sans piper un beau salut, il me tourna le dos, prit M. de la Condomine par le bras et saillit du cabinet, me plantant là.

Je les suivis et sortant à leur suite dans la rue des Marmousets, je vis que les tapisseries de la coche, malgré l'écrasante touffeur de ce midi, avaient été rabattues sur les portières. Je ne doutai pas que ce fût sur le commandement de M. de Montcalm pour empêcher qu'Angelina me vît et que je pusse l'entretenir. Indigné de cette odieuse violence qui était faite à ma bien-aimée et reprenant courage dans le pensement que M. de Montcalm, qui n'était point mauvais, n'eût pas pesé à ce point sur sa fille (dont il était tout raffolé) si elle avait consenti à ses volontés, je ne laissai pas de m'approcher de la coche espérant trouver une occasion de signaler ma présence. Ce que voyant M. de Montcalm, il murmura quelques mots à l'oreille du cocher, lequel, montant prestement sur son siège, parut se préparer à fouetter ses chevaux dès que son maître et la Condomine auraient pris place en face des dames, ce qui se pouvait faire en soulevant la tapisserie et sans qu'elles pussent m'entr'apercevoir.

Je pris ma décision en un battement de cil. Insoucieux d'ores en avant d'affronter un homme qui venait de me tant rabattre, je fis en courant le tour de la coche et me présentant à l'autre portière, j'osai soulever la tapisserie qui la bouchait, et saluant la mère et la fille, et envisageant cette dernière œil à œil, je m'écriai d'une voix précipiteuse :

— Angelina, je vous aimerai toujours !

Je ne pus parler plus outre, le chariot s'ébranlant et M. de Montcalm, de l'intérieur, huchant comme fol : « Fouette, maraud ! Fouette ! », le cocher cingla l'attelage à quatre. Dans le vacarme de ces claquements, des roues ferrées sur le pavé et des sabots des chevaux, ne pouvant ni me faire ouïr davantage, ni ouïr ce qu'elle disait (car je la voyais ouvrir la bouche) je courus à côté de la portière à perdre vent et haleine. Tenant de ma main senestre la tapisserie soulevée, et de ma dextre dégainant pour donner du plat de mon épée à une monture qu'un valet d'escorte me voulait en hurlant pousser sus, je reçus de mon Angelina (les paroles ne nous étant plus d'aucun secours) un long regard de ses beaux yeux — lesquels luisaient d'un éclat merveilleux dans la pénombre de la coche où père, mère et prétendant s'agitaient confusément comme autant de créatures des ténèbres —, regard où je cuidai lire tout à la fois une confirmation de la foi donnée et la promesse de s'y tenir dans les dents de la tyrannie paternelle.

C'est le cœur affreusement navré, tout appétit à vivre disparu, et le nœud de la gorge me serrant à pâtir que, la coche de voyage emportant mon Angelina au tournant de la rue, je rengainai, remontai en selle et repris le chemin du logis, encore haletant et sueux de ma course, les jambes plus que jamais tremblantes, et la voix en mon gargamel si étouffée que je n'aurais su pour un royaume dire le moindre mot — mais quel mot de reste eussé-je articulé ? — ma pensée me défaillant en ma désespérance, le monde devant moi devenu d'un noir d'encre, et mon existence comme privée de la lumière qui avait lui, ces cinq années passées, au bout de mon chemin.

Ha! pensai-je, Angelina ne peut qu'elle ne faiblisse, elle épousera ce grand sottard, je ne la verrai plus. L'appréhension de cet inouï malheur me poignait tant qu'elle me le faisait paraître quasi inévitable. Sans souci des passants des rues, lesquelles je suivais au triste pas de ma Pompée, les larmes, coulant sans discontinuer de mes yeux, roulaient sur mes joues, et tombaient, grosses comme des pois, sur mes mains qui tenaient ou plutôt abandonnaient mes rênes, si bien que ma jument n'eût su où diriger son sabot si la monture de Fogacer ne l'eût précédée. Où que je tournasse mon intime regard ou mes yeux, par ces orages brouillés, je ne voyais dans l'avenir, sans mon Angelina, qu'un immense désert de vie, âpre, caillouteux, stérile et sans profit. Ha! certes! Je ne doutai pas qu'elle m'aimât encore! Et je ne pouvais qu'admirer la vaillance qui l'avait éperonnée à lutter ces cinq années passées contre la volonté d'un père. Mais celle-ci durcissant à la fin, jusqu'à la plus impiteuse inhumanité et tombant dans la violence que je venais de voir, si M. de Montcalm avait osé cela, n'oserait-il pas le pis pour la faire plier? Et la pauvrette pouvait-elle pousser plus outre sa rébellion sans qu'enfin il l'enterrât, comme il en avait fait si souvent la menace, dans un couvent papiste, tuant en elle jusqu'à l'espérance du mariage et de la maternité, laquelle était si fort imprimée en la complexion de mon Angelina qu'au regard de sa profondeur, ma personne, peut-être, ne pèserait pas assez. J'imaginais l'aimable fille ensevelie dans quelque cloître où tout serait tant dur et froid que les pierres dont il était bâti, la règle, par surcroît, barbare, la cellule incommode, la nourriture repoussante, les nonnes, tyranniques et je la voyais, belle encore en ses funèbres voiles, mourir lentement à la vie. Ne devais-je donc pas penser, quelque fiance que j'eusse en sa foi donnée, et au dernier regard qui m'en confirmait le serment, qu'un jour viendrait où les tourments quotidiens useraient à la longue sa constance et que tout alors, même ce fat de la Condomine, lui paraîtrait à la fin préférable à cet enlisement ?

Ha ! l'absence ! Comment la tolérer quand elle est sans remède ? Quoi ? Plus jamais ? Comment prononcer ces mots « plus jamais » sans périr, alors qu'ils sont déjà dans notre vie comme une petite mort, lambeau arraché à notre cœur, plaisir ravi à nos yeux, délices échappées à nos mains ? Havre de grâce ! comment se fait-il que dedans le logis de nos joies un pan de mur se peuve écrouler sans que tout l'édifice tombe à plein ?

Dès que j'eus regagné mon logis, je jetai les rênes à Miroul, fis un triste adieu de la tête à Fogacer muet, courus à ma chambrifime, m'y enfermai, ne voulant point qu'on m'envisageât dans l'état où j'étais. Mes larmes étaient taries. C'était maintenant une hébétitude chagrineuse, une épouvante de l'avenir, une désespération à se daguer sur l'heure, si je n'avais été secoué quand et quand par une âpre fureur contre M. de Montcalm d'oser traiter ainsi cette fille si tendre, si bénigne et si bonne que jamais ne se put sur terre sa semblable encontrer.

Dans ses lettres à mon père, M. de Montcalm avait avancé comme raison de son refus l'impécuniosité d'un cadet, mais sur l'assurance que lui avaient donnée le baron de Mespech et M. de Sauveterre qu'il y serait pourvu de façon à le contenter quand je m'établirais en mariage, M. de Montcalm avait changé ses batteries, ou plutôt il avait dévoilé celles qu'il nous avait jusque-là celées et celles-là, on en va juger, de quel écrasant calibre elles étaient ! Il s'était ouvert, disait-il, de l'alliance qu'on requérait de lui à son confesseur, lequel, levant les bras au ciel, y avait trouvé tout de gob une insurmontable traverse : un huguenot marier une catholique ! Si M. de Montcalm avait la faiblesse d'accepter un mariage si infâme, une union contre nature si manifestement inspirée par Belzébuth, il en serait fait d'ores en avant de son salut !...

Je voyais maintenant à quelle bassesse pouvait porter le zèle, quand il était allumé dans le cœur d'un honnête homme par l'absolu de la religion. Il avait suffi à ce sottard de prêtre de brandir ses foudres, et M. de Montcalm, se soumettant, avait extirpé de sa poitrine toute la gratitude qu'il me devait pour lui avoir sauvé la vie dans les bois de Barbentane et en même temps toute courtoisie, tout honneur, toute amitié et même le simple et fruste lien d'homme à homme quand ils ont partagé les mêmes périls (et n'était-ce pas en parant le coup qui l'eût occis que j'avais été si durement navré à Barbentane) ? Mais un prêtre était passé là et plus rien d'humain ne comptait.

J'adorais comme M. de Montcalm le Christ, mais point de la même guise : j'étais donc un méchant ! un hors-la-loi ! un gibier de bûcher ! Et si sa fille s'obstinait à m'aimer, la mort en cloître serait son lot ! Tout plein d'un égoïsme si profond qu'il n'en apercevait même pas la racine, que de sacrifices faisait M. de Montcalm à son propre salut, foulant nos jeunes vies pour sa petite part de paradis, comme si la mort avait été le but, et non tout bonnement le bout de sa vie !

Ha ! certes, de mon côté, j'eusse bien pu, pour mon Angelina, accepter les idoles, les saints, l'adoration de Marie, fût-ce du bout des lèvres, et même la confession auriculaire (où déjà, comme on s'en ramentoit, j'avais été contraint au péril de ma vie par les moines du baron de Caudebec) mais eussé-je pu me résigner par un renoncement public à navrer si grièvement mon père et Sauveterre ! Ha ! Fogacer avait bien dit ! J'étais davantage d'un parti que d'une Eglise : le zèle des Eglises ne m'échauffait en aucune sorte, je n'en voyais que trop les inhumains effets partout où je portais les yeux. Mais comment arracher de mon cœur sans le gâter tout à fait et me le rendre à moi-même haïssable la fidélité à ce père que tant j'aimais, à l'oncle Sauveterre, à Samson, à Mespech dont les pierres elles-mêmes eussent crié contre cet abandon.

Souffrir est un très long moment. Et que le temps nous dure quand la dolance est là ! La pire étant bien celle qui vous laisse l'œil sec, le cœur tant navré, et l'entendement si hors de ses gonds qu'on ne sait plus si on est vivant à demi, ou mort plus qu'à moitié, tant l'avenir se dresse comme un mur au-travers de quoi on ne peut ni ne veut passer, n'ayant plus la force de désirer rien, hors l'être qui s'éloigne.

La voyant déjà enfermée au tombeau d'un cloître au milieu de ces pauvres nonnes aigries dans le vinaigre de la chasteté et sur elle, tant jeune et belle, s'en revanchant — comme si ce fût un péché d'avoir tant à se glorifier dans la chair, la leur étant restée stérile —, je doutai même si je ne devais pas désirer pour elle un moindre mal et plutôt que le couvent, un mari, fût-ce un sot, et une progéniture qui de son époux l'eût au moins consolée, combien qu'elle fût issue de lui. Havre de grâce ! Ce ne fut que l'élan ou l'oblat d'un moment : je ne pus continuer à cette hauteur-là, tant il est difficile de former un vœu à l'encontre de son propre sang. J'eusse été chattemite de me vouloir si sublime plus du quart d'une minute, et de lui souhaiter d'autres enfants que de moi et de ma grande amour ; le pensement seul m'en navrait davantage.

Je ne sais combien d'heures je passais à ce grand

martèlement et batture de tête, à s'teure étendu à plat le ventre sur mon étroite couche, le nez dans mes bras repliés, à s'teure marchant qui cy qui là dans ma chambrifime, ne voyant même point le soleil baisser, tant il faisait peu jour dans mon cœur, jetant un œil quand et quand par mon fenestrou au cimetière des Innocents comme si j'eusse aspiré, en la fleur de mon âge, à la puanteur de cet anéantissement.

On toqua à l'huis. J'allai ouvrir en chancelant. C'était mon beau Samson, qui de prime dans ses bras me saisit, ayant appris de Fogacer, alors qu'il me cherchait pour aller souper, que je n'avais retrouvé mon Angelina que pour la perdre. Gertrude du Luc, à son tour entrant, demanda le pourquoi des larmes qu'il versait, je m'assis, mes genoux étant sans force, et d'une voix terne et lasse leur fis un récit de peu de suite et cohérence. Et Samson ne pouvant, au désespoir de me voir si avant dans la malenconie, tarir ses pleurs, Gertrude en versa à son tour. Je la vis se couler devant moi à genoux, la vertugade faisant autour de sa taille comme une corolle étalée, et, me prenant les deux mains dans les siennes, elle entreprit de me consoler, comme elle eût fait d'un enfant, avec une douceur si tendre et si féminine que je fus comme étonné de lui trouver tant de cœur, l'excès de ses sens m'en ayant fait douter. Distrait de mon malheur par le sentiment de l'injustice qu'en mon for je lui avais faite, je lui rendis en un clin d'œil l'estime que j'avais eue pour elle avant qu'elle trompât mon Samson avec Cossolat; elle le lut incontinent dans mes yeux, je la sentis tout allègre de ce nuage dissipé, et j'entendis enfin qu'il me la fallait aimer d'amitié, sans lui garder mauvaise dent ni de ses désordres (où sans doute elle ne pouvait mais) ni des mignonneries dont elle ne faillait à envelopper tout homme, fût-il un frère (comme elle m'appelait). Et qu'elle fût ma sœur sans chattemite aucune, ni pensée de derrière le chef qu'elle ne voulait mettre devant, c'est ce que je cuidai aussitôt, la voyant tant piteuse à l'état où j'étais et à moi si affectionnée.

On toqua derechef et Miroul sur ses talons, Fogacer entra qui, voyant Samson à mon col et Gertrude à mon genou, sourit de son lent et sinueux sourire et s'asseyant à ma senestre dit :

— *Mi fili*, qui veut ne point pâtir ne se devrait attacher jamais et se garder comme de diable en pommier de ce passionné appétit de l'autre qu'on appelle l'amour : ainsi l'enseignent les sages de nos églises ; mais hélas, qui n'adore les drolettes, adore les droles et qui n'adore ni les unes ni les autres, adore soi, et fait chaque soir le compte menu de ses péchés et de ses indulgences, soustrayant les secondes des premiers, et calculant, en ce barguin, s'il va gagner son Paradis. *Mi fili*, n'ayez fiance en cette sorte de guillaume. S'il est si serré sur soi et si mesquinement doux à lui-même, il ne peut qu'il ne soit dur aux autres. *Crede mihi experto Roberto* [1] : Mieux vaut avoir aimé et perdre l'être aimé que n'avoir point aimé du tout.

— Ha ! Fogacer ! dis-je, voilà une idée juste, mais qui peu me conforte !

— Pour ce que, dit Fogacer en arquant son sourcil, je prononce le mot « perdre », lequel est abhorré des amants. Mais avez-vous dans le fait, perdu, je ne sais ! Miroul en cuide autrement.

— Quoi, Miroul ! dis-je vivement en relevant la tête, que viens-tu faire là ? Et que sais-tu que je ne sache ?

— Vous le dirai-je, Moussu ? dit Miroul.

— Sanguienne ! criai-je. L'impertinent valet ! Il me voit dans les affres et me picagne encore !

1. Croyez-m'en qui en ai fait l'expérience.

— Là, là! Moussu! dit Miroul, son œil marron s'égayant, je ne suis point si impertinent que je ne tâche de servir mon maître. M'ouïrez-vous avec patience?

— Vertudieu! criai-je, fort encoléré : de la patience! Quand en ai-je manqué avec toi?

— Mais quotidiennement, Moussu, à l'encontre de votre impertinent valet.

— Ha! Miroul! dis-je, je retire cet impertinent-là, si le mot te blesse.

— Moussu, dit Miroul, mi-grave mi-gaussant, je vous en sais gré. Mais voici mon histoire sans tant languir. M'oyez-vous?

— Toutes ouïes, cornedebœuf! Dois-je le dire encore?

— Moussu, quand je vis ce grand faquin de *major-domo* vous revenir voir avec une face longue d'une aune après avoir parlé à son maître, je doutai fort que celui-ci vous laissât voir notre demoiselle, et confiant au seigneur Fogacer, et votre cheval, et le mien, je m'approchai d'un air fort assuré et de la façon la plus nonchalante m'appuyant au chambranle de l'huis par où je voyais sortir tant de valets portant bagues et paquets à la coche, je commençai, l'air à cent lieues de là, à me faire les ongles avec une paire de petits ciseaux, étant fort envisagé de tous ces gens et les contr'envisageant avec la dernière hauteur. Tant est qu'à la fin, le *majordomo*, tirant à moi, la crête fort redressée, me dit d'un ton rude :

« — Que fais-tu là, maraud?

« — Monsieur, dis-je en admirant mes ongles, la première fois qu'un guillaume ou gautier m'appelle maraud, rien ne se passe tant je suis bénin de ma complexion. Mais la seconde fois, mon épée jaillit d'elle-même du fourreau, et cette épée-là, dis-je en haussant tout soudain le ton, ne vous devrait pas être déconnue à Barbentane, ayant, avec celles de mon maître et des moines de l'Abbaye, sauvé votre maître et ses gens du massacre. Mais à la façon dont on traite céans M. de Siorac, je cuide que ce petit bienfait s'est échappé de la gibecière de vos mémoires.

« — Monsieur, dit le *majordomo* d'un ton marri et l'œil fort vergogné, je fais mon commandement.

« — D'où je conclus, dis-je, que reçu en froidureuse guise, mon maître ne verra même pas les dames qu'il a sauvées du forcement et de la mort.

« — Monsieur, je le crains, dit le *majordomo* d'un air embarrassé, et me faisant un petit salut, il me laissa là.

« Je restais donc maître de la place, ce grand faquin n'étant pas sans quelque conscience et ne voulant pas non plus m'affronter. Tant est que lorsque sortirent les Dames de Montcalm pour prendre place dans la coche...

— Quoi ! tu les vis ! criai-je.

— Et leur parlai, dit Miroul, tandis que M. de Montcalm vous amusait dedans.

— Et c'est maintenant que tu le dis, Miroul ?

— Moussu, ne m'avez-vous pas cent fois recommandé de m'accoiser tout à plein quand vous êtes en vos pensements plongé ?

— Ha ! Miroul, quelle patience...

— Donc, je les vis et aussitôt, surgissant et me plaçant devant elles, je leur fis en reculant jusqu'à la coche je ne sais combien de profonds saluts tant est qu'à la fin Madame Angelina s'écria :

« — Mais c'est Miroul ! Où est ton maître, Miroul ?

« — Dedans votre logis, Madame, dis-je en les saluant derechef, avec M. de Montcalm, mais à la froidure qu'on lui montre, je doute qu'on le laisse vous voir.

« — Madame ma mère ! s'écria notre demoiselle, ses beaux yeux noirs jetant tant de feux et flammes en leur ire que c'était merveille de les voir si brillants, voilà donc la raison de ces mots à l'oreille chuchotés et de cette grande hâte qui ne vous a pas permis d'achever votre pimplochement. Madame, c'est la honte des hontes ! Nous fuyons devant l'homme qui nous a sauvés !

« — Picot ! dit à son valet Mme de Montcalm, fort pâle et se mordant la lèvre, ouvre-nous la portière. Montez, Madame ma fille !

« — Madame ma mère, dit Madame Angelina en lui faisant une petite révérence, mais la voix et l'œil fort irrités, je suis votre servante. Miroul, poursuivit-elle en se tournant vers moi, veux-tu dire à ton maître que je ne suis pas partie à l'ingratitude qui lui est montrée céans, et qu'à son endroit, je demeure inchangée.

« — Madame ma fille ! s'écria Mme de Montcalm avec une fermeté qui me parut quelque peu forcée et contrefaite, que faites-vous là ? Vous vous devez d'ores en avant à M. de la Condomine !

« — Je ne dois rien à ce gentilhomme, dit Madame Angelina, le pied sur le marchepied. Et redressant sa haute taille d'un air superbe, elle ajouta : Il n'aura rien de moi, ni ma main, ni une parole, ni même l'aumône d'un regard de Paris à Barbentane.

« Ayant dit, et toute bouillonnante de son déchaîné courroux, elle s'engouffra dans la coche, mais sa vertugade s'étant prise au passage dans la ferrure de la portière, elle la tira vers elle d'un geste tant brusque et rageur qu'elle déchira son cotillon de soie sur trois pouces de longueur.

« — Qu'avez-vous fait ? cria Mme de Montcalm. Vous avez gâté votre vêture !

« — Que ne l'ai-je gâtée tout à plein ! cria Dame Angelina tournant vers sa mère une face enflammée et des yeux étincelants. Et que ne puis-je pareillement gâter cette coche de voyage afin de ne m'y pas trouver avec qui vous savez !

448

« — Eh Madame ! c'est aller trop loin ! cria Mme de Montcalm. Votre père vous serrera en un couvent !

« — J'y ai grand appétit, cria Angelina, et m'y laisserai mourir de faim, loin de quelques personnes que je pourrais nommer, et dont j'abhorre l'ingratitude.

« — Madame ma fille ! s'écria Mme de Montcalm.

« Mais s'étant enfournée à son tour dans la coche en pinçant des deux mains son cotillon pour en réduire l'ampleur, elle disparut à mes yeux, le valet Picot laissant retomber incontinent la tapisserie sur la portière, et si la disputation, comme je le cuide, se poursuivit dedans, je n'en ouïs plus rien. Je me remis alors en selle et demeurai coi et quiet jusqu'à ce que je vous visse vous débattre contre le faquin d'escorte qui attentait à vous bousculer avec sa monture. Je dégainai et incontinent lui courus sus, et ce que les platissades de votre épée avaient si bien commencé, je l'achevai en lui piquant un demi-pouce de fer dans la croupière de son cheval qui l'envoya galoper jusqu'à la lune.

« Voilà mon récit, conclut Miroul d'un ton uni et simple.

Et les paupières baissées sur ses yeux vairons d'un air d'immodérée modestie, il ajouta :

— Mais pour ce qui est de sa pertinence ou de son impertinence, je ne sais.

— Ha ! Miroul ! criai-je en me levant de ma couche, mi-riant mi-pleurant, et lui donnant une forte brassée, tu es le plus pertinent des valets, le plus avisé et le plus picagneur aussi, et tu m'as merveilleusement conforté !

— Mais mon frère, dit Samson avec quelque doutance dans ses yeux bleu azur et une larmelette au bord de ses cils noirs, Madame Angelina se laissera-t-elle au cloître de faim périr ? Ce serait grand péché contre le Créateur !

— Ha que nenni! dit Miroul. Qui le menace jamais ne le fait. Madame notre maîtresse aime bien trop la vie. C'est ruse de guerre pour poigner et ployer son père, et rien d'autre.

On toqua, et dans ma chambrifime, déjà tant pleine qu'un œuf, entra Giacomi qui fut fort étonné de nous trouver là tous en tas, mi dans les ris, mi dans les pleurs, et dans les bras les uns des autres, Dame Gertrude du Luc, me voyant de mes cendres renaître, se festonnant autour de mon Samson pour lui sécher les larmes, et ajoutant à la confusion par son immense vertugade qui tenait à soi seule plus de place que deux ou trois Fogacer — lequel je présentai incontinent à Giacomi, admirant qu'ils fussent tous deux de même taille, la gambe longue, le bras interminable, quoique de face tant différents, le médecin si lucifériens, et le *maestro* tant joyeux, tous ses traits tirant vers le haut. Ce fut de l'un à l'autre un prompt et vif regard, qui cy de médicale attention, qui là d'italienne finesse, chacun jugeant et jaugeant l'autre, et tel qu'il était l'acceptant : chose fort rare en ce siècle zélé.

— Mes bons enfants! criai-je, cette affaire m'a quasi asséché et péri et je ne doute que vous n'ayez si tard dans la soirée la faim la plus stridente. Je vous convie à une bonne repue chez Guillaume Gautier!

— C'est que, dit Gertrude en se levant de la couche où elle allait mon Samson confortant, et la corolle de sa vertugade, une fois qu'elle fut debout, nous repoussant vers les murs, c'est que je ne suis pas seule. Passant par Montpellier en revenant de Rome quérir les indulgences dont mes péchés sont fort en peine, poursuivit-elle (avec un soupir et un battement de cil tant vergognés et coquettants que j'en fus fort ravi, aimant à la fureur chez les mignotes ces petites mines-là), et ma chambrière m'ayant abandonnée à Rome pour le service d'un

riche et luxurieux chanoine, j'appris qu'un grand
médecin venait de mourir, j'entends en Montpellier,
laissant désoccupée une jeune et belle garce dont on
me dit grand bien. Je la vis et sur l'heure...

— Qui était ce médecin ? dit Fogacer.

— Le Dr Salomon dit d'Assas.

— Quoi ! m'écriai-je, Zara ! Zara est votre chambrière !

A ce moment on toqua à l'huis et sans que j'eusse
le temps de dire « entrez », Zara apparut (preuve
qu'elle n'était point hors d'ouïe de cet entretien)
longue et flexible en sa grâce italienne, balançant sa
tête de madone sur son long cou languide, son grand
œil d'un vert tirant sur le noisette et pailleté de
points d'or, lequel œil, fort pimploché de surcroît,
allait de l'un à l'autre, épiant l'effet qu'elle faisait
alentour, et avec un air tant assuré que vous eussiez
dit une princesse du sang, et non une chambrière.

— Madame, dit-elle avec l'ébauche d'une révérence, la place lui manquant, me quérez-vous ? Et
pénétrant dans ma chambrifime, nous y serra davantage en tas, combien que sa vertugade ne fût tant
ample que celle de sa maîtresse.

Et fut l'effet de ce serrement (quoique plaisant) ou
fut celui de sa drillante et brillante beauté, tel et si
grand qu'on s'accoisa à la ronde, et hormis Fogacer,
tous, comme béants et énamourés, et Giacomi plus
qu'un autre, l'œil lui saillant quasi de l'orbite dans
l'avidité qu'il avait à envisager la mignote.

— Ha ! Zara ! dis-je enfin, que j'ai liesse à te voir !
Mais que de peine à ouïr que le bon d'Assas est mort !
L'ignorais-tu, Fogacer ?

— Je le savais, dit Fogacer qui savait tout, mais ne
t'en ai rien dit, *mi fili*, sachant bien que d'Assas était
pour toi ce que fut Rondelet pour mes vertes années :
un maître et un ami.

— Ha ! dit Zara, ses émerveillables yeux s'emplissant de larmes, c'est tout juste ce qu'il fut pour moi. Et que soudain se fit son département, le Révérend docteur un soir se trantolant dans sa vigne de Frontignan, sain et gaillard, et par la taille me tenant : « Ha Zara, dit-il, voilà présents deux de mes trois amours : mes écoliers, ma vigne et ma Zara. — Ha Moussu ! dis-je, qu'est cela ? Moi en dernier ? — Pour ce que tu me quitteras quelque jour, Zara, pour mari prendre au porche d'une église. — Fi donc, Moussu ! criai-je. Point jamais ne me marierai, n'ayant pas goût à l'homme. — Et à moi pourtant ? dit d'Assas en riant. — Ha Moussu ! dis-je, c'est une autre affaire. Vous êtes tant bénin, tendre, et mignonnant qu'il y a à votre commerce une grande commodité. » A quoi il rit encore, et tout soudain, portant la main à son cœur, il fit un bref cri comme un oiseau navré, défaillit, se pâma, et fût en la terre tombé si je ne l'avais soutenu. Hélas ! que ne l'ai-je pu en la vie retenir de ces tant faibles bras !

— Zara, ma belle enfant, ne pleure pas ! cria Gertrude du Luc qui paraissait fort raffolée de sa chambrière. Sur quoi prenant ses fines mains en ses fortes mains de Normande, elle poursuivit : Zara ! Sèche ces pleurs qui te vont gâter les yeux ! N'as-tu pas en moi, derechef, une maîtresse et une amie ?

— Ha ! Madame ! dit Zara, ondulant de tout son corps longuet et gracieux, je suis toute à vous. Bien le savez.

Mais ce disant, elle donna de son bel œil, encore luisant de larmes, à Giacomi à qui elle voyait bien que sa beauté avait porté une botte secrète que tout l'art du *maestro* avait été impuissant à parer. Et que Zara pût faire tant de choses à la fois, verser de vraies et sincères larmes sur le pauvre d'Assas, faire la belle avec sa maîtresse et jeter Giacomi en ses filets, voilà qui m'étonna moins quand je la connus davantage, chatte de femme qu'elle était, encore que son cœur fût si bon.

Zara fut donc de notre compagnie à souper, ce qui porta notre nombre à sept, Gertrude du Luc voulant avec nous ès rues déambuler pour ses grandes gambes dégourdir et ordonnant à sa coche de voyage de nous suivre, dans laquelle Zara obtint de monter, sous le prétexte d'un pied blessé. Ce qui navra Giacomi, ne la pouvant en civilité rejoindre, devant sa protection à la dame qui marchait au milieu de nous sous la garde de nos épées, car la nuit étant tombée pendant que j'étais dans mes affres, nous avions tous, au sortir ès rue de la Ferronnerie, dégainé.

— Ha! dit Gertrude, oyant le froissement de nos fers comme nous les sortions du fourreau, que je suis donc aise que ces grandes lames pourvoient à la défense de mon petit corps!

Oui-da pour le petit corps ainsi mal dénommé! Car il était de haute taille, bien membré et fort bien rondi, mais connaissant ma Gertrude, bien je savais le contentement que nous donnions à présent à ses rêves à l'entourer ainsi de nos dards. Tant est qu'elle s'accoisait, ravie en ses jolis songes, et qu'elle resta ainsi un fort long temps avant que je lui dise :

— Mamie, si cette coche, comme je cuide, est à vous, j'aimerais vous escorter avec tous nos chevaux à Montfort-l'Amaury, pour les y laisser aux mains d'un laboureur qui les pourrait nourrir au pré sans me tondre à ras comme le Maître Recroche.

— Et comment retournerez-vous en Paris? dit Gertrude en s'appuyant de la dextre sur mon bras gauche, ayant accoutumé d'ajouter à sa taille des talons fort hauts qui la faisaient sur les pavés trébucher.

— Mais avec vous, et dedans votre coche, quand vous reviendrez pour les fêtes du mariage royal, laissant Samson à Montfort, car après ces fêtes, j'en ai pris mon parti irrévocablement : nous quitterons la capitale, que j'aie ou non ma grâce, et avec vous, derechef en votre coche, jusqu'à Montfort, si cela vous agrée.

— Monsieur mon frère, dit-elle en me serrant suavement le bras (ne pouvant se tenir de mignonner un guillaume ou gautier dès qu'il passait à portée de son artillerie), je serais aux anges d'avoir à l'alentour une tant forte escorte d'hommes beaux et vaillants.

Les choses se passèrent donc ainsi que je viens de dire, et tant sont ambigueuses les traverses de la fortune qu'à ce jour encore je ne saurais décider si j'eus tort ou raison (ménageant en bon huguenot mes pécunes, comme eût fait la frérèche à ma place) de laisser mes chevaux en Montfort, ce qui eut pour effet que je me trouvai tout soudain privé d'eux en Paris quand retentit en la nuit du 24 août la cloche qui lança au massacre des nôtres le peuple de la capitale. A l'apparence, c'eût été d'un grand secours d'avoir là ma Pompée, si du moins j'eusse pu trouver l'occasion de l'enfourcher avant que ne se refermassent sur les persécutés les portes de la capitale — bon heur qui fut celui de mon cousin Geoffroy de Caumont, seigneur de Castelnau et des Milandes, lequel s'en sauva à brides avalées, gagna Montfort, et de Montfort, Chartres, où le vidame le mit en sûreté. Mais les portes de Paris closes et verrouillées, et les chaînes mises au travers des ponts, plus d'un huguenot, saisi dans la nasse, eût été bien avisé mêlé à la populace, de gagner les faubourgs à pied car les archers de garde, aux portes et aux ponts, avaient l'œil davantage aux cavaliers qu'aux pédestres manants.

Avant que de quitter Paris avec Dame Gertrude du Luc, le 12 au matin, Maître Recroche tirant une longue face de ne me plus pouvoir saigner de quatorze sols le jour pour ma chevalerie, Alizon, sur ma secrète prière, me mena voir un honnête juif avec qui je troquai mes perles vraies contre autant de fausses (lesquelles étaient imitées à ravir et qu'Alizon, incontinent, cousut à mon pourpoint, ayant décousu les premières). Ce barguin où il fallut de la salive assez me garnit de trois cents écus, qui, joints aux deux cents que m'avait baillés le duc d'Anjou, me fit une assez rondelette bourse dont je confiai la plus grosse bosse à mon Samson en Montfort, sachant bien qu'il serait plus facile au Seigneur de partager à nouveau les eaux de la mer pour qu'on y passât à sec que d'amener mon bien-aimé frère à délier les cordons de son escarcelle. Quant à moi, j'étais bien aise qu'il acceptât la garde de mon petit trésor, ayant en la matière plus fiance en lui qu'en moi-même, étant de ma complexion bien moins serré que lui, tant dans mes dépenses que dans mes charnelles conduites, encore que je me trouvasse bien chaste et bien peu content de l'être, depuis que j'étais en Paris : pensée qui me ramentut d'acheter à la Gavachette la petite bague en or que je lui avais promise tant à la légère de mon département de Mespech. Je renvoyai Miroul au logis sous le prétexte d'aider Samson à faire ses paquets, ne voulant pas que mon gentil valet me picaniât derechef sur l'excès de mes largesses pour une garce si fuyante à se donner peine au logis qu'à son opinion elle n'en valait pas la chandelle. J'allai donc avec la seule Alizon chez l'orfèvre qu'elle me recommanda, mais tombai, ce faisant, de Charybde en Scylla, car ma petite mouche d'enfer, m'ayant assailli de questions en son parler si vif et si précipiteux, s'offusqua fort que je voulusse offrir à une simple chambrière de ma maison une si coûteuse superfluité.

— Quinze écus ! dit-elle comme je saillais de la boutique, le bijou en mon escarcelle, quinze écus pour une garce dont tout le labour est de s'ouvrir à un beau gentilhomme ! Quinze écus, par ma fé, c'est tout juste ce que je donne l'an à la nourrice pour nourrir mon petit Henriot, et vous savez ce qu'il m'en coûte, après l'atelier, ès étuves avec des gautiers qui me ragoûtent peu et me rognent mes nuits. Quinze écus ! Benoîte Vierge, est-ce justice ?

— Paix là, Alizon ! dis-je. Je dois quelque complaisance à une garce qui à'steure est peut-être occupée à me façonner un enfant.

— Quoi ? dit-elle, Révérend docteur médecin ! Et les herbes que vous me baillâtes et que vous promîtes à Babette, n'en a-t-elle pas l'usance aussi ?

— Que si, mais elle se veut grosse pour ne rien faire à Mespech que nourrir son enfantelet.

— Quoi ! dit-elle comme courroucée, celui-là sera-t-il élevé aussi au château ?

— Comme mon demi-frère Samson. Voudrais-tu qu'on le jette hors murs et sa mère aussi, alors qu'il est de notre sang ?

— Ho que nenni ! dit-elle. C'est agir à l'honneur ! Mais je ne peux que je ne pense avec aigreur à son sort et au mien, moi si tuée de labour et de sommeil, et cette fille de Roume, heureuse comme vache au soleil du Périgord avec de l'herbe jusqu'aux pis ! Benoîte Vierge ! Je dis mon chapelet chaque jour que Dieu fait pour qu'il me dégrisaille mes jours, mais je ne vois rien luire au bout de l'an que l'aiguille et l'aiguille encore, le salaire de ce chiche-face et les étuves ! Baba ! Comme dit Recroche ! Tout va aux unes et rien aux autres ! Et si c'est hérésie ce que je vais dire là, que le Seigneur me pardonne et mon curé aussi, mais je cuide quand et quand que le ciel m'a oubliée en ma pauvre geôle terrestre !

Giacomi ne fut pas du voyage, ne voulant laisser au Louvre la pratique que Silvie lui avait baillée, à telle enseigne qu'escortant notre belle Gertrude en sa coche, nous fûmes trois à mener nos cinq chevaux à Montfort où, comme je m'étais bien apensé, le Maître Béqueret nous trouva incontinent un laboureur qui les mit au vert pour deux sols le jour et sans demander pécunes pour le ruisseau où il les abreuvait.

Notre gentille Normande fut bien marrie d'avoir à quitter mon Samson le 16 pour retourner en Paris assister aux fêtes du mariage princier, mais comment les manquer quand tout ce qui comptait de noblesse en France était accouru pour les envisager ? Et comment renoncer à se parer des splendides attifures qu'elle s'était fait façonner tout exprès pour ce grand événement dont elle répétait qu'il serait quasi unique en sa vie de femme, y devant se trouver à la Cour alors tant de gens à voir, et tant d'occasions d'être vue.

Miroul s'offrit à monter à côté du cocher, mais Gertrude, sachant bien qu'il était plus qu'un valet pour moi, le voulut dans la coche assis à côté de Zara et nous faisant face à elle et moi. Miroul fut tant ravi de voyager avec nous, et en ce gracieux voisinage, que je cuidais qu'il allait en tirer profit, mais, soit qu'il ait été repu ces trois jours passés au-delà des humaines forces par la chambrière de Dame Béqueret avec qui, comme on sait, il avait jà coqueliqué en notre premier séjour, soit qu'il fût comme rabattu par l'éclatante beauté de Zara, soit encore que me voyant à celle-ci si attentif, il ne voulût pas derechef marcher sur mes brisées, il fut sage tout du long comme un saint de vitrail, les mains jointes, le parler rare et les paupières baissées sur ses beaux yeux vairons.

Pour moi, je me sentais quasiment trop à l'aise dans la pénombre de cette coche (les tapisseries étant baissées en raison du soleil) sentant contre mon flanc les suavités du corps de Gertrude et dans l'œil, face à moi, les charmes de Zara, laquelle se voyant par moi et sa maîtresse tant épiée, les multipliait à plaisir, jasant beaucoup de sa chantante voix, et avec une infinité de petites mines mignardes, des tournements de son long cou et des jolis gestes de ses fines mains, lesquelles à'steure comme sans y toucher écartaient un peu le mouchoir qui voilait son tétin et à s'teure le remettaient en place d'un air effarouché, parfois encore, empoignant de part et d'autre de sa jolie face ses longs cheveux, les mettait en tas sur sa tête, geste où il devait y avoir beaucoup d'art sous un apparent désordre à en juger par l'émeuvement où il me jetait. Je n'eus garde toutefois d'envisager trop continuellement cette ensorceleuse, ne voulant point, comme il arrive, passer de la commodité de la contemplation à l'incommodité du désir. Je pris donc le parti de fermer les yeux et contre-faisant le dormeur mais recueilli en mon cocon, je me mis à rêver à mon Angelina, doux songes que j'ai faits plus de mille fois, que je ne voudrais pour un royaume redire ici, et auxquels m'inclinait mon renaissant espoir.

Ha! que cette Paris, malgré la splendeur de ses monuments, me parut sale et puante en la touffeur de l'août, au regard de l'air champêtre que j'avais respiré en Montfort! Gertrude m'eût voulu au débotté inviter à souper au logis qu'elle avait depuis trois mois rue Brisemiche retenu, mais pour parler à langue déclose, je ne me sentais pas, pour y consentir, assuré assez de mes vertus, tant ce voyage les avait éprouvées. Je la priai donc qu'elle m'arrêtât rue de la Ferronnerie, ce qu'elle fit non sans rechigner de prime et au département avec tant de brassées, de mignonneries et d'échauffés baisers que seul le pensement de mon pauvre Samson enfermé dans les bocaux de Maître Béqueret me donna la force de ne point m'engager où ce train me menait. Me sentant à la descente de la coche quasi étourdi de ses assauts, et en outre sale et sueux de ce long voyage, je décidai d'aller me rafraîchir ès les vieilles étuves de la rue Saint-Honoré, Miroul pour ma sûreté m'y accompagnant, mais me laissant sur le seuil après l'assurance que je lui donnai que j'y passerais la nuit.

— Ha! mon beau gentilhomme! dit l'estuvière qui était assise en sa massive et graisseuse charnure derrière son comptoir, l'œil cependant vif et dardé au milieu des mille plis de ses paupières, bien je vous reconnais à votre clair visage, combien que splendide vous apparaissiez en votre parisienne attifure, la mode ne trottant pas si vite que vous ne l'ayez rattrapée. Monseigneur, voulez-vous soi baigner comme déjà en chambrette, dormir et gloutir aussi?

— Oui-da, ma commère.

— Holà, Babeau! Une peignoire et une baignoire pour ce beau gentilhomme! Et monseigneur, quérez-vous aussi la barbière Babette pour vous rabattre le poil repoussé?

— Nenni. Je le garde d'ores en avant comme il est.

— Hé! dit l'estuvière. C'est question de goût chez nos galantes dames. Les unes veulent leurs muguets aussi lisses que leurs chambrières, et les autres les préfèrent hérissés à l'ancienne. Voulez-vous, reprit-elle en baissant la voix, l'usance de quelque compagnie pour que les heures de la nuit vous pèsent moins si le sommeil vous fault?

— Non point, ma commère, dis-je en secouant le chef. Je n'y ai point appétit, ayant l'esprit dans les songes.

— Hé! dit l'estuvière de sa voix étouffée, l'appétit croît par ce qui le nourrit!

Et assurément à l'envisager sur une escabelle, assise en tous ses tas mis ensemble, on ne pouvait faillir à penser qu'elle disait vrai.

— Mais, il faut un commencement à cette nourriture, dis-je avec un sourire, et ce soir, j'ai trop à rêver pour y incliner prou.

— A y penser plus outre, dit l'estuvière d'un air fort chattemite, j'en suis bien aise pour vous, Monseigneur, car, Alizon qui bien vous plaît est gagée cette nuit à un milord.

— Quoi? dis-je, comme si mouche à miel m'avait aigrement piqué, l'est-elle de présent?

— Non point. Elle est due céans sur les huit heures.

— Alors, ma commère, dégagez-la de ce milord et me la dépêchez.

— Cela ne se peut, dit l'estuvière, l'œil fort renardier sous tous les plis qui le voilaient, le milord, n'étant pas français, paye le double du prix.

— Je paierai le triple, dis-je, l'air froidureux et voyant trop bien les extrémités où cette disputation me pouvait conduire.

— Le triple, dit l'estuvière, voilà qui me comblerait peu.

— Ma commère, dis-je en sourcillant, ne montez pas trop haut dans les cimes! Je ne vous y suivrai pas.

— Là! Là! dit-elle, mon gentilhomme, ne vous courroucez pas! Mais ce milord trouve une grande commodité au commerce de votre mignarde Alizon, et je vais perdre sa pratique, si je ne le satisfais point.

— Vous perdrez la mienne, si vous exigez trop.

— Voire! dit-elle, les yeux disparaissant dans les plis de ses paupières. Vous tenez à Alizon, et Alizon tient à moi, ayant besoin de mes pécunes pour élever son petit Henriot. En outre, je ne suis pas sans conscience: j'ai gagé Alizon au milord, et tant promis, tant tenu. Voilà ma règle. Pour en démordre, il ne me faudrait pas moins qu'un écu.

— Un écu! dis-je béant. Un écu pour conforter votre conscience! Un écu au lieu de six sols! Ma commère, c'est donner une panse à vos prix! et sur cet écu-là, combien de sols iraient à Alizon?

— Mais trois, dit l'estuvière comme si la chose de soi allait.

— Sanguienne! criai-je à la fureur. Est-ce là justice? Cuidez-en ce que je vous dis: pour la chicheté de tout gagner, vous êtes en danger de tout perdre: et la pratique du milord, et la mienne, et l'usance d'Alizon. Je vais m'y employer sur l'heure.

Sur quoi, fort encoléré, je lui tournai l'épaule, le dos et les talons et allais des étuves saillir quand elle dit de sa voix tant ténue et sifflante qu'elle paraissait avoir peine à se frayer un chemin du milieu de sa graisse:

— Trente sols.

Si grand fut alors l'écœurement où me jeta ce barguin, tant orde et sale, de chair humaine que ma gorge s'en souleva et à elle m'en revenant, je lui jetai trente sols sur le comptoir, et sans un mot, suivis Babeau qui m'attendait, la peignoire et la baignoire sur ses tétins serrées. En outre, j'avais grand appétit à me décrasser le corps et à m'entretenir à loisir avec la pauvre Alizon avant mon département de Paris que maintenant je savais proche, et qui l'était, quoique point en la guise que je cuidais alors.

Je fus en mon inapaisé courroux plus muet que carpion en torrent tandis que Babeau me dévêtait, et m'ayant mené à la cuve à baigner, me savonnait les membres comme déjà j'ai dit.

— Ha! Mon gentilhomme! dit à la fin la gentille Babeau, ce n'est point avoir solace et plaisir que de se baigner à contre-poil, comme vous faites, la tête en vos fureurs. Ne vous mettez donc pas tant en peine d'une terre où les choses vont un train où le gros gloutit le petit. Qu'y pouvez-vous? Comme on dit en mon village: il n'est point de bons maîtres, mais d'aucuns moins méchants que d'autres: il faut les prendre comme Dieu les fait.

— Sais-tu, Babeau, dis-je encore fort sourcillant, que je t'ai, l'autre fois, dit-on, tout à plein gâtée en te baillant un sol?

— Si je le sais! Benoîte Vierge, me l'a-t-on ressassé assez! Et bien sottarde je fus de me paonner de ce sol devant qui vous savez.

— Ne te paonne donc pas de celui-ci, dis-je quand elle m'eut enfilé la peignoire au sortir de la cuve. Et pour Babette, tu trouveras en mes chausses les herbes qu'elle m'a requises.

— Ha! Monseigneur! Mille mercis pour moi et pour elle! dit Babeau, mettant mon sol en son giron. Et debout devant moi, croisant sur ses tétins drus ses beaux bras ronds et rouges, elle m'envisagea avec amitié, pauvrette qui subsistait sur deux sols par jour, et pourtant si vaillante au labour et si contente d'être.

— Alizon, poursuivit-elle, n'erre donc point quand elle dit que, tout noble que vous soyez, vous êtes tant bon et bénin qu'un ange.

— Dit-elle cela? dis-je en riant, mon pensement à envisager Babeau en sa ferme femelleté inclinant alors tout justement vers le diable.

— Elle dit cela, et bien d'autres choses, dit Babeau, tant elle est de vous raffolée. Monsieur, peux-je m'ensauver? J'ai une autre pratique à servir.

— Ensauve-toi, Babeau.

Elle s'en fut donc, après m'avoir piqué un poutoune à la joue. Conforté assez de sa gentillesse, je me jetai sur la petite couche de la chambrette, me ramentevant que mon père avait observé lors de la peste de Sarlat que les pauvres ont je ne sais quel fruste courage à vivre qui l'étonnait : ainsi des Babeaux, des Alizons et des Babettes, et de tant d'autres drolettes ou droles dont le royaume est plein et que pourtant nous voyons à peine, tant notre œil est attiré par ceux qui paradent sur les tréteaux du monde et qui, brillants comme l'écume, en ont la consistance.

Babeau partie, combien que mon corps fût aise et par l'eau fraîche reposé, je ne pus que je ne me sentis fort seul en ma chambrette en attendant Alizon, ne sachant par surcroît comment ma petite mouche d'enfer le prendrait, que j'eusse à nouveau acheté sa nuit, étant si prompte à prendre offense de moi. Et fuyant le pensement qu'elle allait peut-être s'en fâcher, je tombai dans un autre pensement qui ne valait pas mieux (pour ce qu'il me fit grand mal) du pauvre D^r d'Assas que tant j'avais aimé en mes vertes années en Montpellier, et qui était passé dans l'autre monde comme il avait vécu en celui-ci, fort doucement et sans se donner peine, étant heureux et facile en tout, même en sa mort.

Voilà pourtant qui me confortait peu, tant on aimerait que la grande faucheuse fît exception de ceux que nous aimons, et du D^r d'Assas, et de l'oncle Sauveterre et de mon père, lequel, à cinquante ans passés, était sain et gaillard, mais à qui je ne songeais jamais sans appréhender le jour où, me quittant, il me laisserait sur terre comme amputé de lui.

Me sentant alors fort chagrin de ces pensées sur notre vie si brève, je m'ordonnai une mentale médecine qui n'a jamais failli de m'en guérir au moins pour un temps, et qui est de songer aux drolettes qui ont eu pour moi des bontés, à leurs doux yeux en mon souvenir scintillants et à leurs corps mignards. Ainsi blotti et comme ococoulé en ces remembrances, je ne laissai pas que d'y trouver un merveilleux réconfort, et enfin apaisé de mes courroux et tristesses, je me sentis glisser au sommeil. Et aux songes aussi, car je rêvais. Et n'en déplaise aux délicates dames qui me lisent et qui me voudraient plus saint que je ne suis ou tout le moins, n'aimant personne hors mariage — ce qui n'irait pas sans peine ni dol pour un cadet impécunieux, et qui plus est, huguenot —, je rêvais que ma petite mouche d'enfer était nue dans mes bras en sa natureté, tant mince, et rondie pourtant, et tiède et lisse et parfumée que le cœur m'en battait en une solace infinie, tous mes sens contents et comblés. Ha! Certes! Si j'avais été éveillé, j'aurais pu (encore que je ne sache pas si je l'aurais voulu) repousser loin de mon esprit ces images qui tiennent tout ensemble de Dieu et du Diable, de Dieu pour la croissance et la multiplication de notre espèce, et du Diable par l'usance interdite que nous en faisons. Mais le sommeil a ceci de bon que nous y pouvons pécher sans pécher, puisque notre volonté n'a point de part dans les visions et les émeuvements qui naissent en nous comme de soi par l'agitation de nos seuls esprits animaux, notre conscience étant endormie.

Tant est que chaste depuis si longtemps, non pas tant par vertu, s'il faut parler à parole déclose, que par les innombrables traverses et tracas de ma parisienne vie, j'éprouvai d'ineffables délices à serrer contre toute la longueur charmée de mon corps le corps de ma petite mouche d'enfer, délices qui croissant par ce qui les nourrissait (comme eût dit l'estuvière) devinrent à la fin si aiguës et si vives qu'elles me réveillèrent tout à plein et que mes yeux s'ouvrant à la lumière de l'unique chandelle qui éclairait mon chevet, je vis, battant des cils émerveillée comme Adam à sa première aurore, je vis qu'Alizon, et non point son fantôme, était dans mes bras bel et bien, et nue comme je l'avais rêvé : encontre où je trouvai un inouï contentement, et quand enfin cessèrent les tumultes qu'elle ne faillit à provoquer, une ardeur et une vigueur à vivre que je n'avais pas éprouvée depuis mon département de Mespech : preuve, hélas, que ma médecine ne saurait longtemps faire bon ménage avec ma théologie, si sévère que soit celle-ci, puisque je la tiens de Calvin.

— Ha! Monsieur, dit Alizon quand la parole nous revint, à mon entrée céans je vous ai vu plongé dans un tant profond endormissement, et un souris tant ravi sur les lèvres que l'idée me vint de passer pour un de vos songes sans que vous vous réveilliez. J'y ai failli, je crois.

— Ho que non, mamie! dis-je en la serrant contre moi, car de toi justement je rêvais.

— Ho, Monsieur, cria-t-elle, m'abusez-vous? Le jureriez-vous par la benoîte Vierge dont vous portez autour du col cette belle médaille?

— Assurément, dis-je content de pouvoir jurer sans blasphème, Marie n'étant pas pour moi cette idole que les papistes en ont fait.

— Ha! Moussu! dit ma petite mouche d'enfer, son œil rond et noir de jais tout brillant, que j'ai de contentement à vous ouïr, ayant été en fort grande doutance que vous ayez autant appétit de moi que moi de vous, raison pourquoi, à vous voir nu et endormi, je me dévêtis tout à trac et sur vous me mis, afin que, pris sans vert quasi dans le sommeil, vous me coqueliquiez enfin.

— Alizon! dis-je en riant à gueule bec, est-ce en Paris la mode qui trotte que les garces y forcent les hommes?

— Ha! Monsieur! dit-elle avec un souris où éclatait sa candide simplesse, je l'eusse fait dès notre première encontre, si j'avais eu de quoi.

Gausserie qui me parut si parisienne en son effronterie que j'en ris à m'en éclater la rate, et cependant non sans quelque émeuvement aussi, et de la grande tendresse qu'Alizon avait prise pour moi, et qu'elle me la décelât tant bonnement.

Ayant ri avec moi, Alizon se tut et ne voyant que son cheveu, sa tant mignonne face étant appuyée contre mon épaule et mon col (où je sentais son souffle) je me pensais qu'elle allait s'endormissant après son dur labour chez le Maître Recroche quand elle dit :

— La belle médaille, à la vérité, que vous avez là ! Et d'or ! Et tant bien ouvragée ! et ancienne !

— Elle me vient de ma mère qui me la légua à sa mort, me priant de la porter toujours.

— Ha ! Monsieur ! reprit-elle. Que j'ai d'aise de votre zèle pieux ! Et aussi de vous avoir entr'aperçu en votre pourpoint emperlé au prêche du bon curé Maillard, car le chiche-face Recroche, qui peu vous aime, nous avait dit à Baragran et moi qu'il vous tenait pour un hérétique masqué, et votre joli frère aussi.

— Hé quoi, Alizon ! dis-je, en attentant de rire, m'aimerais-tu moins si j'étais huguenot ?

— Ha ! Monsieur ! dit-elle en grinçant des dents, si cela était, je ne voudrais point seulement vous toucher le bout du doigt, et vous me seriez plus en dégoût et horreur qu'un lépreux, tant j'abhorre cette engeance du diable !

Oyant ceci, je fus bien aise qu'ayant le nez contre mon cou, elle ne vît pas ma face, laquelle ne put que laidement grimacer, mon cœur me poignant d'être tout soudain tant haï.

— Tant donc les détestes-tu, Alizon ? dis-je quand je fus maître derechef de ma voix.

— Ha ! Monsieur, dit-elle à la fureur, je les tiens pour les monstres les plus méchants de la création, et je les voudrais tous jeter vifs aux tourments les plus cruels, et de là en Enfer, pour y être brûlés à feu petit pendant l'éternité.

— Quoi ? dis-je, béant, tu les hais si fort ? Que t'ont-ils donc fait ? Ne sont-ils pas hommes, après tout ?

— Ils m'ont fait, dit Alizon tant colère et dépit que son petit corps contre le mien tremblait, qu'ils veulent nous supprimer nos saints !

— Nos saints ? dis-je, mais d'aucuns, même en l'Eglise catholique, opinent qu'ils sont trop.

— Ha ! Monsieur ! cria-t-elle, cuidez-moi ! Des saints, il n'y en aura jamais assez !

— Et pourquoi donc ? dis-je béant.

— Pour ce que nous les chômons ! Et que ces bons saints (que le Seigneur Dieu et la benoîte Vierge les bénissent à jamais de leur bénignité !) allègent notre tant dur labour de cinquante-cinq jours l'an, nous donnant, bon mois mal mois, autant de dimanches en plus. Ainsi en cet août que voilà, nous en avons trois (sans compter l'Assomption), saint Laurent, saint Pierre ès Liens et saint Barthélemy. Par malheur la Saint-Barthélemy est un dimanche.

— Ce qui te retire, pauvrette, un jour désoccupé.

— Point tout à fait, dit-elle, l'usance voulant que lorsque la fête d'un saint sur un dimanche tombe, on quitte le labour la veille à midi. Et tant forte est cette usance, et par nos curés tant recommandée, que même le Maître Recroche n'oserait aller contre.

Ayant dit, elle s'accoisa, et étant fort lassée et de sa longue tâche en l'atelier, et des tumultes que j'ai dits, et de la fureur qui venait de la secouer, elle tomba, à l'instant qu'elle se tut, dans le sommeil comme un enfant, la tête en le creux de mon épaule et son souffle léger contre mon col. Et pour moi, songeant à ce qu'elle venait de dire — qui m'avait d'abord quelque peu tabusté — je m'apensai que si la fortune m'avait fait naître en sa condition, je n'opinerais pas différemment qu'elle n'avait fait, exténuée qu'elle était de ses quatorze heures de labour par jour, sans compter parfois les nuits. D'où je réfléchis que l'Eglise papiste, si tyrannique que se montrât son pouvoir, et parfois tant cruel, et si excessive que fût sa complaisance à la superstition populaire, était peut-être mieux accordée aux besoins des pauvres que la nôtre, leur apportant, de par les fêtes de ses innumérables saints, tout à la fois les réjouissances et le repos sans lesquels leur vie n'eût été qu'un trébuchant calvaire. Tant est qu'hormis même les prêches sanguinaires de ses curés zélés, on pouvait à la fin entendre pourquoi le petit peuple de Paris tenait les huguenots en si grande et stridente détestation : leur triomphe eût allongé de cinquante-cinq jours par an son infinie géhenne. Pensée qui n'avait pas échappé, comme peut-être on s'en ramentoit, à notre meunier Coulondre quand mon père, en mes enfances, convertit d'autorité à la réforme les gens de sa maison.

Alizon, pensai-je — attristé de ses paroles et toutefois ému que sa tête sur mon épaule ne pesât pas plus qu'un oiseau —, c'est par l'accident de ma naissance que je suis huguenot, et n'est-ce pas pitié que tu m'aimes en ma personne et me haïsses en mon Eglise, au point que je te doive celer qui je suis pour préserver ton amitié. Pauvrette ! Et pauvre royaume aussi, à ce point déchiré qu'on ne puisse serrer en ses bras une tendre mignote sans que son cœur du vôtre se divise sur la façon d'adorer Dieu !

Je fus le lendemain matin réjoui à l'extrême de l'accueil que me fit en la salle du Louvre, où nous faisions à l'accoutumée nos assauts, le baron de Quéribus, lequel avait moins de zèle que son Eglise et se souciait comme d'une guigne que je fusse huguenot ou non, adorant des dieux terrestres.

— Ha ! Siorac ! me dit-il se jetant dans mes bras dès qu'il me vit et me donnant cent baisers, que je suis donc ravi de vous revoir, et que longue infiniment m'a paru votre absence ! En ma conscience, je ne sais à quel diable je me vouerai quand vous départirez de Paris, comme le maestro Giacomi me dit que vous avez dans l'esprit de le faire, étant lassé d'attendre votre grâce.

— Quéribus ! dis-je en le prenant par le bras et

468

avec lui marchant qui cy qui là dans la salle, je ne suis pas baron, moi, mais cadet, et il me faut m'établir en ma médecine sans délayer plus avant.

— Que ne vous établissez-vous en Paris ? s'écria Quéribus en s'arrêtant et en m'envisageant de ses yeux bleu azur, le sourcil levé haut. Il me serait assurément aisé de quérir du Duc d'Anjou qu'il vous adjoigne à Miron et à votre ami Fogacer.

— Quéribus, dis-je, je suis confondu de votre amicale bénignité et je vous en fais mille merciements. Mais mon cœur est resté en Provence, et je ne saurais demeurer loin de lui.

— Quoi ? dit-il, êtes-vous ensorcelé d'une belle demoiselle de vos pays au point que vous la vouliez marier ?

— Tout justement.

— Que ne la mariez-vous dans ce cas ?

— Son père redoute de se damner en prenant un gendre hérétique.

— Il en faudrait mourir ! dit Quéribus en riant. Vertudieu ! Cette superstition me pue ! Le Roi de France se voue-t-il aux flammes de l'Enfer en choisissant un beau-frère huguenot et contre l'avis même du pape ! Mais, Siorac, revenons à notre nœud. Que peut-on faire pour le délier, ou du moins le couper ? Enlever la demoiselle pour que vous l'épousiez ensuite ! Tudieu ! Je vous y aiderai de tout cœur et de tout corps. Commandez ! Ma fortune, mes forces et mes gens sont à vous !

— Ha ! mon frère ! dis-je en serrant son bras dans l'étau du mien, je suis touché au vif de l'émerveillable générosité que vous mettez à me servir, mais Angelina est cette sorte de fille qui ne saurait consentir à un enlèvement. Elle respecte trop M. de Montcalm, même si elle ose l'affronter !

— Montcalm ! dit Quéribus, le sourcil haut. Le Montcalm de Nismes ? Est-ce là son père ? Mais bien le connais-je, encore que je ne l'aie jamais envisagé. Il est même quelque peu mon parent, y ayant un Gozon aussi chez mes ancêtres. Siorac, poursuivit Quéribus d'un air joyeux, je lui vais écrire, lui disant en quelle extraordinaire faveur le Duc d'Anjou vous tient et votre gentil frère aussi. Mais par ma foi, que fîtes-vous de votre beau Samson ? Lui qui vous quitte moins que Castor, son Pollux ? Le Duc, de l'avoir vu qu'une fois, en est fort raffolé et parle souvent de lui.

— Je l'ai laissé à Montfort-l'Amaury dans les bocaux d'une apothicairerie.

— Et peut-être fîtes-vous bien, dit Quéribus avec un fin souris et me guignant du coin de l'œil. Cette Cour est périlleuse aux bonnes et peu pliables gens. Siorac, je vais écrire à Montcalm une lettre qui, à ce que je cuide, l'adoucira. Après tout, poursuivit-il en baissant la voix et en jetant aux alentours un regard circonspect, Montcalm ne peut qu'il ne se ramentoit que le Duc est notre futur souverain, Charles étant si mal allant et n'ayant pas de fils. D'après ce que j'ai ouï, Montcalm, lassé d'être juge-mage, aurait grand appétit à la sénéchaussée de Nismes. Peut-être, ajouta Quéribus en riant, l'Enfer lui paraîtra moins chaud et ses flammes moins hautes s'il peut penser que son gendre, tout hérétique qu'il soit, est tant bien en cour qu'il pourra avancer sa fortune.

Là-dessus, Silvie lui ayant signifié par un salut de son épée qu'il l'espérait pour un assaut, Quéribus prit son congé de moi, non sans me bailler derechef une forte brassée et je ne sais combien de baisers et de petites tapes dans le dos. L'épée déjà dégainée et son pourpoint mis bas, il revint sur ses pas pour me faire jurer de prendre toutes mes repues avec lui pour ce que, disait-il, il ne me voulait quitter de tout le jour. Et pour moi, l'envisageant tandis qu'il tirait avec le maestro avec cette suprême grâce qui vient de l'adroit ménagement de la force, si je ne laissais pas d'être ému par l'amitié, comme assoiffée de moi, qu'il me montrait, j'étais béant qu'il fût comme on prétendait que tant de hauts personnages étaient à la Cour, fort « *skeptique* » (comme disait Montaigne) en fait de religion.

Ha! certes, Quéribus eût trouvé du dernier commun d'être, comme Fogacer, athée, et à la vérité il n'eût pu l'être comme lui par étude et réflexion, étant sans lecture (hormis Ronsard). Mais un croyant véritable eût-il songé à barguigner si légèrement et sur ce ton de gausserie, l'Enfer de M. de Montcalm contre son mondain avancement?

Exemplo plus quam ratione vivimus [1]. Catherine, la vraie souveraine du royaume depuis la mort d'Henri II, était sans zèle aucun. Nièce d'un pape tant mensonger en ses discours que personne ne le voulait croire quand il disait la vérité, on eût dit que ce Machiavel en cotillon avait en ses alentours gagné une intempérie qui ne se pouvait mieux désigner que par le mot « indifférence » et qui autour d'elle, de proche en proche, avait infecté toute la Cour. Catholicisme, Réforme, c'était tout un pour Catherine. Pour convaincre le cardinal de Bourbon d'officier le 18 août et d'unir Margot à Navarre, elle fabriqua une lettre de son ambassadeur auprès du pape, laquelle lettre annonçait faussement que le Saint-Père baillait son autorisation à ce mariage « contre nature ». Il était si peu déconnu, en fait, que Catherine n'avait cure de l'hérésie de son futur gendre, que les curés et le peuple de Paris, la haïssant d'avoir manigancé cette union « infâme », l'appelaient « Jézabel » et, la couvrant de boue, la vouaient aux gémonies. Ce n'est point pour défendre une religion dont elle se souciait comme un poisson d'une pomme mais par calcul politique, pour engarder son pouvoir personnel

1. Nous vivons plus d'après l'exemple que d'après la raison.

contre Coligny qu'elle trébucha de par l'imprévisible concaténation des causes, du meurtre d'un homme au massacre le plus vil de notre Histoire. Quand Navarre, contraint de se renier après la Saint-Barthélemy, alla à messe pour la première fois, Catherine, tournée vers les ambassadeurs étrangers et les envisageant, rit à gueule bec, comme si l'horrible apocalypse que le royaume avait connue dans la nuit du 24 août n'avait été à ses yeux qu'une farce de batellerie, et la conversion d'un prince, acquise le cotel sur la gorge, un sujet d'immense gausserie.

Mon gentil Quéribus fut, la merci Dieu, étranger à ces horreurs, mais né en cette Cour, il en avait l'indifférence et n'était point rebroussé à l'idée de monnayer l'Enfer de M. de Montcalm — qu'il moquait — contre une sénéchaussée — qu'il moquait aussi. En outre, là où la fortune l'avait fait naître, il savait tant de choses sur tant de gens, y compris les appétits du père d'Angelina, lequel il n'avait pourtant jamais vu! Ha! me pensai-je, voilà bien la supériorité des seigneurs qui vivent au Louvre dans les premiers rayons du soleil royal. Ils décroient ce que le vulgaire croit, et ils savent ce qui lui est déconnu. Et quelles infinies ressources ils tirent dans la quotidienne action, et de cette décroyance, et de cette connaissance, je le laisse à imaginer.

Mon Quéribus était muguet dans l'âme et si l'on veut céans faire le censeur, vain, paonnant, jargonnant et, à ce que je cuide, infiniment luxurieux. Mais il avait du cœur davantage, et de sa complexion il était moins étourdi et léger qu'il n'y paraissait de prime, car cette lettre à M. de Montcalm où je ne vis d'abord que promesse en l'air flottant, eau benoîte de cour, compliment du matin dès le soir oublié, mon gentil baron l'écrivit bel et bien (encore qu'y peinant beaucoup et sans orthographe aucune) et tout de gob la dépêcha au château de Barbentane en Provence, et quel effet elle fit sur M. de Montcalm, c'est ce que je dirai en la suite de ces mémoires.

L'accueil du maestro Giacomi ne fut point tant tumultueux, mais en sa quiète dignité fort touchant aussi car il s'inquiétait de moi, ayant ouï de Fogacer que la baronne des Tourelles, en son fol dépit contre moi, cherchait des *spadaccini* [1] pour se revancher que je l'eusse moquée dans ma lettre. Je le quérai tout de gob de croiser l'épée, désirant me dégourdir de mon voyage et après notre assaut, alors que nous étions tout sueux et soufflants, Giacomi m'attira dans une embrasure de fenêtre, et me dit à voix fort basse et l'œil épiant :

— Mon frère, oyez-moi bien : j'ai résolu de vous apprendre ma botte secrète.

— Quoi ? dis-je, frémissant et en croyant à peine mon ouïe, votre coup du jarret ? La botte de Jarnac ! Giacomi, vous feriez cela ?

— Mon frère ! dit-il avec gravité, je ne peux que je ne le fasse en raison du danger à quoi vous exposent ces assassins loués, lesquels ont une science de l'embûche et des nocturnes combats qui les rendent plus redoutables que des tigres. En outre, ils ne vous assailleront pas en loyal duel un contre un, mais à plusieurs.

— J'aurai Miroul.

— Vous serez deux. Ils seront quatre, ou plus encore. Et c'est là où ma botte vous tirera d'affaire. Car elle est d'exécution si prompte et si irrémédiable qu'en deux secondes, vous aurez deux hommes sur le pavé, non pas morts, mais hurlants et mutilés, exemple à frapper les autres de telle terreur qu'ils vous laisseront la place.

J'envisageai Giacomi sans trouver voix pour lui

1. Des spadassins.

répondre, l'œil tout à plein dilaté, paralysé en ma stupeur et béant de ce que, pour ma protection, il allât jusqu'à partager avec moi cette botte secrète qu'il avait héritée de son maestro et qu'étant le seul au monde à connaître (avec Jarnac, mais celui-ci, fort vieux et mal allant) il prisait au-dessus de tous les trésors du Grand Turc. Ha ! J'imagine bien que ce ne fut pas sans en débattre âprement en lui-même, et sous l'effet de son inouïe amitié, que Giacomi avait désiré m'apprendre son coup fameux, ce qu'il fit les jours suivants, en une salle que Quéribus nous prêta en son hôtel de la Grand'Rue Saint-Honoré, sans qu'il y eût en cette pièce personne pour nous observer, pas même notre hôte, et pas même mon gentil Miroul, Giacomi me faisant jurer sur les Evangiles de ne jamais en révéler le secret à quiconque avant sa mort, et de n'en user moi-même qu'au désespoir et pour sauver à toute extrémité ma vie en un combat manifestement inégal.

Le 17 août eurent lieu les fiançailles de la princesse Margot et d'Henri de Navarre, et Quéribus me dit que le mariage étant fixé pour le lendemain, il pourrait, si j'y avais appétit, me faire admettre sur l'estrade où devant Notre-Dame serait donnée la bénédiction, Navarre se refusant à pénétrer dans la nef pour ouïr la messe.

— Ha ! Baron ! dis-je, pourrais-je être accompagné d'une dame de la noblesse normande et de sa chambrière ?

— Quoi ! dit Quéribus en riant, vous voilà le sigisbée d'une haute dame, comme vous le fûtes en Montpellier ! Vous me l'aviez celé !

— Point du tout ! Elle est à mon beau Samson et non à moi, et tant qu'il demeure en Montfort, je la lui chaperonne.

— Il en faudrait mourir ! cria Quéribus en riant de plus belle, quel chaperon est-ce là ! Vertudieu, j'aurais fiancé davantage en un renard pour protéger un poulailler!

Peu s'en fallut que Dame Gertrude du Luc et sa Zara m'étouffassent sous les baisers, les embrassements et les mignonneries quand je courus leur annoncer la bonne nouvelle en leur logis de la rue Brisemiche. Elles s'étaient fait une immense fête de s'emplir les yeux de ces épousailles et désespéraient de ne les pouvoir contempler que de loin, sans envisager dans le menu le précieux détail des attifures de la reine-mère et de la princesse Margot, pour ne point parler des princes du sang et de tant de beaux gentilshommes magnifiquement parés qui se tiendraient à l'alentour.

Je les quittai pour aller voir Alizon en son logis pour ce qu'elle ne labourait point ce jour chez Maître Recroche, le roi ayant décidé que la veille du mariage princier serait chômée par les manants et habitants de sa bonne ville de Paris afin qu'ils pussent orner les rues et les carrefours de la capitale et se préparer eux-mêmes à la fête.

Le logis, ou plutôt la proprette chambrifime d'Alizon était sise rue Tirechappe, sous les toits (lesquels chauffaient fort en cet août étouffant) et prenait l'air, sinon la fraîcheur, par une lucarne chétive et grande ouverte, à côté de laquelle ma petite mouche d'enfer, fort gracieusement assise sur une chaise basse, tirait l'aiguille aussi prestement qu'araignée le fil de sa toile.

J'entrai tout de gob, et sans toquer, l'huis étant déclos afin que passât l'air du fenestrou à la porte, et de la porte au fenestrou.

— Hé quoi, Alizon! dis-je en m'avançant, penchant le chef pour ne le point heurter à la pente du toit, laquelle était fort plongeante, tu couds! Un jour chômé!

— Ha, Monsieur! dit-elle sans se lever, l'air tout

ensemble affairé, agité et allègre, il le faut! Je me finis un neuf cotillon que je veux porter demain pour le mariage de la Princesse Margot, le Roi ayant requis tous les manants et habitants de Paris de se vêtir de leurs meilleures attifures pour honorer sa sœur!

— Quoi, Alizon! dis-je, assez piqué qu'elle fût tant attelée à sa tâche qu'elle ne l'interrompît pas pour me bailler un poutoune, tu irais voir ce mariage que tu dis tant honteux!

— Ha, Monsieur! dit-elle sans perdre une aiguillée, la langue tant vive que ses doigts, infâme, il l'est, et tout à plein contre nature. C'est proprement l'union de l'air et du feu — l'air du Paradis et le feu de l'Enfer.

— Pourquoi y assister dans ce cas? dis-je, me gaussant en mon for qu'elle comparât la princesse Margot à l'air du paradis alors que le royaume entier savait ses paillardises avec le Guise.

— Benoîte Vierge! cria Alizon, vais-je demeurer seulette en mon coin quand tout le monde y va! Un mariage est un mariage! Vais-je faillir à voir la plus belle fête du règne pour ce que le marié est un chien d'hérétique! Mais Monsieur, poursuivit-elle avec un soupir, je désespère! Le jour déjà décline, je n'ai plus de chandelle, et j'eusse voulu pourtant finir avant que de m'aller coucher, tant je suis tuée de fatigue!

— Et le petit Henriot? dis-je, voyant le berceau vide à la dextre de sa couche.

— La voisine l'engarde. Il est tant turbulenteux que je ne peux l'avoir céans quand je laboure.

— Je le vais voir, dis-je en lui montrant les talons, dépit assez (pour être franc) que ce fâcheux cotillon m'empêchât de la prendre dans mes bras, comme j'y avais appétit après mes trois jours en Montfort.

Le petit Henriot riait aux anges (à qui si fort il ressemblait) de sorte que je n'eus pas à chercher beaucoup pour trouver la bonne porte, ni à celle-ci toquer, toutes étant ouvertes par la grande soif d'un peu de fraîcheur où étaient ces bonnes gens.

Et quel joli petit drole c'était là, si rond, si rose et comme j'ai dit, rieur! En le voyant, je m'apensais que c'était merveille qu'il pût y avoir en Paris, malgré la puanteur de l'air, de si beaux enfants qu'à Mespech, tant il est vrai que c'est le lait et l'amour qui les fait tels, j'entends la grande amour qui leur est baillée, et qui leur est nourriture aussi nécessaire que l'autre, et qui céans ne faillait pas, à ce que j'entendis, tant de la mère que de la voisine, laquelle en ses bras le portait et avec lui gazouillait et chantonnait comme s'il eût été son fils. Je fus ravi de ce joli tableau, et de l'enfantelet, et de la gentille et accorte garce qui l'allait mignonnant, et à qui je n'eus pas à dire qui j'étais, car elle le savait déjà, et me voulut bien confier l'enfantelet tandis qu'à ma prière elle allait acheter deux chandelles, pour quoi je lui baillais un sol.

Je revins dans la chambrette d'Alizon, le petit Henriot dans mes bras, lequel, sans hucher ni pleurer, souffrait fort bien d'être porté par un homme tout à plein déconnu, étant fort intéressé par mon pourpoint et par les rangées de perles qu'il attentait de saisir en ses petites mains.

— Ha! Monsieur! dit Alizon en poussant deux soupirs (mais sans perdre une aiguillée) le premier, de liesse pure, le second de liesse à tristesse mêlée, que j'ai d'aise à vous voir mon petit Henriot dans les bras! Vous êtes raffolé des enfants, cela se voit. Que votre Gavachette vous baille gars ou garce, vous serez bon père, et elle n'aura point à se faire pour son enfant un souci à ses ongles ronger, comme je fais, craignant d'être infectée d'une intempérie qui m'empêche de labourer le jour chez Recroche, et la nuit ès étuves. Et si je dépéris, tuée que je suis déjà, et de labour, et pour ce que le sommeil tant me fault, que devient mon petit Henriot ?

— Alizon, dis-je, à cela j'ai songé.

Et le petit Henriot toujours dans les bras, j'allai fermer la porte de la chambrifime, et revenant à elle tant près qu'à la toucher, je lui dis à voix si basse que personne des voisins ne me pouvait ouïr :

— Mamie, je t'aime de très grande amitié, et ton pitchoune aussi (elle leva le sourcil à ce mot d'oc) et veux que tu discontinues à vendre ton devant ès étuves, ce dont je sais que tu te vergognes fort, sans compter le mal italien que tu y peux gagner. Aussi te vais-je bailler quinze écus pour payer ta nourrice tout un an.

— Quoi ! dit-elle, mais à voix basse aussi, quinze écus ! Mais ne put parler plus avant, car on toquait à l'huis, et la voisine entra, apportant les deux chandelles, vers quoi le petit Henriot, incontinent tendant les mains et ne les pouvant atteindre, se mit à hucher à déboucher un sourd, ce qui fit que je fus bien aise de le rendre à la voisine, laquelle avec lui s'ensauva, gentiment effrontée et nous aguignant du coin de l'œil, Alizon et moi, comme je fermais l'huis sur nous.

Je comptai les quinze écus dans le giron d'Alizon, laquelle, béante et accoisée (n'ayant de sa vie vu tant de pécunes à la fois), m'envisageait sans dire mot ni miette, et quasi oubliant son neuf cotillon qui pourtant lui tenait si fort à cœur, comme si ce mariage princier eût remplacé celui que le père du petit Henriot lui avait par fallace juré.

Cependant, son trésor serré dans un sac, et le sac mis dans un trou du mur que fermait une pierre de brique, je vis qu'elle balançait en son for, entre sa pressante couture et la gratitude qu'elle m'eût voulu sur l'heure témoigner et, entendant enfin, tout homme que je fusse, que sa vêture était dans la

478

minute d'une tant grande conséquence pour elle que même nos étreintes ne venaient qu'en second, je la quittai sous le prétexte que Giacomi m'attendait dans la rue et d'elle départis, ses yeux noirs s'attachant aux miens avec une si grande amour qu'à ce jour je n'ai qu'à fermer les yeux pour me ramentevoir ce regard et en être tout à plein ému.

Je fus fort étonné en saillant dans la rue Tirechappe d'y voir tant de monde alors que les Parisiens, le soir tombant à peine, étaient accoutumés à se claquemurer, chacun en sa chacunière, laissant le pavé aux mauvais garçons de la nuit. C'est qu'ils étaient fort affairés à bâtir, à la lumière des torches, un arc de triomphe en bois qu'ils décoraient de branchages, de fleurs, et de guirlandes, comme si le cortège royal eût dû passer par là; ce qu'à coup sûr il devait faillir à faire, puisqu'il cheminait du Louvre à Notre-Dame.

— Voilà du bel et bon ouvrage! dis-je à un gros et fort gautier que je vis en chemise, et tout sueux, se démener à enclouer les bois l'un contre l'autre, mais n'est-ce pas grand labour et dépens pour un arc qui n'est dressé là que pour un jour?

Et ce disant, je tâchai d'imiter le parler vif, coupé et précipiteux de Paris, nos Parisiens étant prompts à suspecter les Français d'oc d'être des huguenots.

— Nenni, mon gentilhomme, dit le gautier d'un ton civil assez, nous l'allons laisser là pendant une bonne semaine, à tout le moins jusqu'à la Saint-Barthélemy, afin que d'honorer du même coup la Princesse Margot et le saint. Quant au labour et dépens, ils sont bien partagés, les bourgeois de la rue baillant le bois et la ferraille, et les gens mécaniques, la peine de la façon.

De la rue Tirechappe à la rue de la Ferronnerie je comptai trois arcs qu'on bâtissait et qu'on décorait quasi en même guise, hors chemin du cortège royal eux aussi, mais que je trouvai fort plaisants à voir, pour tout le monde qui s'encontrait à l'entour, et pour la liesse, l'affairement, les torches, et les chandelles qui brillaient aux fenêtres, aucun volet en dépit de l'heure n'étant clos, et d'une maison à l'autre, les bonnes gens jasant et s'interpellant, et dans la rue, les garces et les chambrières jetant des grands seaux d'eau dans la rigole du pavé pour le nettoyage du bren et de la boue, propreté quotidienne prescrite par ordonnance royale mais respectée seulement en une grande occasion comme celle-ci, ce peuple parisien étant, de sa complexion, le plus indocile du monde.

Quand Quéribus me vint chercher en coche le matin du 18 août, je fus fort surpris de voir les rues égayées par quantité de grandes et belles tapisseries aux couleurs vives et magnifiques que les nobles et les bourgeois avaient décrochées de leurs murs pour pendre hors à leurs balcons — comme ils étaient accoutumés à le faire, à ce que j'ouïs, au passage de processions — mais tandis que pour celles-ci seules les rues où elles passaient recevaient cette décoration, ce jour d'hui toutes les rues où logeaient des gens quelque peu étoffés s'étaient ainsi parées, qu'elles fussent ou non sur le passage du cortège royal.

Dans la nuit, les arcs de triomphe, dont je n'avais vu que trois ou quatre la veille au soir tombant, s'étaient multipliés, et il me faut confesser que les artisans qui les avaient si promptement façonnés en avaient fait des merveilles tant par le façonnement du bois que par leur décoration florale et buissonnée où je trouvai un goût que je n'ai jamais vu qu'en Paris, tant ce peuple, si rebelle, féroce et maillotinier qu'il soit, a le sentiment de l'art. Le soleil d'août était vif, quoique point encore écrasant, et avec ces tapisseries chatoyantes pendant le long des murs, ces petits jardins de fleurs suspendus aux balcons (dont tant se plaignent les passants de par l'eau dont ils sont arrosés), le pavé pour une fois net et propre et l'immense concours de peuple qui inondait les rues, les places et les ruelles, chacun et chacune tant bien vêtu qu'il fallait regarder à deux fois pour distinguer un bourgeois d'un gagne-denier, je fus plus ébloui par la capitale, par ses fastes, sa beauté et son luxe que je ne l'avais jamais été jusque-là. Ha! la voilà donc! pensais-je, cette Paris dont toutes les nations sont raffolées! la voilà enfin, parée et propre comme elle devrait à sa gloire de l'être tous les jours!

Nous quérîmes Gertrude du Luc et Zara rue Brise-miche, et lecteur, je te laisse à penser les coquetteries innumérables dont le beau Quéribus fut incontinent assailli et pressé, tant de la belle Normande que de Zara, laquelle revêtue d'une robe de sa maîtresse (qui ne lui pouvait rien refuser) avait bien plus l'air d'une dame de qualité que d'une chambrière tant elle s'était raffinée au contact d'une noble dame dont elle partageait le lit, Gertrude souffrant d'une insufférable agitation de ses esprits animaux quand elle couchait seule. Quant à Quéribus, il rendit trait pour trait, et je ne sais de combien d'œillades on fit négoce et commerce en cette coche, et quels ravages firent dans les chairs et les cœurs tous ces carreaux d'arbalète tirés à bout portant, et par quoi je ne fus non plus épargné, en particulier de Zara qui, combien qu'elle professât n'avoir pas goût à l'homme, aimait fort, en revanche, être par eux agui-gnée et aimée.

Le flot du peuple, affluant de toutes les rues et ruelles, nous portait du quartier Saint-Denis à l'île de la Cité et sauf pour la commodité d'être assis, il n'y avait pas avantage à être en la coche, les manants et habitants marchant si serrés qu'ils n'eussent pu s'ouvrir devant nous, mais ne l'eussent voulu davantage, leur nombre redoublant leur naturelle effronterie. Quant à l'avantage que je viens de dire, il nous fut ravi au Pont-aux-Meuniers, qu'on ne nous permit pas de franchir, un sergent des Gardes françaises nous venant dire civilement à la portière que les coches n'étaient pas admises en la Cité ce matin en raison du grand embarras et encombrement qu'il y avait déjà. Il nous fallut donc descendre sous le regard curieux et gaussant des Parisiens, lesquels étaient bien aises de nous voir logés à même enseigne qu'eux et tandis que nous cheminions, dévisageaient les dames avec l'impertinence qu'on devine, les louant à voix tant haute de leurs appas qu'elles en eussent été vergognées si elles n'avaient feint de ne pas ouïr, Quéribus et moi-même les encadrant à dextre et senestre pour que les mains ne prissent pas le relais des paroles, Miroul et le cocher engardant quant à eux leurs arrières sans quoi elles eussent été en quelque danger d'être pastissées, tant l'insolence de cette foule et sa lubricité nous parurent sans frein, et de reste irréfrénables, car le baron et moi-même, serrés que nous étions, n'avions même pas assez de place pour dégainer et donner aux alentours quelques platissades pour rebuter les audacieux.

Fendant cette foule innombrable, dont sous le soleil déjà haut émanait une odeur qui me ragoûtait peu, on atteignit enfin une vaste estrade qui avait été dressée devant le porche de Notre-Dame pour ce que Henri de Navarre ne voulant pas pénétrer dans la nef et ouïr la messe, la bénédiction nuptiale ne pouvait être donnée que sur le parvis, mais celui-là, comme j'ai dit, rehaussé d'une estrade qui permît du même coup au peuple de voir les princiers époux, le roi, la reine-mère et les princes, de sorte qu'on eût dit soit une scène dressée là pour que des bateleurs y fissent leurs tours, soit un échafaud destiné à donner en pâture à la plèbe une décapitation, encore que ses dimensions fussent si vastes qu'on eût pu priver de leurs têtes tout ensemble une trentaine de condamnés. Toutefois, ce qui prouvait bien que ce n'était pas là sa destination, c'est qu'on voyait les planches recouvertes de bout en bout de tapis, lesquels, à ce que je m'apensais, avaient dû être apportés du Louvre à la pique du jour.

Entourant cette estrade, se tenait un très fort cordon de Suisses et de Gardes françaises, ceux du roi, mais aussi du duc d'Anjou, reconnaissables à leurs mantelets rouges. Vers ceux-ci nous dirigeant, nous fûmes assez heureux pour y encontrer le capitaine de Montesquiou, lequel, sa face tannée barrée des deux traits noirs de sa forte moustache et de ses épais sourcils, nous envisagea avec à peine un souris.

— De grâce, Montesquiou, dit Quéribus, tirez-nous de cette presse! Il en faudrait mourir tant elle nous pue au nez!

— Je vous connais, Baron, dit Montesquiou avec gravité, et je connais M. de Siorac. Mais j'ignore qui sont ces dames.

— Elles sont toutes deux de bonne noblesse normande, dit Quéribus sans battre un cil, et je réponds d'elles comme de moi.

Mensonge qui me donna à penser qu'il avait fait en son for son choix et que celui-ci le portait à Zara puisque à coup sûr une chambrière n'eût pas été admise sur l'estrade, où, en même temps que nous, je vis nombre de brillants courtisans et de fort scintillantes dames prendre place sur des bancs, bien aises qu'ils étaient, et que nous fûmes, d'être assis, encore que sous un soleil de plomb dont nos dames commencèrent à se lamenter prou, craignant qu'il ne leur gâtât le teint et aussi pour ce qu'elles étouffaient dans les basquines dont elles s'étaient serrées pour s'amincir. Il faut bien avouer que même sans basquine, je cuisais comme pain au four sous le soleil, le torse boutonné en le satin de mon pourpoint et le col étouffé en la hart de ma fraise, laquelle je sentais quasi s'amollissant sous la sueur qui me ruisselait de la face et cependant, pour le moins autant content d'être là que les dames, et fort avide d'envisager de si près les personnages de cette grande fête.

Dans un grand remuement de pages et d'officiers et une grande vacarme de trompettes, de cloches sonnant à la volée et de coups de canon, le roi apparut enfin, donnant le bras à la reine-mère et suivi de sa reine, vêtu (je parle du roi) en satin jaune pâle, sur lequel un soleil avec ses rayons était figuré par des fils d'or soulignés de pierreries. Catherine de Médicis, ayant pour une fois abandonné le noir qu'elle portait depuis la mort d'Henri II, se montrait somptueusement vêtue de soie bleu et couverte, je dis bien, couverte de pied en cap de ses célèbres joyaux florentins, les plus beaux de l'univers, lesquels jetaient mille feux de leurs mille facettes, à telle enseigne qu'elle paraissait ravir à son fils le soleil dont il était habillé, comme à la vérité elle lui avait ravi, depuis son couronnement, la réalité du pouvoir.

Derrière le roi, venaient ses frères : le duc d'Anjou et le duc d'Alençon, vêtus eux aussi de satin jaune pâle ainsi qu'Henri de Navarre qui les suivait, mais à vrai dire, je doute que le populaire, du bas de l'estrade, pût les voir tant le roi et ses officiers et la reine-mère, celle-ci entourée d'une bonne douzaine de dames d'atour (sur les quatre-vingts que comptait ce galant escadron), tenaient le devant de la scène.

Le roi et la reine-mère furent fort médiocrement salués par le peuple, lequel, tout comme Alizon, paraissait mi-grondant, mi-content, et comme partagé entre le plaisir que lui donnaient ces fastes royaux et l'âpre ressentiment de ce mariage « infâme » que le roi et sa mère lui avaient forcé dans la gorge au rebours de son estomac.

Cependant, ces maigres acclamations s'étoffèrent quand apparut, splendidement ornée, la princesse Margot, venant de l'Evêché où on murmurait qu'elle avait passé la nuit en de fort mauvais rêves (pour ce qu'elle aimait toujours son Guise) et que menait à la main le vieux cardinal de Bourbon, trompé, ou feignant de l'être, par la dépêche de Rome fabriquée par la Médicis.

Marguerite de France était vêtue d'une robe de velours violet enrichie de fleurs de lys brodées à fil d'or, les épaules succombant sous le poids d'un magnifique manteau de velours dont la traînante queue longue de quatre aunes était soulevée par trois princesses ; sur le chef, une couronne impériale étincelante de perles, de diamants et de rubis, lesquelles précieuses pierres parsemaient aussi la petite corsette d'hermine qu'elle portait par-dessus sa robe et qui devait fort ajouter à la touffeur du jour, comme je m'apensai en lui voyant la sueur couler sur les joues tandis qu'elle restait immobile en son triomphe, fort applaudie par le populaire et cependant, l'air maussade et chagrin comme pour signifier *urbi et orbi* que ce mariage la ragoûtait peu. A telle enseigne que le pauvre cardinal de Bourbon, pour la faire mouvoir plus outre, dut lui prendre la main et quasiment la traîner derrière lui comme une Iphigénie qu'on eût conduite au supplice. Voyant quoi, la plèbe croyant que Margot se rebéquait à marier un hérétique, et voyant du zèle là où il n'y avait que physique répugnance, redoubla ses vivats, tout ensemble s'atendrézant sur la triste fortune de la princesse et admirant ses magnifiques atours.

Non qu'elle fût, à parler à langue déclose, tant belle que la décrivit Brantôme, célébrant en elle à cette occasion *la merveille du ciel sur terre.* Comme on sait, pour notre bon voisin périgordin Brantôme, toute femme est unique et non pareille, pour peu qu'elle soit de sang royal. Je trouvais la princesse plaisante à voir, le visage rond, l'œil grand, mais à fleur de tête comme sa mère, la lippe boudeuse assez, et n'eussent été le pimplochement, les attifures et les perles, je n'eusse aimé en elle que l'extrême appétit à vivre qui émanait de son regard si vif et si parlant, lequel lui donnait ce genre de beauté qu'on appelle du diable, et à mon sens, fort proprement, comme bien la suite le montra.

— Voyez comme Charles s'ennuie! me glissa Quéribus à l'oreille. Je gage qu'il se voudrait à mille lieues de là! A la chasse, à la paume, à sa forge, à sonner dans ses trompettes, à courir les rues la nuit avec le bâtard d'Angoulême et Guise, et à faire mille farces et momeries aux passants.

— Quoi? Fait-il cela? dis-je, *sotto voce.*

— Il fait pis, souffla Quéribus, tant il est infantin. Le Duc d'Anjou, l'allant voir en ses appartements, le vit à quatre pattes, une selle accrochée sur le dos, et hennissant comme un cheval.

A quoi je ris.

— Monsieur mon frère, dit Dame Gertrude du Luc en me toquant la main de son éventail, vous avez des secrets avec le Baron.

— Vous touchant, mamie, lui dis-je à l'oreille. Il me dit qu'il vous trouve fort belle.

— Ha! dit Gertrude à voix haute en s'éventant et se penchant pour l'aguigner, que ne s'est-il assis alors à mon côté?

— Mais j'en serais dans le ravissement! dit Quéribus, et promptement se levant, il changea de place avec moi, ce qui fait que j'eus Zara à ma senestre, et à ma dextre Quéribus, lequel avait appétit à rester près de moi, pour ne point discontinuer à m'entretenir de ses propos gaussants, ayant, en bon muguet, la langue fort émoulue.

Cependant le roi qui, combien qu'il fût habillé en soleil, avait, dans le fait, un air fort éteint, dit d'une voix rogue en tournant la tête :

— Or çà! Poursuivons sans tant languir! Où est Navarre?

On vit alors s'avancer Henri de Navarre en même temps que le duc d'Anjou, lequel le tenait par la main, et pour ainsi dire, le menait à sa sœur pour la lui donner en mariage.

La vue du roi de Navarre hérissa tant le poil du populaire qu'on entendit comme un grondement, lequel, toutefois, rentra dans les gorges, quand on vit qui le flanquait, le duc d'Anjou venant immédiatement après le duc de Guise dans la faveur des Parisiens, pour ce qu'il avait vaincu les huguenots à Jarnac et à Moncontour. Tant est qu'à la fin du fin, ne sachant plus s'il devait huer Navarre ou acclamer le duc, le peuple s'accoisa, fort interdit que le duc lui-même jetât sa tendre sœur en pâture à un suppôt du Diable.

J'eus tout le loisir d'envisager ledit suppôt, tandis qu'il faisait ses révérences et ses compliments au roi, à Catherine de Médicis et à sa future épousée (laquelle fut de marbre et ne répondit miette). Il était vêtu de satin jaune pâle, comme le roi et ses frères, et encore qu'à la prière de sa défunte mère, il eût fait pour ce mariage un grand effort pour « accommoder sa crasse », il faut bien confesser qu'il avait en sa tournure je ne sais quoi de fruste qui sentait davantage le laboureur et le soldat que l'homme de cour. Mais combien que sa face, où trônait un nez fort long, ne fût point belle, il y avait en sa physionomie un air tout à la fois de fausse naïveté, de finesse et de gausserie qui me donna fort à penser.

— Qu'opinez-vous du marié? me dit Quéribus à l'oreille.

— Baron, dis-je en lui baillant un souris, combien que le *rustre parle d'oc*, je le crois plus finaud que rustaud.

— Touché ! dit Quéribus en riant à gueule bec. Siorac, que vous êtes donc divertissant ! Finaud, assurément, il l'est et plus même que Catherine qui croit l'enchaîner à son trône et souder Navarre à France en le baillant à sa fille, des cuisses de laquelle, ajouta-t-il à voix fort basse, elle compte bien qu'il sera prisonnier. Mais Vertudieu, lesdites cuisses sont trop légères pour mettre du plomb aux semelles de Navarre !

— Baron, dis-je, votre métaphore est comme la Montpensier : elle est belle, mais elle boite.

A quoi il rit à rate éclatée, le bras passé sur mon épaule, non sans se retourner à la ronde pour épier si quelque oreille à la traîne avait pu surprendre nos damnables propos. Mais à la vérité, les dames et les seigneurs, assis aux alentours, et assis tant serrés que leurs genoux touchaient le dos de ceux qui se trouvaient devant, étaient comme nous, trop occupés à clabauder pour nous ouïr, tant la médisance, pour peu qu'elle soit bien dite, est la quotidienne pitance de toute cour.

Nous voyant dans nos rires, nos dames nous tombèrent sus, chacune sur son chacun, nous faisant grief d'être plus occupés de nous que de leurs personnes, et des deux, la plus impérieuse, certes, fut Zara qui, de la minute où elle fut vêtue comme une personne de qualité, en prit incontinent les manières, et m'ordonna à basse voix de lui dire qui était cette Montpensier dont nous avions jasé.

— Quoi, Zara, lui dis-je, lui piquant un poutoune au cou sous le prétexte de lui parler en sa mignarde oreille, ne le sais-tu ? C'est la sœur du Guise, et la plus acharnée papiste du royaume.

— Monsieur, dit Zara en battant du cil et en

ployant son long cou — petites mines dont elle savait bien qu'elle me ravissait — ne médisez pas des papistes !

— Quoi ? Zara ! dis-je, *sotto voce*, tu as tourné jaquette ?

— Monsieur, dit-elle, je suis de la religion de qui m'aime : huguenote avec d'Assas, catholique avec Dame du Luc. Mais, Monsieur, poursuivit-elle, où est le Duc de Guise ? On dit qu'il est si beau.

A quoi je ne pus répondre, un grand remuement se faisant sur l'estrade, pour ce que le roi s'étant levé, se dirigeait, la reine-mère au bras, vers le porche de Notre-Dame pour y pénétrer et ouïr la messe, tandis que Navarre, qui ne voulait point l'ouïr, tirait vers le cloître de l'Evêché (lequel jouxtait le côté senestre de la cathédrale) incontinent suivi par le prince de Condé, l'amiral de Coligny, son gendre Téligny, le comte de La Rochefoucauld et nombre de grands seigneurs protestants. Quant à la future épousée, elle suivait le roi au bras du duc d'Anjou, lequel, pendant l'office, devait tenir le rôle du marié.

Il y eut alors sur cet échafaud un flux et un reflux, le flux des papistes qui pénétraient dans la nef, et le reflux des huguenots qui gagnaient le cloître pour s'y promener pendant la messe, attendant sa terminaison pour que revînt Margot sur l'estrade où, hors l'église, la bénédiction nuptiale serait donnée à ces étranges époux qui se séparaient en leur culte avant que d'être unis devant Dieu.

— Assurément, me dit Quéribus à voix étouffée tandis que nous suivions Margot au bras d'Anjou, la belle, plutôt que d'épouser son rustaud navarrais, aimerait mieux, à défaut de Guise, marier son frère à la pharaonne. Peut-être avez-vous ouï en vos provinces qu'elle l'aima trop en ses vertes années ?

— Quoi ? dis-je, n'est-ce pas là un infâme bruit ? D'où le tient-on ?

— De bonne source : Margot même.

— Et le Duc ?

— Le Duc la poursuit d'une amour haïssante depuis qu'elle s'est ouverte à Guise. Le Roi aussi. Et Alençon. Bon sang des Florentins ne saurait mentir : Margot est aimée de ses trois frères, mais à l'italienne : jaleusement.

Effrayé de ces tant licencieux propos, je jetai un coup d'œil à l'entour, et je vis que le fraternel couple, tandis qu'il avançait dans la nef, était miré de toute la Cour avec des souris, des guignements, et des chuchotis qui en disaient fort long sur le respect fort court que ces courtisans à courbettes nourrissaient en leur for pour leur prince. Ha ! pensai-je, j'entends enfin pourquoi le peuple de Paris est tant rebelle, insolent et maillotinier : l'exemple vient de haut.

Tout huguenot que je fusse, je n'avais eu, quant à moi, à entrer dans l'Eglise papiste des scrupules tant gros que je n'eusse pu au berceau les étouffer, ne pouvant en civilité planter là les dames et mon délicieux Quéribus. Mais, lecteur, sans vouloir te donner offense si tu es de la religion du roi, qu'interminable malgré son faste me parut cette messe, laquelle dura quatre mortelles heures, à croire que les chanoines du sacré chapitre l'avaient tout exprès allongée pour picanier Navarre et les réformés, lesquels pendant ce temps marchaient qui cy qui là dans le cloître de l'Evêché, en butte aux grondements et huées du populaire qui, tout vaillants seigneurs qu'ils fussent, les eût accablés sous le nombre et à main nue déchiquetés, sans les Gardes françaises et les Suisses. Mais d'après ce que j'ouïs plus tard, les paroles sales et fâcheuses prirent le relais, et il n'est injure ni menace dont on ne les accablât et jusqu'à dire : « Ha ! Chiens d'hérétiques ! Méchants bougres ! Suppôts d'Enfer ! Vous ne voulez la messe ouïr ! Mais nous saurons bien vous y forcer ! » A cela les nôtres,

guère plus sages ni avisés, répondaient en gasconnant de grosses gausseries sur Marie et les saints
qu'assurément ils eussent mieux fait de tenir enfermées dans l'enclos de leurs dents, pour ce qu'elles
portaient à tant de flammes la stridente haine dont
ils étaient l'objet qu'on eût dit que le massacre allait
incontinent saillir du pavé brûlant de Paris.

Pour moi qui ne vis rien de cela, j'oyais la messe
pour la seconde fois, mais l'oyant en Notre-Dame,
j'étais béant des cérémonies qui se déroulaient dans
le chœur où ces prêtres mitrés, vêtus en resplendis-
santes chasubles, déroulaient lentement un apparat
qui paraissait vouloir dépasser en splendeur les
pompes de la Cour. Oncques n'avais-je vu, sous
d'aussi grandioses voûtes, plus fastueux spectacle, et
certes, à ne consulter que l'œil et que l'ouïe (car la
musique et les chants étaient fort mélodieux) j'eusse
été séduit par l'émerveillable beauté de ce rite, si je
n'y avais trouvé — élevé comme je l'avais été dans le
culte dénudé des huguenots — un luxe tant vaniteux,
mondain et superflu qu'il ne laissait pas de me
rebrousser dans le temps même où j'y trouvais plaisir. Solace qui, de reste, diminua jusqu'à disparaître
tout à plein au fur et à mesure que s'allongeaient les
heures.

Sur l'*ite missa est*, on saillit enfin des fraîches
voûtes de la cathédrale et on regagna l'estrade
devant le porche, le soleil étant au zénith et fort
chaud. Le roi et la reine-mère prirent place au centre
sur deux fauteuils et Margot devant le roi s'age-
nouilla sur un des deux prie-Dieu qu'on avait apportés durant la messe. Le duc d'Anjou s'écarta, la face
imperscrutable, et dépêcha Montmorency quérir
Navarre, lequel, s'en revenant du cloître, suivi de ses
huguenots, vint s'agenouiller au côté de Margot face
au cardinal de Bourbon, à l'évêque de Digne et à
deux prélats italiens qui figuraient là tout exprès

pour faire accroire au bon peuple que le pape avait donné son agrément, et qu'on avait été pêcher Dieu sait où tant ils avaient la mine basse.

Margot était fort pâle, la lippe boudeuse, la face fort rechignée et soit qu'elle ne fît que répondre à sa naturelle répugnance, soit qu'elle ménageât cette petite comédie dans l'espoir que l'Eglise y trouverait un jour matière à annulation, au moment où le cardinal lui demanda si elle consentait à prendre pour époux « Henri de Bourbon, Roi de Navarre », elle ne dit mot ni miette, et la tête roide, la face de marbre, l'œil fixe, elle resta plus muette et plus immobile que souche. Je laisse à penser la stupeur et le scandale qui envahirent la Cour et nous firent tous nous accoiser, le souffle suspendu, mais pour peu. Car la reine-mère, qu'on ne prenait pas sans vert, se pencha, murmura quelques mots à l'oreille du roi, lequel, se dressant l'air courroucé, empoigna par-derrière Margot à la nuque de cette rude main dont elle avait eu dures battures et frappements quand son commerce avec le Guise avait été découvert, et la contraignit à plier le col et à pencher la tête, attitude où, toute forcée qu'elle fût, le cardinal de Bourbon voulut bien voir un signe d'assentiment et poursuivant la bénédiction en son majestueux latin, prononça les paroles sacramentelles qui unissaient l'heureux couple pour le meilleur ou pour le pire — lequel pire était là déjà.

Il nous fallut une grosse heure pour regagner notre coche tant la presse avait crû dans la Cité depuis notre arrivée sur l'estrade. A ouïr ce qui se disait à l'entour, il me parut que le peuple, encore qu'il se préparât à festoyer l'événement (tout haïssable qu'il le tînt) par le boire, le manger et la danse (sur laquelle les prêtres papistes, moins austères que nos ministres, clignaient les yeux), n'était pas le moins du monde réconcilié à cette union une fois qu'elle était accomplie. D'autant que tous les religieux qui s'encontraient en cette foule prêchaient ès rues comme en chaire, et tout cheminant, fulminaient séditieusement contre Jézabel et Achaab, désignant par ces derniers, comme j'ai dit, je crois, Catherine et le roi, soupçonnés de favoriser en secret la foi des réformés. Preuve que tout homme est pour tout autre un hérétique en ce siècle zélé, car ce nom de Jézabel, les nôtres l'avaient pareillement baillé à Catherine après l'entrevue de Bayonne où elle avait vilainement barguigné avec Philippe II, attentant de troquer la mort des huguenots contre un mariage espagnol.

Pendant quatre jours et quatre longues nuits après le mariage de Margot, ce ne fut au Louvre que banquets, bals et festoiements. Je fus de tous et ne voulant point ici faire le chattemite (comme bien tu le sais, lecteur) j'oserais dire que, comme m'y portaient mon âge et ma complexion, je les eusse fort aimés s'il n'y avait eu en cette liesse des pointures et épines qui agréèrent peu à ceux de mon Eglise. Car, en ce feint réconciliement, le cœur n'y était point, bien à rebours. Ce ne fut, comme on va en juger, des papistes à nous, que grimaces, griffures, gausseries et malicieux déprisements.

Le 20 août, sur une immense estrade érigée devant l'hôtel du Petit Bourbon, nos princes donnèrent une pantomime, laquelle nous resta fort au-travers de la gorge. Une poignée de chevaliers maudits — Navarre, Condé, La Rochefoucauld — attaquaient le Paradis que figuraient douze gracieuses nymphes parmi lesquelles Margot et Marie de Clèves, l'épouse de Condé que le duc d'Anjou aimait d'une chagrine amour. Des anges — à savoir le roi, Anjou et Alençon — intervenant alors, défaisaient les méchants et les repoussaient en Enfer, à la senestre de l'estrade, où brûlaient des feux de bengale en de sulfureuses vapeurs. Quoi fait, les anges dansaient avec les nymphes fort longuement, tandis que les diables tourmentaient les captifs, lesquels étaient à la fin pardonnés et délivrés, mais sur l'intercession des belles, et non point par leurs propres forces. Dénouement qui, en sa contrefaite douceur, ajoutait à l'outrage de l'allégorie.

Le 21, ce fut pis. Des Turcs, figurés, comme bien entendu, par Navarre et Condé qu'on avait grotesquement costumés, s'en prenaient à des amazones — que jouaient, le sein nu, le roi et ses deux frères — lesquels, toutes femmes qu'ils fussent en l'occasion, les vainquaient en un tournemain.

Ce même jour, Gertrude du Luc voulut que je l'accompagnasse au prêche du père Victor, dont le renom avait atteint sa Normandie. C'était un homme dont la haute stature et la puissante voix paraissaient davantage façonnées pour le métier des armes que pour le froc dont il était vêtu. Martelant des deux poings son pupitre, il parla deux grosses heures contre le mariage princier, impiété fameuse dont le châtiment visiterait non seulement « ceux qui l'avaient fait », mais hélas, le peuple entier. A la parfin, mettant en croix ses bras musculeux, et le col en arrière renversé, le père Victor envisagea le ciel comme s'il y puisait — quasi à la source même — une inspiration sacrée et s'écria d'une voix qui ébranla les voûtes :

— Dieu ne souffrira pas cet exécrable accouplement !

A quoi les fidèles qui l'avaient ouï, béants et le souffle suspendu, répondirent par un murmure d'assentiment qui, se gonflant de proche en proche, devint un grondement tant farouche et terrible que je ne le peux mieux comparer qu'à celui d'une meute de dogues à l'attache, tirant tous ensemble sur leurs laisses, la gueule large ouverte et les babines découvrant les crocs.

CHAPITRE IX

Ce même 21 au soir, Quéribus me convia à départir en sa maison des champs à Saint-Cloud où il voulait se rafraîchir des ardeurs du soleil en compagnie de Dame du Luc et de Zara, mais combien que me tentât la paix du vert pays après tout le branle des fêtes, je ne voulus pas être du voyage, pour ce que, au sortir du prêche du père Victor, j'avais encontré le maître-paumier-esteufier Delay, lequel, comme on sait, m'aimait prou pour la raison que j'oyais toujours ses propos d'une oreille avide, trouvant suc et moelle en ses clabaudages de cour, étant au Louvre si neuf et en Paris si mal parisianisé, alors même que Quéribus arguait le contraire, prétendant qu'à rester un mois de plus en la capitale, je serais un parfait muguet.

Le maître-paumier, apprenant mon proche départ, voulut savoir — étant de sa complexion fort inquisitif — si je repartais content en mes provinces.

— Hélas, non, maître-paumier, dis-je avec un soupir, je suis venu céans pour quérir la grâce du Roi, ayant tué en Sarladais un gentilhomme, quoique en loyal duel. Mais le Roi, me cuidant être au Duc d'Anjou depuis l'affaire du pourpoint, me refuse sa porte.

— Qu'est cela ? dit le maître-paumier levant le

sourcil, la crête haute, et tout parisien qu'il fût, se paonnant comme un Gascon, Charles vous refuse audience ? Par ma fé, je rhabillerai ce refus ! Comptez-y ! C'est chose faite déjà : vous parlerez demain au Roi. Trouvez-vous à mon jeu de paume sur les dix heures, et je vous mettrai d'une partie en double que Charles doit disputer avec le Guise, Téligny et le bâtard d'Angoulême, lequel, à ce que j'apprends, est au lit, affligé d'une fièvre quarte et continue, symptômée d'un grand mal de tête, et comme pour cette raison, il faillira à être là, je ménagerai si bien que vous prendrez sa place.

Je n'en crus pas mes oreilles à l'ouïr trancher ainsi, et disposer du roi comme à sa volonté, tant il paraissait incrédible qu'un paumier réussît là où M. de Nançay avait échoué, mais ayant vu Delay entretenir Charles IX dans les termes d'une non-pareille effronterie et observé qu'à la Cour, ce n'est pas de force forcée le plus grand qui agit le plus sur nos princes, bien le rebours, je décidai de courre le risque, lequel était bien petit, car dans la réalité, j'inclinai fort peu à ce séjour en Saint-Cloud (si joli que m'eussent paru, à mon arrivée, ce village et ses moulins) augurant que même les bras de la belle Zara me conforteraient mal de savoir Gertrude dans ceux de Quéribus, le cœur me saignant d'être le témoin de l'infidélité qu'elle ferait à mon beau Samson et quasiment à moi-même, ayant assez à faire à résister à ses attraits pour non pas souhaiter les lui voir bailler à un autre.

J'allai donc au Louvre le 22, sur les dix heures et juste comme j'approchais du guichet, je vis le roi, entouré de ses gentilshommes, saillir de la chapelle de l'hôtel de Bourbon où il venait, à ce que je supposai, d'ouïr la messe. Au même moment, l'amiral de Coligny, suivi de plusieurs seigneurs protestants, sortait du Louvre par la porte piétonne et les deux groupes traversant à l'encontre l'un de l'autre la petite place devant le château, l'un brillant et coloré, et l'autre tout de noir vêtu, se saluèrent, s'entr'embrassèrent et se congratulèrent avec une effusion d'amitié dont le roi donna l'exemple en appelant l'Amiral « mon père » et en le baisant sur les joues. Après quoi, le prenant par le bras, je l'ouïs qui l'invitait à le venir voir jouer à la paume aux *Cinq Pucelles*, à quoi l'Amiral acquiesça par civilité pure et « pour quelques moments », tenant en son for, à n'en pas douter, pour excessivement frivoles tous les jeux, bals, soupers, fêtes et pantomimes qui s'étaient succédé à la Cour depuis le mariage de la princesse Margot.

Pour moi qui ne l'avais jamais vu d'aussi près — le roi des huguenots n'étant pas moins difficile d'accès que le roi de France, encore que sans pompe aucune et quasi sans escorte —, je l'observai tout ce temps fort curieusement, et lui trouvai l'air grave et je ne sais quoi d'imployable dans le regard de ses yeux clairs qui ne laissa pas de m'en imposer; le cheveu qu'on voyait sous la toque de velours violet bien plutôt blanc que brun, la face ridée assez, mais cependant un corps robuste qu'il devait à la frugalité de ses repues et à l'austérité de ses mœurs. Il était garni d'un pourpoint de velours noir, portant autour du col, pendu à un ruban noir, et sous sa petite fraise huguenote, l'ordre de Saint-Michel dont il ne se désemparait jamais; des chausses bouffantes à l'ancienne mode, de même étoffe et couleur, des bas d'attache de soie noire, et des mules qui lui devaient sortir du pied, car je le vis au moins deux fois, tandis qu'il cheminait, reculer le corps et taper du talon devant lui pour les remettre en place : détail que je notais alors quasi en me gaussant — tant il était mal accordé à la dignité de ce grand personnage — mais qui fut, tout infime qu'il parût être, d'une infinie conséquence dans l'impiteux enchaînement des causes qui nous poussèrent vers tant de sang.

Apercevant parmi les gentilshommes protestants qui accompagnaient Coligny M. Geoffroy de Caumont, seigneur des Milandes et de Castelnau, lequel était mon cousin, ma mère étant née Caumont, je le fus saluer. Sur quoi, fort aise de m'envisager (et d'autant que nous avions failli à nous voir depuis que j'étais en Paris, pour ce qu'il s'était logé hors murs dans le faubourg Saint-Germain), il me donna une forte brassée et me présenta à la ronde à ceux de sa compagnie, à savoir à Téligny que jà je connaissais, l'ayant vu à la paume; au comte de Montgomery, grison fort grand et fort roide qui ne devait point se sentir fort à l'aise en la Cour, n'ayant jamais l'aumône d'un mot ou d'un regard de la reine-mère et du roi, ceux-ci lui gardant une fort mauvaise dent de ce que sa lance infortunée, en le tournoi que l'on sait, eût causé la mort d'Henri II; à M. de Ferrières, vidame de Chartres, assurément le plus sage et le plus avisé des seigneurs protestants, comme la suite le montra; à M. de Guerchy, fort beau gentilhomme, mais fort haut à la main, que le conseil de ce jour venait d'accommoder au papiste de Thiange avec qui il avait pris querelle; à M. de Briquemaut qui avait alors soixante-dix ans et dont bien je me ramentois qu'il avait, quatorze ans plus tôt, secrètement épié sous un déguisement les défenses de Calais, alors en mains anglaises; au comte de La Rochefoucauld qu'il n'était que de voir pour aimer, (comme on dit que faisait le roi) et qui me parut, en sa verte jeunesse, tout souris, grâces et gaîté; et enfin à M. de la Force, lequel était allié aux Caumont aussi, et que je vis flanqué de ses deux grands fils dont le plus jeune, Jacques, avait alors quatorze ans et fort me frappa par l'éclat de son regard et l'émerveillable ampleur de son front. Hélas! De tous ces beaux et valeureux seigneurs qui paraissaient si assurés d'eux-mêmes, combien vivaient alors à leur insu, sous le clair soleil d'août, l'avant-dernier jour de leur vie!

À leur suite, et à celle du roi et de Coligny, toujours devisant en l'affectionnée manière que j'ai dite, j'entrais aux *Cinq Pucelles* quand on me toqua à l'épaule. Je me retournai :

— *Mi fili*, dit Fogacer à voix basse, je viens prendre de vous mon congé, bien marri de me priver de la lumière de votre belle face. Je suis sur mon département.

— Et pour où? dis-je, béant.

— Où? Je ne sais, dit Fogacer à voix étouffée et arquant son sourcil diabolique, combien que j'aie dit au Duc que j'allais visiter en Languedoc mon ægrotante, mère, laquelle, à dire le vrai, mourut en mes enfances. J'irai comme la feuille au vent.

— Quoi? dis-je, sans but?

— Point tout à fait. J'ai encontré, dit-il baissant encore la voix, sur un tréteau du Pont-aux-Meuniers, un petit saltarin qui m'a séduit par ses mille et un tours, tant gracieux et mignard qu'il damnerait un saint Jérôme méditant sur la mort et les péchés du monde. Vous connaissez le mien. *Trahit sua quemque voluptas* [1]. La merveille départ demain avec sa troupe en les provinces. Je le suis.

— Ha! Fogacer! dis-je, est-ce raison?

— Est-ce raison que de consumer céans inutilement mes jours, n'étant rêveux que de lui?

À quoi je ne répondis miette, connaissant fort bien ces songes-là, combien fût différent l'objet qui me les inspirait.

— Fogacer, dis-je, je te souhaite tout le bonheur du monde.

À quoi il rit pour celer, à ce que je cuide, son

1. À chacun sa volupté.

émeuvement, et m'ayant assuré, toujours riant, que s'il pouvait prier, il prierait pour que j'aie la grâce du roi, il me donna une brassée brève, forte, et en sa force quasi furtive, et s'en fut, sautillant comme un insecte noir, me laissant tout étonné d'une absence par où je me sentis soudain très démuni en cette étrange Paris, mon Samson étant en Montfort, et mon Quéribus en Saint-Cloud. Et comme je restais cloué sur place, la tête tout soudain embrumée, un quidam, qui se trouva être le maître-paumier Delay, me saisit fort familièrement par le bras, et me dit quasi me tançant en sa parisienne effronterie :

— Monsieur de Siorac, que délayez-vous céans à bayer aux colombes ? La chose est faite. Tant promis, tant tenu. Le Roi vous prend pour partenaire, sur l'assurance que je lui ai donnée qu'avec vous il ne pourrait que gagner, et la partie, et les deux cents écus que le Duc de Guise et Téligny viennent de gager sur soi. Courons, mon ami, le Roi est tant impatient que diable en bénitier !

Il l'était, en effet, et brandissant sa raquette, sautillant sur place, répondit à peine à mon profond salut, tant il lui tardait de me voir en chemise et à son côté, et jamais, sanguienne, jamais, je ne mis bas pourpoint tant promptement que ce jour-là, Delay m'aidant, et ma vêture et mon escarcelle emportant avec lui en la tribune.

— Or çà, jouons ! dit Charles IX férocement ; par la Mort Dieu je les veux moudre en poudre, tous les deux ! Comment te nomme-t-on ?

— Pierre de Siorac, Sire. Je suis fils cadet du Baron de Mespech en Périgord.

— Siorac, dit le roi qui n'avait rien, en ses manières et son adresse, de l'exquise civilité du duc d'Anjou, et me donnait du « tu » d'emblée au lieu que de me vousoyer, ton revers est-il suffisant ?

— Sire, on le tient pour tel.

— Joue-le dès lors sur celui de Téligny, lequel est faible.

Ainsi je fis et sur son réitéré commandement, tout à plein sans relâche — acharnement que, seul, j'eusse trouvé discourtois — tant est que nous gagnâmes la première partie sans que nos adversaires nous pussent prendre un seul jeu, Téligny faillant à retourner du sien un seul de mes revers et le duc lui-même jouant moins bien qu'à l'accoutumée, paraissant à s'teure perdu en ses pensées et à s'teure épiant l'alentour, et l'œil posé en tapinois sur Coligny, comme impatient de le voir là. Cependant l'Amiral, assis à la tribune, calme et composé comme on dit qu'il était toujours, disait civilement son mot des beaux coups de raquette, quoi qu'il pensât en soi de ce desport inutile et de tous les jeux et joutes qu'il avait dû avaler au rebours de son estomac depuis le 18, le roi ayant dit qu'il voulait faire le fol tant que durait la fête, et qu'on ne lui parlât point des affaires du royaume, fût-ce des plus conséquentes, avant qu'elle fût finie.

Cependant, le roi criant qu'il lui fallait une pause pour changer sa chemise, laquelle était jà tout en eau (la touffeur étant forte entre les quatre murs de la paume), l'Amiral, se levant, lui demanda son congé et s'en fut, entouré de ses gentilshommes (et Guise, me sembla-t-il, tout conforté de le voir départir). Sur quoi, et tandis qu'un valet, la chemise bas, frottait Charles à l'arrache-peau, Delay s'approcha de lui et dit tout de gob :

— Sire, Monsieur de Siorac quiert de vous votre grâce pour un gentilhomme qu'il a tué en duel loyal.

— N'ai-je pas contre les duels ordonnancé ? dit le roi d'un air maussade, mal'engroin et comme indifférent.

— Sire, dis-je, ce fut une embûche sur un chemin, et le traître, avant que de me provoquer, avait mis une cotte de mailles sous son pourpoint.

— Par la Mort Dieu! dit le roi, une lueur d'intérêt s'éveillant sur sa face, comment fis-tu en ce cas pour l'occire?

— Je lui mis deux pouces dans l'orbite dextre.

— Deux pouces! dit le roi avec un brillement cruel de l'œil, deux pouces! Le brave coup! Siorac, tu auras ma grâce!

— Sire, dit Delay qui connaissait l'aune de ces promesses-là, que ne la signez-vous incontinent? Voici une écritoire, du papier, le dos de mon valet...

— Tu m'ennuies, Delay, dit le roi à qui on remettait une chemise propre et qui ne pensait qu'à jouer derechef.

— Sire, dit Delay, nullement rabattu et qui savait sans doute aussi bien que la reine-mère comment l'importunité venait à bout de la volonté du roi. Sire, vous le dites vous-même. Il faut battre le fer...

— Paix, Delay, paix! dit le roi. Je veux jouer!

— Sire, dit Delay, vous êtes trop bon forgeron pour ne point battre le fer tant qu'il est chaud.

— Allons, dit le roi, vaincu autant par l'insistance que par la cajolerie, cette plume, mordieu!

Et il griffonna ma grâce sur le dos du valet à qui, le mot griffonné, il donna tout soudain un grand coup de pied de par le cul, comme pour se revancher sur lui de la violence qu'on lui avait faite. Et le pauvre maraud s'étalant sur le sol, cela l'ébaudit tant qu'il rit à rate éclatée, et d'humeur allègre à nouveau, brandissant sa raquette et bondissant comme saltarin, il cria:

— Au labour, compère! Par la Mort Dieu, nous allons moudre ces deux-là en poudre! Les deux cents écus sont à moi!

Ha! lecteur! Je ne me fis pas prier! Ma grâce en poche, sans même avoir le temps d'en remercier Delay et béant de l'avoir eue tant promptement après une telle attente et tant de tracas et traverses en la

Cour, je jouai comme fol, prêt à assener joyeusement tant de revers au malheureux Téligny qu'il ne saurait plus à quel diable ou succube sa raquette vouer! Et bien je me ramentois que de ce moment il ne marqua plus un seul point, non plus d'ailleurs que Guise, lequel, depuis le département de Coligny, paraissait si absent qu'on eût dit que son œil ne suivait plus l'esteuf et que son bras le frappait à l'aveugle. Tant est que nous eûmes quatre jeux à l'affilée, le naquet ne marquant que pour nous, et qu'enfin nous serions venus en un battement de cil au bout de cette partie-là, si un grand cri n'avait éclaté à la porte de la paume, suivi d'un grand tumulte, et tout soudain, nous vîmes Yolet, le valet de Coligny, irrompre sur le terrain tout courant, et haletant, les larmes lui coulant des yeux, et de tant de terreur frappé, qu'ouvrant la bouche, il ne sut que crier en se jetant à genoux, et les mains se tordant :

— Ha Sire! Ha Sire!

— Par la Mort Dieu, qu'est cela? cria le roi en sourcillant. Ose-t-on bien interrompre le Roi à son jeu!

— Ha Sire! cria Yolet, qui en son désespoir s'arrachait les cheveux et se griffait les joues, on vient d'attenter d'occire l'Amiral!

— Quoi? dit le Guise avec un haut-le-corps, atténé?

Et jusqu'à la fin de mes jours terrestres, je me ramentevrai de quel accent d'immense déception il dit ce seul mot « atténé ». Je dis bien ce seul mot, car il s'accoisa incontinent, le corps immobile, la face imperscrutable et l'œil fiché au sol.

— Ha! dit le roi, béant. Et son œil envisageant tour à tour Yolet, le Guise, et l'esteuf qu'il avait à la main (car il servait) tout soudain il se courrouça, mais de fort infantine guise, comme avant tout dépit d'avoir à interrompre sa paume. Jetant alors à la volée sa raquette à terre, il s'écria à la fureur :

— Ne me laissera-t-on jamais en repos ?

Et nous ayant lancé à la ronde un regard rancuneux comme si tous ceux qui l'envisageaient, béants et perclus, avaient été la cause de cette partie perdue, il s'en alla à grands pas, son valet lui courant après, et sans qu'il pensât même à quérir si l'Amiral était occis ou seulement navré. Ce que Téligny, secouant de ses deux mains Yolet, pleurant et gémissant à genoux sur le sol, demanda d'une voix qui passait à peine le nœud de la gorge :

— Navré, dit Yolet entre deux sanglots.

— Monsieur de Téligny, dit le paumier Delay qui, toujours officieux, disait son mot à tout, étant chez lui comme un roi en son royaume, peux-je vous ramentevoir que M. de Siorac est médecin ?

A quoi, sans piper, j'enfilai mon pourpoint à la diable et Téligny me priant de l'œil, mais sans pouvoir parler, je le suivis, qui courait jà à perdre vent et haleine, et contournant l'hôtel de Bourbon, prenait par la rue des Fossés Saint-Germain et traversant la rue de l'Arbre Sec, atteignit enfin la rue de Béthisy où, au fond d'une placette, s'élevait la maison que l'Amiral avait louée en Paris et qui, à ce que je sus plus tard, appartenait aux Du Bourg, descendants du martyr huguenot supplicié sous Henri II.

Il y avait devant la maison, et dedans, une grande presse de gentilshommes de notre parti, tout fort indignés et échauffés de cet attentement et le clamant fort haut en français et en oc (beaucoup étant gascons ou de nos provinces du Midi) d'aucuns pleurant, et d'autres courroucés, la main sur la poignée de l'épée et criant qu'ils se revancheraient durement sur les assassins, qu'ils voulaient leur sang, qu'ils les tueraient tous !... Téligny eut le plus grand mal à fendre cette foule irritée et pour moi, la fendant à sa suite, je fus arrêté roidement par un guillaume quérant de moi l'œil en furie qui et qu'est-ce. Et sur ma réponse que j'étais médecin, il me cria au nez :

— L'Amiral ne veut point d'un médecin papiste !

— Mais, dis-je, je suis des vôtres.

Sur quoi Téligny se retournant pour confirmer, le guillaume me lâcha, grondant encore.

Toujours courant, et moi sur ses pas, Téligny gravit le degré qui menait au premier étage et à la chambre de l'Amiral, lequel était assis fort pâle sur un fauteuil, tenant en l'air sa main dextre d'où pendaient les deux premières phalanges de l'index, son bras gauche étant, lui, ensanglanté d'une plaie qu'il avait au-dessus du coude. Je quérai des personnes qui étaient là qu'on m'apportât, dès qu'on pourrait s'en garnir, de l'esprit-de-vin et des pansements, et en attendant, une paire de ciseaux que quelqu'un incontinent me mit en main et avec lesquels je commençai à ouvrir la manche gauche de l'Amiral, ayant mis bas mon pourpoint pour non pas le tacher de tout ce sang. Encore que j'y allasse fort doucement avec ma découpure, je ne pouvais que je ne branlasse quelque peu le bras, ce qui, à chaque secousse, faisait ciller l'Amiral, lequel m'envisageait de ses yeux clairs, les lèvres serrées, la sueur lui coulant sur la face, mais sans dire mot ni miette.

J'achevai à peine de découvrir le bras tout à plein quand Ambroise Paré, à mon immense soulagement, survint, accompagné de M. de Mazille, lequel était l'un des médecins du roi. Comme il entrait, quelqu'un — et je crois bien que c'était Cornaton, l'enseigne de Coligny — apporta les pansements et l'esprit-de-vin, lequel Ambroise Paré en versant quelque peu dans un gobelet appropria et la plaie de l'index et les ciseaux dont j'avais découpé la manche, et dit d'une voix douce :

— Monsieur l'Amiral, vous allez beaucoup pâtir.

— Je serai patient, dit Coligny.

Et la face fort pâle et fort sueuse, mais merveilleusement constante, il envisagea Ambroise Paré tandis que le chirurgien, labourant avec cette paire de mauvais ciseaux tant adroitement que s'il eût eu un fin scalpel en la main, coupa tout à plein les deux premières phalanges de l'index. Quoi fait, il pansa ce qui restait du doigt, tandis que Mme de Téligny, à genoux aux pieds de son père, sanglotait à cœur fendre.

— Et maintenant, le bras! dit Coligny d'une voix ferme.

— Quoi, Monsieur l'Amiral! dit Paré, voulez-vous qu'on le coupe aussi?

— Oui-da!

— Qu'opinez-vous, Monsieur de Mazille? dit Paré.

— J'opine qu'on coupe au coude, dit Mazille. La plaie est béante et les os, entamés.

— Les chairs sont accoutumées de se refaire et les os aussi, dit Paré, en hochant le chef, pour peu que la plaie ne devienne infecte. Je vois une entrée, mais point de sortie. D'où j'opine que la balle est dedans. Qu'opinez-vous, Monsieur de Siorac?

— Qu'on tâche de prime d'extraire la balle, dis-je, fort étonné que l'illustre chirurgien voulût bien quérir mon avis. Et, ajoutai-je, ne coupons qu'il n'y ait infection et gangrène.

M. de Mazille acquiesçant sans disputer plus outre tant étaient grandes, et reconnues la suffisance, l'expérience et la capacité du chirurgien du roi en fait d'arquebusades — encore qu'il ne fût pas médecin, n'étant que maître et depuis peu —, Ambroise Paré demanda s'il était là quelqu'un qui lui pût faire le récit de l'attentement de meurtrerie, afin qu'il prît quelque idée du trajet de la balle, telle étant sa méthode avant que de sonder et débrider pour extraire.

— Moi, dit M. de Guerchy — ce même beau gentilhomme dont l'Amiral, au conseil, venait d'accommoder la querelle avec M. de Thiange.

— Parlez, Guerchy, dit l'Amiral, lequel envisageant Mme de Téligny toujours à genoux à ses pieds et sanglotante, ajouta d'une voix douce :

— Madame ma fille, pourquoi pleurez-vous ? Il ne se meurt pas un passereau sans que Dieu l'ait voulut, et n'est-ce pas merveille qu'Il m'ait jugé digne de souffrir pour sa foi ?

— M. le chirurgien du Roi, balbutia Guerchy qui pleurait à chaudes et cuisantes larmes comme tous ceux qui étaient là — à savoir, Yolet, le valet de l'Amiral, Nicolas Muss, son truchement pour la langue allemande, le comte de La Rochefoucauld, le capitaine de Monins, Téligny, M. de Ferrières, vidame de Chartres, l'enseigne Cornaton, et le ministre Merlin, lequel ne songeait point à conforter l'Amiral tant il avait fort à faire à se consoler lui-même du terrible coup dont son ami et son Eglise étaient tout soudain navrés.

Cependant, comme Guerchy en ses pleurs n'arrivait point à trouver sa voix, l'Amiral, calme et constant, encore qu'aussi pâle que cire, répéta :

— Parlez, Guerchy.

Et telle et si grande était l'autorité de l'Amiral sur ses gentilshommes — lesquels le vénéraient comme le guide envoyé par Dieu pour faire triompher leur parti — qu'il suffit de ces deux mots pour que Guerchy, refoulant ses sanglots, se recomposât.

— J'ai vu de fort près le lâche attentement, dit-il d'une voix ferme assez. Je cheminais à la dextre de M. l'Amiral, et pour lui témoigner de mon respect, quelque peu en retrait. En quoi je fis mal, reprit-il avec un accent de douleur, pour ce que si j'avais cheminé sur la même ligne que lui, je l'eusse couvert de mon corps.

— Poursuivez, Guerchy, dit Coligny.

— M. l'Amiral, en marchant, lisait une lettre et à ce que j'observais, ses mules lui sortant du pied, il poussait quand et quand du talon pour les faire rentrer, reculant le corps ce faisant : mouvement de retrait qui lui sauva la vie, l'arquebusade lui étant tirée à dextre à quelques toises à peine d'une maison qui s'élève contre le cloître de Saint-Germain l'Auxerrois.

— D'où fut tiré le coup ? dit Paré.

— D'une ouverture treillissée, voilée au surplus d'un méchant rideau. Après le coup, nous y vîmes de la fumée et nous y ruant, l'épée à la main, nous trouvâmes la pièce vide, mais l'arquebuse encore chaude appuyée contre la fenêtre.

— Où s'ouvrait cette fenêtre ? dit le chirurgien.

— A l'étage.

— Adonc, dit le chirurgien, le coup a été tiré de haut en bas et en oblique, pour ce que le meurtrier n'a point dû attendre que M. l'Amiral se présentât de profil pour faire feu. Raison pourquoi M. l'Amiral tenant les deux mains devant soi pour lire sa lettre, et son corps se retirant tout soudain pour que son talon se remît dans sa mule, la balle frappa l'index de la main dextre, et plus bas et en oblique, la base de l'avant-bras senestre. J'opine donc, tenant compte aussi de la position de la plaie, que la balle se doit encontrer entre le radius et le cubitus, et juste au-dessus du coude.

Je confesse, lecteur, que dans les dents mêmes de la male heure qui frappait les miens et affligé moi-même autant qu'un autre, j'oyais ceci avec ravissement, le médecin à cette minute l'emportant sur le huguenot. Non que je ne connusse l'importance qu'Ambroise Paré attachait à la position du corps dans la recherche des projectiles, ayant lu diligemment son traité fameux sur les arquebusades où il est dit qu'au siège de Perpignan, le maréchal de Brissac pâtissant d'une balle reçue dans l'omoplate, seul des médecins présents Paré, ayant imaginé de placer le patient dans la position où il s'était encontré quand il fut navré, en inféra le trajet de ladite balle et, à la palpation, la découvrit. Je voyais céans un autre exemple de cette émerveillable méthode qui permettait d'ouvrir les chairs à coup sûr, épargnant par là au blessé beaucoup de dol et de sang.

— Opérez, Monsieur Paré, dit Coligny, les dents serrées, mais sans se désemparer de son calme héroïque et je gage aussi, de la parfaite fiance qu'il avait que la présente épreuve lui était envoyée par Dieu même, et par conséquent l'honorait. Ce qu'il ne manqua pas de répéter un peu plus tard au ministre Merlin, qui approuva ce sentiment qu'à la vérité tous, ou quasi tous, en ce logis partageaient : certaineté que je ne laissais pas d'admirer, ne la ressentant pas, et que je tiens pour la racine de cette admirable fermeté et constance quasi romaine que l'Amiral montra en les jours de sa mort.

— Monsieur l'Amiral, dit Ambroise Paré, j'ai dépêché mon aide quérir mes instruments, ne pouvant opérer tant délicatement à l'aide de ces mauvais ciseaux.

A peine achevait-il quand son aide survint, lequel ahanait comme un soufflet de forge, ayant couru comme fol de la rue où logeait le chirurgien à la rue de Béthisy.

Paré demanda au capitaine de Monins de se mettre derrière l'Amiral et de le tenir embrassé par les épaules, à l'enseigne Cornaton de lui tenir le haut du bras senestre et à moi-même la main. Après quoi, ayant palpé l'endroit qu'il avait dit, il l'ouvrit au scalpel et à l'aide d'une petite pince à deux fines branches terminées en spatules, il se saisit de la balle, mais dut s'y reprendre à trois fois avant que de l'extraire, pour ce qu'elle se trouvait serrée à la jonction du radius et du cubitus. L'Amiral subit tout cela sans un cri, sans un gémissement et sans pâmer, la face cependant fort pâle et de sueur ruisselante. La balle hors, ce qui fut fait avec une émerveillable dextérité, Ambroise Paré pansa la navrure, et l'Amiral nous ayant gravement remerciés, demanda d'une voix faible, mais ferme, qu'on le déshabillât et mît au lit. Ce que nous fîmes.

J'avais observé qu'Ambroise Paré, avant que de panser le patient, avait oint la plaie d'une onction vif-argentine que M. de Mazille, sans mot piper, lui avait tendue. Dès que l'Amiral reposa derrière les rideaux et la custode de son lit, je leur en demandai à voix étouffée la raison. A quoi Paré et Mazille, s'entrevisageant un instant en silence, M. de Mazille répondit, mais lui aussi à voix fort basse :

— C'est un alexitère. On peut craindre qu'on ait empoisonné la balle.

Cependant, si bas qu'il eût parlé, l'enseigne Cornaton l'entendit, ce qui ne fut pas sans conséquence, comme on verra. Non que Cornaton portât en lui la moindre malice, bien le rebours. Fort jeune et fort beau de face, l'œil de jais, le cheveu aile de corbeau, le nez droit, les lèvres dessinées à ravir, et de sa charnure svelte comme un lévrier, il était enseigne dans la cornette de Coligny, troupe d'élite où il s'était, tant jeune qu'il fût, illustré par sa vaillance, la fermeté de sa foi huguenote et sa dévotion à l'Amiral. Autant dire que sa complexion le refermait sur soi en un rond rigoureux, comme mon bien-aimé Samson, et comme lui, le disposait à une colombine simplesse qui n'allait pas sans périls.

L'Amiral reposant derrière sa custode, Ambroise Paré me dit qu'il resterait à son côté le temps qu'il me faudrait pour aller gloutir quelques viandes et ne départirait qu'à mon retour au logis de Coligny. A quoi je ne sus qu'acquiescer, voyant bien, cependant, que mes soins et ma présence étaient pour ainsi dire requis sans qu'on consultât ma commodité, tant il allait sans dire qu'étant huguenot, je ne pouvais que vouer mes jours et mes nuits au salut de l'Amiral. En quoi mon Eglise — où je ne me sentais pas si chaud — m'engageait plus avant que je n'eusse voulu.

En redescendant de l'étage à la salle basse, je trouvai la presse des gentilshommes protestants encore accrue, et leur véhémence dans le chagrin et le courroux décuplée, d'autant que, la plupart étant gascons, les paroles enflaient désespérément les pensées et les portaient à de terribles menaces, non seulement contre les Guise — nid de vipères qu'il faudrait tout à plein exterminer — mais contre la Cour, la reine-mère, Anjou, Alençon et même le roi. Propos qui ne laissaient pas de m'effrayer, ne faillant à penser qu'en cette cohue traînaient à coup sûr des oreilles à la solde de la Médicis — ce qui plus tard, hélas, fut avéré.

Mon Miroul m'attendait hors, et dès que nous eûmes pris par la rue des Fossés Saint-Germain (pour ce que j'avais décidé de retourner aux *Cinq Pucelles* pour faire mes merciements au maître Delay) il me dit à voix étouffée et pressée :

— Moussu, cet attentement de meurtrerie me pue. Vous avez votre grâce en poche. Quittons cette villasse. Partons sans délayer.

— Ha ! Miroul, dis-je, je le voudrais, mais ne le peux. Je suis commis par Ambroise Paré à veiller sur l'Amiral, et comment pourrais-je me désemparer de ce soin, étant médecin ?

— Ha ! Moussu, reprit-il, l'appréhension assombrissant ses yeux vairons à l'accoutumée si joyeux, ramentevez-vous, je vous prie, que Monsieur votre père vous a enjoint de prendre mes avis à l'heure des périls. Nous y sommes tout à plein. Paris a respiré l'odeur du sang et il ne se peut qu'il ne nous tombe sus. Il n'est que cheminer ès rues et observer comme les papistes ce matin vous bravent et outragent un gautier dès qu'ils le cuident de la religion. Moussu, nous sommes dans les toiles, et le flanc offert au cotel! Ensauvons-nous tant qu'il est temps!

— Sans chevaux, Miroul? dis-je en haussant le sourcil. Et sans la coche de Dame du Luc, laquelle est en Saint-Cloud, comme bien tu sais.

— Moussu, louons des montures. En un jour nous sommes en Montfort et de là, tirons au large vers notre plat pays.

— Ha! Miroul! dis-je après m'être donné le temps d'y songer, je crois ton avis fort sage et toutefois ne le peux suivre. L'honneur me le défend.

A quoi mon gentil Miroul ne répliqua rien, mais bien marri et le pensement dans les extrêmes affres, non dans l'appréhension de sa propre perte, mais de la mienne, tant il s'estimait comptable de ma vie.

Dès qu'il me vit apparaître en son jeu de paume, le maître esteufier Delay me vint à l'encontre et sans même me laisser le temps de lui reconnaître les obligations que je lui devais, me tira à part et s'enquit avidement de l'état de l'Amiral. Et moi, me doutant bien que cette avidité n'était point bienveillante, je fus en mes répons d'une prudence extrême, lui disant que la navrure n'était pas mortelle de soi, mais que Coligny étant vieil et une infection gangréneuse se pouvant mettre en la plaie, on ne pouvait être assuré de présent de sa curation.

— Ha! dit Delay à voix étouffée et comme distraitement et en même temps m'envisageant du coin de l'œil, il vaudrait mieux pour lui et les siens qu'il ait été occis sur le coup. D'autant que ses huguenots, brouillons qu'ils sont et remuants, bourdonnent comme abeilles en furie, tempêtent à tous vents et menacent séditieusement la Cour, sans tout le respect aux princes qu'ils devraient. Plût à Dieu, ajouta-t-il avec un renardier sourire, qu'ils fussent aussi avisés que vous, Monsieur de Siorac, qui ne parlez

512

point à langue déclose, montrez peu de zèle à votre parti, et allez même à messe, à ce que j'ai ouï.

— Ha ! Maître Delay ! dis-je en riant pour celer ma confusion, que voilà un beau coup de moine, et qu'adroitement vous avez placé cet esteuf ! Bien fol j'étais de croire que vous ne sauriez point à quel parti j'appartenais, vous qui savez tout.

— Je l'ai su dès que de prime je vous ai vu, dit Delay se paonnant à l'infini, non point tant à votre mine qu'à celle de votre frère, lequel est si raide, combien qu'il soit beau comme un ange. Et M. de Nançay m'apprit le reste.

— Cependant, dis-je, tant peu ami que vous soyez des miens, vous n'avez pas laissé que de me rendre un capital service.

A quoi, m'envisageant un instant en silence — silence qui m'étonna pour ce qu'il jasait à l'accoutumée comme chute de rivière en moulin —, Delay me dit d'un air grave :

— J'aime votre humanité, Monsieur de Siorac. J'aime que vous ne vous piquiez pas de votre noblesse avec l'honnête roture dont je suis. Et j'approuve fort que vous ayez appris un état, tout noble que vous soyez.

— Ha ! dis-je, je tiens avec mon père que c'est l'étude qui fait l'homme, non la naissance.

— Bien dit ! bien dit ! dit le maître Delay que mon apophtegme caressa à bon poil. C'est par l'étude et le labour que j'ai à bonne issue façonné les meilleurs esteufs de la chrétienté, et fait de mon jeu de paume l'excelse en Paris, et celui que nos princes affectionnent.

Disant cela, à peu que le bon homme ne se gonflât comme un pois chiche qui a trempé huit jours. Cependant, tout vain glorieux qu'il fût, je l'aimais assez, estimant plus ses pareils et le zèle industrieux qu'ils mettent à leurs affaires que ces muguets qui ne s'emploient qu'à dépenser à la Cour en vaines super-fluités les pécunes qu'on a suées pour eux dans leurs lointaines châtellenies.

Par surcroît, je ne laissais pas d'apercevoir que de m'avoir obligé le faisait se plaire à moi davantage, et sans me croire tant fin et cauteleux que lui, je voulus tâter son pouls pour savoir ce qu'il en était de cette fièvre parisienne que je sentais monter à l'alentour.

— Ha ! Maître Delay ! dis-je à voix étouffée, éclairez-moi d'un doute ! Est-ce le seul Roi de Paris qui a fait ce que nous savons ?

— Il ne l'eût osé seul, dit Delay jetant un œil autour de lui — bravant la Cour et le Roi. De plus grands que lui, sinon Charles, y ont eu la main. Et il ne faut pas compter que ceux-là défassent ce qu'ils ont fait. S'il le faut, ils iront plus outre.

— Mais le Roi, dis-je, m'apparut au jeu de paume fort courroucé à ouïr l'attentement.

— Il est courroucé ce jour d'hui, dit Delay qui, après avoir balancé un petit, me prit le bras et me parlant de bouche à oreille, ajouta : Le toton que l'enfantelet fait tourner sur soi de senestre à dextre se peut tout aussi bien tourner à rebours au gré d'une autre main. Monsieur de Siorac, départez-vous ce jour en vos provinces ?

— Hélas ! Je ne peux. Ambroise Paré m'a commis à l'aider pour la curation du patient.

— Voilà qui est fâcheux, dit Delay en me jetant de côté un bref, mais signifiant regard. J'augure mal du livre après avoir lu la préface.

Sur quoi, en ayant dit assez, ou plus peut-être qu'il n'aurait voulu ou le jugeât prudent, il prit congé de moi, non sans que je lui fisse encore de grands merciements d'avoir été l'ouvrier de ma grâce. Compliment que, changeant tout à plein de mine, il écouta d'un air froidureux, comme pour me faire entendre que les choses prenant la tournure qu'il avait prédite, il n'irait pas plus avant dans ses bons offices.

Nous fûmes dîner, Miroul et moi, rue de la Truanderie à la repue de Guillaume Gautier, et nous y encontrâmes Giacomi, lequel nous attendait depuis une grosse heure sans rien gloutir tant il se faisait un tabustant souci. A me revoir, il rougit de joie et m'embrassa comme fol, me faisant cent questions à quoi je répondis à voix fort étouffée par le récit qu'on vient de lire sans rien omettre non plus de mes entretiens avec Miroul et le maître Delay.

Giacomi voulut bien me concéder que je ne pouvais en honneur abandonner le patient qu'on avait confié à mes soins, mais que c'était là une circonstance excessivement déplorable tant chaque heure qui s'écoulait accroissait les périls où se trouvaient les miens ; qu'il avait bien vu en cheminant ès rues que Paris bouillonnait et qu'on s'attroupait partout, qu'on bravait les huguenots ou ceux qu'on prenait pour tels plus qu'à l'accoutumée, certains criant : « A la cause ! A Madame la Cause ! » : mots injurieux par lesquels le populaire désignait notre Eglise, que lui-même avait été arrêté en raison de sa vêture noire par une dizaine de bélîtres qui sans plus de procès le voulaient mettre en pièces et qu'il n'avait dû sa sûreté qu'à son accent italien, l'Italie étant connue des Parisiens pour avoir écrasé dans l'œuf l'hérésie réformée ; bref, que ce n'étaient partout que méchants regards, sourds conciliabules, allées et venues, bourgeoisie armée, mines menaçantes et paroles de sang, lesquelles laissaient présager une émotion dont nous serions les gibiers. Il ajouta après un moment durant lequel Miroul, lui et moi, nous nous entrevisageâmes en silence, songeards et le cœur lourd, que le Recroche, d'après le dit d'Alizon, avait percé à jour notre huguenoterie et qu'il valait mieux, si le péril se précisait, qu'on se retrouvât en la repue de Guillaume Gautier plutôt qu'en le logis du maître-bonnetier. A quoi j'acquiesçai, trouvant cette prudence bonne.

Après notre repue, laquelle, en dépit de sa savoureuseté, fut fort triste et du bout des lèvres gloutie, Giacomi voulut pour ma sûreté m'accompagner jusqu'à la rue de Béthisy où logeait l'Amiral, et en ce long chemin, nous pûmes observer, accrus encore, le remuement et le branle des Parisiens. A ce furieux grouillement, vous eussiez cru une fourmilière que la botte d'un chasseur a par malchance décapitée.

Mon patient reposant derrière sa custode et Cornaton m'ayant dit qu'il s'ensommeillait, je descendis dans la chambre basse et y ayant là une telle presse et effervescence de gentilshommes huguenots toujours dans leur courroux et chagrin, je saillis sur la petite placette devant la maison pour me nourrir d'un air moins épais. Etant alors dans mes songes et inquiet de cette grosse nuée qui se rassemblait sur nos têtes, je marchais qui cy qui là et, tirant ma montre d'un gousset sous l'épaulure senestre de mon pourpoint, je vis qu'il était deux heures à peine et soupirai après le retour d'Ambroise Paré, lequel m'avait promis de me décharger dans l'après-midi de l'office où il m'avait commis. En ces réflexions, j'entendis un grand bruit et me retournant, j'envisageai, béant, venant de la rue des Fossés Saint-Germain et s'engageant dans la rue de Béthisy, les gardes de la manche du roi, portant la casaque à mi-cuisse qu'on appelle céans hoqueton, lequel est blanc et garni de papillotes d'argent. Ces gentilshommes étaient précédés de trompettes qui marchaient en rangs serrés et sonnaient à perdre souffle dans leurs instruments pour annoncer le roi, les verrières partout s'ouvrant malgré la touffeur de l'août, et les têtes des manants et habitants apparaissant au moindre fenestrou sans qu'aucun d'eux osât ès rues saillir, tant les gardes de la manche étaient redoutés. En leur milieu, flanqué de deux archers du corps qui ne le quittaient jamais, marchait le jeune roi, grand, maigre, courbé et la face tant tiraillée par le souci qu'il paraissait le double de ses jeunes ans. La reine-mère, en ses atours noirs mais avec toutes ses perles et pierreries, suivait, tant plus ronde et vive que son fils malgré son âge, ayant à sa dextre le duc d'Anjou, fort beau en sa pâleur et la face imperscrutable, et à sa senestre, le duc d'Alençon, son troisième fils, lequel, outre qu'il était de son corps une sorte d'avorton, portait sur le visage je ne sais quel air faux, bas et peureux qui ne prévenait pas en sa faveur.

Les hoquetons blancs, à atteindre le logis de l'Amiral, se mirent en double haie jusque sur les degrés, et le roi avança, saluant bénignement les gentilshommes qui étaient là, ceux-là lui rendant son salut avec du respect assez, mais sans faire plus de cas de la reine-mère et de ses deux fils qu'un poisson d'une pomme, la suspicion étant que, si le roi n'était pour rien dans l'attentement comme sa visite au navré paraissait le prouver, on ne pouvait être assuré d'autant pour Catherine et le duc d'Anjou dont, tout au rebours, on ne pouvait douter qu'ils tinssent l'un et l'autre l'Amiral en grande détestation, la première parce qu'il lui voulait dérober l'autorité qu'elle tenait sur son fils et dans l'Etat, le second parce que l'Amiral, craignant son pouvoir, le voulait voir régner en Pologne.

Le roi, quérant s'il y avait là un médecin, je courus à lui, lui disant que je suppléais pour lors MM. de Mazille et Paré, et que le navré qui seulement sommeillait le pouvait entretenir, si le roi le voulait, mais pour peu de temps. Le roi s'avança alors vers la custode du lit qu'un de ses archers du corps souleva pour lui permettre de voir l'Amiral, qui, à son approche, ouvrit l'œil.

— Ha! mon père! dit le roi (car c'est ainsi qu'il aimait l'appeler), je suis bien chagrin de vous voir gisant et navré.

— Il est vrai, Sire, dit l'Amiral qui parut fort conforté par l'honneur qui lui était fait de cette royale visite, qu'une chose m'afflige en cette blessure : c'est que je me vois privé du moyen de faire paraître au Roi combien je désire lui faire service.

— Vous guérirez, mon père, dit le roi. Et par la Mort Dieu, je vous proteste que je vous rendrai justice! Dans la maison d'où vous fûtes arquebusé, on a trouvé une femme vieille et un laquais, lesquels on a serrés en geôle pour les mettre à la question. Avez-vous pour agréables les juges que j'ai commis pour informer?

— Je m'y accorde bien, Sire, dit l'Amiral, si vous les trouvez propres. Seulement, je vous supplie qu'y soit adjoint Cavagnes, un de vos maîtres de requête.

— Il sera fait ainsi, dit le roi.

— Sire, dit alors l'Amiral parlant à voix plus basse et me faisant de la main signe de m'éloigner, il y a une chose que je voudrais vous ramentevoir...

Mais je ne l'ouïs pas plus avant, ayant tourné les talons pour me retirer, et dans cette volte-face, apercevant le regard du duc d'Anjou sur moi, je décidai d'aller le saluer ainsi que la reine-mère et son frère : ce qui ne fut pas facile, pour ce qu'ils étaient comme prisonniers d'une cohue de gentilshommes huguenots, lesquels, grondant et grommelant, passaient et repassaient continuement devant et derrière eux sans leur montrer autant d'honneur et de respect qu'ils auraient dû. Albert de Gondy, le confident de Catherine et l'ami qu'elle avait donné en ses jeunes ans à Charles IX, était avec eux et sa physionomie fine, cauteleuse et renardière montrait bien quel inconfort il encontrait à se voir enfermé là avec ses maîtres. J'observais que les lèvres du duc d'Alençon tremblaient et qu'il roulait des yeux en tous sens comme un lièvre. Catherine et Anjou faisaient meilleure contenance, combien qu'ils fussent l'un et l'autre fort pâles et que Catherine fit sa lippe. Il était aisé de voir, à les envisager, qu'ils se fussent souhaités à mille lieues de là.

Juste comme je m'inclinais devant la reine-mère, le duc d'Anjou et son frère, je fus rejoint par M. de Mazille, suivi par l'enseigne Cornaton. La reine-mère parut fort confortée d'encontrer enfin, en ce repère huguenot, des gens qui la traitaient avec honneur et quit de M. de Mazille si Paré avait extrait, et Mazille répondant que oui, elle se fit montrer la balle, laquelle était en cuivre. Et la tournant et retournant entre ses doigts bagués des plus belles pierres du monde (regrettant peut-être en son for qu'elle n'eût pas atteint son ennemi au cœur), elle dit avec une sorte d'onction :

— Elle est fort grosse. L'Amiral a-t-il beaucoup pâti à l'extraction ?

— Beaucoup, dit M. de Mazille, mais sans gémir ni pâmer.

— Ha ! Je le connais bien là, dit Catherine. Je ne connais homme au monde plus magnanime que M. de Coligny.

Eloge que M. de Mazille et moi écoutâmes en silence, tant cette eau bénite de cour nous étonna, tombant sur cet homme-ci de ces grosses lèvres-là.

— Je suis bien aise, reprit Catherine, nous envisageant sans nous voir de ses yeux globuleux, que la balle ne soit point demeurée en la blessure, d'autant qu'il se peut qu'on l'ait empoisonnée.

Je restai béant de ces propos sinistres, la rumeur publique associant si volontiers à la Florentine le mot poison, comme on l'avait murmuré partout lors des mystérieux décès des deux frères de Coligny, Odet de Châtillon et d'Andelot, pour ne même point parler céans de Jeanne d'Albret, la reine de Navarre, si subitement morte au Louvre, après qu'elle eut signé le contrat de mariage d'Henri et de Margot, et aussi de l'attentement contre Coligny lui-même, quelques années plus tôt, par le moyen d'une poudre blanche que l'assassinateur avait failli à administrer. M. de Mazille qui, quoique papiste, était fort homme de bien, fut lui aussi vergogné assez de ces impudentes paroles et fort gêné, s'accoisa, l'œil à terre, tant est que la reine-mère serait restée sans la réponse qu'elle quérait sans doute, si Cornaton, bec jaune qu'il était, et voulant faire l'officieux devant Sa Majesté, ne s'était écrié en sa colombine simplesse :

— Hé, Madame! Nous y avons pourvu! Nous avons oint la plaie d'un alexitère pour contrebattre le poison, si d'aventure la balle en était frottée!

A quoi je vis bien que la reine-mère mordit sa lippe, sa lourde paupière retombant sur son œil. J'en voulus mal de mort au pauvre Cornaton de sa sottarde indiscrétion, ne pensant pas qu'il y allât de l'intérêt de l'Amiral qu'on le crût déjà sauf, auquel cas, Dieu sait s'il n'aurait pas à subir un deuxième coup de ceux-là mêmes qui lui avaient infligé le premier.

Cependant Albert de Gondy (un Florentin lui aussi et dont Brantôme disait que, placé auprès de Charles IX en ses jeunes ans, il l'avait tout à plein corrompu) envisageait la reine-mère œil à œil, et entendant mieux qu'aucun autre (car il était de longue date son confident) ce qui se remuait dans son esprit, dit d'un ton suave, mais l'œil fort renardier :

— J'opine, Madame, qu'il conviendrait de transporter M. l'Amiral au Louvre où le Roi le pourrait du moins protéger de l'émotion populaire, les Parisiens étant si enflammés contre lui.

— Ha! Madame! dit incontinent M. de Mazille,

soit qu'il n'entendît pas où Gondy voulait en venir, soit qu'il parlât tout bonnement en médecin, il n'y faut pas songer! Il y aurait grand danger à bouger de présent M. l'Amiral et à l'exposer à la contagion de l'air.

A quoi la reine-mère qui, depuis quelques minutes, ne voyait pas se prolonger sans malaise le conciliabule secret entre le roi et Coligny derrière la custode, dit qu'elle le voulait quérir elle-même de l'Amiral et s'approchant du lit, fit signe de loin à l'archer du corps de soulever davantage le rideau, et pour dire le vrai, m'avançant le premier, je trouvai à l'Amiral une mine point du tout aussi mauvaise qu'on l'eût pu craindre à son âge après le coup qu'il avait reçu et le pâtiment subi au découpement de sa phalange et à l'ouverture du coude. Tel et si grand était l'empire de sa force d'âme sur son corps.

Comme je précédais la reine-mère pour lui frayer un chemin dans la cohue que j'ai dite, j'atteignis le chevet avant elle et ouïs l'Amiral mettre le roi en garde « touchant les funestes desseins de quelques-uns (il entendait les Guise) à l'encontre de son état et de sa couronne ». Phrase qu'il interrompit dès qu'il vit la reine-mère, se doutant bien que ce n'était point pour lors contre ce côté-là qu'elle inclinait à prévenir son fils.

Il me sembla que l'Amiral parlant à la reine-mère mettait quelque raideur en sa courtoisie, comme s'il l'eût soupçonnée de ne point être si affligée qu'elle le voulait paraître. Tant est qu'il déclina tout à plein d'être transporté au Louvre, encore que le roi l'en priât aussi, disant qu'il était céans fort bien curé par les médecins et chirurgiens du roi, ce dont il remerciait mille et mille fois Sa Majesté. Là-dessus le roi, protestant derechef qu'il lui rendrait justice de ce lâche attentement, la reine-mère excessivement renchérit, disant bien haut que ledit attentement n'atteignait pas seulement M. l'Amiral mais que « c'était un grand outrage fait au Roi et que si l'on supportait cela aujourd'hui, demain on prendrait la hardiesse d'en faire de même dedans le Louvre ». A quoi elle ajouta encore avec la dernière fermeté : « Combien que je ne sois qu'une femme, si suis-je d'avis qu'on y pourvoie ! » Protestations dont l'Amiral la remercia, mais grand homme de bien qu'il était et peu accoutumé à feindre, avec un air froidureux assez. Et il est vrai que la reine-mère avait lancé cet esteuf-là quelque peu lourdement, et qu'il était bien difficile de se laisser piper à ces paroles emmiellées tant elles puaient le faux à dix toises.

Le roi et la famille royale étaient à peine départis du logis de l'Amiral, précédés et suivis des hoquetons blancs et des trompettes, que le prince de Condé et le roi de Navarre survinrent, mais, Coligny s'étant ensommeillé de par la fatigue que cet entretien lui avait baillée, M. de Mazille ne permit pas que les princes le vissent et d'autant qu'il tremblait quelque peu la fièvre du fait de sa navrure et qu'on venait de lui administrer de l'eau de thériaque pour détendre l'agitation de ses esprits animaux.

En conséquence de quoi, les princes redescendirent dans la salle basse, d'où ils passèrent dans la chambre de l'enseigne Cornaton où se tint *ex abrupto* une sorte de conseil des principaux gentilshommes protestants, parmi lesquels je reconnus mon cousin Geoffroy de Caumont, M. de la Force et ses deux fils dont le cadet Jacques tant me plaisait par la grâce d'esprit qui se lisait dans son bel œil et dans son ample front; le comte de La Rochefoucauld, tant aimé du roi pour sa folâtre gaîté; le roide Montgomery, le vieil homme Briquemaut, M. de Guerchy et enfin M. de Ferrières, vidame de Chartres, lequel, pour avoir moins à se glorifier dans la chair que Guerchy, me fit grande impression par son clair et pénétratif entendement dès qu'il ouvrit le bec, tout estéquit et petit qu'il fût de sa corporelle enveloppe.

— J'opine, dit-il d'une voix grave et forte qui m'étonna sortant de ce corps si frêle, que l'attentement contre l'Amiral est le premier acte d'une tragédie qui, en toute apparence, finira par le meurtre général de tous ses adhérents. Depuis le mariage du roi de Navarre, nous en avons reçu des avis de tous les côtés, et si clairs et si manifestes qu'il n'est que d'ouvrir les yeux et les oreilles pour les voir et ouïr. « Ce mariage », a prédit un personnage des plus conséquents dans l'Etat il y a une semaine à peine, « fera couler plus de sang que de vin ». Et je tiens de sûre source qu'hier un président du Parlement a conseillé à un seigneur protestant de ses amis de quitter incontinent Paris avec les siens et de se retirer pour quelque temps en sa maison des champs. En outre, M. de La Rochefoucauld pourra vous dire l'avertissement que lui a donné M. de Monluc avant son département pour la Pologne.

— Que vous a-t-il dit, Foucauld ? dit le roi de Navarre, lequel écoutait fort curieusement M. de Ferrières.

— Ha ! dit La Rochefoucauld, bien je me ramentois ce que Monluc m'a confié à l'oreille : « Quelques caresses qu'on vous fasse à la Cour, gardez-vous de vous y laisser prendre. Trop de fiance vous jettera dans de grands périls. Prenez du champ tant qu'il en est possible. »

— Il n'est que de jeter un œil à l'alentour, reprit Jean de Ferrières, que voyons-nous ? Paris s'arme en tous quartiers, et si la populace nous court sus, que ferons-nous à cent contre un, les chaînes tendues aux ponts, les portes des murailles fermées, les places et carrefours occupés par les milices bourgeoises ?

— Que concluez-vous, Ferrières ? dit le prince de Condé.

— Qu'il faut échapper à cette nasse ! dit M. de Ferrières avec véhémence, et sans délayer une minute : enlever sur l'heure l'Amiral en litière, monter à cheval et, tous l'épée au poing, saillir de Paris.

— Enlever l'Amiral, s'écria le doux et bénin Téligny, y songez-vous ? M. de Mazille, lequel ne peut être entendu céans, étant papiste, opine qu'il y a danger à bouger le patient et à l'exposer à la contagion de l'air !

— M. l'Amiral en a vu d'autres, dit M. de Guerchy. Après Moncontour, il commanda toute la retraite de sa litière, étant blessé à la joue d'une pistolétade.

— La blessure n'était point tant grave, dit Téligny.

— Ha ! dis-je, je n'ai jamais observé que navrure à face fût bénigne.

Phrase qui fit que, se ramentevant que j'étais médecin, quelqu'un des seigneurs présents dit :

— Qu'opinez-vous, Monsieur de Siorac, de la transportation de M. l'Amiral ?

— Qu'il y a à ce parti incommodité et péril, mais qu'il vaut mieux le prendre s'il y a plus grand péril à ce qu'il demeure en Paris.

— Mais, s'écria Téligny avec feu, qui peut croire que l'Amiral court céans un danger à voir la grande faveur où il est auprès du Roi, lequel a poussé la condescendance jusqu'à le venir visiter et conforter jusqu'à son logis ?

— Je ne suis pas, dit alors mon cousin de Caumont, fort suspicionneux de ma complexion. Mais j'ai trouvé je ne sais quoi de sinistre dans ces grandes courtoisies. Toute cette scène sonnait faux. Et trop bien je me souviens quel bon visage François de Guise fit à mon frère aîné avant que de le faire occire deux heures plus tard.

— Allons, Caumont, dit Téligny, le Roi n'est pas Guise ! Je connais le cœur du Roi !

Phrase qui plongea tous les assistants dans

l'embarras tant par sa manifeste simplesse que parce qu'aucun n'y osait contredire, du moins en public, sinon par le silence. Et que long et lourd fut ce silence où seul comptait justement ce qui n'était pas dit !

— Si suis-je d'avis, dit enfin Jean de Ferrières d'une voix basse et ferme, qu'on s'ensauve sans tant languir !

A quoi je voyais bien que la majorité des seigneurs qui étaient là inclinaient, sauf, hélas, les plus conséquents : le gendre de l'Amiral et les deux princes du sang, Condé et Navarre — Navarre surtout, lequel étant beau-frère du roi, lui devait bien quelque ménagement, ce qu'il ne laissa pas de faire entendre.

— Départir de Paris, dit-il avec cet accent béarnais qui prêtait telle rondeur à ses moindres propos qu'on eût cru ouïr des galets roulés par le flot d'un gave, départir de Paris n'est point facile pour M. l'Amiral. A quérir le congé du Roi, il ne l'obtiendrait pas. A ne pas le quérir, ce serait outrager le Roi. Et il en faudrait craindre les conséquences, et pour l'Amiral, et pour la paix...

Et pour Navarre lui-même, songeai-je en mon for ; pour Navarre, duquel la position en cette Cour dont il est quasi l'otage deviendrait pour le moins incommode, si les huguenots bravaient le souverain.

Tant en raison du rang du Béarnais dans l'Etat que de son poids propre, son opinion ne fut pas sans effet sur les seigneurs présents, encore qu'elle faillît, à ce que je vis, à les persuader tout à plein, tant paraissait oscillant et branlant au-dessus de nos têtes le roc effroyable qui menaçait nos vies.

— Ha ! dit enfin Téligny, que ne quérons-nous pas plutôt l'avis de l'Amiral au lieu de disputer plus outre ? N'est-il pas toujours notre chef ?

A quoi Jean de Ferrières ouvrit les bras d'un air d'impuissance accablée, tant il lui parut évident que l'Amiral, en sa roide et héroïque fermeté, allait décider contre son avis, ne portant pas dans les affaires civiles l'émerveillable souplesse qu'il montrait à la guerre, où il n'était jamais si excelse qu'à se dérober à l'ennemi après une défaite, fuyant après avoir mordu, et mordant de nouveau, et fuyant encore.

— Mais l'Amiral se trouve ensommeillé, dit Guerchy, et Mazille n'a pas voulu que Messieurs les princes du sang l'entretinssent.

— Dépêchons-lui M. de Siorac, dit Téligny, lequel, étant médecin, saura observer s'il peut sans le fatiguer lui poser la question dont il est céans débattu.

A quoi promptement j'acquiesçai et, quittant la chambre de l'enseigne Cornaton où se déroulait ce conseil dont je sentais bien qu'il était pour les nôtres d'une telle conséquence en la montée des périls, je traversai la cohue de la salle basse et montant à l'étage, je demandai à l'oreille à M. de Mazille si je pouvais parler au patient, en ayant reçu le mandat.

— Il n'est pas tant mal en point qu'on aurait cru, dit Mazille. Il est si robuste de sa complexion, et si constant en sa romaine fermeté, que c'est merveille de le voir lutter contre le mal.

— Dort-il ?

— Non point. Il songe à yeux ouverts, sans doute à ses grands desseins.

Ceci me toucha plus que je ne saurais dire, M. de Mazille étant papiste, mais honnête assez pour entendre que l'Amiral n'était pas homme à ne penser que de soi, bien le rebours, ayant si fort dans le cœur l'intérêt de l'Etat.

Tirant alors vers le lit, je soulevai doucement la custode, et l'Amiral m'envisageant de ses yeux qui même dans la pénombre de la ruelle me parurent tant clairs et lumineux que jamais, je lui dis ce qu'il en était du conseil que nous tenions dans la chambre de Cornaton.

A quoi pour toute réponse, il dit de prime à voix étouffée et comme musant : « Ha ! Ma guerre des Flandres ! Y peux-je renoncer ? » Et il pouvait bien dire « *ma guerre* », certes ! Car qui d'autre avait à la Cour appétit à cette guerre, sauf par sauts et sursauts le roi, à s'teure persuadé par Coligny de la vouloir, à s'teure convaincu par la reine-mère de la dévouloir.

Assurément, c'était un grave et grand projet de détourner l'esprit rebelle, remuant et maillotinier des huguenots vers la guerre extérieure — au coude à coude avec les Français papistes — au lieu que de les laisser derechef se couper la gorge entre eux. Mais d'un autre côtel, n'était-ce pas chimère que d'attenter de persuader la Cour de soutenir par les armes contre Philippe II d'Espagne (le plus sûr rempart de la papauté) les gueux protestants des Flandres ? Et n'était-ce pas chimère aussi, mais de toute autre sorte, d'essayer de détacher ce roi tant faible et léger de sa mère, au cotillon de qui il avait été si bien cousu en ses enfances, et par elle et par les conseillers dont elle l'avait entouré ?

Coligny s'accoisant, j'entendis bien que pour lui, départir de Paris voulait dire affronter le roi, perdre sa faveur, et perdre du même coup son grand dessein : réconcilier les sujets du royaume en une guerre qui abaisserait Philippe II. Je ne faillis pas toutefois à lui représenter les dangers qui s'accumulaient sur nos têtes, le piège où nous étions pris dans cette grande ville dont les mâchoires allaient sur nous se refermant, et qu'adonc on pouvait tout perdre, et point seulement notre cause, mais la vie même, à demeurer céans, tant il était tentant pour nos ennemis — tous les chefs huguenots s'encontrant resserrés en ces murs — de gagner par surprise et sans frais une grande bataille dans Paris et de nous égorger tous en cette embûche.

— Je sais tout cela, dit Coligny. Que départe qui veut et à sa sûreté pourvoie. Quant à moi, je peux quitter cette vie : j'ai vécu assez.

Après quoi, comme je l'envisageais, muet et malcontent, pour ce que je pense qu'un homme ne doit jamais consentir d'avance à sa propre mort dans les traverses comme dans les maladies, il ajouta comme pour me livrer le fond de sa répugnance au parti que M. de Ferrières proposait :

— Mon ami, je ne peux sortir de Paris sans réveiller la guerre civile, et j'aime mieux mourir que de la recommencer. Mais j'en suis assuré : je ne serai pas trahi. J'ai confiance en mon Roi.

Paroles fort nobles, assurément, mais où je trouvai — que mon Créateur me pardonne ! — un grain d'absurdité, étant bien manifeste à toute tête politique que la meurtrerie de l'Amiral et des siens n'éteindrait pas la guerre civile, mais lui fournirait, bien au rebours, une nouvelle raison de flamber jusqu'au ciel. Et quant à Charles, comment M. de Coligny, homme tant honnête de par sa belle et roide droiture, eût-il pu entendre la complexion de ce tortilleux ver de terre ?

Je m'avisai en rapportant tristement ce message au conseil des seigneurs protestants que cet homme de religion se confortait en une foi quasi religieuse en la parole du roi. Le souverain lui cachait l'homme, lequel était pourtant tant infantin, inconstant et instable qu'il n'y avait pas à faire fond sur lui davantage que sur sable mouvant : toton, comme avait dit Delay (j'y revenais toujours), forme d'homme sans contenu ni vouloir ; gobelet vide à emplir de tout vin, du meilleur et du pire ; girouette tournant qui cy qui là au gré du dernier vent soufflant.

M. de Ferrières, et d'autres qui partageaient cet avis, mais sans le proférer si haut, furent bien marris de cet arrêt de l'Amiral combien qu'ils s'y fussent attendus, bien le connaissant. Cependant, et bien que Coligny leur eût donné, s'ils le voulaient prendre, congé de départir de Paris, je vis bien qu'ils avaient vergogne à élire ce parti, tant ils avaient scrupule à abandonner leur guide au milieu des périls pour se mettre soi en sûreté. Quant à M. de Téligny dont l'opinion l'emportait, il se réjouissait peu de cette victoire, tant le ciel, quoi qu'il en eût, paraissait sombre et la tempête, proche. Et je vis bien que Navarre, en s'en allant, partageait ce sentiment, encore qu'il eût pour sa part peu à craindre, étant le beau-frère du roi et Margot protégeant sa vie, si peu d'amour qu'elle eût pour lui. En bref, on se sépara sans avoir rien résolu, sauf de demeurer céans.

Le lendemain, qui était le samedi 23, je fus fort étonné en descendant de ma chambrifime de trouver l'atelier vide et fort noir, les gros contrevents de chêne n'étant pas ôtés des fenêtres. D'Alizon, de Baragran et de Coquillon, point de trace. Et voulant ès rue saillir, je trouvai la porte verrouillée et les barres mises. Miroul sur mes talons, je m'en fus donc par le logis, en quête de Maître Recroche afin qu'il m'ouvrît, et le trouvai dans la cuisine, attablé non point devant quelque mets matinal, mais devant des armes qu'il fourbissait avec un mauvais chiffon.

— Le bonjour, Maître Recroche, dis-je. Qu'est cela ? Ce morion, ce corselet, cette hallebarde sont-ils à vous ? Partez-vous en guerre ?

— Non point, dit-il, incivilement assis et gardant la tête de profil pour me dévisager comme un oiseau, d'un seul œil, lequel était brillant, acéré et fixe comme celui d'un vautour. Non point, mais il faut bien approprier les choses quand elles sont sales.

— D'où vient, dis-je peu content de cette réponse tant elle puait le faux, d'où vient que vous chômiez ce matin ?

— Ne le savez-vous point? dit-il d'un ton froidureux assez. Demain est la Saint-Barthélemy et quand la fête d'un saint tombe un dimanche, on la chôme la veille.

— Dans l'après-midi, dis-je, mais non point le matin, si j'en crois Alizon.

— Alizon est une sottarde et une coquefredouille, dit Recroche, elle jase prou, mais à tort. C'est la garce la plus mal'engroin de la création.

— Et une bonne ouvrière aussi, je gage, Maître Recroche, sans cela vous ne l'emploieriez point. Ces armes sont-elles à vous?

— Assurément, dit Recroche en portant haut la crête. Je suis bourgeois de Paris, poursuivit-il avec autant de piaffe que s'il eût annoncé qu'il était duc et pair, et tout bourgeois de Paris se doit d'être armé pour défendre sa ville et son Roi contre ses ennemis.

— Cuidez-vous donc, dis-je en levant le sourcil, que ville et Roi se vont voir attaqués?

— Ils le furent, dit-il du ton le plus bref, faisant allusion, je pense, au siège de Paris par les nôtres cinq ans plus tôt.

Après quoi, s'accoisant et sans faire plus de cas de moi que d'une souche, il se remit à son fourbiment en sifflotant. Je fus béant de cette impertinence, si peu civil que fût le bonhomme à l'accoutumée — cette roture parisienne, dès qu'elle est bien garnie, se croyant au-dessus des personnes de qualité, surtout quand celles-ci viennent des provinces.

— Maître Recroche, dis-je sourcillant mais d'un ton calme assez, plaise à vous de me déclore l'huis de votre atelier, je dois vaquer à mes affaires.

— Voire! dit Recroche, il me faut de prime me payer de mon eau.

— De présent? dis-je, mais je ne dépars pas ce jour.

— Qu'en savez-vous? dit Recroche, me dévisageant avec la dernière insolence. Un homme départ souvent plus vite qu'il n'y a appétit. En outre, j'ai besoin dès demain à midi de mes deux chambrifimes.

— Quoi ? criai-je. Mais vous me les avez louées jusqu'à la fin du mois !

— Je me suis ravisé, dit Recroche roidement.

— Maraud ! s'écria Miroul en sautant sur la hallebarde, dois-je te donner dans le dos du manche de ton cuiller pour t'apprendre à être civil avec mon maître ?

A quoi Maître Recroche se levant, fort pâle, les mains tremblantes au bout de ses longs bras, changea tout à plein de chanson et dit :

— Il n'y a pas offense, Monsieur. Je ne réclame que mon dû.

— Ton dû ! criai-je. Mais je t'ai baillé cent quatre-vingts écus pour ces deux chambrifimes !

— Que vous restiez ou non le mois, Monsieur, dit Recroche avec un brillement de son œil acéré. Ramentevez-vous, je vous prie, nos petites conventions.

— Certes ! dis-je. Si nous fussions partis de notre gré. Mais c'est tout le rebours.

— Monsieur, dit Recroche qui reprenait peu à peu ses couleurs, Miroul ayant abaissé son arme, voulez-vous aller devant le juge pour trente sols que vous me devez ? N'est-ce pas bien de la traverse pour un homme dans votre prédicament ? Vous avez la grâce du Roi en poche. Que ne faites-vous vos bagues et paquets, Bible comprise, et ne départez au Diable de Vauvert sans tant languir ? Je serai en grand danger d'être occis et pillé avec vous, si vous restez céans.

Ha ! pensai-je en l'envisageant œil à œil, ma grâce ! Ma Bible ! Le bonhomme sait qui je suis et me veut tondre encore de trente sols avant que de me clore la porte au bec et me jeter ès rues. Et bien fort se doit-il sentir de toute la haine de cette grande Paris contre nous, et des armes que sans nul doute on fourbit en tous logis pour nos gorges en ce clair matin! Sans cela il n'eût osé me traiter de si insufférable façon. Ha! lecteur! Si j'avais eu la tripe sanguinaire, j'étais si encoléré que j'eusse étendu roide à mes pieds ce maraud, mais avec tel père que j'eus à Mespech, et telles bonnes gens au château et en mes villages, j'ai trop bu en mes enfances le lait de la tendresse humaine pour vouloir mort d'homme, même d'un méchant, quand je ne suis pas dans les dents d'un péril sans remède.

— Bonhomme, dis-je d'un ton calme et froidureux en jetant trente sols sur la table, voici tes pécunes. Ouvrez-nous. Nous serons hors demain.

Le bonnetier fut tant aise de crocheter mes sols de ses dix doigts que c'est à peine s'il soupira quand Miroul déposa sa hallebarde, et incontinent prenant à sa ceinture un gros trousseau de clés, alla débarrer et déverrouiller la porte de la rue, juste comme Giacomi, que je n'avais voulu réveiller, descendait les degrés de l'étage pour saillir lui aussi, et au Louvre se rendre.

Ayant convenu de rencontrer le maître en faits d'armes à midi en la repue de Guillaume Gautier, je le quittai après nos coutumiers embrassements pour ce que je voulais voir Alizon, en son petit logis de la rue Tirechappe. Cheminant ès rues, mon gentil Miroul à ma senestre, j'observai que, quoi qu'on fût un samedi matin, toutes les échoppes des marchands gardaient l'œil clos, n'ayant point ôté leurs paupières de chêne, et je ne laissais pas d'imaginer que derrière ces contrevents cadenassés, et ces portes si bien barrées, nos bourgeois, remparés et claquemurés, en étaient, comme mon Recroche, à fourbir férocement leurs armes de milice, dans l'appétit où ils étaient d'une grande meurtrerie des huguenots et de la succulente pillerie de leurs biens, de leurs bijoux, de leurs vêtures, de leurs chevaux, car les nôtres n'étaient pas venus démunis au mariage princier, voulant faire honneur au roi en ces fastes et tenir bravement leur rang. Ha! pensai-je, la bonne aubaine quand la picorée et le meurtre deviennent — foi de prédicateur papiste! — autant de reluisants mérites pour gagner le ciel!

— Moussu! dit Miroul, lequel, à suivre mon œil, devinait mes pensées, pour le coup, tout devient manifeste! Il faut sonner le boute-selle! Ce serait sottise et folie de demeurer céans, toute une ville courant à nos chausses.

— Miroul, dis-je à voix étouffée, je suis commis cette nuit par Ambroise Paré à veiller l'Amiral. Mais demain, dès la pique du jour, nous secouerons la poussière de nos semelles sur cette ville atroce!

— Demain! dit Miroul, l'œil fort effrayé, demain? Remettre encore à demain? Quand je vois cette nuée si proche!

Mais nous étions rendus, et lui disant de m'espérer au porche, je montai seul voir mon Alizon, laquelle à m'envisager, me jeta, avec un petit cri, les bras autour du col, ferma la porte derrière moi d'un coup de son pied mignon, et me piquant mille poutounes à la face, m'éposa sur toute la longueur de son corps. Ha! lecteur! Que me fut confortante cette tant féminine douceur dans la male heure que je vivais!

Quand nous eûmes pris nos commodités, je contai à ma petite mouche d'enfer, tandis qu'elle reprenait vent et haleine, sa mignarde tête brune reposant sur mon épaule, mon entretien avec le Maître Recroche.

— Moi, dit-elle, jaser à tort! C'est menterie! La veille d'une fête de saint qui un dimanche tombe, on est accoutumé de chômer l'après-midi, non les matines. Si les marchands n'ont pas ce jour d'hui déclos leurs échoppes à la pique du jour, c'est qu'ils craignent une émotion populaire et la picorée qui d'ordinaire lui traîne à la queue. Raison pourquoi le pleure-pain Recroche vous met hors logis : il vous cuide hérétique, et craint que si on vous occit chez lui, on pille son bien dans le même temps que le vôtre.

— Mamie, dis-je levant haut le sourcil, tiens-tu donc qu'une émotion civile doive irrompre incontinent ?

— Qui ne le croit ? dit-elle.

Et se soulevant sur son coude afin que de m'envisager mi-tendresse mi-irrision pour ce qu'elle se jugeait bien au-dessus de mes provinces, elle poursuivit en son parler si vif et si précipiteux :

— Ha ! mon Pierre, je suis béante de votre simplesse, tout noble que vous soyez, et révérend docteur médecin. Ou c'est alors que vous connaissez mal cette grande ville que voilà. Céans, au moindre souffle, les pavés d'eux-mêmes se déterrent, tant Paris est de sa complexion rebelle et maillotinière, dès lors qu'on lui veut faire avaler potage au rebours de son estomac. Or, oyez-moi bien, ceci n'est pas souffle, mais tempête. Nos bons curés nous le vont répétant depuis hier : ces chiens d'hérétiques se veulent revancher de la navrure de l'Amiral sur la maison des Guise, que tant nous aimons et vénérons pour ce qu'elle est le plus sûr bastion de la chrétienté. Raison pourquoi chacun ce matin s'arme dans sa chacunière, pour défendre les Guise et courir sus à ces démons. Benoîte Vierge ! A la première cloche, nous écraserons cette vermine !

— Quoi ? dis-je, y compris ceux qui sont manants et habitants paisibles en cette ville ?

— Eux-mêmes. Ce sont serpents, même s'ils ne font que passer ès rues, le nez dans leurs manteaux.

— Quoi ? Vos voisins mêmes ?

— Nos voisins ? cria-t-elle, haussant le col comme

pour raquer ses tripes. Qui voudrait des serpents pour voisins ? Sais-tu, mon Pierre, ce que j'ai vu qui m'a fort réjoui, sur les six heures alors que je courais ès rues quérir mon lait de la laitière qui passe ? Notre cinquantenier marquait à la croix de charbon blanc de certaines maisons en la rue Tirechappe où vivent ces suppôts, le dizenier les lui désignant un papier à la main.

— Cinquantenier, dizenier ? dis-je pour celer mon effroi. Qu'est cela ? Que veut dire ce jargon ?

— Fi donc ! dit-elle avec un air d'immense piaffe. Ne les avez-vous donc pas en vos provinces ? Ce sont nos officiers de ville. Les quarteniers commandent les quartiers dont il y a seize en Paris et dans chaque quartier dix dizains, et dans chaque dizain, cinquante rues et ruelles, chacune commandée par un cinquantenier. Ainsi, nous avons nos chefs qui nous rassemblent et commandent, quand nous prenons les armes.

— Quoi ? Sans l'aveu du Roi ?

— Ha ! dit Alizon en souriant d'un seul côté de la face, il se pourrait que cette fois-ci on s'en passât, si ce petit reyet de merde s'obstine à soutenir l'Amiral.

Je conçus, à ouïr ceci, de si vives alarmes que craignant qu'elles apparussent sur ma face, je me mis à rire pour les dissimuler :

— Mamie, si tel est le prédicament, d'où vient que le Maître Recroche soit si vaillant, lui aussi, que de prendre les armes ?

— Vaillant, ce chiche-face ? dit Alizon avec un air de profond déprisement, il n'appète qu'à la picorée ! On ne l'a jamais vu lors du siège là où il y avait des coups à prendre ! Et soyez bien assuré, mon Pierre, que si l'émotion civile éclate ce jour d'hui ou demain, il s'emplira les poches et ne pourfendra personne, hors peut-être les femmes et les enfants de ces chiens de huguenots.

— Quoi? criai-je, fort secoué par ce que je venais d'ouïr.

Et me levant de sa couche le sourcil haut et la lèvre si frémissante que j'avais peine à parler (d'autant que la gorge me serrait à faire mal), je balbutiai :

— Alizon! Qu'ois-je de ta bouche? Les femmes? Les enfants? Les tuera-t-on aussi? N'est-ce pas infâme et impiteux?

— Je le croyais aussi, dit Alizon non sans quelque vergogne, mais le bon curé Maillard dit que non et qu'il serait cruel, en l'occurrence, de ne pas être inhumain, pour ce que Dieu même nous a commandé d'extirper une fois pour toutes cette maudite engeance de la surface de la terre, chiennes et chiots compris.

— Ha! Alizon! criai-je, laissant éclater tout à plein mon indignation, ces chiennes sont des femmes comme toi, et ces chiots sont tout semblables à ton petit Henriot, sauf que celui-ci est catholique par l'accident de sa naissance, et que les autres enfantelets sont nés par hasard huguenots. S'il faut les occire pour cela, c'est qu'alors le Livre Saint se trompe et qu'Hérode a eu raison de massacrer les innocents!

— Mais, dit Alizon, bien marrie d'avoir allumé en moi tant de courroux et de chagrin par un propos que sans nul doute elle répétait à la quotidienne comme tous ceux de son voisinage et sans même y songer. Mais mon Pierre, si nous ne les tuons pas, c'est eux qui nous tueront!

— Et comment le pourraient-ils, sotte caillette, étant si peu nombreux? Le Roi au surplus contre eux, et les régiments du Roi! Et le plus gros du peuple!

— Mais que font-ils eux-mêmes de nos enfantelets, sinon les occire en vos provinces, quand ils sont les plus forts?

— Ha! Alizon! dis-je, encore qu'il se peut bien qu'une bête féroce comme le Baron des Adrets ait commis ces horreurs, je ne les crois en aucune sorte générales, pour ce que j'ai vu de ces yeux que voilà la *Michelade* à Nismes, et encore qu'on y ait versé cruellement bien du sang catholique, on y a épargné au moins celui des femmes et des enfants!

— Quoi, dit Alizon comme indignée, mon Pierre, te voilà défendant ces méchants hérétiques!

— J'ai de bonnes raisons pour cela! criai-je, ma colère flambant tout soudain au plus haut et m'emportant hors de cette raison. Je te l'ai celé jusque-là, Alizon, pour ne point incommoder ton zèle, mais sache-le : je suis un de ces chiens dont tu parles et tu eusses dû t'en apercevoir, ajoutai-je avec irrision, à me voir agir si chiennement avec toi et le petit Henriot. Sache seulement que ma mère m'a élevé dans la religion catholique jusqu'à l'âge de dix ans, et qu'alors je fus converti tambour battant à la religion réformée par mon père, raison pour quoi me voici de présent, à tes yeux, chien d'hérétique, suppôt d'enfer, vermine, serpent, gibier de bûcher, que sais-je encore?

— Ha! mon Pierre, cria-t-elle, ne huche pas tant haut! Ces murs ont des oreilles et si on t'oyait, tu serais sur l'heure mis en pièces par les voisins.

— Que ne le fais-tu dès lors toi-même, dis-je et en mon fol courroux tirant ma dague et la lui tendant. Qu'attends-tu donc? poursuivis-je, cela fera toujours un chien de moins et tu gagneras ton ciel de ce seul coup et sans même passer par le Purgatoire, comme l'a dit si bien en son prêche ton bon curé Maillard!

Et comme elle reculait devant ma dague pas à pas sans la saisir, interdite, accoisée et son œil noir lui sortant presque de l'orbite en son effarement, je rengainai et sans un adieu, sans un regard, la quittai, tant ivre de rage et de douleur que c'est à peine si je voyais les degrés que comme fol je dégringolais. Saillant ès rue de Tirechappe, je marchai tant vite en mon désespoir — le monde à l'entour devenu d'un noir d'encre à mon œil chagriné — que Miroul, pour me suivre, courait presque. Ha! pensai-je, si Alizon, qui est en son fond si bonne garce, abrite ces pensées de sang, et les tient pour légitimes, que doit-il en être du guillaume ou du gautier ou du michaud en cette immense population?

— Mais, Moussu, qu'est cela? disait Miroul, me voyant fort décomposé et les larmes me roulant sur la face, avez-vous pris querelle avec Alizon?

Je fus longtemps sans répondre, les passants m'envisageant de façon fort suspicionneuse à cause de mon émeuvement, mais comme enfin nous atteignions la rue de Béthisy qui, en raison du grand nombre de huguenots qui entraient et saillaient continuement du logis de l'Amiral, prenait l'allure d'une petite Genève, et me sentant alors au milieu des miens en sûreté davantage, je dis à Miroul ce qu'il en était :

— Ha, Moussu! dit-il, vous êtes bien trop haut à la main! Vous eûtes bien grand tort de vous dévoiler à cette gentille garce! Si l'émotion civile éclate, le Maître Recroche sachant ce qu'il sait, nous voilà barrés du logis. Et où pourrons-nous trouver cachette pour attendre la fin de l'orage, Dame du Luc et M. de Quéribus étant à Saint-Cloud et le révérend Fogacer courant après son petit saltarin? Vous nous avez ôté notre ultime refuge : Alizon est perdue pour nous.

Je ne répondis miette, et me contentai de sourciller d'un air fier et malcontent, montrant ainsi de la fâcherie à mon gentil Miroul à proportion qu'il avait sur moi tant raison. Voilà pourtant ce qu'il en est de la sottise humaine : même en l'extrémité de nos affres, je me voulais plus grand que mon valet.

Je trouvai le logis de l'Amiral, comme avait si bien dit Delay, tout aussi bourdonnant, furieux et agité qu'une ruche dans laquelle un galapian a jeté un caillou. Mais ce n'était là que branle et furie de paroles, sans décision aucune, ni vouloir, ni action, les chefs étant toujours fort accrochés à demeurer, confiants en la bonne foi du roi.

M. de Mazille me dit que l'Amiral avait bien reposé, que sa fièvre était prou descendue et que pour sa part, il attendait la venue d'Ambroise Paré pour refaire les pansements et qu'à nous trois la tâche serait plus aisée. Cela me fit grand bien, tandis qu'il discourait, d'envisager la grave et bénigne face de M. de Mazille, lequel me parut être, comme Pierre de l'Etoile, un papiste sans zèle aucun et pour qui son semblable était son semblable, qu'il fût ou non de son Eglise.

Saluant tous ceux qui étaient là, j'allai baiser la main de Mme de Téligny, jeune et jolie blondette, laquelle avait les yeux clairs de son père, quoique plus doux, et tirant davantage sur le vert que sur le bleu, et la félicitai de ce que la navrure de l'Amiral fût en bonne voie de curation : paroles dont, penchant sa mignarde tête de côté, elle me fit un suave merci de sa voix tant semblable à une plaintive flûte.

Outre Mme de Téligny, il y avait dans la chambre Yolet, le valet de l'Amiral, Nicolas Muss, son truchement en langue allemande, l'enseigne Cornaton, le ministre Merlin et M. de Ferrières à qui, l'ayant tiré à part dans une encoignure de fenêtre, je contai ce que j'avais appris le matin par les entretiens avec Recroche et Alizon touchant la façon dont les prêtres papistes agitaient Paris en faisant courre le bruit que nous allions attaquer la maison des Guise, et que Paris, en conséquence, s'armait derrière les contrevents clos, quarteniers et diseniers marquant les maisons des nôtres.

— Ha! Monsieur de Siorac! dit M. de Ferrières de sa voix basse et grave qui m'étonnait toujours, saillant de son corps frêle. Il est, hélas, bien manifeste que cette villasse va nous tomber sus et que pourrons-nous faire, étant trois mille et ces Parisiens, trois cent mille? Les signes d'une proche tempête se vont d'heure en heure multipliant. Savez-vous que Montmorency qui, ès qualité de gouverneur de Paris, devrait l'ordre garder, vient fort opportunément de quitter la ville pour aller sa mère visiter.

— Mais, dis-je, je le croyais cousin de Coligny et fort ami de lui.

— Il l'est, mais il est aussi papiste, très ménager de la faveur du Roi et point du tout insoucieux de son avancement. Voyant tourner le vent, il a fui devant la tempête, ponce-pilatant le sang de l'Amiral.

— Et le nôtre, dis-je, les dents serrées.

— Ha! dit Jean de Ferrières. Si Dieu le veut, je serai départi avant! C'est démence de demeurer céans, fondant tout espoir sur la volonté du Roi, laquelle n'existe pas. Charles n'a jamais tourné un œuf en son Louvre sans que sa mère le sût. Et il ne met rien au feu que survenant, elle ne le lui dérobe et cuise le rôt à sa propre sauce.

Ambroise Paré, sur ces mots, survenant et l'Amiral ouvrant les yeux, on quit de lui qu'il voulût bien se lever et sur un siège s'asseoir, cette position étant mieux accommodée au pansement de ses navrures. A quoi il acquiesça d'une voix affermie, et sans aide aucune, se leva et sur une escabelle prit place, la face pâle assez du sang qu'il avait de moins, mais les traits fermes. Les plaies étaient belles et nettes sans pus ni odeur, et il n'y avait rien à y reprendre, sauf à retirer deux ou trois esquilles d'os à celle du coude pour non point que les chairs en fussent infectées; ce que Paré fit de ses pinces avec une admirable dextérité. Après quoi, ayant lavé à l'esprit-de-vin, on pansa derechef, Paré disant qu'il était fort content de l'état du patient, dont la complexion avait pris le dessus et sur la navrure, et sur le pâtiment, et sur le sang perdu.

L'Amiral s'étant remis au lit et la custode derechef tirée, le chirurgien du roi me dit d'aller un morceau gloutir et qu'il attendrait mon retour pour lui-même départir du logis.

— Ha! Moussu! dit Miroul à peine eûmes-nous sailli dans la rue de Béthisy. J'ai ouï ce que M. de Ferrières vous a appris touchant le département de M. de Montmorency. Voilà qui pue à dix toises la meurtrerie de tous les nôtres. Le seul qui ait du nez céans, c'est M. de Ferrières, lequel a pris le vent des chiens et des chasseurs et va s'ensauver à temps, droit au gîte! Cornedebœuf, Moussu! Je vous en conjure au nom de Monsieur votre père, imitons-le, ne délayons pas davantage!

— J'y songerai, Miroul, dis-je, fort ébranlé, mais cependant répugnant encore à quitter l'Amiral pour la raison que j'ai dite.

Nous tirâmes du côté de la rue de la Truanderie où nous devions, comme on s'en ramentoit, retrouver Giacomi sur les midi devant la bonne repue de Guillaume Gautier. Il y était déjà nous espérant, mais la porte était close, et les contrevents remparés. Sur ma venue, on sonna à l'étage, sans autre effet que de faire déclore, non pas l'huis, mais un fenestrou au second par où, passant la tête, une ébouriffée chambrière nous dit que le maître Gautier ne donnerait pas à manger ce jour d'hui, ayant, dit-elle en riant, d'autres chats à châtrer, et quels chats c'étaient là, elle pensait que nous le savions! Force fut de rire avec elle de ce méchant mot, tant est qu'il y allait de la vie, en ces sombres heures, de clocher avec les boiteux.

Notre estomac aboyant de male faim, et le cœur

par surcroît fort rabattu, il ne nous fut plus que de trouver un pâtissier déambulant, lequel nous encontrâmes enfin en la Grand'Rue Saint-Denis, et qui nous vendit ses pâtés de chair de porc six deniers l'un, le double de ce que je les avais payés mon premier jour en Paris. Je barguignai, mais le compère ne voulant rien rabattre, pour ce qu'il savait bien que tavernes et repues étaient closes, je ne voulus pas pousser plus outre la disputation, de peur de lui mettre puce à l'oreille, les huguenots étant réputés barguignards. Et encore eus-je soin de lui parler dans le parler de sa ville, l'accent d'oc étant lui aussi fort suspect.

De ces pâtés, nous mangeâmes trois chacun et les trouvâmes surcroûtés et succulents, de sorte qu'on sentait encore contre le palais leur onctueuse savoureuseté après qu'on les eut gloutis. Il me frappa comme très étrange qu'on pût trouver tant de soulas dans les viandes alors que la mort menaçait. Je balançai à en acheter davantage pour la provision, mais ne le fis, ma sottarde chicheté huguenote l'emportant, et fort amèrement le regrettai dans les vingt-quatre heures qui suivirent.

— Ha! Giacomi, mon frère, dis-je à voix basse quand je fus rassasié, il nous faut à la fin nous séparer. Miroul et moi, nous allons être à la fuite, et ce serait par trop inique que tu partages notre douteuse fortune, étant papiste. Il sera temps, si Dieu nous fait saufs, que tu te réunisses à nous en Mespech.

— Monsieur mon frère, dit Giacomi gravement, mais conservant jusque dans la gravité cet air allègre qui était le sien, tous ses traits tirant vers le haut, et son œil brillant et gai, me croyez-vous si bas que de vous abandonner à l'heure des périls? Ha que nenni! Mon épée n'est point si infidèle à mes amis en détresse, et j'ai, par surcroît, juré à Monsieur votre père de vous garder à dextre, comme Miroul à senestre. Je m'en vais de présent au Louvre pour mes assauts. Mais si l'heure sonne de cette déflagration que tout annonce, convenons, puisque le logis de ce méchant Recroche nous est barré, de nous rejoindre en la place de Grève.

Ainsi fut décidé et enrosant nos faces de larmes, nous nous baillâmes l'un à l'autre une forte brassée pour ce que nous n'étions pas assurés de nous revoir jamais en ce monde cruel. Giacomi s'en fut enfin, et je l'envisageai s'éloigner, l'esprit chagrin, mais toutefois conforté à l'extrême de ce que son cœur demeurât croché au mien dans le mitan de la tourmente par des grappins d'acier.

On reprit le chemin de la rue de Béthisy, Miroul pour me distraire, à ce que je cuide, de mon souci, me nommant les rues par lesquelles nous passions, connaissant à merveille cette grande Paris, pour y avoir fureté sans fin tandis que je courais le Louvre avec mon Quéribus. Cependant, il ne laissa pas, tandis que nous approchions du logis de l'Amiral, de me presser derechef de prendre mon congé et de sonner le boute-selle, comme déjà il avait dit. A quoi je ne répondis miette, n'ayant encore rien résolu.

A peine étais-je au logis que l'enseigne Cornaton me dit qu'on me voulait dans sa chambre où les principaux des chefs protestants s'étaient à nouveau réunis. J'y fus incontinent et j'ouïs une grande disputation entre M. de Téligny et Jean de Ferrières, celui-ci arguant avec une véhémence où je ne l'avais jamais vu qu'il fallait sur l'heure départir, l'émotion populaire, d'une heure à l'autre, allant nous éclater sus, sans qu'on pût être du tout assuré du secours du roi. M'apercevant à cet instant de son discours, le vidame de Chartres m'appela à porter mon témoignage sur ce que j'avais ouï rue de la Ferronnerie au logis de Maître Recroche, rue Tirechappe, chez Alizon, et rue de la Truanderie, de la bouche de la chambrière. Ce que je fis.

— Cependant, dit le doux et bénin Téligny, il est maintenant avéré que l'arquebusade ne vient pas de la Cour pour ce que les juges commis pour informer ont arrêté l'homme qui tenait le cheval tout prêt pour l'assassinateur après son méchant coup. Et cet homme a avoué qu'il était aux Guise.

— Malgré tout, dit mon cousin Geoffroy de Caumont, il se peut qu'il y ait eu plus d'une main à tremper dans cette meurtrerie. Savez-vous, Téligny, que l'arquebuse toute fumante que Guerchy a trouvée contre la fenêtre treillissée appartient à un garde du Duc d'Anjou. Ce garde l'eût-il prêtée sans l'aveu de son maître?

Sur quoi un long silence tomba.

— Le Duc d'Anjou n'est pas le Roi, dit enfin Téligny, et vous savez bien, tout le rebours, dans quelle détestation le souverain le tient. En vérité, je ne vois pas ce qui peut bien nous mettre en doute des bonnes dispositions de Charles à notre endroit. Je tiens de source assurée que le Duc de Guise et son oncle le Duc d'Aumale, se plaignant d'être iniquement accusés de la meurtrerie, lui ont ce matin demandé leur congé de quitter Paris, ce que le Roi leur a accordé roidement, et faisant fort le renfrogné.

— Ha! dit Jean de Ferrières, les Ducs ont fait mine seulement d'abandonner la place, et sortant par la porte Saint-Antoine, sont rentrés en Paris par la porte Saint-Denis. Eussent-ils agi ainsi s'ils n'étaient pas assurés de grandes connivences à la Cour, lesquelles sont fort proches du Roi? Et pourquoi sont-ils céans demeurés, sinon dans l'espérance de présider au grand carnage des nôtres sitôt que la Cour lâchera la laisse aux chiens courants. Je le quiers de vous : La Cour elle-même est-elle hors de nos soupçons? On a vu ce midi nombre de crocheteurs transportant des armes depuis l'Arsenal jusqu'au Louvre autour duquel et dans lequel les régiments du Roi ont pris position. A quoi rime, pensez-vous, ce déploiement?

— C'est sans doute, dit Téligny, que le Roi craint d'être attaqué en son Louvre par les bourgeois de Paris.

— S'arment-ils contre lui ou contre nous? s'écria Jean de Ferrières, en levant les deux mains en l'air en son exaspération, tant il lui semblait que Téligny voulait faire à force forcée le rassurant et le modéré.

A quoi Téligny, sourd délibérément aux avis qu'il recevait, dit non sans quelque sévérité et tout courtois et bénin qu'il fût en son ordinaire :

— A la vérité, l'on a grand tort de chercher à multiplier les sujets de défiance dans les chagrineuses circonstances où nous nous encontrons. Je prie qu'on ne parle même pas de tout ceci à l'Amiral.

— Est-ce supprimer le péril que de supprimer son annonce? s'écria Jean de Ferrières d'un ton encoléré. Voit-on plus clair en se voilant la face?

Il s'accoisa après cet éclat, mais percevant que la résistance de Téligny à ses vues était trop obstinée pour céder à ses paroles, et par surcroît, s'affermissait sur le refus de l'Amiral de quitter la place — entreprise qui eût été du reste, de présent, infiniment moins aisée que la veille, si peu d'heures nous séparant maintenant de la nuit —, il se leva et dit d'une voix forte :

— Je vois que je perds ma peine et j'en suis infiniment marri, car je suis bien assuré que cette nuée va nous tomber sus.

Là-dessus, reprenant souffle et envisageant œil à œil les assistants à l'entour, il ajouta d'une voix forte :

— Messieurs, je m'en vais! Et dans cet instant même! Périsse qui voudra de la main des crocheteurs et bouchers de Paris ! Pour moi, je me réserve pour une occasion meilleure car à mon opinion, c'est grande sottise et faute de sens d'attendre l'embûche quand on sait qu'elle est là !

Sur ce mot, Jean de Ferrières partit avec mon cousin Caumont et deux ou trois autres dont je ne me ramentois ni les noms ni les faces. Je vis bien que le jeune et charmant La Rochefoucauld, aimé de tous pour sa joliesse et sa gaîté, balançait à le suivre, étant ébranlé par ses fortes raisons, mais à la fin, il s'en ravisa, faisant fond sans doute sur la grande amitié que le roi lui montrait depuis sa venue à la Cour. En quoi, il eut bien tort car ce même roi à l'aube l'envoya occire au lever du lit et en chemise par des gentilshommes de sa maison.

Après le départ de Jean de Ferrières, j'allai jeter un œil à l'Amiral et je le vis qui reposait à l'aise dans sa custode, la paupière close et point du tout oppressé ni mal allant. Je saillis alors du logis ès rue de Béthisy, Miroul sur mes talons, lequel n'osait pas quérir questions et de là je gagnai la rue des Fossés Saint-Germain et le Louvre où je n'entrai point, ayant à faire aux *Cinq Pucelles*.

Je n'y trouvai pas le maître-esteufier Delay et allais me retirer, déçu et malcontent, quand j'aperçus, parmi ceux qui étaient là, le naquet chauve et couturé qui nous avait admis, Samson et moi, en sa tribuniscule, le jour de la procession qui à mon frère faillit être fatale.

— Monsieur le naquet, dis-je fort civilement (sachant combien le bonhomme se targuait de son état d'ancien soldat, en portant les profondes marques sur la face, le crâne, la gambe senestre — laquelle était en bois — et je gage, sur d'autres parties cachées de son corps), me remettez-vous ? Je suis un ami du sergent Rabastens.

— Monsieur, je vous remets, dit le naquet. Et

posant sur son crâne poli mais traversé d'une longue cicatrice son chapeau à plumes, il me l'ôta en un salut mesuré à l'aune de mon importance, à savoir, bien au-dessus du bourgeois, mais bien au-dessous du sergent Rabastens.

— Monsieur le naquet, poursuivis-je, vous sachant ancien soldat des gardes du Roi, je me suis apensé que vous connaissiez les loueurs de chevaux de la capitale.

A quoi, Miroul m'envisagea béant, mais sans piper.

— Je les connais tous, dit le naquet avec un air de conséquence. Ils sont quatre et pas un de plus. Et je gage qu'étant sur votre département, vous quérez de moi où ils gîtent. Mais Monsieur, vous serez à la peine ce jour d'hui de trouver des montures, tant il est de bourgeois — catholiques ou non — qui, depuis hier, quittent Paris pour non pas s'y trouver dans la noise d'une émotion populaire.

Ceci, à quoi je n'avais pensé, me décoiffa fort, mais cependant je quis du naquet qu'il m'indiquât les gîtes des loueurs, ce qu'il fit de bonne grâce, non sans pourtant un certain air de bien savoir pourquoi j'étais si impatient — « catholique ou non » — de départir. Du moins, n'y mettait-il ni hargne ni malice, ce que je sentis fort bien. Et tant conforté je fus de trouver un papiste qui ne nous haïssait pas et n'appétait pas à notre sang, que je mis quelque chaleur en mes merciements, voulant même lui bailler quelques piécettes qu'il refusa, me souhaitant, avec un air de double entendre, bonne chevauchée et d'arriver sain et gaillard en mes pays. Et moi, pour ma part, lui disant que si je revenais jamais en Paris, je ne faillirais pas à le visiter, ne me doutant pas alors que j'allais le revoir, vingt-quatre heures plus tard et en tel inouï prédicament que je l'eusse jugé incrédible si le Saint-Esprit lui-même me l'avait annoncé.

Par malheur, le naquet avait dit vrai et je ne trouvai pas même un bidet ou baudet chez les trois premiers loueurs que je fus voir. Toutefois, la fortune me parut sourire davantage avec le quatrième, lequel avait son gîte rue des Lavandières, fort près donc de la rue de la Ferronnerie. Et quand le guillaume me montra en son écurie trois juments fort convenables, le cœur en ma poitrine bondit d'allégresse tant je nous voyais déjà saillir, libres et saufs, de cette sinistre nasse où nous étions serrés.

— Mon gentilhomme, dit le renfrogné loueur, lequel était un grand et gros homme dont la trogne était quasi mangée par le poil, ayant le cheveu noir planté fort bas sur le front, deux épais sourcils se joignant à n'en faire qu'un, une grosse moustache en saule pleureur cachant les lèvres et une forte barbe lui remontant quasi jusqu'aux pommettes, de sorte que seul son nez paraissait sans pilosité, du moins si l'on comptait pour rien la touffe qui en décorait le bout et celles qui saillaient des narines — Mon gentilhomme, il vous en coûtera trente écus pour louer ces trois juments jusqu'à Montfort-l'Amaury.

— Trente écus ? dis-je. Sanguienne ! Votre prix a du ventre !

— C'est que l'heure est grosse aussi de périls ! dit le loueur dont les petits yeux noirs brillaient comme de rusées fouines au milieu de ses buissons de poils. Si je ne vous loue, je louerai à d'autres. La pratique ne doit point manquer, les choses prenant la tournure que l'on voit.

— Tope donc ! dis-je, entendant bien toute l'inutilité de la contestation. Et ne jugeant pas de reste que trente écus fussent mal dépensés à nous garder en vie.

— C'est que, mon gentilhomme, dit le gros ribaud sans toper, ce n'est pas tout. Il vous faut une somme dépositer en garant, laquelle je vous rendrai quand le maréchal-ferrant de Montfort-l'Amaury aura mis mes chevaux en écurie.

— Un garant! dis-je béant, et pourquoi?

— Pour ce que, dit le loueur, dans les troubles du temps, les monteurs peuvent être occis et mes montures volées.

Il dit ceci avec un certain air suspicionneux dans son petit œil noir, qui me donna à penser qu'à ma hâte, il avait flairé le huguenot en moi, tout bien vêtu que je fusse, portant mon pourpoint emperlé et l'allure bien plutôt d'un muguet de cour que d'un fidèle de Calvin.

— Et, à combien, dis-je, évaluez-vous le montant du garant?

— Trois cents écus.

— Trois cents écus! Havre de grâce! Mais ce sont là monnaies énormément bedonnantes? Vos trois juments à l'achat ne valent pas le demi!

— Il se peut, dit froidureusement le maraud tout en poils, mais je ne les louerai pas à moins.

J'envisageai Miroul et il me contr'envisagea d'un air désolé. Car bien savait-il que je n'avais plus cette somme en mon escarcelle, ayant confié le gros de mes argents à mon Samson pour qu'il le gardât en Montfort-l'Amaury à l'abri des parisiennes tentations. Ha! pensai-je, économie huguenote, je te maudis deux fois! Premièrement de m'avoir avisé d'ôter ma cavalerie à Recroche pour m'épargner quatorze sols le jour. Deuxièmement d'avoir fait de Samson en Montfort mon trésorier quand tant me fault la pécune en Paris!

— Compère, dis-je, baillez-moi une heure et je rassemblerai ces pécunes.

— Nenni, dit cet ours d'un air fort mal'engroin. Cela ne se peut. Que si avant une heure un guillaume me quiert à mon prix mes montures, il y va de mon petit profit de les lui louer.

— Je te baillerai donc dix écus de plus pour m'espérer une heure.

— Vingt! dit-il impiteusement.

— Tope, dis-je, et je quittai cet étrangleur barbu qui s'entendait si bien à prospérer sur le malheur des autres.

— Moussu! Où allons-nous? dit Miroul, à peine eûmes-nous sailli de l'écurie.

— Au logis de Pierre de l'Etoile, dis-je à voix étouffée. Il est fort homme de bien, quoique papiste, et m'accommodera, s'il le peut.

Mais rue Trouvevache, je trouvai l'huis clos et remparé. Et comme je toquais le heurtoir à pognes rabattues, rien ne s'ouvrit, sinon la porte d'une voisine qui, sans saillir au seuil, me cria :

— Qui quérez-vous à tant de noise?

— Monsieur Pierre de l'Etoile.

— Il est départi.

— Quand?

— Ce matin, avec tout son domestique, pour sa maison des champs.

Et de clore son huis, tuant toute espérance.

— Ha! Miroul! dis-je, je n'ai plus un seul ami céans. Pierre de l'Etoile, Quéribus, Dame Gertrude, Fogacer, tous sont hors des murs! et nous dedans! dans la nasse! dans les toiles! les deux pattes dans la glu!

— Moussu, dit Miroul, Ambroise Paré! Il est fort bien garni. Et il vous aime prou.

— Ha! Je ne sais où il loge.

— Rue de l'Hirondelle. J'ai ouï son commis le dire.

— Miroul! criai-je, tu es sans prix!

Nous y courûmes, mais sans y encontrer d'autre personne qu'une chambrière, laquelle nous dit que son maître était au Louvre où le roi l'avait appelé. Il me revint plus tard que cette chambrière était fort accorte, mais pour lors, je ne l'envisageai que de la moitié d'un œil, le souci me poignant.

Au Louvre, laissant mon Miroul à m'espérer devant les *Cinq Pucelles*, je me présentai au guichet où je trouvai, outre la garde, M. de Rambouillet assis sur une escabelle, reposant sa bedondaine sur ses grosses cuisses.

— Quoi! dit-il avec un haut-le-corps, vous céans? Qu'y venez-vous donc faire? Vous avez votre grâce. Que n'êtes-vous départi?

Là-dessus, il s'accoisa, baissant l'œil, comme embarrassé d'en avoir trop dit.

— Je quiers Ambroise Paré.

— Ha! dit Rambouillet, le Louvre est grand, mais vous trouverez peut-être Paré chez le roi de Navarre. Ne délayez pas. Nous fermons le guichet dans une heure.

Je lui fis mes mercis et dans la cour, encontrant un éveillé petit page, je lui baillai une piécette pour me conduire chez Navarre. Ce qu'il fit, quasi gambadant en chemin comme un jeune cabri, en raison de la naturelle alacrité de ses tant vertes années et tout à plein insoucieux et inapercevant de la gravité de l'heure. Il portait une livrée aux couleurs de la reine-mère et assurément, il ne savait rien de ce qui se tramait à s'teure dans l'antre de sa maîtresse.

La garde-robe du roi de Navarre — laquelle était séparée de ses appartements par une simple tapisserie — était garnie d'une bonne trentaine de gentilshommes protestants parmi lesquels je reconnus Piles, Pardaillan et Soubise, lequel était envisagé au Louvre fort curieusement par tous, pour ce que son épouse lui faisait un procès en divorce, arguant de son impuissance. Ce qui ne laissait pas d'étonner, l'homme étant vigoureux, le poil fourni et la voix forte.

Ces gentilshommes se trouvaient là fort serrés, la

plupart sur des escabelles assis, les genoux se touchant, d'aucuns entre eux conversant, d'autres jouant aux dés et au tric-trac (jeux que, pourtant, Calvin condamnait) et se disposant à passer la nuit dans la gaîté et l'insouciance.

J'allai parler à M. de Piles, fort beau et vaillant gentilhomme que je connaissais pour avoir tiré avec lui sous l'œil du maestro Giacomi dont il était l'élève, et sinuant comme je pus entre les dos et les genoux de ceux qui s'encontraient en cette garde-robe, j'allai quérir de lui s'il savait où Ambroise Paré se trouvait.

— Hélas! dit Piles, vous ne le verrez point. Il était là dans l'instant, mais il est maintenant retiré chez le Roi et y doit passer la nuit — comme nous, nous passons la nôtre céans, mais pour d'autres raisons.

— D'autres raisons? dis-je civilement, encore que je fusse tant déconfit et navré par la perte de mon ultime espoir.

— Nous ne sommes pas d'ordinaire si nombreux, tant s'en fault, dit Piles non sans un certain air de conséquence, mais Sa Majesté a averti le roi de Navarre de faire venir au Louvre tout ce qu'il avait de gens à lui, et gens d'une valeur éprouvée.

Ici, Piles sourit pour ce que sa propre vaillance était fort célébrée depuis qu'il avait si bien défendu Saint-Jean-d'Angély contre l'armée royale.

— Et pourquoi tout ce monde? dis-je.

— Afin, a dit Sa Majesté, que de prévenir l'insolence des Guise qui, dans l'agitation des esprits, pourraient s'appuyer sur le peuple de Paris pour entreprendre quelque méchant coup.

— Quoi? dis-je, levant haut le sourcil tant la chose paraissait incrédible, et naïfs, ceux qu'il l'avaient crue. Un méchant coup? Contre le Louvre? Lequel est tant bien remparé et en murs, et en hommes, et en canons!

— C'est du moins ce que craint le Roi, dit Piles,

que n'effleurait même pas le pensement que le roi pût piper ou mentir.

Comme il disait, la tapisserie qui fermait la garde-robe s'écarta et M. de Nançay apparut, armé en guerre avec corselet et morion, le cuir de la face tanné, l'œil gris, le sourcil épais, et la mine, à ce que je crus voir, excessivement chagrineuse.

Le capitaine des gardes du roi fut quelque temps à envisager en silence un à un les gentilshommes qui étaient là et comme à chacun il hochait la tête, il paraissait les compter, encore qu'en son for et sans ouvrir le bec. Quand il eut fini, il dit du même air chagrin et sur un ton que je me ramentevrai jusqu'à ma dernière heure, tant il semblait avoir appétit à communiquer un message, ou un avis, ou un avertissement qui n'était pas dans les paroles mêmes :

— Messieurs, si quelqu'un de vous autres se veut retirer, il serait temps encore : on va fermer les portes.

— Nenni, dit un gentilhomme (que les autres cependant approuvèrent, d'aucuns avec des rires), nous sommes fort attachés à notre jeu et nous voulons y passer la nuit.

— Qu'il en soit donc fait comme vous l'aurez voulu, Messieurs, dit Nançay d'un ton las.

Cependant, il ne partait point et debout, la tapisserie écartée de sa main senestre, envisageant derechef les présents comme s'il voulait les recompter, son œil gris s'attacha à moi avec tant d'insistance qu'obéissant à je ne sais quel obscur émeuvement, je dis :

— Monsieur de Nançay, je me retire !

— Nenni ! dit M. de Piles en me mettant la main sur le bras. Demeurez, Siorac, nous ferons une partie.

— Il ne se peut, Piles, dis-je. Ambroise Paré couchant au Louvre, je ne peux que je ne retourne auprès de l'Amiral pour la nuit.

— Ha! dit Piles, vous faites bien en ce cas. Et il me donna une forte brassée tandis que les gentils-hommes qui étaient là, levant la tête de leur jeu au nom de l'Amiral, me sourirent ou me saluèrent. Ha! lecteur! Les beaux et vaillants hommes que c'étaient là! Et que félone fut leur fin!...

Dès que Charles eut donné le signal de la meurtre-rie générale en faisant sonner la grosse cloche de Saint-Germain l'Auxerrois, M. de Nançay vint trou-ver ces malheureux en la garde-robe de Navarre et leur dit que d'ordre du roi, ils eussent à se rassem-bler dans la cour du Louvre. Ce qu'ils firent, sans méfiance aucune, cuidant que le château était atta-qué par le populaire et que le souverain requérait l'appui de leurs bras. Mais à peine eurent-ils mis le pied dans ladite cour que, tout soudain enveloppés par les gardes, ils furent désarmés, poussés hors des murs, et assassinés. Quand vint le tour de M. de Piles, voyant le monceau de morts dont il allait aug-menter le nombre, il s'écria :

— Est-ce là la parole du Roi? Est-ce là son hospi-talité? Juste juge, vengez un jour une perfidie si odieuse!

Et détachant un manteau de grand prix qui lui pendait à l'épaule, il le tendit à un gentilhomme papiste de sa connaissance en disant :

— Prenez ce manteau! Je vous le donne, mon ami. Gardez-le en souvenir de la mort indigne qu'on m'inflige.

Mais quoi qu'il pensât de cette tuerie, le gentil-homme papiste refusa le présent, Piles ayant voulu en faire un monument qui rappellerait à jamais la traîtrise du roi.

Tous ces beaux gentilshommes ayant été de la sorte occis, les soldats les dépouillèrent de leur vêture — comme ils avaient fait sur le Golgotha pour le divin supplicié — et à grands cris se la disputèrent.

Après quoi, ils coururent, haletants, vers d'autres meurtres et pilleries, laissant les pauvres cadavres nus sur le pavé, se promettant de revenir à eux au matin pour les jeter en la rivière de Seine, laquelle, en ces sinistres heures, devint le cimetière mouvant des huguenots massacrés.

A peine les soldats furent-ils partis que la reine-mère et ses dames d'atour vinrent, riant et caquetant, à la lumière des torches que portaient des valets, se repaître la vue de ces martyrs, Jézabel se faisant montrer entre tous le corps de Soubise qu'elle envisagea fort curieusement et de fort près, ainsi que ses dames, pour ce que son épouse l'avait réputé impuissant. Ha! lecteur! est-ce là une reine de France? ou une infernale succube couronnée? Agrippa d'Aubigné n'errait pas quand il disait de Catherine de Médicis : *Elle est l'âme de l'Etat, elle qui n'a pas d'âme*. Ni âme, hélas, ni cœur, ni entrailles, et de remords cette serpente n'en eut jamais le moindre jusqu'à la fin de ses jours détestables, elle qui, pourtant, avait incliné par ses fallaces son faible fils à giboyer sur ses sujets.

Mais j'anticipe. A peine avais-je sailli de la garde-robe de Navarre avec M. de Nançay, que celui-ci, tandis que nous cheminions côte à côte, me dit sourcillant, sévère et à voix fort basse :

— Vertudieu! Que faites-vous céans? Le Roi vous bailla hier matin votre grâce. Que n'êtes-vous départi?

A cette question qui me troubla fort, pour ce qu'elle reprenait les termes mêmes dont avait usé, à ma vue, M. de Rambouillet à l'entrée du Louvre, je répondis par le récit de mes attentements pour trouver des montures, récit que le capitaine des gardes ouït d'un air mal'engroin, se contentant de dire, quand j'eus fini, d'une voix fort étouffée :

— Dans tous les cas, c'est trop tard maintenant.

Les portes de la ville sont fermées. Les chaînes sont mises aux ponts, lesquels sont gardés, de surcroît, par les milices bourgeoises.

Paroles qui me glacèrent, non point par ce qu'elles disaient que par ce qu'elles laissaient entendre, et d'autant qu'en descendant les grands degrés qui conduisaient à la cour du Louvre, je vis devant moi toutes les compagnies des gardes, tant suisses et écossaises que françaises, lesquelles, dans le peu de temps où j'étais resté dans la garde-robe, s'étaient déployées en bataille, armées en guerre et hallebarde au poing.

Comme j'approchais du guichet, à ma considérable surprise, je vis et j'ouïs le roi de Navarre, que je croyais retiré jà en ses appartements, parlementer avec le capitaine de la porte, j'entends avec M. de Rambouillet.

— Ha! Sire! disait celui-ci, vous appétez à saillir quand moi, je me prépare à clore.

— Mais, dit Navarre, on ferme à l'accoutumée les guichets sur les dix heures.

— J'ai commandement du Roi de les verrouiller ce jour d'hui à huit.

— Ha! Monsieur de Rambouillet! dit Navarre avec cette gaillarde bonhomie qui le faisait aimer de tous, plaise à vous de me laisser de présent saillir! Je vous gage ma foi que je reviendrai promptement!

— Ha! Sire! dit Rambouillet, Votre Majesté est trop bonne : elle prie là où elle pourrait commander.

— Commander? dit Navarre avec bonne humeur, je ne commande à personne céans, et pas même à Margot.

Et sur quoi, riant à gueule bec et donnant à Rambouillet une petite tape sur sa bedondaine, il passa, suivi d'une douzaine de ses Suisses, lesquels portaient une livrée mi-jaune mi-rouge (rouge pour Navarre et jaune pour Béarn) et hormis trois ou quatre, n'étaient point suisses du tout, mais béarnais.

Je me présentai à mon tour au capitaine de la porte lequel, à mon considérable étonnement pour ce qu'il ne m'avait point jusque-là montré tant d'amitié, me tendit la main et comme je la lui serrais, me rendant vivement ma pression, me dit, l'œil abaissé :

— Adieu, Monsieur de Siorac ! Puissiez-vous retourner heureusement en vos provinces !

Vœu fort banal assurément, mais qui me surprit d'autant davantage que je n'avais pas dit à M. de Rambouillet que j'étais sur mon département — ce que de reste je n'étais plus, hélas, faute de pécunes et de chevaux, et les portes de la ville déjà remparées.

Miroul hors Louvre m'accostant, à qui de la tête je fis tristement entendre que j'avais failli en ma quête, je pressai le pas et, la nuit commençant à tomber, je rejoignis Navarre et son escorte, lesquels, à ce que je m'apensais, se dirigeaient aussi vers le logis de l'Amiral puisqu'ils prenaient devant nous la rue des Fossés Saint-Germain.

Dès que le Béarnais m'aperçut, il tourna vers moi sa longue face au long nez et m'envisageant de son œil fin, me dit à sa joviale guise :

— N'êtes-vous pas le médecin qui était apensé qu'on eût pu transporter M. l'Amiral en litière malgré sa navrure ?

— Si fait, Sire, dis-je en lui faisant un profond salut. Je me nomme Pierre de Siorac, et je suis fils cadet du Baron de Mespech en Périgord.

— Ha ! dit Navarre, fils de baron et médecin : voilà qui me plaît ! Que vous en pense, Monsieur de Siorac, de ce présent prédicament ?

— Sire, j'opine tout justement comme M. de Ferrières.

— Cependant, dit Navarre à sa manière toujours quelque peu gaussante, vous n'êtes point avec lui départi ?

— Faute de chevaux, Sire, et de pécunes pour en louer.

— Voilà qui est parlé à langue déclose ! dit Navarre, et en vaillant ! Seul un vaillant ne craint pas de dire qu'il a eu appétit à s'ensauver d'une embûche.

A quoi je lui fis de nouveau un grand salut et me sentis plus affectionné à sa personne que je ne l'avais été, n'étant guère attiré jusque-là par sa corporelle enveloppe et ses frustes manières, encore qu'il y eût du prince en lui, tout léger qu'il parût être, et gaussant et avec tous fort cajoleur, bien connaissant qu'on prend plus de mouches avec une cuillerée de miel qu'avec dix tonneaux de vinaigre.

— C'est grande pitié, reprit-il non cette fois sans gravité, que ces discordes civiles et je suis fort fâché de tout ce sang répandu entre Français sur le sujet de la religion. Je ne sais si M. l'Amiral aura sa guerre des Flandres. On paraît l'en vouloir empêcher au prix même de sa vie. Fasse Dieu qu'il conduise M. de Coligny par la main sur le bel et bon chemin de sa terrestre sûreté !

Là-dessus, ayant ouï un de ses Suisses se plaindre derrière lui à voix basse de ce qu'il avait grand-faim, il tourna la tête et reprenant son ton de bonhomie, dit en gaussant :

— Hé ! Moi aussi, mon bon Fröhlich, j'ai faim ! Et bien m'accommoderaient un croûton de pain noir, une gousse d'ail et un gobelet de vin !

— Sire, dit Fröhlich familièrement, au Louvre vous avez d'autres viandes, *Herr Gott !*

— Certes, mais il y manque l'appétit que me baillaient mes Pyrénées en mes enfances !

— *Ach !* dit Fröhlich avec un gros soupir, à moi aussi me fault ma montagne de Berne.

Ce Suisse-là, qui n'était pas suisse que de nom, était lui-même une vraie montagne d'homme, gros et grand de partout, avec des bras comme des cuisses et des gambes comme le tronc d'un homme vigoureux, ayant, au surplus, bonne trogne cramoisie et l'œil débonnaire.

— Certes, dit alors un Béarnais de l'escorte, jasant en son dialecte, plus me plaît moi aussi ma colline que cette villasse de merde, puante, corrompue et tout à plein inamicale.

— Parle français, Cadieu! dit Navarre d'un ton enjoué, pour que te puisse entendre mon bon Suisse de Berne.

A quoi Cadieu, qui était à peine plus petit que Fröhlich et paraissait le tenir en fort grande amitié, répéta son propos en un français qui était tout aussi mal prononcé que celui du Bernois, Navarre écoutant ces propos de pays avec un plaisir manifeste, branlant le chef, et quand et quand me jetant un œil.

Navarre, cependant, se rembrunit fort quand il vit, en arrivant rue de Béthisy, que le pavé devant le logis de l'Amiral était occupé par quarante arquebusiers de la Première Enseigne, lesquels s'accommodant pour leur corps de garde des deux boutiques qui s'encontraient là, avaient allumé devant elles, le jour tombant déjà, leurs falots de rempart comme s'ils se fussent disposés à passer la nuit.

— Ventre Saint-Gris! dit-il entre ses dents, je n'aime pas cela!

En hélant un arquebusier planté en sentinelle à l'orée de la rue, et qui était armé en guerre, comme tous ceux qui se trouvaient là, avec corselet et morion et l'arme sur l'épaule, il dit :

— Garde, qui te commande?

— Le maître de camp Cossain, dit l'arquebusier.

— Cossain! répéta Navarre, et il se renfrogna davantage.

Pressant alors le pas, ses Suisses regroupés autour de lui, muets, tendus et envisageant du coin de l'œil les gardes du roi sans trop de fiance ni d'amitié, d'autant qu'ils étaient, eux, en simple livrée, et ne portaient que pertuisane et au côté senestre le braquemart, il atteignit la porte du logis au moment même où se prenait là une vive querelle entre M. de Guerchy, toujours haut à la main, et un grand escogriffe, cuirassé de pied en cap, lequel était tant sourcilleux, arrogant et piaffeur que rien que de le voir, je sus avec certaineté qu'il était le maître de camp, pour ce qu'on disait communément au Louvre « piaffeur comme Cossain ».

— Qu'est cela ? dit Navarre, mais la face derechef souriante et le ton enjoué, me laissant admirer avec quelle admirable pliabilité il commandait à son humeur.

— Sire, dit M. de Guerchy sur le ton le plus enflammé, Cossain veut empêcher le page que voilà de porter dedans le logis deux arquebuses appartenant à M. de Téligny.

A quoi Navarre eut une sorte de haut-le-corps, mais tout soudain se reprenant, il dit au maître de camp d'un ton d'aimable bonhomie, et levant un sourcil étonné comme s'il jouait le naïf et le bec jaune.

— Qu'est cela, Cossain ? Quel mal y a-t-il à cela ? M. de Téligny sera-t-il le seul céans à ne pas être armé ?

— Sire, dit Cossain rabattant prou sa crête, j'ai le commandement du Roi de ne pas laisser passer les bâtons à feu, mais ajouta-t-il, jouant le bon valet, s'il plaît à Votre Majesté que le page porte dedans ces arquebuses, j'en resterai content.

— Voilà donc qui est bien, dit Navarre en souriant. Et donnant une petite tape sur la nuque du page, il ajouta : passe, galapian !

Après quoi, il prit Guerchy toujours fort encoléré par le bras et l'entraîna dans le logis, moi-même et

Miroul sur ses talons, mais ses Suisses restant à la porte, la face imperscrutable, mais je gage, mal à l'aise assez de se trouver là confrontés à quarante soudards cuirassés qui envisageaient leur livrée rouge et jaune avec fort peu d'amour.

— Guerchy, dit Navarre dès que nous fûmes hors d'ouïe, qu'est cela ? Que fait ici Cossain ?

— Il est là pour protéger M. l'Amiral d'une émotion civile. C'est M. l'Amiral qui, dans l'après-midi, a demandé une protection au Roi, cuidant que la vue de quelques gardes dans la rue de Béthisy suffirait à retenir le populaire de donner l'assaut au logis.

— Ha ! dit à mi-voix Navarre, et parlant d'un ton tant ambigueux qu'il me parut balancer entre l'ironie et le respect, c'est l'Amiral lui-même qui a requis cette protection ?

Puis renversant sa tête en arrière, son long nez paraissant humer le fumet de l'air et ne pas trop aimer ce qu'il y reniflait, il ajouta à voix basse entre ses dents :

— Mais qui protégera l'Amiral de Cossain ?

— C'est là tout justement le point, dit Guerchy, rouge encore de sa querelle avec le maître de camp.

Navarre soupira, et baillant une petite tape sur le gras de l'épaule de Guerchy, tourna les talons et franchit lestement les degrés qui menaient à la chambre de l'Amiral mais revint dans l'instant même, disant que M. de Coligny s'était ensommeillé et lui paraissait bien allant et que, de ce côtel, il avait lieu d'être content. Cependant, la paupière à demi baissée, et son œil vif et fin coulant un regard parallèlement à son long nez, comme s'il envisageait le sol, il parut se réfléchir quelque peu, l'air point du tout léger, gaussant et insoucieux mais au rebours, fort grave. Sortant enfin de son silence et de son immobilité, il commanda à six des Suisses qui l'accompagnaient de demeurer la nuit durant dedans le logis de l'Amiral, leur ordonnant de verrouiller bien la porte, de remparer les contrevents et de faire bonne et vigilante garde. Après quoi, reprenant son ton enjoué, il souhaita le bonsoir à Guerchy, à moi, et à La Bonne (le majordome de l'Amiral) et s'en fut avec son escorte diminuée du demi, laissant avec nous, outre quatre autres de moindre taille, Fröhlich et Cadieu, dont les terribles carrures semblèrent tout soudain emplir le petit logis. Mais que pouvaient pourtant ces géants avec leur braquemart et leur pertuisane contre quarante arquebusiers?

Le majordome La Bonne, lequel ne faisait point mentir son nom, étant un bénin bonhomme à ronde bedondaine, l'œil benoîtement suave et la voix douce comme un ruisseau d'avril, (au demeurant grand homme de bien, à ce qu'il me sembla) accommoda nos Suisses dans la salle basse, et les ayant fort civilement garnis d'un flacon de vin, d'une croûte de pain et de fromage, se retira avec moi dans la chambre de l'Amiral. Miroul, ses yeux vairons tant soucieux qu'ils paraissaient noirs l'un et l'autre, ne me quittant pas plus que mon ombre et la main machinalement tâtant quand et quand son épée, sa dague et les deux cotels qu'il portait dans ses chausses pour les lancer. Avec La Bonne et nous, s'encontraient dans la chambre de l'Amiral, Yolet, son valet, Nicolas Muss, son truchement en langue allemande, le ministre Merlin, l'enseigne Cornaton et Mᵐᵉ de Téligny, mais l'Amiral, se réveillant, pria qu'on voulût bien accompagner sa fille en son logis de la Grand'Rue Saint-Honoré, ce que firent une dizaine de gentilshommes qui se trouvaient encore au logis, flanqués de deux laquais qui portaient des falots, et non sans que la pauvrette revînt par deux fois prendre congé de Coligny, son bel œil bleu noyé de larmelettes, et sa mignarde face par le chagrin chaffourrée, l'Amiral la confortant à répéter qu'il allait fort bien, et elle ne se décidant pas à se désemparer de son père, pour ce que tout soudain en son féminin pressentiment elle craignait pour sa vie.

La Bonne éteignit toutes les chandelles hormis une seule, et chacun s'accommoda pour passer la nuit sur une escabelle, laissant l'unique fauteuil au ministre Merlin, lequel était vieil et las, personne ne songeant à dormir, encore que régnât pour lors un profond silence et dans le logis (ce qui n'était pas merveille) mais aussi dans l'immense ville en armes qui, de toutes parts, nous entourait, nous tenant enserrés dans sa nasse, les portes de la grande muraille closes et les ponts barrés par les chaînes.

Ha ! lecteur ! Ce n'était point tant la peur de mourir qui me poignait en cette funèbre veillée — et funèbre elle l'était déjà avant même que le premier huguenot fût massacré — que le désespoir de nous sentir tant haïs par le grand nombre de ces bonnes gens, lesquels étaient membres de la même nation que nous, sujets du même souverain, soumis comme nous à la même humaine condition, ébaudis des mêmes liesses, pâtissant des mêmes intempéries, mêmement effrayés des assauts de la vieillesse sur nos corps périssables, nos frères enfin, comme nous sommes les leurs à n'en point douter, et non point « ce rameau pourri de l'arbre France » qu'il fallait à force forcée retrancher, comme Jézabel disait au même instant au Louvre à son fils pour arracher à ses doutances le décret de notre mort. — Oui, dis-je et dis-je à ce jour encore, en tous points leurs frères, et non ces êtres que les prêtres papistes en leurs prêches insufférablement soustrayaient à la commune humanité, nous ravalant à l'état de « chiens », de « serpents » et de « vermine » que Dieu même commandait d'écraser.

Ainsi songeant en le silence de la nuit, l'œil à demi déclos et fixé sur la chandelle dont la jaunâtre flamme paraissait vouloir s'éteindre sans s'éteindre jamais — bien semblable en cela à la foi persécutée des miens —, je me mis à penser à Alizon et ce pensement me faisant grand mal, non que je l'aimasse autrement que d'amitié mais pour ce que les tant haineuses paroles de cette bonne garce — écho de tout un peuple — me restaient au-travers de l'âme, si bien qu'à la fin, en ce silence, en cette solitude, en cette interminable attente, mon pâtiment fut tel et si grand que, couvrant mes yeux de ma main senestre pour non point être aperçu, je pleurai.

Bien sais-je, hélas, que le zèle de la religion éclate aussi chez les nôtres en ses inhumaines et impiteuses conséquences, que le sang de la *Michelade* de Nismes crie encore contre nous et que Calvin même commanda que le grand médecin Michel Servet fût brûlé en Genève. Ha! Dieu d'amour! Quand donc finira chez ceux qui t'avouent cette chaîne et concaténation de haines qui l'une de l'autre sortent et vont justifiant les meurtreries que l'on commet en conscience au nom de ta Vérité — laquelle d'une âme à l'autre change tant et varie que l'hérétique qui meurt sur le fagot ne songe qu'à dénoncer en mourant l'hérésie de son tourmenteur?

Deux fois cette nuit-là me levant de mon escabelle, j'allai soulever la custode qui fermait le lit de l'Amiral pour ouïr son souffle, lequel était tant égal et paisible que s'il eût dormi en sa douce retraite champêtre de Châtillon-sur-Loing, et non sur un baril de poudre. Dans le fait, le pauvre ministre Merlin, lequel était pourtant bien moins vieil que lui, me parut en son sommeil infiniment plus agité et mal allant, son vent et haleine étant heurté et difficile. Miroul, à ce que je vis à la lueur de l'unique chandelle, ne dormait point mais gardait l'œil sur moi, quoique le baissant quand je l'envisageai pour ne point m'importuner par le souci qu'il se faisait de moi, ce qui bien au rebours me conforta plus que je ne saurais dire, tant il est doux de se sentir aimé dans le mitan de la détestation générale.

J'ouïs à la dixième heure le cri du guet qui faisait sa ronde. Je l'ouïs à la onzième, je l'ouïs à minuit, mais je dus m'ensommeiller après minuit, car un fort toquement à l'huis du logis me réveilla en sursaut, et me mettant sur pied, Miroul déjà dressé à mon côté, et la main à la poignée de son épée, je vis que le majordome La Bonne tâtait la table de sa main pour y chercher ses clés, sa vue n'étant pas des meilleures.

— Qu'est cela, La Bonne ? dit le ministre Merlin en se dressant sur son séant, l'air fort effaré.

— C'est Cossain qui requiert qu'on lui ouvre, dit La Bonne de sa voix douce et suave.

— N'ouvrez pas, La Bonne ! cria Merlin en se levant de son fauteuil, et les yeux par une soudaine terreur agrandis.

— Qu'est cela ? dit la voix de l'Amiral de derrière la custode que Yolet incontinent écarta pour que son maître se pût faire ouïr de ceux qui étaient là.

A ce moment, au rez-de-chaussée du logis, le heurtoir de l'huis fut derechef toqué à pogne rabattue, et la voix du maître de camp, retentissant à travers l'épais panneau de chêne, hurla :

— Ouvrez ! C'est Cossain !

— N'ouvrez pas, La Bonne ! cria Merlin, closant ses oreilles de ses deux mains tremblantes.

— La Bonne, dit alors l'Amiral, calme et composé comme à son ordinaire, ouvrez. C'est Cossain. Peut-être le Roi est-il attaqué en son Louvre. Ouvrez, La Bonne, et m'en donnez nouvelle.

La Bonne prenant un chandelier qui était là et l'allumant à la chandelle pour s'éclairer en son cheminement, je descendis sur ses talons ainsi que

Miroul, Yolet, Cornaton et Muss, tous cinq dégainant, et rejoints au bas des degrés par Fröhlich, Cadieu et les autres Suisses qui saillaient de la salle basse, pertuisane en main. La Bonne, tirant les deux gros verrous, l'un bas et l'autre haut, fut quelque temps avant de trouver la bonne clef à son trousseau tant il avait la vue mauvaise et par surcroît le chandelier lui embarrassant la main senestre. Mais encontrant enfin la clef qu'il y fallait, il la mit dans la serrure, tourna et tirant la porte à lui, se trouva œil à œil avec Cossain qui, sans dire un mot, incontinent le dagua.

— *Ach !* Traître ! cria Fröhlich en portant à l'assassinateur un terrible coup de pertuisane en la poitrine qui, sans pouvoir pénétrer la cuirasse, ébranla assez Cossain pour le faire reculer. Ce que voyant Cadieu, il referma l'huis à force forcée contre la ruée des arquebusiers du roi, et s'y arc-boutant du dos et de ses larges épaules la maintint close le temps qu'il fallut à Fröhlich et à un autre Suisse pour y porter un lourd coffre de fer. Quoi fait, Cadieu se versa à terre, à côté de La Bonne, étant atteint entre les omoplates par une arquebusade qu'on lui avait tirée à bout portant à travers le judas, tandis qu'il remparait la porte.

— *Ach !* Pauvre Cadieu ! cria Fröhlich, tandis que déjà les gardes de Cossain attaquaient l'huis clos à la cognée, les ais de chêne volant en éclats. Cornaton et Muss leur tirèrent deux arquebusades mais sans avoir le temps de recharger : déjà les gardes étaient dedans. Il y eut alors, nous sur les degrés et eux en bas, un beau chamaillis d'épées et de pertuisanes, d'autant qu'on savait à peine dans le demi-noir qui était qu'est-ce, le branle n'étant éclairé que par le falot des assaillants, la chandelle de La Bonne s'étant éteinte dans sa chute. Je vis toutefois tandis que j'estoquais çà et là, visant non les torses qui étaient

cuirassés mais les faces, lesquelles étaient par bonheur à bonne hauteur, les gardes étant en bas, je vis
que le pauvre Yolet en avait dans le ventre et s'écrou-
lait, gémissant, tout soudain vengé par Muss qui
donna de sa pertuisane dans le nez du meurtrier.

On en était là de cette escrimerie quasi à l'aveugle
quand j'ouïs qu'on nous criait d'en haut de laisser là
et de venir remparer la porte de l'étage, commandement qui ne fut pas compris par les Suisses, sauf de
Fröhlich qui nous suivit, tandis que nous grimpions
comme des chats les derniers degrés et rejetions la
porte derrière nous, la remparant aussitôt d'un
coffre et d'un bahut.

On souffla, nous entrevisageant en silence, la mort
étant si proche, et oyant un bruit derrière moi, je me
retournai et je vis l'Amiral, debout, le chandelier à la
main, vêtu d'une robe de chambre, laquelle (n'est-ce
pas merveille que je me pris à observer cela dans la
fureur de l'heure?) était en velours violet avec des
revers d'hermine. Il s'était levé pour ce que, je pense,
il voulait mourir debout et se tenait accoté au mur,
se ressentant assurément encore de sa navrure, mais
l'œil serein, la mine tranquille et sans s'émouvoir
autrement des furieux coups de hache que les gardes
donnaient dans la porte de la chambre.

— Mes enfants, dit-il enfin, vous avez combattu
assez. Prenez votre congé, je vous prie. Fuyez, s'il est
possible!

— Non ferai-je, Monsieur! dit Cornaton, sauf
votre grâce!

— Ni moi, dit Muss.

— Ni moi, dis-je.

— *Herr Gott!* dit Fröhlich en son baragouin,
Schelme à qui s'en va! De reste, j'ai brisé ma pertuisane et un Suisse meurt qui a perdu son outil!

La porte éclatée à coups de cognée s'écroulant, un
garde du roi passa la tête et voulut le coffre et le

567

bahut enjamber, mais Fröhlich, huchant comme diable en bénitier, arracha d'une main incontinent à la cheminée un lourd chenet de fer et le lui jeta à la tête dont le morion, sous le choc, fut arraché, le garde tombant comme masse.

— Fuyez, mes enfants! dit l'Amiral d'une voix forte. Je le commande ainsi, et du doigt il nous désigna la porte qui donnait sur le degré tournant de la tourelle.

L'enseigne Cornaton, rompu à l'obéissance, obéit le premier, puis Muss, puis moi et Miroul, et enfin Fröhlich qui lamentait toujours en son patois de Berne la perte de sa pertuisane et à qui je dis de s'accoiser, la porte de la tourelle nous séparant seule des gardes qui lors faisaient irruption dans la chambre par l'huis éclaté. Cependant, balançant si je devais, comme Muss et Cornaton, monter à l'étage, ou au rebours descendre, je m'arrêtai devant un fenestrou de la tourelle, lequel donnait sur la chambre de l'Amiral sans doute pour y puiser quelque lumière, et je vis par cette ouverture M. de Coligny, debout, accoté à la muraille, le chandelier à la main, lequel ne tremblait point, confrontant les assaillants le visage tranquille et assuré. Cossain était parmi les cinq ou six qui étaient là mais quoiqu'il eût l'épée à la main et eût commandé l'assaut d'ordre du roi, il ne me sembla pas qu'il voulût être l'assassinateur, pour ce qu'il laissa passer devant (lui qui pourtant était si piaffeur) une sorte de reître qui, l'épieu à la main, hurla :

— Est-ce toi l'Amiral?

— C'est moi, dit Coligny qui élevant son chandelier le plaça devant son visage.

— Ha! traître! dit l'homme en lui enfonçant son épieu dans le ventre.

Le chandelier s'échappa de la dextre de l'Amiral, lequel toutefois ne tomba point; et regardant le meurtrier, dit sur un ton d'infini déprisement :

568

— Encore si c'était un homme et non pas un goujat.

A quoi, retirant son épieu des entrailles de l'Amiral, le goujat lui porta un terrible coup d'estramaçon sur la tête, lequel le versa au sol. Je n'en voulus pas voir davantage et descendis en courant le viret, Fröhlich sur mes talons, Miroul me précédant et bien fit-il de me précéder, car ayant débarré sans noise la petite porte qui donnait sur la rue de Béthisy et la déclosant de deux pouces à peine, il vit et je vis avec lui, à une toise de nous, éclairés par un falot que tenait un valet, et une troupe nombreuse derrière eux, le bâtard d'Angoulême et le duc de Guise, lequel levant la tête vers la fenêtre de l'étage, cria avec impatience :

— Est-ce fait, Besme ?

— C'est fait, dit la voix du reître que j'avais vu à l'instant à l'œuvre.

— M. d'Angoulême, reprit le Guise, ne le croira qu'il n'ait vu le corps à ses pieds.

Lequel corps, incontinent, fut défenestré par le reître que le duc avait interpellé et qui était, comme nous le sûmes depuis, un Allemand originaire de Bohême (raison pour quoi on l'appelait Besme) et domestique de la maison du Guise. Comme la tête de Coligny était ensanglantée du coup d'estramaçon que ce Besme lui avait assené, le bâtard d'Angoulême, sans doute pour s'assurer de le bien reconnaître, se pencha et lui essuyant la face de son mouchoir, dit enfin :

— C'est bien lui.

Après quoi se redressant, et perdant de par sa native bassesse toute raison et vergogne, le bâtard osa donner du pied dans le cadavre, ce que voyant le duc, il lui mit la main sur le bras comme pour signifier que l'outrage n'atteignait point celui qui ne le pouvait plus ressentir, et redressé lui aussi, mais d'une autre sorte, portant fort haut la crête comme si ce fût là le jour de sa gloire et se tournant alors vers les gardes du roi et les gentilshommes de sa maison qui attendaient à quelques toises, pareillement armés en guerre, d'aucuns portant des torches et les yeux luisants de l'appétit du carnage, il s'écria d'une voix forte :

— Mes amis, courons partout achever une œuvre qui fut si bien commencée céans !

Oyant quoi, Miroul reclosa sans bruit la petite porte et l'ayant remparée, me dit à l'oreille :

— Moussu, il n'y a d'autre issue céans que la gueule du loup. Remontons le degré et attentons les toits.

Ce que nous fîmes, et on peut croire que nous marchâmes à patte de velours en repassant devant le fenestrou qui donnait dans la chambre de l'Amiral, mais c'était bien peine perdue, car y risquant la moitié d'un œil, je vis les gardes dans la chambre tant affairés à la pillerie des coffres qu'une horde de chevaux eût pu dévaler le viret en hennissant sans qu'ils se fussent désemparés de leur picorée.

En haut des degrés une chétive lucarne donnait sur le faîte du logis, par où Miroul se glissa comme furet, moi-même à force et Fröhlich à tant de dur labour qu'un chameau par le chas d'une aiguille. Cependant, ahanant, soufflant et serrant sur soi ses gros membres, il passa, et tous trois nous tenant de la main au toit de la tourelle d'où nous avions sailli, les pieds sur celui du logis, nous pouvions voir en bas dans la rue de Béthisy les torches et les falots jeter de sinistres lueurs sur le grouillement des hallebardes et des cuirasses.

A notre dextre, la lune étant sortie d'un nuage, nous pûmes envisager les tours de Saint-Germain l'Auxerrois et derrière elles la grande masse sombre du château du Louvre d'où était parti l'ordre de notre mort. La nuit s'éclaircissant, la pique du jour n'étant pas loin, sa clarté multipliait nos périls et, voyant bien que nous ne pouvions demeurer davantage où nous étions sans être aperçus et traqués, nous balancions sur le chemin à prendre pour nous sortir de ce prédicament, quand tout soudain, ébranlant l'air à l'entour, retentit le gros bourdon de Saint-Germain l'Auxerrois, lequel nous terrifia tant il parut nous éclater dans la tête, prolongeant ses coups sourds en une vibrante et torturante noise comme s'ils ne devaient jamais finir, repris de reste presque incontinent par toutes les cloches de toutes les églises de l'immense ville, les huis des logis à ce signal s'ouvrant, à ce que nous vîmes, dans la rue de Béthisy, dans la rue de l'Arbre Sec, dans la rue des Fossés Saint-Germain et vomissant par centaines des hordes de Parisiens armés en guerre, brandissant des piques et des épées, les torches haut levées pour mieux envisager les portes que les dizeniers avaient marquées le matin même au charbon blanc, les cloches pendant ce temps tonnant continuement à oreilles étourdies et paraissant se répondre de paroisse en paroisse comme pour appeler ensemble les chrétiens à célébrer dans la nuit cette étrange messe dont les martyrs, eux aussi, adoraient Christ.

CHAPITRE X

— Ha! Moussu, dit Miroul me tirant du transissement où m'avaient jeté les cloches, nous ne pouvons délayer sur ce toit davantage. On va nous tirer comme pigeons.

Sanguienne, il disait vrai! Il fallait agir, et agir sagement, encore qu'en tel périlleux prédicament, c'est la male heure ou la bonne heure qui tranche si folle fut votre sagesse, ou sage, votre folie.

Je vis en jetant un œil derrière moi qu'il y avait une bâtisse en appentis à la pente du toit, et que cette bâtisse avait l'apparence d'une écurie qui donnait sur une cour de derrière, laquelle à son tour donnait sur une suite de chétifs jardinets qui ne pouvaient qu'appartenir aux logis dont se voyait la façade dans la rue de Béthisy, tant est qu'en Paris, quand on passe ès rues, on ne voit que le décor urbain, lequel est doublé par-derrière d'un petit décor campagnard avec un puits, des fruitiers et toute la verdurerie dont la ménagère a besoin.

Pensant qu'on se déroberait mieux par ces petits champs et qu'on y serait, pour un temps du moins, retiré du massacre, je me dévalai le toit du logis de ce côtel, Miroul bientôt me passant et le premier s'engageant sur le toit de l'appentis d'où il sauta à terre avec sa coutumière agilité. Mais s'étant reçu sur le pavé, il me fit signe de ne point l'imiter, la chute étant trop dure, et courant sans bruit me quérir une méchante chanlatte qui s'encontrait en la cour, il la revint appuyer contre l'appentis, ce qui me fut de commodité et plus encore qu'à moi, à Fröhlich, lequel pesait tant que les derniers barreaux rompirent sous son poids, le versant à terre plus vite qu'il n'eût voulu, mais sans dol ni dommage. Ce qui fit rire Miroul, mais à voix étouffée, tant la gaîté de sa complexion était irréfrénable, même en ces extrêmes affres.

Dans cette cour pas un seul chat vaillant, nos beaux anges papistes étant, comme j'ai dit, fort occupés à la picorée au logis derrière nous, lequel était éclairé à toutes les fenêtres par des falots qui passaient et repassaient d'une fenêtre à l'autre au poing des chercheurs de pécunes, de vêtures, d'armes, de bottes, de couverts d'argent — telle étant en ce monde la récompense du Seigneur pour avoir occis l'hérétique, en attendant, dans l'autre, le Paradis sans Purgatoire. Et en cette glorieuse quête, pas un guillaume qui s'avisât, Dieu merci, de jeter un œil par une fenêtre, sans quoi il nous eût vus à la fuite, la nuit étant claire et la lune, dévoilée.

— Compagnons, dis-je, à l'aventure! Tirons vers les jardins! Mieux vaut l'arbre que l'homme!

On se jeta donc dans le premier jardinet venu, puis dans un autre, puis dans un autre encore, Miroul sautant les clôtures et palis comme un lévrier, moi-même les franchissant à force, et Fröhlich derrière moi les écrasant comme un éléphant tant est qu'enfin, je le priai de passer devant moi pour aiser mon labour. Il est vrai qu'il faisait un bruit d'enfer en arrachant tout devant soi, mais cette noise ne s'entendait miette dans l'assourdissant toquement des cloches, l'escopetterie et l'arquebusade faisant rage, par surcroît, à tous les horizons.

Mais de jardinet en jardinet on ne put qu'on ne saillît à la fin dans une rue, laquelle, comme me le dit Miroul qui connaissait cette Paris à merveille, était la rue Tirechappe.

— Moussu, dit mon gentil valet tandis que nous nous gîtions dans l'ombre d'une encoignure de porte pour aviser, nous sommes à cinquante toises à peine du logis d'Alizon. Quérons son aide !

— Nenni, dis-je, les dents serrées, cela ne se peut. Elle nous hait de mortelle haine, étant tout encapuchonnée du prêche de son curé.

— Ha, Moussu, dit Miroul, c'est une bonne garce. A bonne garce bon devant, lequel vous avez mignardé. Il reste toujours quelque amitié de ces sueurs-là. Alizon est à vous.

— Nenni, dis-je, au diable. Allons, Miroul, poursuivons !

— Où ?

— A l'aventure.

Laquelle nous tomba quasiment sus sous forme d'un malheureux qui chut à moins d'une toise de nous dans les fanges, défenestré de l'étage d'un logis que les massacreurs avaient éventré, et d'où nous ouïmes crier à la mort des voix stridentes de femmes. Je balançais si je devais leur porter secours quand je vis un homme poursuivi par une demi-douzaine de bourgeois armés de piques, lequel poursuivi leur faisant face tout soudain, mit l'épée à la main et enveloppant son bras senestre d'un manteau, le dos contre le mur d'une maison, se résolut, à ce que je vis, à bien mourir, ne pouvant guère navrer ses vils assaillants à l'avantage, étant en pourpoint et ceux-là armés en guerre, avec corselet et morion. L'un de ces lièvres cuirassés levant un falot pour mieux voir sa victime, je la vis aussi et poussai un cri, reconnaissant M. de Guerchy, lequel, à ce cri, nous jetant un œil, aperçut la livrée jaune et rouge de Fröhlich et cria :

— A moi Navarre !

Vous pouvez penser si, dégainant à cet appel, on se rua sur ces pleutres, leur taillant la croupière, les piquant au jarret, ce qui fut assez pour qu'ils s'ensauvassent en huchant « A l'arme ! A la Cause ! A Madame la Cause ! », l'un d'eux abandonnant au sol sa pertuisane ensanglantée, de quoi Fröhlich se saisit aussitôt en disant : « *Herr Gott* ! Voilà qui va bien ! » car depuis le chamaillis chez l'Amiral, il n'avait que son braquemart, et se sentait tout nu.

Le pauvre Guerchy chancelant, Miroul et moi le soutînmes, mais le sang lui coulait de toutes les parties du corps et surtout d'une fort vilaine navrure qu'il avait au poitrail. Comme je lui disais que j'allais l'examiner et panser, il dit d'une voix fort atténuée :

— Siorac, tu perdrais ta peine. J'en ai et je tire à ma fin. Mais si toi, tu t'ensauves, conte, je te prie, la façon de ma fin, laquelle fut digne de ma vie.

— Je le ferai, dis-je.

— Et donne-toi garde de ces marauds. Ils portent un chiffon blanc au bras et une croisette au chapeau pour se mieux reconnaître.

Sur quoi, le fiel lui tomba dessus le cœur et ouvrant grande la bouche en un dernier attentement pour retenir le vent et haleine qui de lui s'en allaient, le beau Guerchy expira, étant mort en honneur, comme il avait dit, la face ferme et l'épée à la main.

— Ha ! Moussu, ne demeurons point ! dit Miroul tandis que nous tirions à l'ombre de la lune sous l'encorbellement d'un logis, bien marris que même à l'ombre, la nuit fût tant claire et brillante. Ces couards, reprit-il, s'en peuvent revenir. Prenons du large !

— Mais, dis-je, pas avant que Fröhlich ne retire sa livrée jaune et rouge, laquelle nous trahira partout comme étant huguenots, et à la fuite.

— *Ach ! Mein Herr !* dit Fröhlich, la voix serrée par

le nœud de sa gorge, un Suisse de Navarre quitter sa livrée! *Schelme! Schelme!* (Ce qui, je gage, voulait dire : honte! en son patois.)

— Il le faut, Fröhlich, dis-je roidement assez. Il y va de notre sûreté à tous trois.

— *Ach!* dit Fröhlich, quitter ma livrée de Navarre, c'est rompre mon serment de Suisse!

— Tu le rompras, Fröhlich, dis-je ou, sanguienne, tu nous quittes!

— *Was!* cria Fröhlich, les larmes lui coulant sur sa face, large et rouge comme un jambon, vous quitter? Où irais-je sans vous, mon gentilhomme? Que ferais-je? Qui me commandera?

— Moi, dis-je, de présent. Et mon commandement, Fröhlich, est que tu te dérobes sur l'heure, et laisses ta livrée céans.

Ce qu'il fit enfin, les pleurs lui chaffourrant la face, et de gros soupirs soulevant son énorme poitrine, et non sans plier sa livrée de façon fort proprette et la poser avec soin sur le rebord d'une fenêtre, comme s'il eût pensé revenir la quérir après le massacre. Après quoi, il receignit son braquemart sur sa chemise et se ressaisit de la pertuisane, ce qui parut le conforter un petit. Pour moi, tout échauffé de mon combat avec ces méchants gueux, je me sentais si sueux que je déboutonnai mon pourpoint et ma chemise et comme on verra, bien m'en prit.

— Çà! dis-je. Compagnons, tirons vers la rivière de Seine! Peut-être la pourra-t-on passer malgré les chaînes!

Mais nous n'avions pas fait vingt toises l'épée à la main que nous vîmes se ruer à notre encontre une forte bande de massacreurs qui à notre vue, hurlant « A la Cause! » fit mine de nous envelopper, manœuvre que nous déjouâmes en nous mettant le dos au mur, nos dards ensanglantés devant nous, la vue desquels rompit leur bel élan.

— Compères! criai-je d'une voix forte, mais affectant de jaser dans le parler précipiteux de Paris, car bien je voyais qu'il me fallait user à bon escient du plat de la langue en ce péril, qu'est cela? Nous prenez-vous pour des chiens d'hérétiques?

— Assurément! dit un grand et gros homme à qui les autres donnaient du « capitaine », et qui devait être un quartenier ou dizenier; de son état, je gage, maître artisan, et de par sa volonté propre, maître-assassin et picoreur, mais, à ce que je cuidais, aimant plus la pillerie que les coups. Assurément, maraud! cria-t-il d'une voix terrible et brandissant une pistole en sourcillant. Tu es de cette vermine-là et nous t'allons écraser sans tant languir!

— Benoîte Vierge! criai-je alors, et me saisissant de la médaille de Marie qui me pendait au col, je la portai à mes lèvres, protège-moi, benoîte Vierge, de cette male erreur! Je suis bon catholique, mon compère, et zélé, assidu au prêche du bon curé Maillard, et je peux aller récitant l'*Ave Maria* d'affilée, en avant comme tout un chacun, mais aussi à rebours, comme on dit que fait Sa Sainteté le Pape!

— A rebours! dit l'un de ces coquefredouilles qui en resta béant.

— Porte-falot, dit le quartenier roidement, va voir ce qu'il en est de cette médaille-là!

— C'est bien la benoîte Vierge, dit le porte-falot sans s'aventurer trop avant, mon épée étant basse et ma dague haute. La médaille, Capitaine, est en or.

— En or? dit le capitaine d'un air friand en levant sa pistole, mouvement qui fit que Miroul à ma senestre, se lovant comme serpent, glissa sa dextre vers sa chausse pour y prendre un cotel.

— En bronze, mon compère! dis-je vivement. Je ne suis point garni assez pour m'offrir de l'or!

— M'est avis, dit un de ces bravaches en se donnant des airs, que c'est là un gentillâtre de Genève qui nous en donne à garder avec ses menteries! C'est tout noble que cela! Voyez son pourpoint et ses perles!

— Gentilhomme! dis-je en riant (quoique d'un seul côté de la face, sachant combien les bourgeois de Paris tenaient les gens de qualité en très petite amour), compère, vous m'anoblissez! Je suis d'honnête roture, tout comme vous, étant apothicaire en Montfort-l'Amaury, et ce pourpoint est de ma picorée, et bien chétive, ces pierres n'étant que verroteries de Lyon, et rien de plus.

— Maraud! dit le capitaine, si tu es des nôtres, d'où vient que tu ne portes pas le brasseau blanc?

— Ma logeuse me l'a cousu si mal qu'il s'a, au premier branle, décousu.

— Et ceux-là?

— Ceux-là sont mes commis, dis-je prenant la traverse pour les amuser. L'un (désignant Fröhlich que je voulais s'accoisant pour ce qu'à son accent allemand on eût jugé tout de gob qu'il était de la réforme) est muet comme carpe. L'autre a l'œil vairon.

— C'est vrai qu'il a l'œil vairon! dit le porte-falot d'une voix fort étonnée.

Et tant badauds et crédules sont ces Parisiens qui cuident tout savoir, que l'œil vairon de Miroul les laissa tout béants, comme si ce fût là un miracle de la benoîte Vierge, en Paris tout à plein déconnu!

— De surcroît, dis-je, il lance le cotel comme pas un fils de bonne mère en France. Plaise à vous, Capitaine, de vous retirer quelque peu et vous le verrez faire mouche au mitan de cet anneau de heurtoir que vous voyez sur l'huis que voilà.

— Porte-falot! éclaire l'huis! cria Miroul, et à peine le quartenier eut-il d'un pas reculé que mon gentil Miroul lança le cotel, et si bien qu'il le ficha tout vibrant dans l'ais de l'huis et au cœur de l'anneau, le quartenier fort décomposé, à ce qui me sembla, d'avoir senti le vent de la lame siffler si près de sa trogne, pour ce qu'il n'était point de présent si assuré de l'avantage que lui donnait sur nous la pistole et d'autant que mon Miroul, prestement se baissant, saisit son second cotel dans son autre chausse.

— Il suffit, mon compère, dit le quartenier s'adoucissant prou, tu m'as persuadé. J'ai toute fiance de présent en ton zèle à faire œuvre pie en cette fête de la Saint-Barthélemy si bien chômée. Mais, crois-en mon conseil, fais-toi coudre tout de gob un brasseau. Qui connaîtrait un chat gris la nuit ? Compagnons, poursuivit-il, laissons là, c'est chétive affaire. Nous aurons mieux sans tant de peine.

Et il laissa là, en effet, peut-être convaincu, peut-être n'ayant guère friandise à hasarder sa tendre peau sous sa dure cuirasse pour le maigre profit de perles de verroterie et d'une médaille ; laquelle, bien qu'il la crût de bronze, bien davantage valait pour moi que son poids d'or, puisque je la tenais de ma défunte mère et qu'elle venait de me sauver la vie après avoir manqué de me la perdre lors de la *Michelade* de Nismes, cinq ans plus tôt. N'est-ce pas pourtant une tant grave chose que l'existence d'un être que ses frères ne la devraient jouer à pile ou face sur une image ? Ha ! Seigneur ! L'étrange pouvoir qu'usurpe à la fin sur l'homme l'idole qu'il a de ses mains façonnée !

— Moussu, me dit Miroul, tandis que le dos au mur et tapi dans une encoignure nous regardions ces vaillants courir vers d'autres exploits — les cloches maintenant tues, mais de toutes parts retentissant l'escopetterie, les coups sourds des madriers et des haches contre les huis défoncés, les courses haletantes sur le pavé, les huchements de mort des assassins rués à la curée, les cris de terreur des martyrs surpris en leur logis, s'ensauvant en chemise, repris, impiteusement égorgés, dévêtus, mutilés, traînés par les fanges des rues.

— Moussu, me dit Miroul, vous avez à merveille joué du plat de la langue, mais m'est avis que votre médaille ne nous sauvera pas deux fois. Il nous faut à force forcée arborer à l'épaule le torchon blanc de ces marauds, et la seule de présent qui nous le peut fournir et coudre, c'est Alizon. Hors Alizon, point de salut.

— *Ach!* Mon gentilhomme! dit Fröhlich, si tant est que vous ne me voulez plus muet, peux-je parler de présent?

— Parle, Fröhlich.

— C'est grand *Schelme*, à mon opinion, que de porter le brasseau blanc de ces massacreurs!

— Ha! Fröhlich! dis-je, bien le rebours! C'est légitime stratagème que de loucher avec les bigleux, quand il y va de la vie. Miroul, à la parfin, je te donne raison. Allons voir si le prêche de son curé n'a pas corrompu jusqu'au noyau le bon cœur d'Alizon.

Mais au logis d'Alizon la porte était close et remparée, et encore que j'osasse toquer le heurtoir, pas une face ne se montra aux fenêtres.

— Voyez pourtant, Moussu, dit Miroul, le fenestrou d'Alizon à l'étage est ouvert et d'une chandelle éclairé. La pauvrette veille par cette nuit atroce. Plaise à vous, Moussu, de me laisser grimper jusqu'à sa chambrifime par la façade pour tâter son humeur.

— *Was!* Gentil petit compagnon, dit Fröhlich, es-tu mouche pour marcher le long d'un mur?

— Il a fait mieux, dis-je. Penche-toi et baille-lui ton large dos, Fröhlich, pour qu'il passe l'encorbellement, et à peine te seras-tu redressé qu'il sera jà en poste.

Ce que Miroul fit avec son inouïe prestesse, et non point seulement agile, mais en son agilité tant gracieux qu'un chat, et comme un chat, sans paraître se hâter du tout, mais sûr de patte et de détente, tandis que je l'envisageais, éclairé qu'il était à plein par la lune, et moi dans l'ombre, le cœur me battant du succès de son ambassade. Mais bien à tort, pour ce que deux minutes à peine coulèrent avant que l'huis de la rue, déverrouillé et déclos, s'ouvrît, et mon Alizon me tomba dans les bras avec de grands soupirs et des milliasses de poutounes sur la face et le col.

— Qu'est celui-là? souffla-t-elle en voyant derrière moi cette montagne d'homme.

— Un bon Suisse de Berne.

— Que Dieu le garde! dit-elle à voix basse. (Mais lequel? pensai-je, lequel? Celui des massacreurs ou celui des assassinés?) Montons, poursuivit-elle, à ma chambrette, mais sans dire mot et sans noise aucune. Le logis est vide de ses hommes, mais non de femmes dont je ne sais si elles sommeillent toutes, l'arquebusade étant si proche. Suisse, dit-elle en se retournant, le degré craque : fais-toi léger.

Ce qui ne fut point assurément facile, mais la chambrette atteinte enfin, la porte close, et Fröhlich, bouche cousue, posant sa grosse masse sur une chétive escabelle, Miroul et moi assis sur le lit, je dis à voix étouffée à Alizon ce que j'attendais d'elle.

— Ce ne sont pas brasseaux, dit-elle acquiesçant sans même balancer, mais manches de chemise de prime coupées et cousues à l'épaule du pourpoint. J'ai le fil et l'aiguille, mon Pierre, mais non les manches, d'autant qu'il en faut trois.

— Quatre, dit Miroul à voix étouffée, pour ce que le maestro Giacomi nous attend sur la place de Grève.

Mots qui me poignèrent à vergogne, pour ce que je m'étais oublié, en mes angoisses, de ce rendez-vous-là.

— Voici ma chemise, dis-je, me dérobant de mon pourpoint. Taille, Alizon. Une chemise sans manches, c'est assez pour moi dans la touffeur de l'heure.

— Voici la mienne, dit Miroul. A deux manches, la chemise. Le compte y est.

Sans mot piper, mon Alizon se mit au labour à la chandelle, cisaillant, cousant et par moi commençant, vive et le doigt léger, mais la larme au bord du cil, petite mouche d'enfer, laquelle, à dire vrai, n'était point tant d'enfer que de paradis, j'en eusse d'avance gagé mon âme, et vaillante de surcroît, pour ce qu'elle hasardait sa vie à cette aide et secours, et celle de son petit Henriot, si mignardement ensommeillé en sa bercelonnette, le poing fermé sous sa suave joue.

J'eusse bien pris le joli enfantelet dans mes bras tant m'eût conforté contre ma poitrine sa tiède et tendre chair, à qui toute cruauté était de présent déconnue, n'étant pas homme encore, mais tant proche du ciel. Point ne le fis pourtant. Sans compter que je craignis de l'éveiller de ses songes étoilés, je me sentais trop sueux et sanglant après mes deux combats pour oser même le toucher du doigt. Ha! lecteur! Je me ramentevrai, jusqu'à la délitescence de mon humaine forme, ce long silence à la chandelle dans la chambrette d'Alizon (car de peur de donner l'alarme aux voisines nous n'osions ni branler un orteil, ni ouvrir le bec et à peine respirer), Alizon cousant, accoisée, l'œil humide et le souffle court et le petit Henriot tant souriant aux anges en son berceau que s'il eût folâtré dans le jardin d'Eden.

Aucun de nous n'ayant de chapeau pour y mettre les croisettes, il fallut se contenter des brasseaux de ces misérables, Miroul glissant dans son pourpoint celui de Giacomi avec les épingles pour le lui attacher à l'épaule si la fortune voulait qu'on le rencontrât sur la place de Grève. On descendit, ou pour mieux dire, on se glissa au bas des degrés plus silencieux que belettes dans les herbes, et Alizon ayant déverrouillé l'huis, elle osa, se jetant dans mes bras, me parler à l'oreille, pour ce que le vacarme et l'arquebusade et les cris dans la rue Tirechappe couvraient sa voix.

— Ha! Mon Pierre! dit-elle me mouillant le cou de ses amères larmes, c'est l'enfer déchaîné! Dans ce logis que tu vois là éventré, toutes les verrières détruites et les meubles hors, j'ai vu, de ma fenêtre, une famille entière égorgée. Père, mère, chambrière (enfant dont l'un de l'âge de mon petit Henriot), tout a passé sous le couteau de ces impiteux, les corps dénudés, traînés par des cordes dans les fanges jusqu'à la rivière de Seine, gémissant encore et la picorée entassée sur un char. Ha! mon Pierre! Entre dire qu'on le doit faire comme, hélas, j'ai dit, et le faire, ou le voir, quel abîme! Peux-je cuider que la benoîte Vierge, qui est tant douce et bonne, commande tant de sang?

A cela je ne répondis miette, ayant le cœur trop lourd et la poutounant prou, je l'épousai de tout le corps comme si j'eusse voulu que le sien avec le mien ne fît qu'un. Ma voix enfin retrouvant, je lui dis à voix basse un grand merci et la promesse de la revenir visiter si je réchappais à cette émotion. Et elle me tenant, ses faibles bras autour de mon col me serrant avec une force étrange, à peu qu'elle ne me voulût retenir contre son tétin comme son enfantelet, craignant le couteau pour moi, tant cette bonne garce avait l'entraille piteuse et maternelle pour son amant aussi. Mais par la parfin, il fallut d'elle de force forcée départir, quoique l'œil tant aveuglé de larmes que c'est à peine si je voyais, en cheminant, le monde méchant des hommes.

Par bonheur, mon Miroul me guidait par un

dédale de petites rues boueuses jusqu'à l'Hôtel de Ville et la place de Grève où il fallut bien enfin déboucher, le peuple là étant immense, portant torches et falots et fort ébaubi du spectacle que lui donnait le pilori, sorte de cage de bois octogone peinte en rouge sang, laquelle tournait en un grincement sinistre sur un pivot, exposant à la ronde en son long tournoiement les malheureux qui y étaient serrés, la tête passée et prise par un trou dans le bois et exposée aux injures des harengères, aux boues et aux immondices de tous, aux pierres des galapians. Un quidam à qui j'osais quérir quels étaient les suppôts de Satan qui tournaient là, honnis, moqués et navrés par tout un chacun, me dit en riant qu'il s'agissait de trois ministres de la religion dont on venait de s'emparer et dont on allait s'amuser un petit avant que de les daguer et les jeter en la rivière de Seine.

Le cœur me serra de pitié et d'horreur à observer la lente révolution de cette cage rouge — beau témoignage de l'ingéniosité de l'homme quand il s'agit de tourmenter son frère — et envisageant les martyrs avec une attention extrême, je redoutais de reconnaître M. Merlin parmi eux, mais eût-il été du nombre que je n'eusse pu le distinguer des autres tant leurs pauvres faces tuméfiées étaient couvertes de sang et de boue, et les yeux au surplus déjà plus qu'à demi crevés par la lapidation.

— Ha! dit le gautier sottardement rieur à qui j'avais parlé, la sale et orde mine que font ces chiens d'hérétiques! Et comme on voit bien à envisager leurs laides grimaces qu'ils sont gibiers d'Enfer!

Je lui montrai mon dos, Miroul à ma senestre et Fröhlich derrière moi, l'épée non pas rengainée mais dans le creux du bras, pour en avoir vitement l'usance sans toutefois la tenir à la main, ce qui eût mis peut-être puce à poitrail au peuple qui était là, lequel était fort enflammé et vociférant, plus d'un de ces marauds ayant du sang jusqu'aux coudes et la face comme enivrée de l'homme qui a trouvé friandise à tuer son semblable.

Je contournai la place au ras des logis et sous l'encorbellement des maisons pour ce que je cuidai que Giacomi, s'il était là, s'y encontrerait plus volontiers qu'en pleine lune et pleine torche. Je fis tout ce chemin sans subir d'autre traverse que du fait d'un truand qui me faillit trancher l'escarcelle et à qui Miroul faillit trancher les doigts, cotel contre cotel, et celui de mon gentil valet tant prompt et expéditif que le coupe-bourse se faufila en foule comme reptile en buisson : à croire que j'avais rêvé. Mais la merci Dieu, je ne rêvais point lorsque Giacomi, surgissant d'une encoignure de porte, me prit dans ses longs bras et me bailla cent baisers que je ne fus pas chiche à rendre, le cœur me toquant fort de son émerveillable fidélité à la male heure de notre mort, tout étranger qu'il fût à nos discordes civiles — italien et de surcroît papiste.

— Ha ! Monsieur mon frère ! dit-il avec son charmant zézayement et en cet élégant langage qui ne le quittait point, même dans les dents du plus mortel péril. J'ai accouru céans dès le premier toquement de cloches, et je vous ai tant espéré que j'en désespérais.

— Mon Giacomi, dis-je *sotto voce*, je te ferai mes contes plus tard. Mets-toi dans le creux de cet huis que Miroul t'épingle à l'épaule le chiffon blanc de ces massacreurs. Quoi fait, nous tâcherons de franchir deux fois la rivière de Seine et de saillir des murs.

Il n'y avait point à quérir où se trouvait la rivière, tant le peuple s'y portait de toutes parts, disant à toutes voix que le plus beau du spectacle était là, pour ce qu'on y noyait, morts ou vifs, les huguenots qu'on avait pris, d'aucuns traînés nus dans les fanges, comme j'ai dit, par des cordes passées sous les aisselles, d'autres menés là sous escorte, battus, assommés, dévêtus, jetés en l'eau.

De la place de Grève à la partie de la rive de Seine qu'on nomme le Port-au-Foin (en raison d'un méchant quai où accostent les bateaux qui amènent leur provende aux cent mille chevaux de la capitale) la pente est quasi insensible mais le sol gluant, le pavé y laissant place à la terre, laquelle était maculée de sang tant on y tirait de gens par les cordes, ce trimardement étant tenu par les assassinateurs à grand déshonneur pour les pauvres morts, pour ce que l'us en Paris est de traîner le supplicié sur une claie de la prison au bûcher — l'eau ici remplaçant le feu — et à grand opprobre aussi, ces malheureux étant noyés comme on noie les chiots. Et comme d'aucuns des nôtres qui n'étaient que navrés, ou qu'on avait jetés à l'eau sans même les daguer et les dévêtir, tant on était précipiteux en la besogne, nageaient ou gémissaient en appelant à l'aide, d'aucuns de ces impiteux, désenchaînant les bateaux qui étaient à quai, se laissaient aller au courant et s'ébaudissaient à assommer à coups d'aviron tout ce qui bougeait encore.

Il n'était point aisé d'approcher du quai au Foin tant la presse était grande d'hommes et de garces, lesquelles, je le dis à vergogne, huchaient et huaient comme furies en Enfer. Tous les sens glacés, encore que la sueur nous coulât par tout le corps, la touffeur de cette nuit d'août étant insufférable, nous n'avions guère appétit, pour dire le vrai, à voir de trop près cette sanglante fête, l'oreille au surplus étourdie par les aboiements et sifflements inouïs de cette populace dont on ne savait, à l'ouïr, si elle était loup ou serpent. Nous tirâmes donc en aval de la rivière dans l'espoir de passer un des deux ponts restants, le pont Notre-Dame se trouvant clos pour les travaux qu'on y faisait. Le quai de Port-au-Foin étant à partir de là discontinué, et laissant place à une rive herbue, nous fûmes à plus de liberté, y ayant moins de monde, de cheminer sans tant d'encombrement et approchant du bord, là où la rivière qui était fort courante en son milieu s'accalmait, nous vîmes de très près un grand nombre de corps dénudés, et sous la lune livides, que l'eau fluante balançait et virait sans bruit dans les grandes herbes des berges, lesquelles, en les enlaçant, les avaient retenus.

Ha ! lecteur ! Si horrible que fût cette vue, nous vîmes pis à quelques toises, car se trouvant là un grand attroupement de gens vociférants, nous y fûmes, et poussés par je ne sais quelle inquiète curiosité, je dis à Fröhlich de m'ouvrir un chemin, ce qu'il fit rien qu'en avançant tout droit à son pas coutumier, fendant cette foule aussi aisément que cotel divisant une motte de beurre, moi à sa suite comme barquette remorquée par un chaland, Giacomi et Miroul dans mon sillage. Et là je vis un large demi-cercle maintenu ouvert par des gardes du roi, lesquels refoulaient la commune de leurs hallebardes à l'horizontale, tandis que trois des leurs retiraient de l'eau un cadavre lequel, à ce que je vis, quand enfin ils le ramenèrent à terre, était nu, décapité, et mutilé de ses *pudenda*.

Le garde qui me confrontait ayant beaucoup de mal à contenir nos marauds criards du manche de son arme, lequel pourtant il tenait à deux solides poignes devant lui, je dis à Fröhlich de lui donner du large, ce qu'acheva ce grand ribaud des montagnes, rien qu'en bandant à l'arrière son large dos, les pygmées derrière lui tombant cul par-dessus tête et l'un sur l'autre comme dominos. A quoi le garde, fort soulagé et conforté, rit à gueule bec, et me merciant, dit à Fröhlich :

— M'est avis, compagnon, que j'ai déjà vu ta face et carrure au Louvre !

— Garde, dis-je promptement, mon valet ne peut te répondre, étant muet. Mais toi qui n'es pas muet, peut-être peux-tu me dire quel est ce corps que vous avez tiré de l'eau à tant de peine ?

— C'est ce brigand de Coligny ! dit le garde, et à ce nom, la populace se mit à hurler et à siffler comme tous les diables de l'enfer.

— Ha ! dis-je, le nœud de la gorge me serrant, mais tâchant de faire bonne figure, et qui commanda de le décapiter ?

— Le Guise, pour dépêcher sa tête au Pape.

— Et qui le mutila ?

— Ce sot peuple que vous voyez là. Lequel aussi le traîna à terre pour le jeter en Seine.

— Et pourquoi l'en tirer ? dis-je en levant le sourcil.

— D'ordre du Roi. Pour le pendre à Montfaucon.

— Garde, comment le pendre sans tête ?

— Par les pieds.

— Mais quant à nous, nous le brûlerons alors par en dessous ! hucha à grand-gorge un guillaume qui à sa bure me parut être une sorte de moine mendiant, mais de basse et sanglante mine. Ainsi, poursuivit-il, sa voix stridente couvrant la vacarme, nous aurons occis ce démon par les quatre éléments de Dieu : la terre sur quoi on le traîna, l'eau où il fut jeté, l'air où il ira se balançant, et le feu pour le rôtir.

Paroles qui, tant sottes, badaudes et barbares qu'elles fussent, ne laissèrent pas d'être acclamées et reprises de bouche en bouche par la multitude, hormis par le garde qui dit à voix basse en haussant une épaule :

— Qui est mort est mort. Peu importe la guise et le comment.

J'en avais ouï assez quant à moi, et nous nous tirâmes incontinent de cette féroce foule pour gagner le Grand Châtelet dans l'espérance de passer le pont aux Changes et atteindre la Cité, et de là, le pont Saint-Michel afin que prendre pied à l'Université et de franchir à la parfin, s'il se pouvait, le pont-levis d'une des portes et nous mettre en sûreté hors des murs. Ha! lecteur! Deux ponts! Et une porte! Et gardés tous les trois par le guet bourgeois ou les archers du Louvre! Et tout à l'entour ces hordes d'assassinateurs, par l'un desquels je pouvais être à tout instant reconnu! Que d'inouïes traverses pour sortir de la mortelle nasse où nous étions avec les nôtres serrés, sans logis amical où nous soustraire à la curée, sans personne ès rues à qui nous confier, car à voir les lèvres d'un quidam montrer les dents, on ne peut dire en tel cruel pourchas s'il mord ou s'il rit.

Pour gagner le pont aux Changes nous cheminions par le quai de la Mégisserie, lequel on appelle en Paris la Vallée de Misère, pour la raison que la Seine l'inonde à chaque crue, mais qui pour lors méritait encore mieux son nom par les centaines de morts et de mourants qu'on voyait sous la lune et l'aube blanchissante fluer au fil de l'eau, les torches sur les deux rives allant cy allant là, le cri des égorgés répondant au grondement des égorgeurs et l'escopetterie de toutes parts furieusement répondant, mêlée aux coups sourds des huis enfoncés, et à quelque cloche qui, tout soudain, se remettait à toquer en telle dizaine ou quartier comme pour réveiller, s'il en avait été besoin, l'appétit à tuer de ses ouailles.

Cependant, nous ne tirâmes pas plus avant, ayant vu à l'entrée du pont les chaînes mises, et derrière les chaînes, une demi-enseigne pour le moins des gardes du roi, laquelle était hérissée de hallebardes et d'arquebuses,

— Monsieur mon frère, dit Giacomi à voix étouffée en me prenant le bras, j'opine que ce serait folie d'attenter de présent le franchissement du pont. Les gardes nous vont quérir une cédule de passe que nous ne pourrons montrer.

— Sans compter, dit Miroul, que notre Suisse, qui n'est point certes aiguille en foin, peut être reconnu pour être de Navarre par un des gardes qui l'aura vu, lui aussi, au Louvre. Et en cette aube-ci, qui dit Navarre dit mort, et nous trois avec lui.

— Pour moi, dit Fröhlich, encore que je ne redoute pas de passer de vie en trépas, je n'aurais pas friandise à franchir le guet sans ma livrée.

A quoi je vis bien que Giacomi, détournant la tête, sourit, et Miroul mêmement, tant la gaîté de ces vaillants était irrépressible.

— Mes frères, dis-je (et j'observai, encore que l'heure me poignât fort, que Miroul rougit de bonheur à être appelé ainsi), je vous donne raison à tous deux. Par surcroît, c'est déjà la pique du jour, lequel jour va multiplier nos périls. Le mieux serait de se gîter en quelque lieu en attendant que la nuit à nouveau nous couvre.

— Mais où ? dit Miroul.

— *Mein Herr*, dit Fröhlich, j'ai porté deux fois missive de mon roi (désignant par là le roi de Navarre, le roi de France lui étant étranger) à M. de Taverny, qui est lieutenant de robe courte de la Prévôté.

— Je ne sais si le gîte est bon, dis-je, Taverny étant huguenot.

— S'il ne l'était, il ne nous ouvrirait, dit Miroul, et toujours est-il, si son logis n'est déjà défoncé, que le lieutenant nous donnera bien quelque morceau à gloutir. Ha ! Moussu ! Votre pardon ! Mais j'ai l'épigastre dans le talon, et un appétit à dévorer la coquille avec l'huître, les trois pâtés de chair d'hier n'étant plus que remembrance.

— *Ach*, compagnon ! dit Fröhlich, ne me mets pas eau en bouche à parler de pâtés !

Et lecteur, n'est-ce pas merveille que dans le mitan de ces inouïs périls, nous étions tous quatre tant friands de viandes que horde de loups dans la neige, à telle enseigne que c'est, à la fin des fins, le pensement de nous désaffamer qui nous fit quérir pour asile le logis d'un huguenot, alors même qu'il était bien manifeste que nous ne pouvions, ce faisant, que tomber de poêle en braise.

— Fröhlich, sauras-tu nous conduire chez M. de Taverny ?

— Oui-da ! C'est passé la rue Leuffroy, au logis dit la Tête Noire.

Laissant là le pont aux Changes et nos espérances, on rebroussa donc chemin, tirant derechef vers la ville, bien marris de ces tours et détours en notre tournoyante fuite.

Passé la rue Leuffroy, Fröhlich nous fit prendre par une brenneuse et fangeuse traverse, laquelle, si elle nous crotta, avait du moins le mérite d'être fort peu passante, car nous ne vîmes qu'un quidam cheminant au rebours de nous et qui m'attira l'œil, pour ce qu'il portait dans ses bras un enfantelet tout nu, lequel riait aux anges et jouait de ses doigts potelés, avec la barbe du guillaume, laquelle était noire, abondante et bouclée.

— Compagnon, dis-je en m'arrêtant, tout atendrézi de ce gracieux spectacle, cet enfantelet semble se plaire à toi.

— Mais non moi à lui, dit l'homme d'une voix rude et m'envisageant d'un œil noir, fixe et brillant, c'est un chiot d'hérétique. Et je cours de présent à la Seine pour le daguer et le noyer.

— Quoi ? dis-je. L'occire ? Tant jeune qu'il ne sait ni parler ni ouïr ? Qu'entend-il à la religion ?

— C'est graine d'hérétique, dit l'homme en sourcillant. Monsieur, dit-il en tournant la face vers la rue Leuffroy où se voyaient courir des bandes de massacreurs, me laisserez-vous passage, ou dois-je appeler « à l'arme et à la Cause » ?

— Compagnon, dis-je, tu erres. Nous sommes bons catholiques. Et je n'ai friandise à cet enfantelet que pour le confier à une mienne parente qui l'élèvera dans la vraie religion.

— Cela ne se peut, dit l'homme impliablement, alors même que l'enfant, riant et gazouillant, lui mignardait sa barbe de ses petits doigts suaves. Comme j'ai dit déjà, reprit-il, l'œil luisant, je m'en vais le daguer et noyer. Et par la Mort Dieu, j'y ai tant friandise que la main m'en démange jà.

— Compagnon, dis-je, je te l'achète à ton prix.

— Ha ! dit le gautier, envisageant tour à tour l'enfantelet et mon escarcelle, comme s'il balançait entre deux plaisirs d'égale qualité.

— Dix écus, dis-je.

— Tope, dit le barbu quidam, mais fort à contre-cœur, à ce qui me sembla.

Je lui comptai les écus qu'il mit un à un dans son escarcelle. Cependant fort étrangement, au moment que de me tendre l'enfantelet, il fit, de senestre à dextre, un tour complet sur lui-même, me tournant tout à plein le dos pour venir enfin face à moi et me jeter quasiment sa tendre proie dans les bras. Après quoi, il s'ensauva à toutes jambes.

— Moussu ! cria Miroul, il l'a dagué ! C'est la raison de son détour ! Voyez le sang qui jaillit de son petit cœur !

— Cotel, Miroul ! criai-je, ivre de rage.

Mais déjà Miroul avait saisi son arme dans sa chausse, et courant comme un lévrier au pourchas du quidam, la lui lança, le cotel se fichant en vibrant dans son dos entre ses omoplates, étalant le maraud la face dans la fange laquelle, à tout prendre, valait encore mieux que lui.

Une bande nous venant à l'encontre, je criai,

voyant Miroul s'attardant, penché qu'il était sur le corps :

— Miroul! Ne délaye pas! Que donc fais-tu?

— Je reprends vos écus, Moussu.

— Prends l'escarcelle. Ce sera plus prompt!

Ce que Miroul fit et nous revint avant que la bande nous rejoignît, laquelle nous voyant l'enfantelet dans les bras, tout sanglant et me cuidant l'assassinateur de ce chiot d'hérétique, nous fit au passage quelques petites gausseries, de compère à compère, d'aucuns me louant de cet exploit, et d'autres me plaignant de n'en pas tirer picorée.

— Mon frère, qu'en ferez-vous? dit Giacomi me voyant dans les pleurs, l'enfantelet dans les bras, et mon pourpoint gâté par le sang.

— L'enterrer dans ce jardinet que voilà pour non pas que les chiens le dévorent, pensement qui me fait mal. Fröhlich, je te prie, brise-moi cette clôture!

Ce que fit Fröhlich en un tournemain, et creusa l'humus ensuite de sa pertuisane pour y enfouir le petit mort, le recouvrant de terre et d'une grosse pierre de surcroît pour qu'il ne fût pas défoui. De tout ce temps, le logis derrière quoi nous étions à ce triste labour resta les paupières closes, ses manants courant encore les rues aux besognes que l'on a vues ou peut-être dormant comme plomb pour la fatigue d'avoir tant tué.

Nous arrivâmes trop tard au logis de la Tête Noire, lequel était jà éventré, le toit à demi brûlé, les meubles hors, et dedans sur le degré, le corps de Taverny gisant, l'épée à peine échappée de la main, et trois ou quatre marauds épars sans vie à l'alentour, preuve que le Lieutenant de robe courte s'était comme un vaillant défendu.

Dans la salle basse, nous surprîmes une dizaine de pilleurs à leur bel ouvrage, lesquels étaient, à ce que je cuide, des crocheteurs, gagne-deniers et mazeliers du proche quartier de l'Ecorcherie. Ces vaunéants, voyant que nous n'étions que quatre, et croyant que nous avions appétit à leur disputer leur picorée, nous voulurent assaillir à l'avantage, ce dont ces fols qui n'avaient ni corselet ni morion n'eurent même pas le temps de se repentir, Giacomi, d'entrée de jeu en étendant trois sur le carreau de sa bonne épée, Fröhlich faisant tel carnage de sa pertuisane que derechef il en brisa le manche, et moi et Miroul dépêchant le reste à la chaude, hormis un seul qui eut l'esprit de s'ensauver.

— Ha! Fröhlich! dis-je, te voilà derechef sans pertuisane!

— Mon gentilhomme, voilà qui me suffit! dit le bon Suisse, ramassant à terre un marelin, lequel est une grosse masse en fer qu'un de ces mazeliers avait abandonnée, et qui leur sert à l'accoutumée, à assommer les bœufs. Et balançant comme plume le pesant outil au bout de son bras musculeux, Fröhlich en fit tout de gob des moulinets qui ne laissèrent pas de nous ébahir.

On trouva en la cuisine du pain et du fromage que ces picoreurs avaient dédaignés (cherchant denrées moins périssables) et après que j'eus divisé par quatre ce maigre butin, nous le happâmes et gloutîmes comme chiens dévorants, sans prendre souffle ni mot piper. Sur quoi, Miroul furetant comme fouine en poulailler, encontra un flacon de vin que c'était bien miracle qu'il eût échappé au nez des pilleurs. Et de ce miracle-là nous fîmes prompte justice à la régalade, étant tout desséchés par notre longue course en cette chaude nuit.

Cependant, Giacomi jetant un œil par les verrières crevées, le jour étant pour lors levé et clair, vit que notre fuyard s'en revenait avec des manants de sa farine, au nombre de quarante au moins, tous hérissés de piques et d'épieux, tant est qu'on eût dit qu'une bonne part du quartier de l'Écorcherie, avec ses bouchers, mazeliers et crocheteurs allait nous tomber sus pour se revancher de ses morts. On se mit donc à la fuite dans un petit viret de tourelle, Fröhlich montant le premier par la bonne heure, car le viret étant obscur, et sa marche précipiteuse, il alla donner du crâne contre une trappe de fer qui sous le choc s'entrouvrit, mais sans le navrer prou, tant ces bons Suisses de Berne ont la tête dure. S'aidant alors du marelin, il ouvrit la trappe tout à plein, et par cette échappée, nous passâmes sur le toit, nos manants dans le logis faisant une vacarme d'enfer et hurlant « A la cause ! » tandis que nous marchions sur le toit à demi brûlé à grand risque de nous rompre le col ou d'être arquebusés.

Ainsi cahin-caha cheminant, on atteignit une lucarne de toiture qu'à grands coups de marelin Fröhlich défonça pour s'ouvrir un passage, par où il se lança bravement, mais sans dol ni dommage, y ayant là un fenil regorgeant de foin odorant. On pensa à s'y gîter pour y passer le jour, et on se fit au plus épais un nid où nous étendîmes nos membres recrus comme sur la plus moelleuse couche (encore que piquante assez) et de ces aises si bienvenues nous ronronnions quasiment quand tout soudain nous sentîmes notre lit sous nous céder. Et Fröhlich, nous criant qu'il allait là dedans noyer, disparut à nos yeux. A peine eûmes-nous le temps de nous en étonner que par l'entonnoir qu'il avait creusé, nous chûmes tous trois et sur Fröhlich, et sur l'herbe qu'il avait avec soi entraînée, dedans une mangeoire où une bonne mule qui y avait pâture fut tant béante de voir cette étrange provende lui tomber devant gueule qu'elle en perdit le braiement et l'appétit, et reculée au bout de sa longe, nous envisageait de ses grands yeux marron tant plus bénins et doux que ceux des hommes, du moins que ceux que nous avions vus à leurs œuvres pies depuis le premier toquement de cloches de Saint-Germain l'Auxerrois.

Lecteur! Le croiras-tu? Nous rîmes! Tant la liesse est en l'homme enracinée et a partie liée avec sa vaillance à vivre qu'au moindre et plus frivole propos elle resurgit du plus profond des horreurs où on la croyait enfouie.

— Quittes nous en serons enfin, dis-je, pour remonter au fenil par la chanlatte que voilà.

— Monsieur mon frère, dit Giacomi qui ôtait délicatement les herbes de ses cheveux, j'opine que nous demeurions en l'étable, mussés derrière ces barriques, lesquelles, étant vides, n'attireront pas davantage les mouches que tu sais qu'un flacon de vinaigre.

— Mais pourquoi donc céans?

— Mon Pierre, si vous étiez de ces marauds de l'Ecorcherie, où chercheriez-vous les fugitifs, sinon dans le fenil? La cache céans est tant meilleure qu'elle est moins manifeste.

— Cornedebœuf, Giacomi, tu dis vrai! dis-je et, ramassant le foin qui avait chu, nous le portâmes derrière les tonneaux pour nous en faire une litière plus molle que le pavé, Fröhlich délayant à nous donner la main pour ce qu'il mignardait la mule dans les douces oreilles de qui il versait, tout en les caressant de ses grosses mains, des mots d'amour en son patois, tant sans doute elle lui ramentevait ses montagnes de Suisse. On l'appela, son lit fait, et s'étendant de tout son long — lequel était fort long, sans même parler du large — et son marelin posé à son côté auquel il avait tant affection qu'Hercule à sa massue, il s'ensommeilla en un battement de cil, aussi paisible que s'il eût reposé sur le versant herbu d'un beau coteau de son pays de Berne.

Cependant, on entreprit de remparer de tonneaux une petite porte qui s'ouvrait là pour ne pas être surpris dans le dos à l'avantage, la grande porte de l'étable se trouvant à l'autre bout, à dextre de la mangeoire où la mule s'était remise à ses rations, non sans qu'on l'enviât de se rassasier à si bon compte, tandis que la male faim derechef nous poignait. On convint aussi que chacun veillerait à son tour, moi premier en cette garde, avant Miroul, Giacomi et le Suisse, nos armes étant dégainées et posées dans le creux de nos bras comme de tendres garces.

Combien que je fusse étendu et fort las, je ne me sentis du tout inclination à m'ensommeiller, mon esprit étant chaffourré par tout ce que j'avais vu de détestable depuis que Cossain avait toqué l'huis de Coligny et tué le pauvre La Bonne. Je tâchai de n'y pas penser pour non pas me navrer plus outre, et fuyant le présent, je me mis à me ramentevoir tout ce qui m'était échu depuis que j'étais arrivé en Paris, me demandant la rime et la raison des joies comme des traverses que j'y avais vécues, si je devais à la fin des fins descendre à mon tour la Seine, nu et noyé : pensement qui me ramena au présent dont j'eusse bien voulu me désemparer.

Du moins pouvais-je me conforter à l'idée que mon bien-aimé Samson avait, quant à lui, ses sûretés en Montfort. Mais cette idée non plus n'était point sans épine, pour ce que je me mis à craindre qu'il ne commît quelque imprudence s'il oyait parler du massacre, et me sachant à Paris. Crainte qui, à la réflexion, m'encoléra contre Dame Gertrude de ce qu'elle était pour lors à Saint-Cloud à coqueliquer avec Quéribus au lieu d'être en Montfort avec mon Samson pour lui passer le mors et la bride et le garder des folies où le pourrait porter son zèle.

Je ne sais combien de temps la pensée de mon frère bien-aimé fit en moi de tracassement, saisie, laissée et saisie derechef. Tant est que le souci que je me faisais de lui me tint fiévreusement éveillé,

comme aussi me tenait l'image (que je chassais mais
qui revenait toujours) de l'enfantelet que le guillaume barbu m'avait jeté dans les bras après l'avoir
dagué. Et comme j'en étais à ces mornes répétitions
tournoyant en moi comme toton, le soleil étant haut
déjà à ce que je voyais entre les fentes des planches
de l'étable, j'ouïs des pas et des voix dans la cour et
qu'on secouait la petite porte que nous avions remparée. Je réveillai alors mes compagnons un à un, et
Fröhlich non sans peine pour ce qu'il ronflait
comme un roi et chacun son arme en main, à croupetons et le jarret à se détendre prêt, nous attendîmes, mussés sans mot ni branle derrière nos tonneaux, le cœur nous toquant fort.

Je me mis l'œil à un interstice entre deux de ces
barriques, et je vis la porte à côté des mangeoires se
déclore et livrer passage à une quarantaine de droles
armés de piques, d'épieux et de bâtons à feu, lesquels
parurent fort ébaudis à la vue de la mule, deux
d'entre eux la déliant tout de gob et l'emmenant pour
l'aller vendre, dirent-ils, et boire tous ensemble les
pécunes de ce barguin à la *Taverne du Cheval d'Or*.
Cependant, celui qui paraissait être le chef de ces
vaunéants — un grand bravache portant à la ceinture le couteau des mazeliers — cria qu'il voulait,
avant que de tirer aux guinguettes, furonner le fenil
en quête des chiens de huguenots qui avaient occis
ses compères, et montant par la chanlatte, ses
marauds le suivant, je les entendis qui passaient,
jurant Dieu et Marie, qui l'épée, qui l'épieu, qui la
pique, dans tous les foins qui étaient là, bien marris,
je gage, que leurs armes, à les retirer de l'herbe, ne
fussent pas ensanglantées.

Je m'apensai non sans quelque méchant frisson
que ces marauds, redescendant de la chanlatte, ne
pourraient qu'ils ne furetassent du côté de nos barriques et qu'alors c'en serait fait de nous, d'aucuns

d'entre eux, à ce que j'avais observé, ayant pistoles et arquebuses. Encontrant alors l'œil de Giacomi, je vis qu'il opinait comme moi que la minute qui venait à nous disait un grand *Il-faut-mourir*, sans bagues ni paquets, et la Seine au bout. Me sentant alors fort vergogné de me voir à l'heure de mon exit, tout sueux, sale et maculé de sang, et le cœur dans les tripes, je crispai les doigts à la fureur sur la poignée de mon épée, me disant que s'il fallait faire à force forcée ce voyage-là, je saurais bien m'y faire accompagner par bon nombre de ces marauds. Ceux-là, à ce moment, descendaient la chanlatte, et le gros mazelier le premier, dont je me promis la mort tant je lui trouvais la mine basse, le cœur me toquant comme fol, quand je vis un de ces droles, maigre comme une arête, approcher nos tonneaux.

— Que diantre fais-tu, crocheteur ? dit le mazelier.

— Je jette un œil, Capitaine, dit le guillaume.

— Vramy ! dit le mazelier, se gaussant, n'as-tu point d'yeux ? Viens-t'en, Mort Dieu ! Il y a tonneau et tonneau et ceux-là sont tant vides que cervelle de crocheteur !

A quoi, ces marauds rirent à gueule bec comme un tas de mouches.

— Il n'y a pas offense, dit le crocheteur fort rabattu et au « capitaine » revenant, et après lui passant la porte, fort moqué de tous qui vidaient les lieux en se bousculant, ayant grand-hâte d'aller boire au *Cheval d'Or* la mule de Taverny.

Havre de grâce ! Nous poussâmes un soupir à faire saillir hors de sa denture l'aile d'un moulin ! Après quoi, nous restâmes là accoisés, sueux, tout sommeil enfui, à nous entr'envisager l'un l'autre comme étonnés de nous voir en vie après ce coup.

Le reste du jour se passa en un endormissou agité, contraire et rebours (le seul Fröhlich ronflant comme un soufflet de forge), l'œil plus souvent déclos que clos, l'ouïe guettant la moindre noise comme lièvre en buisson, la soif nous asséchant le gargamel au point de ne pouvoir la langue décoller du palais, et pis que tout, la male faim nous tourmentant l'épigastre, au point que nous eussions pris une croûte de pain des mains d'un pesteux ou d'un ladre. Je me ramentois cependant que je fis vers la fin du jour, la tête dodelinant, des songes et rêveries en lesquels l'enfantelet expirant en mes bras devint tout soudain le petit Henriot, mon Alizon me courant sus, un grand cotel en main pour ce que, cuidait-elle, c'était moi qui l'avais occis.

La nuit tombée à plein, qui était celle du dimanche au lundi et par bonne heure point tant luneuse et claire que la précédente, nous résolûmes de saillir du gîte comme hiboux et de mettre nos vies au hasard à franchir les ponts.

On prit par la rue de la Grande Joaillerie jusqu'au pont aux Changes, mais là, ne voulant à quatre avancer trop à découvert, je dépêchai mon Miroul en éclaireur pour reconnaître comment le pont était gardé. Ce qu'il fit si bien, se dérobant dans l'ombre des encorbellements et cheminant sans noise aucune, que je le perdis de vue au bout de quelques toises, et fus tout surpris de le voir resurgir à mon côté me disant à voix étouffée que le guet bourgeois, lequel était censé garder les chaînes à l'entrée du pont, s'était détourné en aval pour crocheter à terre ceux des corps qui n'étaient point dévêtus et se partager leurs dépouilles.

On passa donc sans coup férir le pont aux Changes et sans encontrer personne qu'un quidam en guenilles, malodorant, malingre, estéquit et tout tordu sur soi, lequel rôdait dans les décombres des maisons éventrées, un grand sac sur le dos, et à notre vue le lâchant, nous demanda à genoux grâce de sa vie, pour ce qu'il n'était, dit-il, que picorant là une pillerie chétive et de néant, tout le bon ayant été raflé par de plus gros que lui, de prime par les manants de l'Ecorcherie et ensuite par le guet.

— Compagnon, dis-je à ce pauvre maraud qui était tant exténué de misère qu'il me donnait quelque pitié, nous n'en voulons ni à ton sac ni à ta vie. Mais d'où vient qu'il y ait tant de logis éventrés sur le pont aux Changes? Je n'ai pas ouï dire qu'on eût là des hérétiques.

— Ha! dit le guillaume, hérétiques, vramy! pas un ne l'était, mais orfèvres, et tous fort bien garnis, raison pour laquelle on les a baptisés carpes, occis, défenestrés en Seine, et mis à la pillerie.

— Mais le guet?

— Le guet, dit le guillaume avec un petit rire, n'est point tant chaud pour se battre pour l'ordre garder, ayant lui-même grand appétit à la picorée.

Je me remis à mon chemin, Miroul me tirant par le coude, ayant crainte à me voir tant délayer, comme j'y ai souvent tentation, même en tel périlleux prédicament, étant de ma complexion tant curieux de l'homme.

Au bout du pont aux Changes, la plus droite route, pour atteindre le pont Saint-Michel, passe par la rue de la Barillerie, et nous allions nous y engager quand nous vîmes de loin devant le Palais des torches et falots trouer la nuit et l'oreille tendant, nous ouïmes des cliquetis de pertuisanes entretoquées, ce qui nous mit puce au poitrail que le guet ou les archers du roi étaient là en grand nombre. Et plutôt que d'aller donner tout droit dans leurs piques, nous tirâmes donc à senestre dans la rue de la Vieille Pelleterie, laquelle est tant noire, puante et fangeuse que pas une dans la Cité, et de là dans un dédale de ruelles et venelles où il fallut souvent chemin rebrousser nous heurtant à une impasse, la nuit étant si noire qu'on n'eût pas reconnu un chat blanc, la marche difficultueuse dans les immondices et le bren, et de temps à autre le pied donnant contre un cadavre laissé là depuis l'avant-nuit, les massacreurs n'ayant pas consenti à se donner peine pour le traîner jusqu'en Seine.

On perdit un temps infini à se démêler de ce labyrinthe où nous ne faisions que nous crotter en tournoyant comme rats en cage, et quand enfin on en émergea, nous étions si recrus, et de fatigue, et de faim, et de soif, et quelque désespérance aussi nous poignant, qu'on se laissa tomber sur un banc de pierre qui était là devant un logis de chétive apparence, et y demeurâmes assis, sans piper, hagards et reprenant souffle.

On n'oyait pas tant d'escopetterie que l'avant-nuit, les massacreurs ayant occis à la surprise le plus gros des nôtres, le reste (comme nous, je gage) étant à la fuite ou cachés, mais cette rue où nous étions (que je sus plus tard s'appeler rue de la Licorne) paraissait morte, tous logis clos et remparés, tant est qu'au bout de quelques minutes que nous étions là, nous fûmes surpris d'y voir un falot à nous venir, lequel nous parut fort lumineux dans les ténèbres de l'alentour, sans nous alarmer cependant et sans nous mettre l'arme à la main pour ce qu'on n'oyait pas résonner plus d'un pas sur le pavé, cette rue n'étant pas fangeuse. Cependant, ce qui nous étonna assez fut que ce pas-là fût triple, et non pas double, comme si l'humain dont il procédait se fût flatté de l'usance de trois pieds, chacun faisant au toquement un bruit différent. Et combien que les saints papistes soient réputés de produire des miracles en Paris, celui-là me laissa en doutance et du reste s'éclaircit quand, le falot s'approchant, nous le vîmes éclairer un guillaume qui clochait sur une jambe de bois et s'aidait dans sa marche d'une hallebarde car le bonhomme paraissait vieil, encore que vigoureux, la face tannée et couturée, et le chef couvert d'un chapeau comportant plus de plumes que la queue d'un coq.

Tendant vers nous le falot au bout de son bras, il s'arrêta à une toise de nous, et nous considéra fort curieusement et sans l'ombre de peur, tant jeunes et bien armés que nous fussions tous quatre, et lui tant vieil et seul.

— Or sus, mes bons enfants! dit-il d'une voix rude mais cordiale assez, décampez! La place est mauvaise! Vous êtes gîtés à la male heure!

Et levant son falot, il nous montra, suspendus à l'huis du logis contre le mur duquel nous étions adossés, un chiffon de crêpe noir et un corbillon, lesquels signalaient qu'il y avait là — serré avec sa famille et sous défense d'en saillir — un pesteux, lequel reclus la charité des bonnes gens nourrissait par le moyen du petit panier que j'ai dit. Vue qui frappa d'épouvante mes compagnons et les fit se lever comme si les flammes de l'Enfer leur eussent léché la croupière.

Pour moi, me dressant sans tant de hâte, je dis d'une voix calme assez :

— Ne craignez rien, mes bons amis. Peste se prend avec pesteux, fût-ce même son linge, mais point par contagion de l'air, comme d'aucuns ont prétendu.

A ces mots qui sentaient le médecin, le quidam boiteux leva vivement le falot et m'éclaira à plein le visage, par là même éclairant le sien, que je reconnus, mais sans mot piper, car l'homme me donna incontinent de l'œil pour me prier de m'accoiser.

— En toutes guises, dit-il, c'est chétif gîte pour d'honnêtes gens qui m'ont l'air de fatigue recrus.

— *Ach!* La fatigue! dit Fröhlich, c'est la male faim, *mein Herr*, qui me périt et non point la fatigue!

A quoi l'homme éclaira de son falot notre bon

Suisse, l'envisagea, sourit (les coutures et cicatrices de son visage se plissant en ce souris) et dit :

— Mes bons amis, si vous pâtissez du même dol que celui-là que j'aime fort, tant pour sa bonne trogne que pour ce qu'il me paraît ne pas être étranger à l'état qui fut le mien, je vous convie à venir en mon logis vous restaurer quelque peu, ce peu n'étant pas prou, ma femme n'étant point là et moi-même peu idoine à tourner un œuf au logis quand ma commère défault.

Vous pensez si après cela nous le suivîmes tous quatre d'un pas bondissant, et la salive en bouche et n'eûmes pas vergogne en son logis (lequel était proche, pauvre assez, mais non point misérable) à nous asseoir à sa table, devant une croûte de pain, quelques tranchettes de jambon et un gobeau de vin clairet, tâchant toutefois de ne point gloutir à l'avalade, mais de faire que le plaisir nous durât et que le profit de provende fût par là accru. Le bonhomme, pendant ce temps, nous envisageait avec bénignité et accotant au mur sa hallebarde et quittant son chapeau, lequel, par une sorte de compensement, portait plus de plumes que son crâne ne comptait de poils, sa tête étant chauve comme esteuf et sillonnée d'une longue et blanchâtre cicatrice.

— Mes amis, dit-il, le Roi ce matin a fait proclamer un ban à son de trompe, lequel commande aux manants et habitants de sa bonne ville de Paris de ne pas cacher, nourrir ou donner assistance aux hérétiques à la fuite, sous peine d'y perdre eux-mêmes la vie. C'est pourquoi, poursuivit-il non sans quelque secrète gausserie en sa voix, je suis bien aise de voir à vos brasseaux blancs que vous êtes du parti des bons chrétiens — dont je suis — sans quoi, j'eusse trouvé grande impossibilité à vous conforter, ne voulant point hasarder mon col à si fâcheux secours. Pour moi, étant ancien soldat des gardes du Roi (à quoi Fröhlich dressa ses deux grandes oreilles) je n'ai guère friandise à me mettre brasseau blanc au bras — soit dit sans offense à vous — pour courre navrer dans leur lit des gens désarmés, n'y trouvant guère motif à gloire, n'étant pas de reste si zélé à ma religion, et n'appétant pas non plus au bien d'autrui, le peu que j'ai me suffisant.

— Monsieur, dis-je (l'appelant Monsieur et non point Monsieur le naquet, pour ce que je voyais bien qu'il voulait continuer de feindre de ne pas savoir qui j'étais, afin sans doute de contrefaire l'innocent s'il était accusé d'avoir contrevenu au ban royal), vous êtes homme de bien et j'admire votre bénignité que je cuide être fort rare en le trouble des temps. Quant à moi et ceux-là qui sont avec moi, ce n'est pas de gaîté de cœur que nous arborons ce brasseau.

— Je me l'étais apensé aussi, dit le naquet avec un sourire et m'envisageant œil à œil. Ne vous ai-je pas ouï dire, dit-il à sa manière finaude et gaussante, que vous vous en retourniez en votre Périgord ?

A quoi je fis « oui » du chef, lui rendant œil pour œil et souris pour souris, n'ayant rien dit de tel.

— Vous connaissez donc les Caumont ? dit le naquet.

— Ils sont mes cousins et alliés.

— Ha ! Monsieur ! dit le naquet, la face tout à plein sérieuse, vous serez donc bien aise d'ouïr de ma bouche, tout bon catholique que vous soyez, que Jacques Nompar de la Force est sauf.

Ledit Jacques, si le lecteur se ramentoit, est ce jeune garçon dont j'avais admiré l'avant-veille, au sortir du Louvre, l'ample front et les yeux lumineux.

— Mais son père et son frère aîné ? criai-je.

— Hélas ! dit le naquet.

Et s'asseyant sur une escabelle, les yeux fichés à terre d'un air chagrin, il dit :

— Hier, après le midi, en la rue des Petits

Champs, M. de la Force et ses deux fils, tous trois à la fuite, furent dagués par de bons chrétiens. Or, il se trouva que le cadet qui, par un étonnant miracle, n'avait reçu aucun coup, eut l'émerveillable présence d'esprit de crier : « Je suis mort », et de se laisser choir entre son père et son frère qui de leur sang l'arrosèrent. Après quoi, les assassins les dépouillèrent tous trois et, la conscience contente, s'en allèrent. Sur le soir, un naquet de mes amis vint à passer là et convoitant un bas de toile qui était resté à la jambe dextre du cadet, il le lui ôta. Cependant, ce faisant, il fut pris de compassion pour la jeunesse et la joliesse du garçon et dit à mi-voix :

« — Hélas, c'est pitié ! Si jeune, que peut avoir fait cet enfant pour mériter la mort ?

« Le cadet oyant cela et levant la tête, dit à voix étouffée :

« — Bonhomme, je ne suis pas mort encore. Me pouvez-vous aider ?

« — Oui-da ! dit le naquet. Ayez patience. Ne bougez point. Je m'en reviendrai à la nuit.

« Il revint, en effet, avec un méchant manteau dont il enveloppa le pauvret, et sur sa demande, le conduisit à l'Arsenal chez Biron, le grand maître de l'artillerie, lequel était son parent. Cependant, en chemin, ils encontrèrent des massacreurs, qui voyant le garçon ainsi accoutré, dirent :

« — Qu'est celui-là ? Pourquoi est-il en sang ?

« — C'est mon neveu, dit le naquet. Il s'est enivré. Voyez comme il s'est accommodé ! N'est-ce pas honte ? Je m'en vais bien lui donner le fouet !

« Sur quoi, on les laissa passer et Biron accueillit son cousin et le mit en sûreté derrière ses murs et ses canons.

— Ha ! Monsieur ! m'écriai-je, j'espère que Biron aura bien récompensé ce bienveillant naquet !

— Le naquet ne l'a pas fait pour cela, dit le bonhomme, sa face devenant rouge et ses cicatrices en même temps blanchissant.

Observant alors que nous avions fini notre repue, sans qu'aucune miette de pain fût sur la table laissée, ni gorgée de vin abandonnée seulette dans le gobeau, il hocha le chef et dit :

— Ma femme de présent défaut pour être allée porter une médaille de Notre-Dame de Chartres à sa commère Colarde qui gît en couches. Cette benoîte médaille étant comme vous savez (il sourit derechef) souveraine pour aiser l'accouchement, à telle enseigne qu'il n'est que de l'appliquer sur le ventre pour que l'enfantelet saillisse, piaillant et vigoureux. Toutefois, donnez-vous contentement que ma femme ne soit pas céans ! Elle serait fort suspicionneuse de vos brasseaux blancs, tant elle est pour l'Eglise ! Cap Saint-Denis ! Elle hait les hérétiques et serait pour les étrangler tous de ses mains, ou à tout le moins pour ameuter à beaux cris à leurs trousses tous les chiens du quartier. Pour moi, comme j'ai dit, je ne suis pas si zélé, je tiens pour catholique quiconque se donne pour tel, ayant le nez fort court et ne voyant malice à rien.

A ce discours à demi-mot (bien à la manière du naquet) j'entendis que nous ne pouvions demeurer davantage sans déconforter le bonhomme. Je me levai, non sans avoir en catimini glissé un écu sous mon gobelet, et à notre hôte je fis de grandes grâces et merciements.

— Si vous passez par le pont Saint-Michel, dit-il à mi-voix en écourtant mon compliment, donnez-vous garde de la cédule de passe qu'on y quérera de vous. Passez juste avant la pique du jour, la garde se relâchant prou par la fatigue de la nuit, et quand vous serez dans le quartier de l'Université, choisissez, pour saillir hors murs, la porte de Buccy. C'est par elle qu'on laisse entrer les gens des villages pour envitailler Paris et il y a toujours, en conséquent, sur le pont-levis grande presse et confusion.

Le naquet voulut bien nous mettre sur le chemin, et même après que nous fûmes départis, il demeura un moment, le falot au bout du bras à tâcher de nous éclairer. Avant que de tourner à dextre comme il avait dit, je jetai un œil ultime à sa lanterne, laquelle, encore qu'elle brillât comme une fort chétive et menue flamme dans les ténèbres de la ville, me conforta tout autant que la bénignité de son porteur. Nous tournâmes le coin de la rue et la lumière disparut, mais non point l'espoir qu'elle avait en moi jeté. Ha! pensai-je, voilà la vraie foi, celle de ce bon aumônier, et il n'en est pas d'autre. Plaise au Créateur que tous les manants de ce val de misère entendent un jour, comme le naquet, que zèle à Eglise sans amour de l'homme n'est que ruine de l'âme!

On suivit la rue de la Calandre jusqu'à la rue de la Barillerie et là, je dépêchai mon gentil Miroul à reconnaître le pont Saint-Michel, comme déjà j'avais fait pour le pont aux Changes. Quoi fait, comme couleuvre en buisson, mon gentil valet se coula à mon côté.

— Moussu, me dit-il, il y a là une demi-douzaine de bourgeois de Paris qui boivent comme souliers percés. A leur courir sus à la chaude, nous en verrions la farce.

— Voire! dit Giacomi. Ont-ils bâtons à feu?

— Deux.

— C'est trop de deux, dit Giacomi. Ne mettons pas nos vies à hasard. D'autant que la nombreuse troupe que nous entr'aperçûmes devant le Palais pourrait marcher à l'escopetterie, la nuit étant pour lors si calme.

— C'est vrai, *Herr Gott*, qu'elle est calme! dit Fröhlich.

— Ha! bon Suisse! dit Miroul, même les bourreaux dorment!

— Tu parles d'or, Giacomi, dis-je à la fin, me tournant vers lui et ayant pesé ses sages raisons. Attendons que ces héros noient leur peu de sens en flacons!

On se mussa sous un encorbellement, assis sur un banc de pierre, contre un logis adossés, sans mot piper, et sans voir personne qu'un chien efflanqué, lequel rôdait autour d'un cadavre que les massacreurs avaient laissé à quelques toises de là dans le ruisseau de la rue. A dire le vrai, la nuit étant noire assez, on ne vit pas de prime le corps, mais le chien, lequel était blanc. Mais l'œil à la pénombre s'accoutumant, on vit aussi le pauvre martyr et Miroul se levant, alla chasser la bête qui balançait à y mordre, étant elle-même à demi périe de faim.

On décida de se gîter plus loin, mais plus loin, on trouva d'autres corps en tas et ceux-là puants déjà en la touffeur de l'air et si fort qu'on retourna à notre banc de pierre, le chien quasi sous nos talons, se remettant à sa repue, la queue entre les jambes et gémissant lugubrement. Miroul le voulut chasser deux fois encore, mais y faillit, perdant sa peine. Il eût fallu l'occire. Et aucun de nous n'y avait appétit, ne trouvant pas la bête tant féroce et cruelle que celles qui nous pourchassaient.

Enfin, la nuit blanchissant, on décida d'attenter le passage du pont. Et nos armes au creux du bras, Fröhlich balançant sa massue au bout du sien, on s'avança, tous quatre sur un rang, le pied prudent, l'ouïe pointée et l'œil à l'aguet.

Franchies les chaînes, on vit un falot par le milieu du pont et tirant par là, on aperçut qu'il éclairait une partie de carte-virade qui se jouait sur un tambour, ces vaillants étant très encharnés, à ce que j'ouïs, à jouer l'un contre l'autre (et l'un volant l'autre, je gage) leur part de butin : ce qui faisait un grand chamaillis de bramements, et des joueurs, et des aregardants, tous pleins de vin et titubants, hormis un qui, moins gris que les autres, s'avisa de nous barrer le chemin, la pistole à la main, en criant : « Qui vive ? »

— Bons catholiques, compères, dis-je, et de l'Ecorcherie.

— Maraud, dit-il, je ne suis le compère de personne ! Ton cédule de passe ! Et vitement !

— Le voici ! dis-je et fouillant dans mon escarcelle, je lui mis un écu dans la main.

— Qu'est cela ? dit-il, comme si ma pièce l'avait brûlé. Par la Mort Dieu, me veut-on acheter ?

Et non qu'il fût, je gage, si vertueux mais ayant appétit à mon escarcelle, il me mit incontinent la pistole sur le ventre. Il ne put faire plus. Miroul releva son bras et lui donnant la jambe en croc, l'étala. Par la male heure, en sa chute, la pistole partit, à vrai dire sans navrer personne, toutefois excitant ce nid de frelons ivres à nous courir sus en hurlant « A l'arme ! A l'arme ! A la Cause ! » et en tirant deux arquebusades qui s'allèrent perdre dans les airs.

On s'ensauva à toutes jambes, et sautant les chaînes tendues à l'autre bout du pont Saint-Michel, on s'enfourna à la main senestre dans un dédale de petites rues, ne nous arrêtant, hors souffle que pour tendre l'ouïe, mais de noise plus la moindre : nos héros étaient retournés à leurs cartes, et à leurs flacons, lesquels, je gage, venaient d'une cave où ils avaient fait picorée.

Nous étions pour lors dans la rue de la Parcheminerie, laquelle est parallèle à la rue Saint-Séverin et à la rue de la Huchette, et comme on était jà à la pique du jour, le soleil éclairait les tourelles, bretèches, pignons et faîtages du quartier, ce qui eût été un brave et gai spectacle, si dans l'ombre des rues il n'y avait eu tant d'échoppes et logis enfoncés, de verrières brisées, d'huis et contrevents hors leurs gonds et sur la fange du pavé telle piteuse jonchée de hardes, de coffres ouverts, de tapisseries maculées par les boues, sans compter çà et là un pauvre corps dénudé soit d'homme soit de femme, flairé par les chiens étiques ou par des troupes effrontées de rats. A la tierce cependant, les cloches se mirent à toquer de haut et sans vergogne au-dessus de ce carnage, sonnant les matines pour le premier office.

Miroul, qui connaissait fort bien ce quartier (pour ce qu'il aimait tant fureter et furonner en Paris tandis qu'au Louvre je m'ébattais), me les nomma toutes l'une après l'autre, les distinguant entre elles à leur son : Saint-Etienne des Grez, les Jacobins, Saint-Séverin, les Carmes, Saint-Blaise, Saint-Jean de Beauvais et Saint-Julien-le-Pauvre. Ha ! Quel joyeux carillon elles eussent fait à retentir dans l'air clair et bleu de ce matin d'août si elles avaient convié à la conciliation, au lieu que d'appeler au renouveau de la meurtrerie, et cela au nom d'un miracle prétendu de Dieu, comme je dirai plus loin.

Nous délayâmes là un petit, sueux, soiffeux, hors souffle et dans les dents de la désolation générale nos corps indécents hennissant encore après leurs avoines, les tranchettes du naquet n'étant plus que remembrance. Déjà les ménagères s'affairaient, les jeunes saillant des logis pour se rendre aux emplettes, ou comme on dit en Paris *à la moutarde*, et les vieilles ouvrant leurs verrières aux premiers rayons du soleil et jasant avec leurs semblables d'une fenêtre à l'autre, barguignant les nouvelles du jour, lequel leur paraissait tout à plein exhilarant combien qu'il nous semblât à nous triste et calamiteux.

Un gaufretier, ou comme on dit céans un oublieux, se mit à déclore son échoppe, laquelle était à deux toises de nous, et allumant son feu et battant sa pâte, entreprit de dorer ses oublies dans ses moules, ce qui nous mit tant de salive en bouche, qu'on s'approcha, attirés là comme limaille par aimant.

— Çà, chalands! dit le gautier dont la face chafouine et chattemite ne me plut guère, vous faut-il du nôtre?

— Oui-da!

— C'est deux sols l'une!

— Ha! Compère! dis-je, la Saint-Barthélemy a donné du ventre à tes prix!

— La farine renchérit, dit l'oublieux, les portes de la ville étant closes.

— Vramy! Ce n'est point vrai, cela! cria une ménagère qui s'en revenait de la moutarde, son panier dans le bras. La porte de Buccy n'est pas close, gros ribaud! On laisse entrer en Paris ce matin les gens des villages, et au marché nulle ne manque des coquetières, laitières et verdurières accoutumées.

— Voyez l'effrontée poule qui veut coqueliquer plus haut que le coq! dit l'oublieux, se donnant garde cependant d'être ouï de la commère, pour ce qu'il craignait sans doute que tous les bons becs de la rue ne lui tombassent sus. Là! Chalands! poursuivit-il, les voilà toutes les quatre à point et bien dorées! Çà! Allongez les pécunes et vous aurez mes oublies en bouche, croustillantes et fondantes!

Je le payai en piécettes blanches, ne voulant pas que le guillaume vît mes écus.

— Oublieux, dit Miroul la bouche pleine, tu as oublié le sel!

L'oublieux, à ce reproche, prit dans un pot un semblant de pincée, lequel il fit le simulacre de semer à la volée sur nos gaufres.

— *Commediante*, dit Giacomi entre ses dents. Mange-t-on du rôt à la fumée? Ce sel-là est encore dans la mer!

Comme il disait, un crieur de malvoisie, petit homme de mine fort basse, vint à passer, lequel portait sur ses épaules une sorte de joug d'où pendaient des flacons et chantait son cri d'une voix rauque et cassée :

> *Buvez, Buvez ma malvoisie,*
> *Laquelle est vin des Grecs*
> *Et fort céleste ambroisie*
> *Pour tous les gosiers secs.*

— Compère, dit l'oublieux, ambroisie ou non, verse-moi le coup du matin. Tout ce sang m'a donné soif et j'ai dormi salé.

— Ha ! Compère ! Fûtes-vous hier en vos goguettes comme tous les bons chrétiens ?

— J'ai fait ma part, dit l'oublieux, l'œil en chattemite baissé.

— Pour moi, dit le crieur de malvoisie, de ces yeux que voilà, j'ai vu hier la commune brûler vif Spire Niquet, le relieur des Bibles de Genève, lesquelles Bibles on crama en tas au mitan de la rue Judas, et dessus le Niquet, qu'on y maintenait par des piques, à rôtir dans les flammes. Vous l'eussiez ouï hucher de Notre-Dame au Louvre !

— Bon, ça ! dit l'oublieux, y mourut-il à la parfin ?

— Que non point ! On le jeta à l'eau à demi péri pour qu'il tâtât des deux tourments !

Sur quoi les deux compères s'esbouffèrent et nous fûmes bien aises d'avoir nos oublies en bouche, ce qui nous dispensa de la déclore.

— Pour moi, dit l'oublieux qui ne voulait pas être en reste de récits épiques avec le crieur de malvoisie, j'étais hier sur le pont Notre-Dame quand la commune enfonça le logis de La Perle, appartenant à Maître Mathieu, le quincaillier et doreur, et grand magot de Genève, comme bien on sait. Ha !

Compère! Quelle fête ce fut! Hommes, garces, enfants, chambrières, tout fut dagué et en Seine défenestré. Voilà le commode de loger sur un pont quand on est hérétique!

A ce beau récit, le crieur de malvoisie, ayant ri à ventre déboutonné, nous proposa son vin dont nous ne voulûmes point combien que nous eussions grand soif, tant le drole nous faisait horreur, et l'oublieux lui ayant jeté piécette, il s'en alla vers d'autres chalands, portant son petit cabaret aux épaules et poussant son cri de sa voix rauque.

Cependant, tandis que les jeunettes étaient à la moutarde, les vieilles commères, toutes ébaudies de la beauté du matin, jacassaient comme pies d'une fenêtre à l'autre.

— Crestine! cria l'une qui avait des bajoues jaunâtres et un triple pli sous le menton, n'as-tu point ouï du miracle?

— Quel? dit la Crestine d'une voix friande de l'autre côté de la rue. Quel, commère? Et où?

— Qu'est cela? dit l'autre. Point ne le sais, Crestine! Il n'est conte en Paris que de l'aubépine du cimetière des Saints-Innocents, laquelle a tout soudain hier refleuri.

— Quoi! cria Crestine, une aubépine refleurir en août! Benoîte Vierge! C'est miracle!

— Jésus-Dieu! dit de sa fenêtre une autre ménine qui voulait en conter aussi sa râtelée, toute mauvaise parleuse qu'elle fût, les dents du devant lui manquant quasiment toutes, hors une seule. Que ne le sais-tu, Crestine? Il n'est jaserie que de miracle! Et tant le peuple y court que les prêtres y ont mis des gardes pour non pas que la commune tant approche et gâte la miraculée aubépine!

— J'étais hier dans mes vapeurs, dit la Crestine qui se sentait bien vergognée d'être tant ignorante.

— Vramy! dit l'édentée. Une aubépine refleurir en

août! Notre bon curé de Saint-Séverin dit que la chose est claire et que Dieu nous veut par là signifier que l'Eglise va tout soudain refleurir par la mort des hérétiques.

— C'est mon Dieu vrai de vérité vraie! cria la vieille aux bajoues. Et bien la preuve de Jésus qu'on n'en a pas occis assez! Vous m'entendez, garçons? poursuivit-elle à nous s'adressant du haut de sa fenêtre, nous prenant pour des massacreurs à nos brasseaux blancs.

— Iras-tu aux Saints-Innocents, Crestine? dit l'édentée.

— Ha! je ne sais! dit Crestine, ma gambe senestre m'enfle à trop marcher.

— Mais c'est que belle sera la fête! reprit allégrement l'édentée qui chuintait et crachotait que c'était merveille. Y vont cette matine toutes les confréries de la ville, tambour battant, et chantant le *Gloria* avec les croix et les bannières!

L'oublieux, sur ma prière, s'était remis à sa tâche, une seule oublie ne nous comblant pas l'épigastre, et nous, cependant, lui tournant le dos pour ce que sa face nous était insufferable, nous donnions une oreille à ces ménines jacassantes, nous entr'envisageant en silence, car bien connaissions-nous l'aubépine du cimetière des Saints-Innocents pour l'avoir quotidiennement vue du fenestrou de nos chambrifimes, rue de la Ferronnerie. Et bien donc savionsnous que l'avant-veille, pas une fleur ni bourgeon n'apparaissaient sur ses branches et branchettes, à telle enseigne que si maintenant on les voyait, sans pourtant qu'on pût les examiner de trop près — les gardes tenant la commune à distance — c'est qu'on les avait mis, et par quels fallace et subterfuge liés, Dieu seul (au nom de qui l'homme parle si souvent) le sait, et peut-être aussi les rusés desservants de la paroisse des Innocents (la mal nommée) à laquelle ce miracle allait être d'un si grand profit, non seulement en l'an 1572, mais dans les années à venir, et jusqu'à la fin du siècle.

On en était à ouïr le caquètement sottard des ménines quand vint à passer dans la rue de la Parcheminerie une religieuse noire, laquelle ne pouvait qu'attirer l'œil pour ce qu'elle était fort belle de face, et le corps plus épanoui que n'en montrent à l'accoutumée les femmes de cet état. De surcroît, elle marchait à grands pas, l'œil chagrin et effrayé, et chose encore plus surprenante, elle portait au pied des mules cramoisies.

Il se fit ès rue à son passage un grand silence que rompit de fort stridente voix la vieille aux bajoues.

— Aga! hucha-t-elle à gorge déployée, Aga! (Ce qui est jargon parisien pour « regarde! ») Aga, garçons! Aga ces rouges souliers! C'est fausse nonne! C'est serpente de Genève à la fuite! Sacrilègement déguisée!

A quoi, en effet, la malheureuse se mit à courir dans la rue, la vieille redoublant ses cris :

— A l'arme! A la Cause! A Madame la Cause!

Et se penchant par-dessus le balustre à choir quasi de sa fenêtre, la ménine hurla à se faire péter les poumons :

— Aga! Garçons! (C'est à nous qu'elle s'adressait.) Aga, les rouges mules! Tuez! Tuez!

— Moussu, me souffla Miroul en oc à l'oreille, si j'avais de présent friandise à tuer, je saurais bien qui.

— Paix! dis-je, et comme Fröhlich déclosait lui aussi sa large bouche, je lui mis les doigts sur la main qui sur le marelin se crispait et à voix étouffée dis : Compagnon, ramentois que je te veux muet comme carpe en bassin.

— Eh bien, que délayez-vous, garçons! cria la vieille édentée. Allez-vous laisser échapper la serpente! Tuez! Que diable! Tuez!

616

— Ma commère, dis-je d'une voix calme assez, il y a temps pour tout : pour occire et pour manger oublies. Par surcroît, attifurée comme elle est, la serpente n'ira pas bien loin [1] !

— La belle défaite et le peu de zèle ! dit la ménine, très à la vinaigre et d'un air fort suspicionneux. Sais-je seulement, garçons, si vos brasseaux ne sont pas contrefaits aussi ?

— Coquefredouille ! dis-je en riant. Viens t'en ès rue, ma commère, mettre sur nos épées ton nez enchifrené. Tu nous diras ce qu'elles sentent.

— Vramy ! dit l'édentée, c'est raison que cela ! Ne dit-on pas que le sang d'un hérétique, quand il coule hors, pue comme sanie de pesteux, tant son hérésie l'a pourri.

Et bien béant fus-je de cette étrange médecine et du secours qui me vint de ce côté-là, la ménine aux bajoues n'y voulant contredire, tout méchant que fût son œil à notre endroit, mais n'osant toutefois pousser plus outre, nous voyant tous quatre tant jeunes, robustes et bien armés.

Aussi détourna-t-elle son ire sur le plus proche objet. A savoir un logis d'honnête apparence qui se dressait là et qu'on voyait bien qu'il avait la veille été lapidé, toutes les verrières étant crevées, mais non pas l'huis enfoncé. Ce qui ne laissa pas de m'étonner, la commune d'ordinaire ne désemparant pas de sa proie, une fois qu'elle y avait mordu. Mystère qui s'éclaircit tandis que je prêtais l'ouïe au clabaudage

1. Hélas, je ne cuidais pas si bien dire. La religieuse aux mules rouges, comme je l'appris plus tard, s'appelait la demoiselle d'Yverni. Elle était huguenote, quoique nièce d'un cardinal. Arrêtée à deux pas de là, et la vie lui étant promise si elle abjurait, à son refus fut poignardée et en Seine jetée. (Note de Pierre de Siorac.)

de ces sorcières de paroisse, lesquelles, sans verser elles-mêmes le sang, étaient furies encharnées à le voir couler, y ayant un appétit monstrueux et y excitant les manants du quartier par leurs haineuses clameurs.

J'appris ainsi que ce logis lapidé appartenait à M. Pierre de la Place, Président à la Cour des Aides, huguenot et grand homme de bien auquel Coligny avait confié le ménage des deniers de la Cause. Et pour cette raison, Senneçay, le Grand Prévôt du Châtelet, avait mis chez lui une garde depuis le début de l'émotion populaire, sous le beau prétexte de sauver de celle-ci le maître du logis, dans le fait, à ce que je gage, pour l'empêcher de s'enfuir avant que le roi eût décidé de son sort, d'aucuns de la Cour ayant peut-être intérêt à l'interroger sur les finances de la Cause avant qu'il fût dépêché.

— Voici bien encore ce nid de vipères! hucha la ménine aux bajoues en pointant deux doigts en corne contre le logis de M. de la Place. Ce chien d'hérétique se croit en sûreté chez lui parce qu'on lui a baillé quatre archers du Prévôt et un exempt! Mais patience! Nous en verrons la farce!

— Vramy! dit l'édentée, rien n'est fait qu'on n'achève! Comptez sur la commune pour terminer la fête!

— Mais les va-t-on expédier aussi? quit la Crestine, étant des trois la plus rassottée et peut-être la plus piteuse.

— Sotte caillette! cria furieusement la ménine aux bajoues. Tant plus conséquents sont les huguenots, tant plus sont diaboliques! Et compte bien que, président ou non, on n'en laissera pas un seul vif en la paroisse de Saint-Séverin!

— C'est raison parler! dit l'édentée, ce jour point ne se couchera qu'on ne les expédie tous en Chaillot.

A quoi elles rirent, Chaillot étant un village en aval

de Paris devant quoi s'attardaient, à cause d'un embarras d'herbes qu'il y avait là, tous les pauvres corps dévêtus et dagués qu'on jetait en Seine aux quais de la capitale.

Tandis que jasaient ainsi ces vilaines, une jeune laitière portant sa boutique en épaule apparut dans la rue de la Parcheminerie, chantant son cri, le même que j'avais ouï dans la Grand'Rue Saint-Denis, le premier frais matin que je passai en la capitale, tant joyeux, avec mon Miroul au botte à botte, de me cheminer dans la grande ville, alors de moi tout à plein déconnue.

> *Au matin pour commencement*
> *Je crie le lait pour les nourrices !*
> *Et pour nourrir petits et grands !*
> *Ça, tôt le pot, nourrices !*

Ce n'était point la même blonde laitière, celle-ci étant brune et assez mal'engroin à ce qu'il me sembla, mais c'était le même cri qui, je ne sais pourquoi, me donna autant d'émeuvement que s'il m'apportait une promesse de vie, après toutes les paroles de sang que je venais d'ouïr, lesquelles, de reste, s'apaisant dans la rue, tous les logis s'ouvrirent un à un, les ménagères apparaissant à l'huis, tenant qui un gobeau, qui un pot, qui un gobelet selon la quantité qu'elles voulaient quérir de la laitière. Il y avait tant de sereine et coutumière paix à cette distribution, nos furies elles-mêmes s'accoisant pour y prendre part (comme on dit que les bêtes elles-mêmes font trêve·pour s'abreuver, toutes sauvages qu'elles soient) que je ne fus pas surpris de voir s'entrouvrir un petit l'huis du logis lapidé et une tête de fille apparaître, laquelle montrait des boucles blondes s'échappant de sa cornette de nuit, et une jolie face, quoique chagrine, et dont les yeux, pour ce qu'elle n'osait se fier à sa voix, firent signe à la laitière, laquelle s'avança, lui remplit ses deux gobeaux sans qu'aucune des garces qui étaient là, jeunes ou vieilles, n'y fît remontrance, se trouvant toutes comme empacifiées par la magie de l'habitude.

Je ne sais pourquoi j'eus soudain tant appétit à ce lait blanc et chaud coulant dans les gobeaux, et tant de compassion pour la pauvre blonde garce assiégée avec ses maîtres en ce logis lapidé qu'oubliant toute prudence, je traversai la rue et je dis à la laitière que je quérais d'elle un gobelet.

— Cela ne se peut ! dit la laitière d'un ton revêche. Je n'ai point de gobelet. Et point de gobelet, point de lait : voilà qui est clair.

— Mais j'ai, moi, un gobelet, Monsieur, dit la blonde et chagrine chambrière en attachant sur moi le doux regard honnête de ses yeux bleus.

Et se retirant, elle s'en fut incontinent en sa cuisine où je fus audacieux assez pour la suivre, lui disant à l'oreille de ne pas se méprendre à mon brasseau, que j'étais à la fuite, et qu'elle se doutait bien pourquoi.

— Ha ! Monsieur ! me dit-elle d'une voix étouffée, je m'étais bien apensé aussi que vous vous feigniez. Je vous ai observé par le rideau de ma verrière brisée, qui refusiez de courre sus à cette nonne, et j'ai bien vu que vos compagnons non plus n'avaient pas goût au sang de cette pauvre garce. Mais vu que vous êtes quatre, poursuivit-elle, ne vaut-il pas mieux prendre un gobeau ? Vous y boirez l'un après l'autre à votre suffisance.

Ce qu'elle fit et vers l'huis revenus elle et moi, la laitière toujours maussade et maugréant me versa le lait, reçut mes clicailles sans un souris, et nous tourna la froide épaule. J'appelai mes compagnons, lesquels de l'autre côté de la rue accoururent, et tout béants qu'ils fussent de mon incrédible imprudence

— folie qui se mua, pourtant, en sagesse comme on verra — burent comme terre asséchée en août, tant ils étaient péris d'altération, ayant refusé la malvoisie du crieur, comme j'ai dit, et d'un autre côtel, ces oublies dont nous avions mangé trois chacun nous restant quasi dans le gosier tant le cruel clabaudage des vieilles nous l'avaient resserré.

Nous allions rendre le gobeau à la chagrine blonde en lui faisant nos mercis quand une bande de cinq à six manants, voyant ouvert l'huis du logis lapidé et en voulant profit tirer, se rua sur nous tant à la chaude qu'il fallut jouer des poings, n'ayant pas le temps de dégainer, à quoi Miroul fit merveille, étant plus leste que saltarin, étendant deux de ces gueux sur le pavé, moi-même brisant le gobeau que je tenais en main sur le crâne d'un troisième, Fröhlich donnant de son marelin dans le ventre d'un autre, le maestro Giacomi pendant ce temps, fort déconforté de se colleter comme crocheteur et n'osant hasarder sa tant précieuse et fine dextre d'escrimeur sur la trogne d'un de ces vaunéants, y lança le pied et l'abattit, tout en disant en son zézayement, d'un air peu ragoûté :

— Qu'est cela ? Qu'est cela ?

Mais de nouveaux assaillants nous courant sus en grand nombre et armés de piques, je criai :

— Çà, compagnons ! Nous n'y saurions tenir ! Il faut nous remparer !

Et nous enfournant tous quatre dans le lõgis de M. de la Place, nous rabattîmes l'huis sur nous en un tournemain, y mettant les verrous et les barres. Certes, nous étions saufs ! Mais dans les toiles ! Dans la nasse ! Serrés dans ce logis honni ! Liés à sa fortune !

— Ha ! Monsieur ! dit la blondette chambrière (laquelle, comme je sus bientôt, s'appelait Florine, étant auvergnate et y ayant une sainte de ce nom en ce pays), c'est vaillamment fait! Mais les archers! Mais l'exempt! Ne voilà-t-il pas pour vous d'un autre mortel péril?

— Combien sont-ils céans? dis-je.

— Cinq en tout.

— Ha! c'est bien peu! dit Giacomi en dégainant.

Je dégainai aussi, mais m'étant réfléchi, je dis après avoir prêté l'oreille :

— Il vaut mieux, je gage, composer. J'ois cet exempt qui harangue la commune de la fenêtre de l'étage, la menaçant d'être étrillée par un renfort d'archers du Grand Châtelet, si elle attente d'enfoncer l'huis. C'est donc pour lors pour nous une sorte d'allié, encore que traîtreux et précaire. Florine, va lui dire que je l'attends céans en toute paix et amitié.

Mais l'Exempt, qui assurément n'était guère vaillant, ne voulut pas descendre, ayant vu de l'étage la danse que nous avions donnée aux gueux et craignant d'en prendre lui aussi. En conséquence, il me requit de le venir voir à l'étage, seul et sans arme, ce à quoi je n'eus garde de consentir, m'avisant qu'il m'y retiendrait sans doute en otage. Par la parfin, après que Florine se fut essoufflée à la navette sur le degrés du logis, il fut convenu que nous monterions tous quatre, sans nous désemparer de nos armes, mais sans toutefois entrer en la salle où les archers et l'Exempt se tenaient — à portée de voix, mais non de vue, les uns des autres.

Ce qui fut fait, et à voix basse demandant à Florine son nom, je résolus de jouer si bien du plat de la langue que l'Exempt fût dans mes fils quasi entortillé.

— Monsieur l'Exempt, dis-je d'une voix ferme, je vous prie et requiers de ne point sur nous vous méprendre : nous sommes tous quatre bons catholiques, maîtres et valets. Mais nous restaurant à l'échoppe de cet oublieux de notre labour de nuit, mon valet entr'aperçut, tandis qu'elle ouvrait l'huis, cette chambrière qu'il connaissait pour l'avoir au bal encontrée, ce qui me donna l'idée de quérir de cette Florine-là un gobeau de lait. Le reste, vous l'avez vu, et comment quelques marauds se ruant sus pour forcer l'huis, nous dûmes un petit les choquer et dans notre retraite, nous remparer céans, ce dont nous sommes bien marris, craignant d'être pris par le Prévôt pour des chiens d'hérétiques.

— C'est qu'il y a quelque apparence que vous le soyez, dit l'Exempt d'une voix qui me parut avoir mariné quelque peu dans le vin, sans cela eussiez-vous tant raclé, bandé et toqué contre ces manants pour défendre l'huis ?

— Monsieur l'Exempt, dis-je, nous vous savions dedans avec vos archers pour l'interdire d'ordre du Prévôt, et nous crûmes obéir au service du Roi en concourant à sa défense.

— Oui-da, l'ami ! dit l'Exempt, vous êtes bien fendu de gueule, ce me semble, et pour la parladure, vous ne craignez personne.

— C'est que je suis grand clerc, dis-je, sans être encore toutefois tonsuré, et peux vous réciter d'affilée les quatre Evangiles de Jésus-Dieu en grec.

Ce grec-là fit l'affaire, quoique l'Exempt, je gage, fût moins persuadé par mon dire que submergé par mon éloquence, sa cervelle étant fort embrumée par le vin.

— L'ami, dit-il d'une voix trébuchante, que voulez-vous ?

— La liberté du logis pour y quérir picorée.

— Par la Mort Dieu, clerc, dit l'Exempt, que comptes-tu rafler après nous ?

— C'est à voir.

Prit place alors dans cette salle devant laquelle nous étions plantés, mais hors vue et la porte à peine déclose, un confus conciliabule à voix étouffées et pâteuses, comme de gens qui ont plus flaconné que dormi, nos vaillants paraissant peu chauds à en découdre avec nous, n'ayant l'avantage ni du nombre ni de l'arme — étant sans bâtons à feu ni corselet et portant, à ce que me dit Florine, le hoqueton blanc de leur livrée, la hallebarde et la courte épée au côté. Miracle pourtant de cette livrée du Grand Châtelet qui tant effraye la commune par l'image de geôle et de gibet qui y est attachée qu'elle n'osait enfoncer ce logis, si faiblement qu'il fût tenu par ces cinq avinés soudards !

— L'ami, dit enfin l'Exempt, pour la liberté que tu quiers en ce logis, ce sera un écu par archer et deux pour moi et défense, au hasard de ta vie, en notre salle d'entrer, toi et les tiens.

— Ha ! dis-je, c'est prou ! J'y serai de mes bonnes pécunes et clicailles si je ne trouve picorée assez !

— C'est cela ou rien ! dit l'Exempt, sans qu'il sût bien en sa vineuse tête ce qu'était ce rien-là, ne voulant ni pouvant nous mettre hors.

Mais c'était assez débattu, et je ne voulus pas barguigner plus outre, le lecteur sait bien pourquoi. En outre, n'était-il pas manifeste que notre convention confinait ces enivrés ribauds en leur salle, et qu'ils étaient nos prisonniers autant que nous étions les leurs ? Vramy ! (comme on dit en la capitale) qu'étrange était la farce ! Et qu'inouïe, la vie qui ménage de ces surprises-là au mitan d'une tempête !

La blondette Florine alla porter mes bons écus à ces méchants. Ils durent en son ambassade la pastisser quelque peu, car j'entendis un soufflet claquer sur une joue, et la mignote nous revint, rouge et encolérée, et le chiffu démis de son tétin, lequel était blanc, pommelant et doux à voir, comme je m'en avisai du coin de l'œil et Miroul de ses yeux vairons, lesquels brillèrent comme phares en mer, mon valet incontinent se mettant au siège de cette placette-là, mais très à la respect, la fillette étant huguenote et imployable.

Je fis signe à Florine de clore la porte sur ces marauds, ce qu'elle fit, et la prenant par le bras, lequel était ferme et frais et me fit grand bien en l'aridité de vie où j'étais, je quis d'elle où étaient les maîtres du logis et pourquoi en toute cette noise et vacarme ils n'avaient point encore paru.

— Ha! Monsieur! me dit-elle, ils se sont claque-murés au second en la librairie de Monsieur notre maître par grande horreur et détestation des excès commis par les archers depuis qu'on les a mis céans, ouvrant les coffres, pillant, battant les serviteurs qui tous se sont ensauvés, hormis moi que c'est miracle, vramy! si je suis encore pucelette tant ils m'ont entreprise, mais la merci Dieu, la force n'y était pas, le vin la leur a vite ôtée, dont ils ont glouti des boisseaux!

Je dis alors à Florine qui j'étais et de l'aller dire à ses maîtres pour qu'ils me reçussent, mais aupara-vant je voulus qu'elle me décousît l'infâme brasseau blanc qui déshonorait mon épaule et me permît de faire quelque toilette, du moins du visage, des mains et des chausses, lesquelles étaient ordes et sales d'avoir passé par tant de rues fangeuses. Elle me voulut aussi approprier le pourpoint, mais elle faillit à en ôter le sang du pauvre enfantelet, encore qu'elle l'éclaircît un petit.

Miroul, cependant, me voulut jusqu'au second accompagner, craignant quelque embûche de nos convenants, tout gonflés de boisson qu'ils fussent et Florine m'introduisant, je m'encontrai dans une salle assurément moins garnie de livres que la librairie de Michel de Montaigne (laquelle est la plus belle que je vis jamais) mais plaisante toutefois avec ses boise-ries et rayonnages de chêne, fort bien éclairée par des verreries en ligne quasi continue sur la rue, lesquelles la commune avait lapidées, mais le verre et les pierres ayant été ôtés du plancher, c'est à peine si à vue de nez il y paraissait.

M. de la Place était assis, un livre à la main, dans une grande chaire à accoudoirs, laquelle était un peu en retrait des verrières, sans doute pour se garder des pierres, et malgré la vacarme et les huées de la rue qui jusqu'à lui grondaient, il paraissait tout aussi tranquille que s'il eût siégé dans la grande chambre bleue du Palais.

A mon entrée se levant, le Président de la Cour des Aides vint courtoisement à moi qui le saluais et me toucha la main avec un souris grave, et quoique triste, serein. C'était un homme grand assez, le corps fort épargnant en graisse, et jusqu'à la maigreur et dont la face austère n'était pas sans me ramentevoir celle de l'oncle Sauveterre, sauf qu'il n'était point comme lui tant hostile à la faiblesse humaine que de ne se point marier, et montrait, bien au rebours, comme j'allais voir, quelque tendresse à son épouse.

— Ha! Monsieur de Siorac, dit-il après que je lui eusse, en bref, sur sa requête, conté mes traverses depuis l'instant où Cossain avait toqué à l'huis de l'hôtel de Béthisy jusqu'au moment présent, peut-être pourrez-vous me dire ce qu'il en est de cette émeute de la commune, si elle s'apaise ou flambe encore?

— Hélas! Monsieur le Président, ce n'est point qu'une populaire émotion, mais bien pis, une tuerie universelle de tous les nôtres, sans pitié ni merci, et par le Prince commandée.

— Quoi? dit M. de la Place, pâlissant un petit à ces mots, le Roi ordonnerait la mort de tous les huguenots sans excepter ceux qui comme La Noue, Taverny et moi l'avons loyalement servi?

— Hélas, Monsieur de la Place, dis-je, voyant de quelles illusions cet homme de bien se flattait encore, le Roi ne regarde point d'aussi près. M. de Taverny lui-même...

— Quoi, tué ?

— Par la commune, et l'épée à la main, après un siège en son logis, où les gardes du Roi ont concouru avec le populaire.

— Ha ! dit M. de la Place, un officier du Roi !

Et sentant la chose avec douleur non point seulement en tant qu'homme et victime future, mais comme magistrat, il reprit :

— Que m'apprenez-vous là ? Mais c'est la fin, destruction et subversion de toutes lois quand le Prince dresse une moitié de ses sujets contre l'autre. Une meurtrerie si fratricide peut-elle fonder le droit en un royaume ?

Mais à cela je m'accoisai, tant parce que je n'y avais pas réponse que pour ce que je m'apensais que ni le moment ni le lieu ne se prêtaient à en débattre.

— Monsieur, dis-je, si vous avez quelque ami en le quartier de l'Université qui vous pourrait quelque temps cacher, dites-le-moi et j'attenterai de lui porter message.

— Ha ! Monsieur de Siorac, dit M. de la Place, j'ai fait moi-même cette ambassade à la précédente minuit, mes geôliers étant à leurs gobelets et potations, et saillant de mon logis par une issue secrète...

— Quoi ? dis-je, béant qu'il n'en usât point pour se mettre à la fuite, avez-vous céans une porte dérobée ?

— La voici, dit M. de la Place, et faisant glisser du doigt une boiserie de chêne, il découvrit des degrés qui descendaient dans le noir. Ce viret, ajouta-t-il, que j'ai construit pour la commodité, mène à l'écurie où je garde mes chevaux, et là, par une porte cachée derrière le foin, on débouche dans la rue Boutebrie. Or, m'y hazardant seul l'avant nuit, sans serviteur, le nez dans mon manteau, je fus frapper à deux portes amies, lesquelles ne se déclouirent que pour se clore à ma vue, le ban royal interdisant sous peine de vie d'aider les huguenots.

— Eh Monsieur! m'écriai-je, vous ois-je bien? Vous êtes céans de votre plein gré revenu vous serrer dans cette nasse?

— Mais, Monsieur de Siorac, dit le Président de la Place non sans que quelque émeuvement se reflétât sur son austère face, pouvais-je abandonner les miens, sur qui en mon absence on se serait peut-être revanché?

Ha! pensais-je, on dit bien: qui prend femme et enfant lui fait, donne des otages à la fortune. Mais qui pourtant se pourrait passer de ces tendres liens, même si à la mal'heure, ils vous empêtrent et vous ligotent?

Comme ce pensement me traversait l'esprit et me laissait tant attristé du prédicament de M. de la Place que j'en oubliais le mien, lequel peut-être par la vertu de mon célibat, de mes vertes années et de mes vaillants compagnons, ne me paraissait point tant désespéré — la porte de la librairie s'ouvrit, et cette famille tant chérie apparut, fort désolée et quasi dans les pleurs. M. de la Place me présenta à son épouse, laquelle était une demoiselle qui éfrizait la quarantaine, le cheveu mi-blond mi-blanc saillant d'une petite coiffe de velours noir, portant robe noire aussi, le vertugadin modéré, le décolleté modeste, les manches hautes et gigotantes, et le clavier des clés du logis pendu à la ceinture en la bourgeoise guise; puis à sa fille qui était tant belle et friande à voir qu'à la saluer, je baissai l'œil, connaissant ma complexion, et ne la voulant point envisager trop goulûment en cette maison de deuil; au mari de celle-ci que mon hôte me dit être le Sieur Desmarets, conseiller aux enquêtes, lequel avait bonne face, mais laissait apparaître quelque frayeur, étant gendre d'un réformé tant notoire, et lui-même huguenot ; et enfin à deux jeunes garçons qui, étant à l'âge où l'on est apensé de ne mourir jamais, s'affligeaient davantage de l'infortune de leurs parents que de la leur.

Tous ces nouveaux venants étaient dans l'affliction, et se pressèrent autour du chef de la maison avec de sourds gémissements mais sans mot piper, qui le prenant dans ses bras, qui lui baisant les mains, et qui à ses genoux tombant.

— Ha ! mamie ! dit M. de la Place à son épouse en la relevant du sol, je vous prie, ne vous tourmentez point ainsi ! Gardez en l'esprit que rien ne se passe ici-bas, pas même la chute d'un passereau, que Dieu ne l'ait voulu. Ainsi, que la volonté de Dieu soit faite et son seul nom béni !

Me voyant alors la porte gagner pour ce que je voulais laisser en leur ultime communion les membres bientôt épars de cette famille affligée, M. de la Place me dit :

— Non, mon ami, nous avons trop métier céans d'un homme de bien pour vous laisser quitter la place. De reste, vous êtes des nôtres puisque sans vous, mon huis étant forcé, mon logis serait pour lors tout à plein détruit. Bien au rebours, mon ami, au lieu que de nous quitter, appelez céans vos compagnons et la fidèle Florine afin que nous ayons ce bien — le dernier qui nous reste — de prier encore tous ensemble.

Ce que je fis, et mes compagnons que je présentai à M. de la Place (et à chacun de qui il dit son mot) rangés contre les boiseries de chêne, Florine à côté de Miroul et à ce que je cuide en sa déréliction, cherchant en lui quelque appui — M. de la Place s'assit dans sa chaire à accoudoirs et nous lut de sa voix grave et vibrante le premier chapitre du livre de Job. Et que le lecteur me pardonne, mais combien que le présent récit soit frivole et profane, et parfois à ce qu'on m'a dit, scandalise les cœurs innocents (tant les mœurs que j'y dépeins paraissent effrénées) je désire y inclure ce passage fort émeuvant des Saintes Ecritures pour ce qu'aucun de nous, dans le terrible prédicament où nous nous encontrions, assiégés dans ce logis par une hurlante populace et livrés par le Prince à sa haine, ne pûmes l'ouïr sans sur nous-mêmes faire retour et verser des larmes :

« Il advint un jour que les fils et les filles de Job étaient en train de manger et boire du vin dans la maison de leur frère aîné. Et un messager vint vers Job et lui dit : "Les bœufs étaient en train de labourer et les ânesses paissaient à leurs côtés ; lors firent irruption les Sabéens, ils les prirent et passèrent les serviteurs au fil de l'épée..."

« Comme il parlait encore, un autre arriva et dit : "Le feu du tout-puissant est tombé des cieux. Il a brûlé les brebis et les serviteurs et il les a dévorés..."

« Comme il achevait, un autre arriva et dit : "Les Chaldéens se sont jetés sur les chameaux, et les ont pris et ont tué les serviteurs..."

« Comme il parlait encore, un autre survint et dit : "Tes fils et tes filles étaient en train de manger et boire du vin dans la maison de leur frère aîné. Et voici qu'un grand vent arriva du côté du désert et frappa les quatre coins de la maison : elle tomba sur tes enfants et ils moururent..."

« Alors Job se leva et déchira son manteau. Puis il se rasa la tête, s'affaissa à terre, se prosterna et il dit : "Nu je suis sorti du ventre de ma mère et nu j'y retournerai. Le Seigneur a donné et le Seigneur a repris. Que le nom du Seigneur soit béni." »

Fermant alors la Sainte Bible, M. de la Place nous remontra, la voix tranquille et le visage composé, que les afflictions sont nécessaires aux chrétiens pour ce qu'elles exercent leur vertu et qu'il n'est en la puissance du Démon de nous faire souffrir qu'autant que Dieu le veuille permettre. « Mes enfants, conclut-il, recommandez-moi au Seigneur par vos oraisons comme aussi je vous recommande à lui. Si, comme je le crains, un grand vent va s'abattre sur ma maison et en disperser les membres, priez, je vous prie, priez pour que nous soyons à nouveau conjoints en la vie éternelle, notre espérance étant en Dieu et en Dieu seul ! »

L'homélie de M. de la Place fut plus longue que je ne le dis ici et peux-je ajouter qu'à la parfin, quelque impatience se mêla à mon émeuvement, opinant, comme je le fais, que le Seigneur ne veut point que sa créature dans la tempête s'abandonne, mais bien à rebours, lutte bec et ongles pour retenir la vie, puisqu'elle lui fut baillée par Lui. Déjà, en oyant M. de Coligny en les ultimes heures de sa vie, il m'était apparu que peut-être il appétait trop au martyre, et qu'il inclinait davantage au subir qu'à l'agir. Ce n'est pas là ma complexion, laquelle approche davantage celle d'un autre huguenot des plus notoires, M. de Briquemaut, lequel, ayant passé soixante-dix ans, pourchassé par les massacreurs, se dévêtit, se mêla ès rues aux cadavres et à la nuit s'échappant, se déguisa et se cacha comme palefrenier chez l'ambassadeur d'Angleterre. La mal'heure voulut qu'il fût pris à la fin des fins et pendu, mais du moins, ne peut-on que louer le combat de ce brave désespéré.

Je ne laissai pas d'apenser, en oyant M. de la Place discourir et en l'oyant avec toute la révérence que sa profonde foi ne pouvait que m'inspirer, que si j'avais été lui, je n'aurais pas failli à user de cette issue dérobée et de ces chevaux pour me mettre au hasard d'une fuite, étant plus résolu à vivre qu'il n'était, moins enclin à bien mourir, agissant plus et priant moins. Non certes que je tienne la prière pour superflue, mais je la voudrais la sœur de l'action et non d'une attente résignée.

M. de la Place achevait à peine son propos quand on toqua fort à la porte, laquelle fut incontinent secouée, sans pourtant se déclore, le verrou étant mis.

— Qu'est cela ? dit M. de la Place.

— C'est l'Exempt du Grand Châtelet ! cria une voix brutale et pâteuse que je connaissais bien.

— Déverrouille l'huis, Florine ! dit M. de la Place.

— Monsieur, dis-je à voix basse en m'approchant de lui, avant que Florine n'aille ouvrir, plaise à vous de nous permettre de nous retirer. Nous vous servirons mieux en n'étant pas vus avec vous par ce brigand, lequel, comme j'ai dit, nous cuide être des picoreurs.

— Il n'est dès lors que de vous musser dans le viret dérobé, dit M. de la Place.

Ce que nous fîmes tous quatre en un tournemain, moi premier sur les degrés et laissant une fente entre le panneau de chêne et sa logette pour y mettre un œil et apercevoir cet Exempt que je n'avais fait jusque-là qu'ouïr à travers une porte.

Dieu sait pourtant si le maraud gagnait peu à être vu, étant un bravache à moustache et gros sourcil, lequel se fronçait d'un air terrible tandis que, la hallebarde à la main et l'autre main sur la poignée de son braquemart, il envisageait ces deux paisibles hommes de robe, ces deux femmes et ces deux garcelets.

— Or çà ! dit-il d'une voix tant pâteuse qu'arrogante, êtes-vous encore à vos prières ? C'est assez fait céans les chattemites ! On sait ce que vaut l'aune de ces grimaces-là chez nos bons magots de Genève ! Çà, levez-vous sans tant languir ! Le Président Charron est là, qui demande l'entrée.

Il avait à peine dit que le Prévôt des marchands franchit le seuil, tenant une demi-pique à la main et fort galamment armé en guerre avec une jaque de mailles et un casque protégeant le cou par un gorgerin doré, comme en portent en campagne les capitaines. C'était un homme grand assez, l'épaule large, la trogne colorée et un air d'immense conséquence, comme assurément seyait au Premier Bourgeois de Paris. Cependant, et combien qu'il y eût matière à gausser chez ces messieurs de la Boutique, maîtres artisans et autres quarteniers, dizeniers et cinquanteniers qui étaient tant raffolés de se caparaçonner en hommes de guerre, ne fût-ce que pour courre sus à des hommes en chemise, je ne lui trouvai pas l'œil méchant et impiteux. Bien au rebours et je fus peu étonné d'apprendre, dans la suite, que lorsque le roi lui avait ordonné le samedi de lancer la commune à la meurtrerie générale des huguenots, il avait prié et pleuré qu'on n'en fît rien, et n'avait enfin cédé au commandement de Charles que sous la menace d'être lui-même expédié au gibet.

Derrière le Président Charron et lui faisant escorte, entrèrent deux gardes de la ville, vêtus de la casaque bleue fleurdelisée, lesquels d'emblée envisagèrent sans amour aucune le hoqueton blanc de l'Exempt, y ayant une longue antipathie entre ces casaques-ci et ces hoquetons-là. De son côtel, l'Exempt, qui recevait ses ordres du Prévôt du Grand Châtelet, celait à peine, sous un apparent respect, son déprisement d'état, de corps et de métier pour le Prévôt de Paris et ses acolytes bleus, tout fleurdelisés qu'ils fussent. Aussi, demeurant en la librairie pour témoigner qu'il était seul en charge en ce logis, il dardait ses méfiants regards sur M. Charron et M. de la Place, et laissait traîner à l'alentour ses longues oreilles d'un air suspicionneux.

— Ha! Monsieur de la Place, dit Charron en s'avançant vers lui la main tendue en la plus pacifique guise, je vous proteste et vous assure que je ne suis céans qu'à très bonne intention et seulement pour vous bailler service.

M. de la Place fut trop ému pour répondre à ce généreux propos, mais sa femme, sa fille, son gendre et ses jeunes garçons se pressant alors autour du Président Charron, lui dirent d'une voix où se mêlaient des pleurs :

— Ha ! Monsieur le Prévôt ! Sauvez-nous ! Sauvez-nous ! Et sauvez aussi notre père !

La bonne et bénigne face de Charron montra, à cette supplication, quelque émeuvement, sans doute pour ce qu'il se ramentevait sa propre famille, à quoi celle-ci ressemblait fort, et s'imaginait dans quelle détresse elle eût été de présent plongée, s'il n'avait pas, contre sa conscience, obéi à l'ordre du roi.

— Ha ! sauvez-nous, Monsieur ! répéta avec la plus grande véhémence la demoiselle de la Place, et sauvez mon mari !

— Ainsi ferai-je, Madame, dit enfin Charron, si Dieu le veut… et sauf le service du Roi, ajouta-t-il voyant que l'œil sourcilleux de l'Exempt ne le quittait pas.

Mais qu'il se reprochât incontinent cette prudence-là ou qu'il s'encolérât en lui-même de l'insolence à peine voilée de l'Exempt, je ne sais, mais il se mit à marcher qui cy qui là dans la librairie, se mordant la lèvre et paraissant se réfléchir.

— Monsieur de la Place, dit-il enfin, plaise à vous de renvoyer votre famille. Je voudrais vous entretenir d'œil à œil.

A ces mots et sur un signe de M. de la Place, son épouse et ses enfants firent retraite dans un petit cabinet qui confinait à la librairie, mais l'Exempt, lui, demeura, la dextre s'appuyant sur sa hallebarde, et la senestre fièrement posée sur la poignée de son braquemart. Et tant il avait l'air défiant, piaffant et paonnant que c'est bien pitié qu'il n'eût pas une troisième main, pour ce qu'il en eût trouvé assurément l'usance à retrousser sa moustache.

— Eh bien, Exempt, qu'attends-tu ? dit Charron en tournant vers lui un œil impérieux.

— Monsieur le Prévôt des marchands, dit l'Exempt avec un respect teinté d'irrision, je ne peux que je ne demeure : j'ai la garde du prisonnier.

— Et je t'ordonne, moi, de quitter la place ! dit Charron en lui parlant avec les grosses dents.

— Monsieur le Prévôt, dit l'Exempt avec un petit salut, je reçois mes ordres de M. le Prévôt du Grand Châtelet.

— Et t'a-t-il ordonné, dit Charron très à la fureur et son œil clair étincelant, d'espionner le Prévôt de Paris ? Maître-Mouche, poursuivit-il, marchant sur lui en brandissant sa demi-pique, j'ai là devant le logis vingt archers de la ville, et si tu délayes davantage à m'obéir, je te fais par eux donner la fessade en cuisine comme un petit galapian ! Va-t'en bientôt ! Et à la mal'heure, petit compagnon !

A ces mots, et comme l'Exempt balançait encore, les deux casaques bleues de Charron s'avancèrent vers le hoqueton blanc avec une tant visible friandise à le jeter au bas des degrés que celui-ci, tournant jaquette, et la crête aussi basse qu'elle avait été dressée, s'ensauva comme lièvre en buisson.

— Ha ! Monsieur le Prévôt ! dit M. de la Place, comme je vous sais gré d'avoir mis à raison ce méchant homme, ses hoquetons blancs se livrant céans à d'inouïs excès, battant mes gens et mettant tout à pillage.

— Quoi ! Le pillage aussi ? dit Charron le sourcil levé, j'y mettrai bon ordre, avant que de départir. Mon ami, poursuivit-il, je voudrais de présent vous mettre en sûreté que je ne le pourrais mais : ce serait désobéir aux ordres du Roi qui vous veut en votre logis serré, peut-être pour qu'on vous y interroge sur les ménagements des deniers de la Cause. Mais en revanche, je vous peux mettre votre famille à l'abri des excès de la commune, soit chez moi en l'Hôtel de Ville, soit chez Biron à l'Arsenal.

— Ha! Monsieur le Prévôt! dit M. de la Place en lui serrant les deux mains avec force, je vous en saurais un gré infini et jusque dans l'autre monde, celui-ci me quittant. Et pour moi, ma famille placée sous votre protection ou celle des Biron, j'attendrai céans les ordres de mon souverain, sans chercher à m'enfuir, je vous en fais le solennel serment.

A ce mot de serment, Charron leva les sourcils de l'air de dire qu'il n'en demandait pas tant, mais jetant un œil à ses casaques bleues, lesquelles laissaient paraître quelque étonnement de cet amical entretien avec un notable huguenot, il préféra s'accoiser. Et la famille de M. de la Place réapparaissant, il pressa les adieux, lesquels furent déchirants, ces pauvres gens craignant bien naturellement le pire pour le chef de leur maison en le logis demeuré, quelque contraire assurance que leur donnât Charron, en sa charité, leur disant qu'il y avait commandement du roi de cesser partout les exécutions : ce qui, comme je sus plus tard, avait été vrai le matin, mais déjà ne l'était plus, le contrordre étant venu du Louvre.

Avant que de départir, Charron ordonna à ses casaques bleues de bouter hors logis les quatre hoquetons blancs de l'Exempt et l'Exempt lui-même. Ce qu'ils firent avec une non pareille alacrité et non sans plaies et bosses, à ce que je vis des verrières de la librairie d'où je me penchai sur la rue avec M. de la Place, lequel voulait voir s'en aller les siens, les larmes lui coulant sur les joues, mais sans mot dire.

J'ouïs Charron ordonner à Florine de remparer l'huis. Quoi fait, il disposa devant (et non à l'intérieur du logis) six de ses gardes de ville et avec le reste — à peine une quinzaine —, il encadra étroitement les prisonniers ou ceux qu'il affectait de nommer tels, et lui-même, prenant la tête, ordonna le branle, les casaques bleues marchant de part et d'autre des « prisonniers » en ordre fort serré et la pique basse, pour ce que le populaire leur faisait en courant un haineux cortège, huchant, huant, brandissant le poing, crachant insultes et criant à oreilles étourdies : « A la Cause ! A Madame la Cause ! Tue ! Tue ! »

— Monsieur de la Place, dis-je quand ils eurent tourné le coin de la rue, les vôtres, certes, vous quittent, mais du moins vont-ils en sûreté. Le temps presse. Il faudrait pourvoir à la vôtre et vous mettre sur l'heure à la fuite. Il n'est pas que les hoquetons blancs ne reviennent en force et ne chassent à leur tour les casaques bleues. Et pourrez-vous compter sur le Prévôt du Grand Châtelet comme sur M. Charron ?

— Ha que nenni ! dit le Président de la Place, Senneçay, quoiqu'il soit chattemite, est un serpent sous l'herbe et ne me veut pas de bien, j'en suis assuré. Mais, Monsieur de Siorac, je ne peux pas m'ensauver du logis. J'en ai fait le solennel serment au Prévôt de Paris.

— Serment que M. Charron n'a point quis de vous et qu'il m'a paru regretter que vous prononciez.

— Cependant, je l'ai fait, dit M. de la Place, la tête redressée et les dix commandements imprimés sur son austère face. J'attendrai donc céans les ordres du Roi, lequel me connaît comme son toujours loyal et fidèle serviteur, et ne me voudra pas livrer au couteau de mes secrets ennemis.

— Quoi ? dis-je, vous vous en connaissez ?

— L'un entre autres qui, comme moi magistrat au Palais, serait aux anges de mon assassination, convoitant de longue main mon bonnet à mortier.

Ha ! pensai-je, se pourrait-il qu'on complote la mort d'un confrère pour coiffer le bonnet de velours noir cerclé d'or d'un Président ?

— Et comment, dis-je, se nomme ce bon ami ?

— Nully, dit M. de la Place avec un bref sourire, génitif de *Nullus* ; et qu'il soit nul, je n'en disconviens pas.

— Ne pensez-vous pas, Monsieur, que Senneçay pourrait conniver, moyennent pécunes, aux desseins de Nully ?

— Cela, hélas, se peut, Senneçay étant accoutumé, à ce que j'ois, de prendre monnaies à toutes mains.

— Eh bien donc, m'écriai-je, n'est-ce pas folie, Monsieur de la Place, de demeurer céans !

Mais je perdais ma peine. De sa fidélité à la parole donnée il ne voulut démordre, quelques instances que je fisse (et Giacomi aussi, joignant sa voix à la mienne) la profonde raison en étant, à ce que je cuide, que M. de la Place avait le sentiment qu'une fois qu'on aurait pris sa vie, on ne ravirait pas celle des siens.

— Mais, Monsieur, dit-il avec un sourire qui, quoique triste, laissait paraître une sorte de douceur sereine qui déjà n'était plus de ce monde, songez à profiter vous-même des avis que vous me baillez et à vous mettre en sûreté sans tant languir, vos compagnons et vous. Prenez par le viret dérobé, sellez mes chevaux, départez sans délai ! Peux-je, cependant, quérir de vous de mener Florine rue des Grands-Augustins chez sa cousine fréreuse qui peut-être la voudra recueillir.

Il achevait quand nous ouïmes un grand bruit dans la rue et nous penchant par les verrières, nous vîmes une bonne quarantaine de hoquetons blancs, chassant d'abordée, non sans les caresser du manche de leurs hallebardes, la demi-douzaine de casaques bleues que le Président Charron avait laissée devant notre huis, auquel, incontinent, un capitaine armé en guerre toqua avec la dernière rudesse.

— C'est Senneçay, dit M. de la Place en pâlissant,

mais la face fort calme, et avec lui, trois ou quatre des plus effrénés quarteniers. Florine, va ouvrir et, les précédant, reviens vite te glisser dans le petit cabinet céans et t'y fais oublier en attendant que ces messieurs t'emmènent en sûreté.

Ce disant, il nous montra du doigt le viret dérobé et après lui avoir donné une forte brassée, j'y fus, le laissant seul, mes compagnons me suivant tête basse et le cœur nous toquant fort de ce qui s'allait passer, n'étant séparés de cette scène que par une boiserie de chêne auquel je mis un œil de nouveau.

Senneçay entra le premier, d'un pas résolu, armé en guerre, l'épée à la main et la rondelle au bras, comme s'il allait se jeter vaillamment au combat en un grand frottis de piques, et non point pénétrer dans la paisible librairie d'un homme de robe, seul et sans armes.

D'avoir été sa vie durant, au prix d'une grande souplesse d'échine, l'exécuteur des basses œuvres du Louvre, avait modelé au Grand Prévôt un visage où la cruauté s'était mise en sournois ménage avec la fourberie, ses yeux noirs roulant dans l'orbite comme de petites bêtes féroces, et cependant serviles et comme inquiètes, ses lèvres minces, serrées et sans couleur, étant comme rentrées et mangées du dedans par ses appétits, et sa face tout entière couverte de boutons rouges et purulents comme si sa conscience eût tenté de pousser hors la sanie qu'elle sécrétait.

Derrière lui entrèrent trois quidams qui arboraient le gorgerin doré des capitaines, lesquels M. de la Place avait décrits comme les plus effrénés quarteniers et à mon sens, bien plutôt bêtes fauves qu'êtres humains, en ayant et l'aspect, et le mufle, et l'odeur, l'un d'eux étalant des bras nus tout maculés de sang comme s'il tenait à honneur qu'on sût bien la part qu'il avait prise depuis deux jours à la boucherie des huguenots.

— Monsieur, dit Senneçay sans donner à M. de la Place son titre de Président, et sans non plus l'envisager, son œil incrédiblement faux errant dans la librairie sans se poser sur rien, j'ai l'exprès commandement du Roi de vous mener au Louvre.

— Au Louvre, Monsieur le Grand Prévôt! s'écria M. de la Place. Au Louvre en pleine émeute! la commune de toutes parts soulevée et hurlant à la mort! Même au mitan de vos archers, la pique basse, je n'y arriverai pas vivant!

— Je vous gage le contraire, dit Senneçay, mais sans vouloir, ou peut-être pouvoir, poser sur lui son œil qui toujours vaguait dans la pièce. Je vous baillerai pour votre sûreté un capitaine de Paris qui est bien connu de la commune et vous accompagnera.

— Et quel? dit M. de la Place.

— M. Pezou, ici présent.

A quoi Pezou, qui était une sorte de géant au poil carotte et à l'œil délavé, poussa en avant sa bedondaine et mit ses deux poings sur les hanches d'un air de piaffe.

— Pezou! s'écria M. de la Place en le regardant avec horreur. Pezou, je le dis tout net à sa face, est réputé le plus méchant des quarteniers! Monsieur le Prévôt, vous ne pourriez faire un pire choix! Ne voit-on pas comment Pezou se paonne d'avoir les bras éclaboussés du sang des nôtres?

— Assurément, je m'en paonne, dit Pezou, ses cils sans couleur clignant sur ses yeux délavés. J'ai fait serment à la benoîte Vierge de ne me point laver les bras que voici. — Oui-da! et de manger et de dormir comme ils sont, tout croûteux de sang séché! — tant qu'on n'a pas fini la fête ni occis le dernier hérétique en Paris!

— Monsieur, dit un autre quartenier d'un air gaussant, c'est raison de saigner un corps qui souffre d'un dérèglement. Ainsi en va-t-il de l'Etat, lequel a pâti prou de votre pestilentielle hérésie. Et de reste, c'est bien ce qu'a dit et laissé entendre M. de Tavannes, à l'aube de la Saint-Barthélemy. Saignez, disait-il en passant ès rues à cheval, saignez, mes amis! La saignée est tant bonne en août qu'en mai!

Oyant quoi, Pezou clignant ses yeux pâles et hochant le chef, tout ébaudi, répéta : « La saignée est tant bonne en août qu'en mai! »

Et que ce fût ou non la magie de cette émerveillable phrase, mais s'entrevisageant tous trois du coin de l'œil, les trois quarteniers se mirent tout soudain à rire à ventre déboutonné; gaîté qui ne fut pas sans embarrasser Senneçay, lequel, étant chattemite en diable, prenait plus de gants avec sa conscience.

— Monsieur le Prévôt, s'écria M. de la Place, vous avez ouï! Me voulez-vous remettre en telles mains! Monsieur le Prévôt, je vous requiers et vous supplie de me mener de votre personne au Louvre et sous votre responsabilité.

— Monsieur, dit Senneçay, l'air faux et le visage détourné. Excusez-moi. Je suis empêché à d'autres affaires. Je ne pourrai vous conduire plus de cinquante pas. Pezou fera le reste.

— Vous voilà donc marié à moi, Monsieur! dit Pezou avec un gros rire, et Tudieu! vous ne le regretterez pas!

— Ha! Monsieur le Grand Prévôt, dit M. de la Place d'une voix blanche, c'est trahison! C'est félonie! Je ne suivrai pas ce massacreur. Je m'y refuse!

Senneçay sourcilla fort à ces paroles et de prime, sans parler, marcha vers la porte de la librairie et la déclosant, appela à soi une demi-douzaine de ses hoquetons blancs.

— Monsieur, dit-il à M. de la Place, revenant à lui mais sans l'envisager davantage, c'est assez fait le rebelle et le maillotinier avec le Grand Prévôt. Quand je parle au nom du souverain, j'entends être obéi. Si vous ne vous rendez pas de votre chef au commandement du Roi, je vous conduirai à son auguste personne en charrette, pieds et poings liés.

— Monsieur, dit M. de la Place après un temps de réflexion, je vous épargnerai cette ultime infamie. Elle blesserait trop votre conscience.

Ayant dit et saisissant son mantelet (sans lequel aucune personne de sa qualité n'aurait sailli ès rue en Paris, même en août) il le jeta sur ses épaules, et la face fort pâle, mais calme et composée, marcha vers la porte. Cependant, au moment d'en franchir le seuil, il se retourna et sans daigner voir Senneçay, ni les trois quarteniers, jeta un long regard à sa chaire à accoudoirs, à sa table et à ses livres.

Son escorte, comme je sus plus tard, le fit passer par le Petit Pont, que Senneçay ne passa pas, se retirant comme il avait dit, Pezou prenant alors la tête de la troupe que le populaire accompagnait en huchant à la mort, mais sans oser affronter les piques. M. de la Place traversa en ce cortège hurleur la moitié de l'île de la Cité, mais comme il arrivait à l'angle de la rue de la Verrerie, Pezou ordonna aux archers de s'arrêter. Et une poignée de massacreurs qu'on avait postée là tout exprès, se ruant alors sus sans que les hoquetons blancs fissent rien pour les arrêter, dagua le Président.

Je cuide, quant à moi, que le roi, sans rien faire pour protéger M. de la Place, n'avait pas non plus ordonné sa mort. Sans cela, on l'eût inscrit sur un rôlet et dépêché comme tant d'autres en son logis à la chaude, le dimanche 24, à la pique du jour. Senneçay, à mon opinion, conniva cette meurtrerie particulière avec Pezou et Nully, à qui seul elle profitait, pour ce qu'ayant eu le bonnet à mortier du Président après la seconde guerre civile, il avait dû le rendre à M. de la Place à la Paix de Saint-Germain. Restitution qui lui navra le cœur. De petites clicailles achetèrent Pezou et de plus grosses, Senneçay, lequel, fort ménager de son bon renom, prit grand soin de ne point présider à l'assassination.

Ainsi allait le train du monde en ces sinistres heures. Il était loisible à tout un chacun d'égorger son hérétique, qui pour avoir sa place, qui pour hériter de lui, qui pour se revancher d'une offense, qui pour gagner son procès. Ainsi le célèbre Bussy d'Amboise qui plaidait interminablement avec le huguenot Antoine de Clermont, son cousin, au sujet du marquisat de Renel qu'il lui disputait, le recharcha dès l'aube du 24 et l'ayant encontré qui se mettait à la fuite, abrégea la procédure en le poignardant.

Dès que M. de la Place eut départi avec ses bourreaux, je courus pour temps gagner fermer au verrou la porte de la librairie, me doutant bien que la commune allait — l'huis sur la rue béant et le logis abandonné — l'envahir et vaguer d'une pièce à l'autre afin de les mettre derechef à pillage. Florine saillant alors toute en pleurs du petit cabinet attenant, je ne voulus pas consentir qu'elle allât chercher son petit baluchon en sa chambrifime car déjà on entendait des pas, des sifflements, et des huchements sur les degrés, la maison se mettant à grouiller comme fromage livré aux rats.

Je tirai donc la mignote au viret dérobé, remis le panneau en sa logette et dans le noir descendîmes, moi dernier et Fröhlich premier qui, se heurtant enfin à une porte, l'eût tout bonnement enfoncée si, craignant la noise et la vacarme, je n'avais dit à Miroul de trouver la chevillette, ce à quoi il ne faillit, et incontinent nous livra passage à l'écurie. Et là, Florine nous désigna, derrière les balles de foin, la porte qui donnait sur la rue Boutebrie, laquelle, à y avancer fort prudemment le nez, nous parut calme et peu passante. Vous pouvez penser qu'on ne perdit pas de temps à seller les chevaux qui se trouvaient là, de peur que les picoreurs s'avisassent de les vouloir, eux aussi, larronner, et Florine montant en croupe de Miroul, lequel elle n'avait quitté d'un pouce tout le temps qu'il bridait sa jument, nous départîmes et poussant à dextre, puis encore à dextre, nous prîmes la rue de la Harpe jusqu'au pont Saint-Michel, et de là, le quai senestre jusqu'à la rue des Grands-Augustins où logeait la cousine fréreuse de notre chambrière, laquelle était fille de sa tante, et celle-ci Normande de Paris, et fort bonne et bénigne, à ce qu'elle dit en chemin à mon gentil Miroul, mais hélas, rappelée au Seigneur en l'année écoulée.

Hélas aussi pour Florine, la cousine fréreuse n'avait point hérité la complexion aumônière de sa mère, et l'huis à peine déclos, se recloit à fracas à la vue de la blondette, laquelle, suppliant encore à haute voix qu'on ne la laissât pas ès rues, seulette et abandonnée, une fenêtre s'ouvrit à l'étage et sa bonne parente qui était, semblait-il, papiste très encharnée, lui déversa tout un tombereau d'injures. Et comme par la mal'heure, à ces cris, d'autres fenêtres dans la rue s'entrebâillaient, d'où ménines et mégères entonnaient saintement le « Tue! Tue! » contre l'hérétique, je jugeai qu'il ne fallait pas céans s'amuser à la vinaigrette si nous ne voulions pas bientôt avoir la paroisse entière à nos trousses.

On mit donc au trot, enfilant rue et venelle queue à queue sans attenter de les démêler, et on se retrouva enfin rue Hautefeuille, laquelle étant paisible, on s'arrêta, Florine pleurant toutes les larmes de son joli corps, le minois enfoui dans le dos de Miroul et par-derrière, enserrant son poitrail de ses deux mains.

— Florine, dis-je, me mettant au botte à botte de mon gentil valet, n'as-tu point d'autre parente?

— Hélas! Non! Monsieur, dit-elle, le Seigneur m'a

repris mes parents et ma bonne tante. Ha! Monsieur! Que ferai-je de présent? Où irai-je? Monsieur notre maître et Madame étaient toute ma famille.

— Moussu, dit alors Miroul, pouvons-nous laisser la pauvrette ès rues en cette haineuse ville, pour être livrée au cotel des massacreurs ou pis peut-être? Plaise à vous qu'elle vienne avec nous, liant sa fortune à la nôtre.

— Ha! Miroul! dit Florine, ses larmes coupées court et contre mon Miroul tant serrée que vous n'eussiez pu entre eux glisser une épingle.

— Miroul, dis-je, balançant fort, ce n'est point chose qui se porte à la manche qu'une fillette, quand on est à la fuite.

Mais de ses yeux vairons, Miroul m'envisagea d'un air tant grave et suppliant — lui à l'accoutumée si gaillard — que j'entendis bien qu'il n'entrait point en cette aventure que d'une fesse, mais de grand cœur et à la franche marguerite. Jetant alors un œil à Giacomi, je vis à son souris qu'il avait reniflé là, lui aussi, le parfum d'un tendre attachement et non point un simple appétit. Et pourtant, pensai-je, emporter mignote à la fuite! Dans le mitan de tels dangers! Et quel péril elle-même serait pour nous, étant l'anneau le plus faible de notre chaîne, ne sachant ni chevaucher, ni courir, ni se battre, tendre fardeau pour Miroul, mais tout de même fardeau, retard, désavancement... Comment toutefois la refuser à mon Miroul qui tant de fois m'avait la vie sauvée et d'un autre côtel, n'avais-je point quasi promis à M. de la Place de mettre sa chambrière en sûreté, et où la pouvais-je mettre, sa cousine fréreuse la reniant?

En ce débat ne voulant, ni ne pouvant trancher dans l'urgence de l'heure, je me résolus à ne rien résoudre et je dis, souriant toutefois à mon gentil valet :

— Passons d'abord les portes. On verra bien ensuite.

A quoi Miroul me contresourit avec tant de gratitude et de liesse que je ne laissai pas d'être ému.

— Allons ! dis-je. Allons voir si l'on peut franchir les murs de cette cruelle ville et sortir de la nasse !

Mais Miroul, pour une fois, nous faillant à nous bien guider, son esprit étant ailleurs occupé, nous descendîmes bonnement la rue Hautefeuille et allâmes donner du nez à l'étourdie contre le couvent des Cordeliers, où tout soudain nous nous trouvâmes englués dans une grande presse de garces huchantes et clamantes qui traînaient à l'église pour les convertir à la chaude des demoiselles huguenotes. Nos chevaux ne pouvant plus avancer d'un sabot en cette mêlée, force nous fut de voir cette étrange scène. Les grandes portes des Cordeliers étaient larges ouvertes et sur le maître-autel éclairé à profusion par de grands luminaires étincelait cette idole que les papistes nomment le Saint-Sacrement et devant quoi ces furies voulaient que les malheureuses, abjurant, se prosternassent — d'aucunes (et en particulier celles qui portaient dans leurs bras des enfantelets) acceptant de se renier, peut-être, à ce que je cuide, pour défendre leur progéniture de mort ou pâtiment, d'autres, s'y refusant tout de gob, et celles-là, mises en cheveux, de brocards et de crachats couvertes, dévêtues, traînées au pied de la statue du Saint Roi Louis (laquelle se dresse entre les deux grandes portes de l'église) et là, battues, graffignées, piétinées par les grappes agglutinées de sorcières de paroisse, lesquelles poussaient des cris, des sifflements et ululements à vous glacer le sang, et à ce que je vis, n'abandonnaient les martyres à leur hérésie que lorsqu'elles les tenaient pour mortes.

Je vous laisse à penser l'effroi avec lequel la pauvre Florine envisageait cette scène, se voyant en la place de ces infortunées et déchirée par ces mégères, tant est qu'elle prit le parti d'enfouir sa pâle face dans le dos de mon Miroul comme poussin sous les plumes de sa mère, mon gentil valet grinçant des dents et son œil marron pour une fois plus encoléré que son œil bleu.

— Paix là, Miroul! dis-je, bride-toi! Sortons de prime de ce bourdonnant essaim!

Et prenant le parti de faire tous les quatre reculer nos chevaux, leurs larges croupes nous ouvrant un passage, nous parvînmes à nous dégager de ces hurlantes harpies, et à atteindre la rue du Paon. D'où nous gagnâmes la rue de l'Eperon, laquelle était paisible, et la rue des Arcs [1], qui l'était moins, pour ce que, au moment même où nous y débouchions, passait à grande noise et vacarme, sur les pavés, une coche de voyage dont les tapisseries, non sans quelque motif, étaient fort étroitement rabattues sur les portières, laquelle coche était, en outre, escortée par trente cavaliers au moins, qui en pourpoint et mantelet, qui en morion et corselet, mais tous l'épée à la main ou la pistole bandée. Et combien que ces cavaliers portassent quasi tous au chapeau la croix de Lorraine, et les armes des Guise sur les caparaçons de leurs montures, ils avaient grand labour à tenir en respect la populace, laquelle se doutant bien qu'on dérobait là à leur cotel un huguenot de conséquence (comme fit, en ces jours, plusieurs fois le duc de Guise, de par une contrefaite magnanimité, combien qu'il eût poussé de prime au massacre) courait de part et d'autre de la coche en hurlant « A l'arme! A la Cause! A Madame la Cause! », d'aucuns se foulant quasiment sous les pieds des chevaux, et peu rebiqués même par les platissades que les gens d'escorte leur baillaient au-travers des épaules.

1. Aujourd'hui rue Saint-André-des-Arts. (Note de l'auteur.)

Ha! lecteur, je vis ma chance en un clin d'œil! Ne doutant point que cet ondulant dragon allait passer le pont-levis de la porte de Buccy, je lui enfourchai la queue, et criant « Vive Guise! » non sans donner de l'œil à mes compagnons, je pris au trot à la suite, et fort heureusement pour un valet de valise qui chevauchait à l'ultime et sans arme, je parvins jusqu'à lui juste à temps pour le désemparer de quelques vaunéants et ribleurs de pavés qui, sans moi, l'eussent désarçonné. Se voyant ainsi secouru et tout soudain entouré de quatre gaillards, jouant qui du plat de l'épée, qui du marelin (que mon Fröhlich moulinait comme une simple baguette), le valet de valise, lequel était vieil assez, et la mine honnête et bénigne, me fit un grand merci mais ne put dire plus, le populaire nous ruant des pierres et les encharnées mégères, aux fenêtres, nous lançant trognons et tuilots, d'aucunes même, sacrilègement, leurs propres pots de fleurs, boulets dont nous eûmes grand mal à nous garer, mon vieux valet étant par la mal'heure si bien accommodé d'une vieille poêle à frire qu'il eût sans ma main secourable vidé les étriers.

La merci Dieu, la coche maintenant roulait sur le pont-levis, encore que de fort près serrée par la houle de l'émeute, les maillotiniers lapidant et l'escorte et la coche et la garde de pont, laquelle, se souhaitant à mille lieues de là, se voulut peu inquisitive, se fiant aux armes des Guise sur les caparaçons, un archer cependant, baissant sa pique, demanda, quand ce fut à nous de passer :

— A qui ceux-ci?

— A la Dame de Belesbat, dit le vieux valet de valise. Nous suivons à Etampes.

— Par la Mort Dieu! dit un autre archer, ceux-ci n'en sont pas! Ils ne portent pas livrée!

— Si en sont-ils! dit le valet. On les a engagés hier, ayant bon bras et bonne épée.

— De quoi je ne doute, dit le premier, nous jetant un œil et nous voyant si farouches.

Quoi disant, il haussa la pique pour nous bailler passage, lui et ses casaques bleues ayant fort à faire, par ailleurs, à contenir le populaire, lequel nous voulait faire le pourchas et l'escorte du loup jusque dans le Faubourg Saint-Germain. Cornedebœuf! Nous laissâmes derrière nous ces sanguinaires ribauds aux prises avec le guet, nos montures ruant éclairs sur le pavé de leurs quatre sabots et nous ressoudant à l'escorte en un clin d'œil, bien aises que nous fûmes de passer à sa suite le poste des gabelous de la Croix Rouge, lesquels, à vrai dire, inquisition- naient surtout les gens des villages et autres vivan- diers qui étaient accoutumés à passer là pour envi- tailler Paris.

Je fis de grands mercis à mon vieux valet de valise que je trouvai tant content en sa conscience de m'avoir été, à son tour, de service qu'il refusa tout à plat mon obole, disant que sans moi, il serait de présent à gésir sans vie sur le pavé de la rue des Arcs, égorgé par la canaille, et dépouillé de ses biens ter- restres; qu'il se doutait bien que nous avions nos raisons de vouloir départir de Paris à la chaude colle, mais qu'il nous jugeait trop honnêtes gens pour son- ger à nous les enquérir.

— Compagnon, dis-je, peux-je te demander qui est cette Dame de Belesbat que vous suivez à Etampes?

— Ne le savez-vous point? dit-il très à la pari- sienne, en levant le sourcil. C'est la fille unique de Michel de l'Hospital, et encore qu'il soit catholique, le populaire le hait à l'égal d'un hérétique, pour ce qu'il a tant soutenu les huguenots quand il était chancelier. Et vous, Monsieur, dit-il, mettant quel- que délicatesse à sa question et quelque réserve à son ton, suivrez-vous aussi à Etampes?

— Nenni, nous arrêtons à Saint-Cloud, y ayant de bons amis.

Le valet de valise me parut fort conforté qu'on le quittât si tôt, se faisant souci, je gage, de ce que d'aucuns des cavaliers de l'escorte se retournant sur leurs selles, nous envisageaient d'un air fort suspicionneux, à telle enseigne qu'ils nous auraient peut-être requis de montrer patte blanche s'ils avaient eu le loisir de s'arrêter au lieu que de suivre la coche.

A la parfin, les premiers moulins de Saint-Cloud apparurent, tournant joliment leurs ailes bleues dans la bonne brise de la vesprée, et passée la rivière Seine que je n'envisageai pas au passage sans frissonner, la coche mit au pas pour monter par un chemin pentu jusqu'au village, où tendant une chaleureuse dextre à mon vieux valet de valise et des yeux lui souriant — sourire qu'il me rendit sans mot piper mais de tout cœur — je bridai mon cheval devant l'église et jetant un œil autour de moi, j'aperçus musant, le nez en l'air et la mine fort éveillée, un de ces petits galapians en livrée qu'en jargon de Paris on nomme des « vas-y-dire » pour ce que leur maître les envoie continuement qui cy qui là porter messages.

— Un sol pour toi, mon drole, dis-je, si tu nous conduis à la maison de M. de Quéribus.

Le « vas-y dire » se donna le temps de se réfléchir et de nous envisager fort curieusement l'un après l'autre. Après quoi, n'aimant point trop sans doute nos vêtures ordes et poussiéreuses et nos joues de barbe salies, il sautilla jusqu'au porche de l'église, et un pied jà sur le recul pour se mettre de nous hors d'atteinte, il dit :

— Monsieur, je ne sais. Je n'aimerais point qu'on me donnât la fessade pour avoir été imprudent. Que quérez-vous de M. de Quéribus ?

— Je suis, dis-je, Pierre de Siorac.

— Pierre de Siorac ! s'écria le « vas-y-dire », sa face tachée de son s'éclairant, rue de la Ferronnerie !

Chez le Maître Recroche ? Eh ! Monsieur ! Je vous ai porté un billet ! Mon gentilhomme, donnez-moi, je vous prie, une main et l'usance de votre étrier : nous irons plus vite, moi en croupe de votre monture que non pas devant vous cheminant !

Le galapian n'eut qu'à paraître : sa livrée fut le shibboleth qui nous ouvrit la porte remparée du logis, lequel était une sorte de petit château aux murs hors échelle, la porte que j'ai dite étant doublée d'une forte herse que j'ouïs avec délices se reclore derrière nous dans un fracas ferreux. Lecteur, je prie que tu ne t'en étonnes pas. Il se peut assurément que pour toi, qui dit herse dit geôle, mais pour moi, en mon prédicament, c'était le gîte sûr et défendu, et Mespech déjà, mon beau nid crénelé, le giron de Barberine ! Croirais-tu qu'en Paris, harassé d'une rue à l'autre par ce cruel pourchas, j'aurais volontiers quis refuge dans la logette d'un lion ! Je ne dis pas qu'à la longue la bête fauve eût aimé ma compagnie, mais les barreaux de sa cage m'eussent du moins protégé des hommes.

— Mon gentilhomme, dit le petit valet en fronçant son petit nez taché de son, plaise à vous de demeurer céans. Je vais prévenir mon maître.

Quoi dit, tant léger qu'un oiseau, il voleta jusqu'aux degrés et disparut. J'envisageai mes compagnons et ils me contr'envisagèrent œil à œil sans pouvoir ni vouloir mot articuler, presque péris que nous étions de faim, de soif, de fatigue, et l'entendement comme stupide et stupéfait des horreurs dont notre vue avait été rassasiée. Au surplus, incrédules de notre sûreté présente et n'osant croire que l'hallali n'allait pas dans la minute recommencer et nous remettre à la fuite.

Tout soudain, une porte claquée derrière lui, mon Quéribus bondit vers nous sur les degrés du perron, oint, parfumé, bagué, une perle tremblante à son oreille dextre, chatoyant en son pourpoint de satin jaune, le cheveu en bouclettes et ratepenades, et sa lisse face brillant de sa grande amitié, encore que si peu ragoûté de mon apparence qu'il n'eût osé pour un royaume me prendre sans ses bras.

— Ha! Mon Pierre! dit-il, mon frère! mon autre moi! Comme vous voilà fait! En ma conscience! Orde! Crotté! Sanglant! Mais vous êtes vif, la merci Dieu, vous êtes vif! poursuivit-il avec un mouvement pour me bailler une forte brassée (mais il ne put passer outre à l'odeur que j'exhalais, son élan brisant net). Maestro Giacomi, dit-il en reculant devant nous, je suis votre serviteur. Miroul, le bonjour à toi, gentil valet. Mon Pierre, ces deux-là sont-ils de votre compagnie?

— Si en sont-ils!

— Bienvenue donc au géant et à la blondette garce, dit-il avec un gracieux mouvement de sa main baguée. Ha! Pierre! reprit-il toujours sur le recul et en riant tout soudain à gueule bec, *en ma conscience*, vous puez! Il en faudrait mourir! Voulez-vous soi baigner?

— Et manger, de grâce, manger et boire!

— Tudieu! vous aurez tout cela et davantage! cria Quéribus, sa voix grimpant aux hautes notes. Holà! des cuves! Appelez mes chambrières! Qu'on chauffe l'eau! Que chacune étrille son chacun! Et qu'on prépare la chambre bleue pour M. de Siorac!

— Ha! Baron! dis-je, mille grâces et merciements! Mais demeurer ne peux. Dès que j'ai repris souffle, je galoperai à brides avalées en Montfort, me faisant pour mon Samson un souci à mes ongles ronger.

— Otez-vous de ce souci. Gertrude y a pourvu.

— Quoi? N'est-elle pas céans?

— Ha! mon frère, vous la méjugez! dit Quéribus en riant. Tout puant que vous soyez, vous seriez jà dans ses bras, lesquels, reprit-il en me donnant de l'œil, sont tant larges que son cœur! Dieu la garde! Dès qu'on a ouï du massacre en Paris, elle a couru en Montfort empêcher votre joli Samson de s'aller jeter en la capitale pour vous secourir.

— Et il l'eût fait, certes! m'écriai-je. Et comment l'a-t-elle désemparé de ce beau projet?

— En lui assurant que vous étiez sauf, et chez moi.

— Ha! dis-je. Bonne Gertrude! Voilà un blanc mensonge qui lui vaudra au ciel plus d'indulgences que dix pèlerinages à Rome!

— A supposer que le Seigneur soit de la religion réformée! dit Quéribus avec un rire qui me ramentut que les Eglises étaient pour lui d'aussi petite conséquence que la perle qui pendait à sa mignonne oreille. Et sanguienne! Encore que ce skepticisme scandalisât quelque peu à l'abordée ma tripe huguenote, à tout prendre, après ce que j'avais vu et vécu en Paris, il me parut plus véniellement fautif que le zèle.

J'eusse voulu départir dès le lendemain, mais Quéribus n'y consentit pas, voulant s'enquérir des périls que nous pourrions sur les chemins encontrer pour atteindre notre Périgord. Chevauchant jusqu'en Paris, et fort bien accompagné pour ce que la commune commettait partout des excès infinis, il courut prendre l'air du Louvre et y promener ses fines oreilles. Il en revint fort alarmé pour moi. Le carnage se poursuivait en la capitale, bien que moins apparent, y ayant moins de gens à tuer. Quant à Navarre et Condé, sommés par le roi de choisir entre messe et mort, ils étaient quasiment prisonniers en leurs appartements, leur avenir précaire et leur garde dissoute. Et surtout des messages du roi, encore que successifs et se contredisant, étaient partis pour les provinces, commandant qu'on y massacrât les hérétiques sans épargner personne, commandement obéi ou désobéi selon la complexion piteuse ou impiteuse des gouverneurs et des sénéchaux.

Mon Quéribus revint du Louvre garni d'un sauf-conduit (qu'il me montra) en son nom et au nom de son frère cadet pour qu'on leur laissât passage libre sur les grands chemins et par les villes et bourgs du royaume jusqu'à sa lointaine châtellenie dans le Carcassonnais.

— Vous avez donc un frère cadet ? dis-je, étonné qu'il ne m'en eût jamais parlé.

— Mais le voici, dit-il en me posant les deux mains sur les épaules. La ressemblance de lui à moi n'est-elle pas manifeste ? Lui l'ébauche, comme vous avez dit si bien, et moi, le dessin achevé !

— Sauf, dis-je, qu'étant cadet, l'ébauche a suivi le dessin au lieu que de le précéder.

— Ha ! Siorac ! dit-il en riant, l'ébauche a plus d'esprit que le dessin !

— Je ne sais si elle a du cœur autant, dis-je la larme au bord du cil. Mon ami ! Vous mettre à tel tracas, dépens et périls pour m'escorter jusqu'à mon Périgord !

— Mon Pierre ! Il faut bien que j'aille jeter un œil, l'été venu, sur ma châtellenie pour en tirer pécunes. Sans cela, on me larronnerait. Et passant par le Sarladais, je trouverai quelque commodité à visiter mon cousin Puymartin, lequel, à ce que vous m'avez dit, est, quoique catholique, fort ami de Monsieur votre père.

A ouïr de ma bouche, cette même vesprée, que la garde de son roi de Navarre était dissoute, je crus que mon Fröhlich allait pâmer, s'étant flatté de l'espoir que, le massacre fini, il allait retrouver sa livrée jaune et rouge.

— *Ach !* dit-il, pourquoi le Seigneur n'a-t-il pas

voulu permettre que je sois occis puisque me voilà de présent inutile et désoccupé ? Qui emploierait désormais en ce royaume un soldat huguenot ?

— Mon père, dis-je, lequel est Baron de Mespech et fut Capitaine en les armées du Roi et combattit à Cérisoles et sous Calais.

— *Ach !* Un Capitaine ! dit Fröhlich qui tenait pour rien un titre de baron s'il n'avait été gagné par les armes.

— Moussu, dit Miroul quand mon bon Suisse de Berne eut sailli, fort conforté, de ma chambre, ne vous êtes-vous pas avancé prou en l'assurant d'un emploi à Mespech, les Messieurs étant si ménagers de leurs deniers ?

— Je crois, bien au rebours, dis-je, que la frérèche aura l'usance de ce jeune grand ribaud des montagnes. Je les ai ouï dire souvent que nos gens se faisaient vieils et mols.

— Il est de fait, dit Miroul avec un air entre deux airs qui me mit puce au poitrail, que nos gens se font vieils. Surtout les garces. La Maligou ne fait rien, hors son rôt. Barberine n'est bonne qu'à ococouler votre petite sœur Catherine. Et quant aux jeunes, Franchou allaite son bâtard. La Gavachette attend le sien. Reste l'Alazaïs qui a la force de deux hommes, mais qui ne peut tout faire en ce grand logis.

— Eh quoi ! Miroul ! dis-je en haussant le sourcil, je t'aurais cru plus insoucieux du train de la maison, lequel n'est pas affaire d'un homme, que je sache.

— Moussu, dit Miroul, son œil bleu plus innocent que son œil marron, comment peux-je être insoucieux du train de Mespech, étant si affectionné à la châtellenie ? Et n'est-il pas constant que le labour au château ne se fait pas toujours, pour ce que le bras féminin défaut ?

— Ha, Miroul, dis-je riant, si j'étais tant picanier que toi, je feindrais de ne pas entendre le quoi, le qu'est-ce et le comment de ce tant beau discours.

— Mais Moussu, vous l'entendez! dit Miroul avec un sourire mi-gaussant, mi-inquiet.

— Tant et si bien, Miroul, que je me demande comment tu pourras mener, en plus du tien, un cheval de bât, ayant en croupe une tierce personne.

— Ha! Moussu! s'écria Miroul rosissant et son œil bleu étincelant en l'excès de son bonheur, la tierce personne sait chevaucher. Et vous aurez, en plus de ces quatre-ci, quatre autres montures à Montfort.

— Cependant, dis-je pour le tabuster quelque peu, que ferons-nous si la frérèche ne veut point engager une chambrière surérogatoire?

— Moussu, dit vivement Miroul, vous la pourrez vous-même payer : vous êtes riche.

— Ha, Miroul, tu te moques!

— Que nenni!

Et détachant de son ceinturon une bourse ventrue, mon gentil valet dit d'un air d'immense piaffe :

— Ceci, Moussu, est l'escarcelle de ce gautier barbu qui dagua le pauvre enfantelet après que vous l'eutes racheté. A dire le vrai, elle était si lourde que je faillis, en ce long pourchas, m'en désemparer quand et quand, mais je ne le fis, et fis bien. Voyez plutôt.

Et ce disant, déliant les cordons et s'approchant de la table, il déversa sus, non sans une lenteur et une douceur infinies, le contenu de la gibecière. Ha! lecteur! Les quelques écus qu'il y avait là n'étaient que plomb vil au regard des diamants, perles, rubis, émeraudes et autres gemmes qui drillaient de mille feux splendides sur le chêne noirci et poli de la table, d'aucuns — je parle des diamants — d'une grosseur que je n'avais à ce jour jamais vue, et bellement taillés. Il était manifeste que ce cruel barbu avait pillé un orfèvre étoffé, et lequel, comment Dieu le savoir? Tous ceux du pont aux Changes, quoique papistes, ayant été occis et défenestrés.

Havre de grâce! Je vins plus près de la table et après avoir de l'œil admiré et des doigts caressé ces beautés mises à tas, lesquelles en leurs scintillantes couleurs me ramentevaient les précieuses et éblouissantes pierres que le Maître Sanche, en Montpellier, pilait en un mortier pour les réduire en poudre fine, et les mélanger à égale quantité de miel — remède qu'on appelle *électuaire* en apothicairerie et qui est souverain en nombre d'intempéries — je prélevai sur ce trésor dix écus, ceux mêmes que j'avais baillés au massacreur pour racheter l'enfantelet, et les mis dans mon escarcelle.

— Moussu, que faites-vous? dit Miroul en levant le sourcil.

— Je reprends mon bien, Miroul, le reste est à toi, étant ta légitime et guerrière picorée, ayant occis de ton cotel le monstre qui l'avait sur soi.

— Mais Moussu, dit Miroul, c'est vous qui m'avez commandé de l'occire et de prendre son escarcelle. Je ne fus que le bras.

— Nenni, qui l'a fait doit le profit garder. C'est droit de guerre. Quel capitaine irait rogner la portion du soldat? En outre, si tu as des enfants un jour, les voudrais-tu misérables en chétive masure, comme tu le fus toi-même?

Je le vis se réfléchir à cette remarque et devenir tout soudain fort rêveur et songeux.

— Mais qu'en ferais-je? dit-il à la parfin.

— Ce que Cabusse fit de sa picorée de Calais, acheter terre, vivre de ses fruits, marier une bonne garce, être son maître en sa maison.

— Ha, dit Miroul, point ne me plairait la monotonie des champs. A être votre valet, Moussu, j'ai vu pays et j'y ai appétit.

— Miroul, dis-je, fort ému qu'il eût en sa vergogne déguisé en friandise d'aventure son attachement à moi, ne vois-tu pas que tu es très au-dessus de ta condition de valet?

— Y a-t-il rien dans le mot « valet » qui soit à déshonneur ? dit Miroul, son œil marron s'égayant. S'il en est ainsi, Moussu, donnez-moi du majordome. Je serais content.

— Miroul, tu te gausses ! dis-je en lui jetant le bras par-dessus l'épaule. Majordome d'un gentilhomme qui n'a pas de *domus* !

— *Domus*, Moussu ?

— *Domus, domi* : maison.

A quoi il rit, et répéta le mot, et en sa mémoire l'empocha, et en cet entretien, rien ne fut résolu de ce qui ne se pouvait de reste résoudre car je voyais bien que mon Miroul appétait à de contradictoires fins : d'un côtel, sa condition changée, se marier et faire souche et d'un autre côtel, ne me quitter jamais.

Quéribus ne me pouvant souffrir en mon appareil gâté par le sang, me bailla un pourpoint marron clair avec des crevés jaunes, lequel, quoique fort beau, était un rien moins chatoyant que son satin jaune pâle, comme il convient au frère cadet d'un baron ; habilla de sa livrée noir et or Fröhlich et mon Miroul, et fit si bien que son majordome — dont certes il avait, lui, l'usance, ayant hôtel à Paris, maison des champs à Saint-Cloud et châtellenie dans le Carcassonnais — prêta à Giacomi une vêture de velours bleu de nuit dont le maestro fut fort aise, n'étant pas ennemi de sa terrestre apparence, je le dis sans en faire péché, ne voulant paille-poutrer l'œil d'un ami.

Ainsi Quéribus et moi, fièrement chevauchant au botte à botte, nos chevaux étrillés et luisants, entrèrent premiers en Montfort le mercredi 27 août à la vesprée, suivis d'une bonne douzaine de gaillards en livrée, tous portant l'épée ou le braquemart et les pistoles dans les fontes. Je vous donne à penser la béance des Béqueret à voir s'abattre sur eux une tant nombreuse troupe que Quéribus toutefois expédia incontinent à l'auberge ; et aussi, les embrassements dont je fus tout soudain accablé et ravi, mon bien-aimé Samson ne se pouvant déprendre de moi, ni moi de lui, encore que je sentisse bien que je n'avais pas pâti autant que lui de cette séparation, ce dont ma conscience me poignit quelque peu. Mais le moyen de s'attarder à ces épines et pointures quand Dame Gertrude, m'arrachant de ses bras, me prit dans les siens dont je n'échappai que pour m'encontrer en ceux de sa chambrière, tombant ainsi d'un doux Charybde en Scylla plus suave.

La belle Normande n'eut pas plutôt ouï que le baron m'escortait jusqu'à mon Périgord qu'elle voulut à force forcée être du voyage. Ce qui fait que j'osai l'inviter à Mespech, assuré que j'étais que mon père, sinon l'oncle Sauveterre, serait aux anges de la voir égayer nos vieux murs de son blond cheveu et des vives couleurs de ses affiquets, sans même parler ici de sa Zara vêtue tout aussi splendidement que sa maîtresse, de reste ne lui cédant en rien par la beauté et l'emportant par sa coquettante jeunesse.

Il n'y avait nul péril, par le chemin, qu'on nous prît pour des huguenots tant notre voyage fut fastueux en auberges, luculliques festins et débours de toutes sortes, notre Gertrude ne pouvant traverser villes sans courre boutiques et s'acheter pour soi et sa Zara, dentelles, brocarts et colifichets, Quéribus, si loin qu'elle allât, la passant encore dans le somptuaire, étant de ces muguets papistes et dorés qui mangent leur bien en superfluités étant bien assurés que les princes dont ils ont la faveur restaureront les trous de leurs avoirs. Ainsi nous chevauchâmes, escortant la coche de Dame du Luc, semant l'or derrière nous, et à l'étape ventrouillés en de quotidiennes délices, sauf que Gertrude en ses nuits montrait à mon Samson une flambante fidélité, peu imi-

tée par sa Zara, ce dont pourtant je ne piperai mot,
ne voulant offenser personne.

C'est un peu avant Bordeaux, je cuide (car nous
prîmes par les plats chemins), que Gertrude me
requit de monter à son côté, voulant, dit-elle,
m'entretenir bec à bec. Florine pour me laisser la
place quittant la coche pour la selle de mon Pompée,
et Miroul incontinent se mettant à son étrier pour la
garder des écarts de ma jument et aussi, j'imagine,
couver de son œil amoureux.

— Mon frère, dit Gertrude, foin du petit siège!
Etes-vous de nous si peu ragoûté? Venez là, entre
ma Zara et moi-même! Vous sentirez moins les
cahots, capitonné que vous serez de dextre et de
senestre. Donnez-moi la main, et l'autre à ma Zara.
Ne sommes-nous pas bien ainsi tous trois en toute
bonne amitié?

— Oui-da! dis-je. Fort bien! La tête m'en tourne!

— Ha! mon Pierre! Que vous êtes donc divertissant! Savez-vous, dit-elle passant sans crier gare de
la poule à l'ânesse, que j'ai trouvé Dame Béqueret
fort lassée, n'aspirant qu'à ses champêtres retraites,
et le Maître Béqueret à demi résolu à vendre son
officine et s'y résolvant tout à plein, je crois, s'il
trouvait un apothicaire tant suffisant et honnête
comme l'est notre joli Samson.

— Ha! dis-je, voilà qui est fort beau, mais Samson
n'a pas un seul sol vaillant!

— Je suis garnie pour deux, dit doucement Gertrude, et m'envisageant du coin de l'œil, elle
s'accoisa.

— Belle Gertrude, dis-je, si j'entends bien votre
rose projet, j'y vois toutefois quelques épines.

— Quoi! dit-elle, tout soudain encolérée ou feignant de l'être, vous n'allez point dire, mon frère,
que les quelques petites années que j'ai de plus que
votre joli frère...

— Ho! Madame! s'écria Zara qui savait bien où le bât blessait sa maîtresse, c'est l'apparence qui compte, et d'apparence vous êtes tant jeune que pas une fille de bonne mère en France! En outre, je tiens la beauté de votre corps mignard pour tout à plein indestructible!

— Belle, belle Gertrude! dis-je, portant sa main à mes lèvres, Zara l'a dit pour moi : quel homme ne se paonnerait point de vous avoir à son bras au porche d'une église? Cependant, puisque église il y a, vous êtes catholique, et il est huguenot imployable.

— Mais point si imployable qu'il n'ait ouï la messe en Montfort avec moi.

— Vramy! dit Zara que le jargon parisien avait vite conquise, vous eussiez vu votre Samson, Monsieur, frémir au prêche du curé! En ma conscience! Il bouillait! Mais il n'était que Madame lui prît la main, et il s'apazimait (ce mot-ci, en revanche, étant d'oc).

Oyant cela, et bien connaissant la grande seigneurie que les femmes ont sur nous dès que nous les aimons, et observant dans le même temps que les doigts de Gertrude jouaient avec les miens en fort subtile guise, je retirai ma main de la sienne et restai silencieux.

— Mon Pierre! dit Gertrude avec quelque tremblement dans la voix, y a-t-il encore quelque épine?

— Oui-da, dis-je. Une fois conjointe à mon Samson, je n'aimerais pas que vous le Saint-Cloudiez?

— Mon frère, dit-elle en baissant son bel œil, il est chez les veuves de certaines licences sur lesquelles le siècle cligne doucement les yeux, mais chez une épouse, réprouve. Je serai sage en cet usage.

— Est-ce un serment?

— C'en est un, dit-elle, me reprenant sur mon genou la main et la serrant avec force. Mon frère, dites-le-moi à la parfin! Ai-je votre agrément?

— Avez-vous celui de Samson ?

— Si j'ai le vôtre, je l'aurai. Et celui de votre père aussi, tant vous avez émerveillable adresse à parler et à persuader.

— Ha ! Gertrude ! dis-je en riant. Vous n'êtes point non plus malhabile dans le choix de vos ambassadeurs. J'y vais muser un peu.

Et comme la coche, ayant gravi une longue et rude pente, s'arrêtait pour laisser souffler les chevaux, j'en saillis et, laissant la place à Florine, remontai sur ma Pompée, rejoignis Quéribus et me mis à son étrier.

— Je m'ennuyais, dit-il avec un sourire.

— Et moi je ne m'ennuyais point, dis-je en le contresouriant. J'ai eu matière à penser prou.

Et tenant mon Quéribus, tout muguet et parisianisé qu'il fût, pour un homme de sens dont l'avis n'était pas sans poids, je lui contai la chose, à quoi il se réfléchit un petit avant de dire :

— La dame est de bonne noblesse de robe, et la dot dont elle se prévaut n'est pas chétive : j'ai ouï dire qu'une apothicairerie vous donnait souvent plus d'étoffe, sinon d'honneur, qu'une châtellenie, sauf en Beauce.

— Elle est d'elle-même d'étoffe si changeante.

— Ho je ne sais ! dit Quéribus, m'envisageant du coin de l'œil. A moins qu'elle ne voyage et pellegrine, elle peut sage rester en vivant continuement avec lui.

— Mais il vivra en Montfort et moi en Mespech, dis-je avec un soupir.

— Ou en Paris ! dit Quéribus en souriant.

— Quoi ? dis-je avec un haut-le-corps, moi en Paris !

— Combien que vous la haïssiez de présent, Paris est une Circé, dit Quéribus, et une fois qu'on a à sa coupe mis la lèvre, on y revient. En outre, vous n'êtes pas insoucieux de votre avancement, et il n'est d'avancement que par elle en ce royaume.

De Bordeaux, on tira vers Bergerac et comme enfin, par les fort tournoyants chemins de mon beau Périgord, nous approchions des Aizies, Quéribus, toujours chevauchant avec moi le premier, me dit :

— Pierre, si suivez mon conseil, gardez-vous en votre pays de conter votre parisienne fuite à quiconque, hormis à Monsieur votre père et M. de Sauveterre. Par Puymartin, j'aurai l'oreille de la noblesse catholique du Sarladais et en elle, j'accréditerai à murmure le bruit que vous fûtes sauvé du massacre par la faveur du Duc d'Anjou et la grâce du Roi.

— Et à quoi tendra ce doux et faux murmure ? dis-je, haussant le sourcil.

— Huguenot, vous serez mieux protégé en le trouble du temps, votre famille et vous, par cette prétendue protection que par vos murs et remparts.

— Ha ! Quéribus ! dis-je, il n'est pas que vous n'ayez lu Machiavel tant vous avez la tête politique !

— Je ne l'ai pas lu, dit Quéribus, mais j'en ai l'usance, ne vivant qu'à la Cour.

On trouva Mespech à la vendange, dans une vigne qui était à un jet de pierre du château, les garces cueillant les grappes et dans les hottes les mettant, les hommes les protégeant à l'alentour, armés en guerre, à cheval et la pistole bandée, encore que, depuis que j'avais tué Fontenac en duel, il n'y eût point tant à craindre, à ce qu'on me dit plus tard, d'attaque félone, même en ces temps pour les huguenots si périlleux.

A la vérité, notre cortège fut éventé à une lieue de Mespech par les cousins Siorac qui, patrouillant sans être vus, nous virent, mais sans me reconnaître, et galopant à brides avalées sous le couvert d'un bois de châtaigniers, coururent annoncer à mon père que « deux moussus, richement vêtus, suivis d'une coche et d'un nombreux domestique » se dirigeaient vers le château. Oyant quoi, mon père, béant de cette inopinée visite, dépêcha Cabusse en avant, lequel mussé dans un bosquet, me vit, me reconnut, et le revint dire ventre à terre, bégayant comme fol en son émeuvement, tant est que le baron de Mespech, pâlissant et rougissant, pour ce qu'il nous tenait pour morts, et n'en croyant pas ses oreilles, se rua à cheval sur le chemin, suivi de Sauveterre, et en crut à peine ses yeux, quand il me vit, sautant de ma Pompée et courir à lui, suivi de Samson, tandis qu'il démontait, les larmes lui coulant sur les joues et aux nôtres bientôt mêlées.

Il fallut bien une grosse heure pour venir à bout de ces embrassements, de ces larmes, de ces soupirs, de ces questions, de ces actions de grâce, nos gens laissant là les vendanges et accourant, ayant grand appétit à nous serrer à leur tour, à nous palper, à nous toquer, à nous baiser les mains ou les joues, et nous étourdissant, ce faisant, de leur beau parler d'oc, lequel j'avais si peu ouï ces deux mois écoulés que le son m'en paraissait étrange et comme enchanteur, Quéribus du haut de son cheval, les deux mains sur le pommeau de sa selle, envisageant cette scène avec un souris qui disait assez qu'il en était ému, mais Dame Gertrude du Luc, à ce que j'observai, n'apparaissant pas à la portière de la coche, voulant témoigner ainsi, je gage, de sa modestie.

Mon père, après mille grâces et mercis, invita tout de gob Quéribus et son domestique à demeurer chez nous, l'oncle Sauveterre, sans mot piper, jetant un long regard sur tous les gens de sa nombreuse suite et s'effrayant à part soi de tous les creux que feraient ces estomacs en nos provendes. Par la bonne heure pour notre huguenote économie, Quéribus refusa :

— Je ne peux, dit-il, que je ne me payse chez mon cousin Puymartin : il serait offensé.

Mais sur l'invitation qu'on lui fit, il promit de revenir le lendemain avec Puymartin et de passer le jour à Mespech. Il fallut bien, Quéribus départi, en venir à la parfin, à cette coche immobile et close sur le chemin, vers quoi l'œil bleu et intrigué de mon père s'était quand et quand tourné, et je vous laisse à penser de quels feux il brilla quand Dame du Luc en descendit, toute grâce, pruderie et vergogne, et à sa suite sa Zara, laquelle elle présenta non comme sa chambrière mais comme sa dame d'atour et qui enveloppa incontinent mon père de si dévergognés allèchements que je ne doutai point qu'il y dût succomber, étant si friand du cotillon et l'âge l'ayant peu refroidi, à en juger par les enfants qu'il faisait à Franchou. Ha! m'apensais-je, les futées se sont bien distribué les rôles, l'une édifiant mon père, l'autre le séduisant. Havre de grâce! Comment ne pas admirer l'émerveillable adresse que la nature a donnée à ce doux sexe pour le compenser de la force qu'il a en moins?

Mon père ayant courtoisement baillé chambre et collation à nos Calypsos, voulut incontinent entendre mes contes en la librairie, lesquels je fis les plus brefs que je pus, ne voulant point attrister notre liesse privée par le souvenir de nos calamités publiques. Toutefois, si la frérèche ne laissa pas, à l'ouïr de ma bouche, de pleurer de brûlantes larmes sur la traîtresse assassination de l'amiral de Coligny et de tant de beaux fleurons de la noblesse protestante, je les trouvai l'un et l'autre fort confortés en leur foi huguenote et mettant plus que jamais leur espérance en l'appui du Seigneur.

— Encore que le Pape, dit Sauveterre, à recevoir la tête de Coligny, ait entonné un *Te Deum* en Saint-Pierre et fait allumer des feux de joie en Rome, il en sera pour sa très courte liesse : l'Église réformée de France n'est pas détruite. Déjà, elle se refait et se reconstitue. Je ne sais combien de nos villes du Midi, enfermées dans leurs murs, font compter les clous de leur porte aux garnisons royales, et à la fin des fins, ce petit reyet de merde n'aura rien gagné à sa félonie sinon une troisième guerre civile et une juste défaite !

Mon père qui, me sembla-t-il, n'avait guère aimé que Charles IX fût appelé par Sauveterre « ce petit reyet de merde » (car le Roi reste le Roi, quoi qu'il ait fait) se borna à approuver du chef ce fervent discours et me demanda ce qu'il en était de Gertrude du Luc et de Samson. A quoi je répondis tout à trac :

— Elle le veut marier et lui bailler en dot une fort belle officine en Montfort-l'Amaury.

A quoi j'eus des deux frères deux réponses qui, pour être articulées toutes deux dans le feu du moment, étaient fort différentes.

— Quoi ! dit mon père, si loin de Mespech !

— Quoi ! dit Sauveterre, une papiste encore !

Cette remarque-ci me prenant très à rebrousse-poil en raison de mon Angelina, je m'accoisai de l'air fermé et fier que prenait mon père quand il voulait témoigner, sans toutefois le dire, qu'il était peu content de ce qu'il venait d'ouïr. A ce silence, mon père m'envisageant, et observant que je l'imitais, se mit à rire.

— Ah ! Monsieur mon fils ! dit-il, ne le prenez pas à mal, M. de Sauveterre ne vous avait pas à l'esprit.

— Combien, Monsieur mon neveu, dit Sauveterre roidement, que cela, à la réflexion, s'applique aussi à vous.

A quoi mon père rit de plus belle et m'expliqua le quoi, le qu'est-ce et le comment de la situation à laquelle il était fait ici allusion : le lendemain de mon partement pour Paris, le Sire de Malvézie, rendant au Créateur une âme qu'il ne tenait que du Diable, et à qui on peut penser qu'elle fut tout de gob renvoyée, mourut d'un fort opportun *miserere*. La Dame de Fontenac, incontinent, contraignit le curé Pincettes à révoquer le témoignage qui m'incriminait et retira la plainte que le Malvézie avait logée contre moi. J'étais sauf, et mon voyage devenant inutile, mon père envoya à Montaigne, mais je l'avais quitté de deux jours. Il écrivit alors à d'Argence en Paris, mais à ce que nous sûmes plus tard, d'Argence s'encointrait en sa maison des champs et ne reçut pas le message.

— Eh quoi! dis-je, béant, c'est donc inutilement que j'ai couru en Paris ces traverses, ces encontres, ces inouïs périls pour quérir la grâce du Roi. J'étais sauf, mon Samson aussi et je ne le savais pas!

— Le moyen de vous le faire savoir! J'ignorais où vous aviez trouvé logis en la capitale. Et pensez qu'il faut un mois et parfois deux pour qu'une lettre chemine de Sarlat en Paris! Mais je poursuis, dit mon père. Si Mme de Fontenac agit si promptement, ce fut, certes, de par sa gratitude pour la bonne curation que j'avais faite de la peste de Diane, mais aussi pour ce qu'elle y fut fort poussée par Puymartin qui l'aime comme fol de longtemps et la mariera dès que sera écoulé le délai de viduité.

— Mais, dis-je, pour peu que Diane réponde au sentiment de mon aîné, voilà qui arrange fort les affaires de François!

— Et les nôtres, dit mon père. Une alliance avec Fontenac et Puymartin sera immensément à notre avantage, étant entendu que François marié ménagera la châtellenie de Fontenac à compte et demi avec Puymartin.

— Est-ce donc fait? dis-je en haussant le sourcil.

— Pas encore. Le clergé sarladais rebique au mariage, François étant huguenot et sa belle papiste, mais Puymartin opine qu'avec le temps, la persuasion, et quelques poignets qui cy qui là bien graissés...

Je contai alors à la frérèche comment la fable que

Quéribus comptait en Sarlat répandre de ma grande faveur auprès du duc d'Anjou et du roi pouvait à cette fin grandement concourir, de quoi mon père fut enchanté et Sauveterre, aise assez, encore qu'il affectât de n'aller que d'une fesse à ce mariage, la pensée que Mespech fît si bien ses affaires ne le consolant pas de l'idée que François, comme son père (et peut-être ses deux cadets), s'allait unir à une idolâtre.

Là-dessus, Barberine, toquant à l'huis, vint nous dire que les cuves à baigner étaient prêtes et fumantes dans la tour ouest pour Samson, Giacomi et moi, et prenant congé de la frérèche, j'y tirai incontinent, faisant en chemin mille caresses et poutounes à ma bonne Barberine sans laquelle mon Mespech ne serait pas ce qu'il est, ma nourrice étant comme le nid chaud et duveteux où je me blottis et m'ococoule au sein de mon nid crénelé : Oui-da ! Les murs et remparts pour la défense et la sûreté ! mais pour ma tête un plus mol oreiller et cette féminine tendresse sans laquelle l'homme en sa vie même ne serait qu'un cadavre.

— Ha ! mon Pierre ! disait Barberine rougissante, vergognée et ravie, à peu que tu ne me pastisses comme moineau, sa moinette. Oublies-tu que je suis ta mère quasiment ? Et dois-je te le ramentevoir !

— Va ! Va ! dis-je, il n'y a pas péril ! Lâche la bride à ma grande amitié !

Et derechef la palpant, la toquant, je lui baillai mille et mille baisers. Cependant, à l'entrée dans la salle de la tour ouest que mon père, par gausserie, appelait les « étuves », je me dépris d'elle (car je n'avais cessé de la tenir, et des mains, ou des bras, ou de l'épaule, ou du col) pour ce que je savais que j'allais encontrer là l'Alazaïs, laquelle était roide comme falaise en la mer des faiblesses humaines, et la Gavachette qui, pour être cette mer même, n'était pas cependant plus facile à affronter, quand la jalousie la creusait en vagues.

— Quoi? dis-je, qu'est cela? Trois cuves seulement? Emplissez les cinq incontinent, je veux que Miroul et Fröhlich se baignent avec nous, ayant été partie à nos périls.

La Gavachette, qui se prétendait grosse de moi de deux mois mais sans que l'enflure du ventre fût encore manifeste, me fit, à me laver, ses petites mines de Roume, le regard fort velouté et la bouche éloquente, mais sans ses accoutumées agaceries, l'Alazaïs ne la perdant pas de l'œil, ma Barberine cependant étrillant mon Samson de ses fortes et douces mains et Giacomi, certes, le plus mal loti des trois, pour ce que l'Alazaïs l'appropriait comme elle eût nettoyé un poulet plumé avant que de le mettre en broche.

Si commode et confortant que fût ce doux moment, je l'abrégeai pourtant et renvoyai les garces dès que nous fûmes savonnés. Et l'huis sur elles reclos, je dis au maestro, à Miroul et à mon bon Suisse de Berne de se garder de faire à l'alentour des récits épiques sur notre fuite parisienne, laquelle devait être à jamais celée et de tous ignorée, et je leur dis pourquoi.

— Ha! dit Samson, la tête passant à peine la cuve où il baignait, et son œil bleu azur m'envisageant, que je suis content pour François qu'il marie sa Diane!

Et qu'il ne regrettât même pas que cette Diane fût papiste, fût-ce du bout des lèvres, voilà qui en mon for tant m'éclaira que je ne faillis pas à quérir incontinent de lui pourquoi il n'épousait pas lui-même sa dame au lieu que non pas vivre dans le péché avec elle.

— C'est que je ne sais si elle voudrait de moi, dit-il en sa simplesse.

— Ha que si ! dis-je. Elle ne fait qu'y rêver, et aussi de vous apporter en dot l'officine de Maître Béqueret, lequel appète à vendre, comme peut-être vous savez.

A quoi, il ouvrit les yeux tout grands et les ferma, et les déclouit, pâlit quelque peu et rougit, sans pouvoir dire mot ni miette, ne sachant par quel bout prendre ces deux grands bonheurs que je lui tendais tout à trac : Gertrude et l'apothicairerie.

— Ha ! dit-il enfin, brûlant en son pensement toutes les étapes de son joli rêve, mais je serai en Montfort, et vous, Monsieur mon frère, en Mespech !

— Ou peut-être en Paris, dis-je avec un sourire, fort ému qu'il eût pensé premier à moi avant même qu'à mon père.

— En Paris ! dit-il. Vous seriez en Paris ! Mais vous haïssez cette villasse !

— Je ne sais, dis-je en riant. Quéribus opine que Paris est une intempérie qui se prend par contagion de l'air et il cuide que j'en suis déjà infecté.

J'attendis la nuit, et que la Gavachette se glissât en ma couche comme un frais petit serpent, pour lui bailler la bague que j'avais achetée pour elle en Paris. Elle fut dans le ravissement, poussa des Ho ! et des Ha ! m'accola à la frénésie, entre deux poutounes tendait la main à la chandelle pour admirer l'éclat de l'or, et après que je l'eus mignonnée tout mon saoul et tout le sien, m'assura gravement qu'après cela, elle me ferait le plus bel enfant du Périgord et qu'à coup sûr, j'en serais content.

Ayant dit, elle s'endormit comme chandelle qui s'éteint et vous pensez comme au lendemain elle se paonna à l'infini devant nos gens de ce bijou, de sorte que tous les murs de Mespech en renvoyèrent les échos, la Maligou en vaine gloire maternelle relayant le clabaudage qui s'enfla de cuisine à basse-cour aussi démesurément qu'il gagna nos villages,

Sauveterre sourcillant fort et mon père le prenant plus raisin que figue tant est que je dus lui conter comment à mon département du château je fus pris dans les toiles par la maligne et acculé à une promesse inconsidérée.

— Vous fîtes bien de tenir, dit-il enfin, puisque promesse il y eut, mais à l'avenir, avancez d'un pied plus prudent sur les voies où les captieuses belles vous entraînent. La pente est insensible qui passe du ruban au colifichet, du colifichet à l'argent, et de l'argent à l'or.

— Monsieur mon père, dis-je, pour en parler si bien, c'est que vous en dûtes faire l'expérience. Et maintenant que je m'y suis apensé, il me ramentoit d'un dé à coudre en argent que vous offrîtes à Franchou quand, avant peste, elle était placée à Sarlat.

— Touché! cria mon père en riant, et me jetant le bras dessus l'épaule il me serra à lui. Ha! mon Pierre, on ne vous prend pas sans vert!

Cependant, ma petite sœur Catherine, laquelle en trois mois d'absence, de bouton était devenue fleur, majestueuse sur sa tige haute et tout épanouie, ne le prit pas d'un cœur si léger, elle à qui en Paris je n'avais rien acheté qu'un toton que j'avais de reste donné quasi le même jour au petit Henriot d'Alizon.

— Monsieur mon frère, me dit-elle en *a parte* quand elle eut vu la Gavachette à table parader sa bague en or comme si la main tout entière se fût transmuée en le coûteux métal, n'avez-vous point pensé que vous alliez me faire outrage en donnant occasion à cette fille de Roume de prendre des airs avec moi?

— Mais ma belle Catherine, dis-je, en lui saisissant les mains que des miennes incontinent elle arracha sans me laisser poursuivre.

— Votre belle Catherine, dit-elle avec un air hautain qui me ramentut ma mère, n'est point si belle qu'elle n'eût pu être embellie par vous. Monsieur, vous placez vos affections où vous ne le devez pas et vous les oubliez là où vous devriez vous en ramentevoir.

Et tournant sur ses hauts talons, dans un grand virevoltement de son vertugadin, elle me planta là, fort marri du navrement que je lui avais infligé, et d'autant que je l'aimais de grande amour, encore que rebiqué assez par ses hauteurs nouvelles.

Je ne savais que faire en cette inattendue traverse quand mon père, l'ayant apprise de Franchou dont les oreilles traînaient par là, me prit par le bras au sortir de la table.

— Monsieur mon fils, au train où vont les choses, vous n'en serez pas quitte à moins d'un collier.

— Un collier ! dis-je.

— Et en or. Catherine étant votre sœur, vous ne pouvez que vous ne lui donniez le pas sur votre garce.

— Mais mon père, un collier !

— Vous avez mis le doigt dans l'engrenage, dit mon père en riant, le bras va passer. Ainsi le veut le commerce des femmes. Ou alors, soyez austèrement chiche-face comme votre frère Samson et ne donnez mie à personne, de sorte qu'on n'est pas offensé, n'attendant rien de lui.

Je courus acheter le collier à un honnête juif de Sarlat que mon père connaissait, et ainsi fis la paix avec ma petite sœur Catherine, qui n'était plus tant petite puisqu'elle m'avait contraint à capituler rien qu'en me béquetant la crête.

Cependant, Catherine pacifiée, la guerre ailleurs se ralluma et je tombai de poêle en braise.

— Moussu, dit la Gavachette dont le teint chaud avait pâli et l'œil noir, noirci, dès qu'elle eut vu briller le collier sur la blanche peau de Catherine, puisque vous êtes tant étoffé que vous m'achetez une bague en or comme moi je m'achète une oublie à l'oublieux de Sarlat, vous n'eussiez pas dû lésiner, et me mettre si au-dessous de votre sœur, comme vous fîtes.

Mais à cela je fus tant courroucé que je donnai de la voix comme chien en meute et dans mon ire, j'eusse même souffleté l'impudente si elle n'avait été grosse de mon fruit, à telle enseigne que je lui tournai le dos et les talons, et ne la revis de trois jours tant me pesait sur le cœur ce qu'elle avait dit sur ma bague en or et l'oublie de l'oublieux.

Pendant ces trois fois douze heures où je privai la Gavachette, comme on dit dans le Saint Livre, de « la lumière de ma face », il faut bien avouer que celle-ci n'était point fort lumineuse, reflétant un pensement mêlé et tenant plus du vinaigre que du sucre. J'avais ouï Coligny dire, et deux jours plus tard M. de la Place affirmer, et la frérèche répéter encore, que rien ne se passait sur terre, et pas même la chute d'un passereau, sans que Dieu l'eût voulu. Mais à tâcher d'accorder ce principe à mon personnel prédicament, je ne laissai pas d'apercevoir que je jetais un grand trouble en ma théologie : comment, en effet, pouvais-je imaginer que Dieu, en son infinie bonté, ait pu me lancer en une épreuve qui n'était même pas utile au moment où je la subissais. Me fallait-il croire que ce fût par un décret exprès de sa volonté que le courrier de mon père était parvenu à Montaigne quarante-huit heures après mon département afin que, persévérant à me croire en danger de ma vie, j'allasse demander au roi une grâce dont je n'avais plus le moindre besoin et encontrer, en revanche, en Paris, au milieu de mon parti, les inouïs périls que j'ai contés ?

Ces périls mêmes, ces assassinations, ces noyades, ces horreurs, telles et si grandes qu'à peu que la plume ne me soit quand et quand tombée des mains en les décrivant, dois-je penser que c'est le Seigneur qui les envoya aux huguenots pour les éprouver, augmentant cependant les papistes de leurs biens, de leurs titres, de leurs charges, de leurs offices, et par là même les fortifiant dans l'idée que leur culte corrompu était le bon et leurs erreurs, vérités ?

Mais d'un autre côtel, à supposer que la Saint-Barthélemy fût le fait, non de Dieu, mais de son mortel ennemi, y ayant en ce massacre des félonies si répugnantes et des cruautés si abjectes qu'elles portaient toutes la marque et le sceau du Prince des Ténèbres, comment admettre que le Seigneur tout-puissant n'ait pas à la fin appesanti sa main sur les suppôts de ce Prince, laissant bien au rebours périr ses justes et triompher Satan, comme si Satan était plus puissant que lui en ce monde qu'Il a pourtant de ses propres mains façonné.

Je demande mille pardons à mon lecteur (que je me veux tout à plein amical) s'il discerne quelque son sacrilégieux en ces réflexions. Qu'il sache au moins que je les articule en innocence et en simplesse et sans en vouloir remontrer aux clercs qui parmi nous se sont donné la tâche d'expliquer ces mystères. Mais observant que souvent les explications qu'ils nous en donnent ne font qu'obscurcir davantage leur objet, je n'ai pas voulu que ces obscurités préjugent sur la clarté que j'y voudrais, et ne me laissant pas par elles garrotter le jugement, j'en ai voulu ici donner mon sentiment, pour infime qu'il apparaisse, mais véridiquement tel que je le conçus dans les jours et dans les nuits qui suivirent mon retour à mes douces retraites paternelles, car je ne manquais pas alors, sauvé du péril, à méditer continuement sur ce grand événement de la Saint-Barthélemy auquel Dieu, ou dois-je dire la Fortune, avait voulu que je fusse mêlé.

Au début comme au terme de ces rêveries, je

jugeai qu'il y avait danger à opiner que la male heure qui vous tombait sus était par le Seigneur voulue, voyant dans ce pensement comme le commencement d'une molle résignation, alors qu'il faut, à ma jugeote, parer la botte d'un adversaire avant de tenir la navrure qu'il vous eût infligée comme une épreuve envoyée par le ciel. Si épreuve il y a, osais-je m'apenser, surmontons-la avant qu'il nous en cuise plus outre.

Après avoir si souvent cogité sur ces points ambigueux, et alors, en mes vertes années, et à l'heure où, barbon, j'écris ces lignes, je ne puis encore décider si c'est Dieu, ou le sort, qui me voulut là où, sans le savoir, je n'avais rien à faire, quérant à tous échos une grâce inutile. Mais d'une chose je me suis bien persuadé et m'y tiendrai aussi ferme qu'arapède sur roche en dépit des vagues et des houles. Ayant vu en cette haineuse Paris, dans toute étendue, les effets détestables du zèle religieux, je me fis alors — à la face de ma propre âme et sur mon salut même — le serment de ne permettre mie que le zèle de mon Eglise me tirât jamais l'épée du fourreau, opinant que les disputes sur telle ou telle forme du culte devaient être abandonnées aux clercs, et sans que le couteau soit appelé à trancher, *lequel couteau ne résout rien*, comme le duc d'Anjou, assiégeant un an plus tard La Rochelle huguenote, osa l'écrire « à son bien-aimé frère et souverain », celui-là même qui devant les hommes et l'Histoire et j'ose dire aussi devant Dieu, porte la responsabilité de la Saint-Barthélemy.

Mon Quéribus fit merveille auprès de la noblesse catholique du Sarladais, ayant assez du seigneur d'oc en lui pour faire passer le muguet de cour, et jouant à plein en ses courtois discours de l'amitié qu'il était bien connu que le duc d'Anjou lui portait, ce qui n'était pas, dans la réalité, sans quelque conséquence, Charles IX étant sans enfant mâle et fort égrotant — de sorte que le baron fut ouï partout avec l'autorité qui s'attachait au quasi-favori du futur souverain, et ne manqua pas de faire de ma propre faveur auprès de son maître un portrait si flatté que vous eussiez cru que Son Altesse avait dépêché à l'aube du 24 août une demi-enseigne au moins de ses mantelets rouges pour me protéger au logis contre la fureur de la commune.

Je remis de ma personne à M. de la Porte la grâce du roi, laquelle, pour inutile qu'elle fût devenue, donna quelque couleur au visage que mon Quéribus me voulait donner. En bref, le baron fit si bien et la balance de l'opinion pencha si fort à mon avantage que même si la Dame de Fontenac n'avait pas retiré sa plainte, on n'eût pas trouvé un seul juge au Présidial pour me condamner, le plus rebiqué d'entre eux se contentant de répéter en catimini au sénéchal de Sarlat le mot de Catherine de Médicis : *Je vois bien que ce sont des chats, vos huguenots, puisqu'ils retombent toujours sur leurs pieds.*

Monsieur, au Louvre, ayant gracieusement donné son pourpoint à un de ses favoris, lequel m'avait baillé le sien, Quéribus parti, en peu de temps, ce fut moi, en Sarlat, qui fus réputé avoir reçu le pourpoint de Monsieur. Et vous ne sauriez croire quel prodigieux reflet ce satin-là projeta sur ma personne, à telle enseigne que tout le bon de mon caractère fut tout soudain porté aux nues et enfin tirées de l'oubli (où ma décollation les aurait à jamais rejetées) les louables actions de ma vie, à savoir la part que j'avais prise aux côtés de mon père à la défaite du Baron-boucher de la Lendrevie, et le sauvetage, à la pointe de mon épée, du malheureux Evêque de Nismes, sans parler de M. de Montcalm dont l'affaire était céans moins connue. Tant est que j'eusse pu, tout huguenot que je fusse (encore que réputé moins zélé même que je n'étais), marier, sur le poids de ma neuve réputation, nombre de gentilles demoiselles du Sarladais dont les mères arguaient déjà à demi-mot que le mariage de Margot et de Navarre, pour détestable qu'il fût, avait créé un précédent.

Mais je n'avais, moi, de pensement que pour Angelina, à qui, dès Saint-Cloud, j'avais écrit — et sur le conseil de Quéribus sans toucher mot ni miette de mes aventures — puisqu'il allait sans dire que de ce côté-là aussi, on devait me croire protégé. Cette lettre était découragée assez dès le principe, puisque je ne cuidais pas que la tyrannie paternelle pût la laisser passer, mais la bonne heure m'échut : elle fut remise en mains propres, lesquelles mains chéries incontinent m'écrivant, confièrent la réponse au messager. La voici, en sa toute féminine vaillance et suavité.

« Monsieur,

« J'ai été excessivement confortée d'apprendre par votre main que vous aviez sailli sain et gaillard du grand massacre de Paris, mais à parler à langue déclose, si je vous avais cru en mortel péril, mon cœur me l'aurait dit assez et je ne sais pourquoi, il me donnait à croire que vous étiez déjà sauf derrière les murs de Mespech.

« Le messager ne pouvant délayer céans, j'écris ceci en fort grande hâte et ne peux que ne vous fasse un conte très bref, depuis la minute où je vous vis courant au côté de cette méchante coche qui loin de vous m'emportait, jusqu'au moment présent.

« C'en est bien fini de M. de la Condomine. A force de silences farouches, de froidureuse épaule, de mine sourcilleuse et de regards infiniment dépri-sants, j'ai créé l'enfer pour lui en cette coche — et si cramant que ce grand fat, s'y brûlant la moustache, nous a quittés à Lyon, pour s'aller, je gage, rafraîchir dans la rivière de Rhône. Et fasse la benoîte Vierge qu'il s'y noie, car à la vérité, je ne pouvais l'envisager, sans que le cœur me raquât, tant je le trouvai peu ragoûtant à le comparer à vous.

« Je vous laisse à penser les fureurs de M. de Montcalm et le couvent à nouveau brandi, mais il n'en sera rien. La merci Dieu, mon père est trop raffolé de moi. Et pour moi, tout rebours qu'il soit à mes desseins, je l'aime infiniment pour ce qu'il est à moi tant affectionné. Et encore que votre nom soit de présent au logis tout à plein imprononçable, je ne voudrais pas que vous le jugiez à mal, car il est fort homme de bien, tout opiniâtre que Dieu l'ait fait.

« La lettre du Baron de Quéribus, peignant votre faveur au Louvre, a achevé de vous gagner les bonnes grâces de ma mère, laquelle jusque-là oscillait assez, mais M. de Montcalm n'a pas branlé prou, étant terrifié de son directeur, lequel lui représente l'Enfer ouvert incontinent sous ses pas si sa fille marie un hérétique. Ma mère opine qu'il faudrait que M. de Montcalm change de confesseur, ou que le Ciel rappelle ce dernier à lui, ce qui peut-être se fera, il est si zélé et si vieux. Ma mère est apensée que le frère Anselme, qui vous aime prou pour avoir combattu avec vous les caïmans de Barbentane, serait assurément moins imployable.

« Monsieur, le messager s'impatiente et il me faut finir. Je vous prie, ne me jugez pas de ma complexion revêche et rebiquée sur le sus de mes rebuffades à ce grand fat de prétendant, pour ce que je n'ai été cruelle que de force forcée et pour l'amour de vous. Quant à ce mot que voilà, il est lâché. Je ne l'eusse pas voulu écrire mais puisqu'il est dit, je ne le dédirai point.

« M. de Montcalm en ses courroux m'a laissé entendre qu'en Montpellier vous étiez assez famé pour courir le cotillon et qu'on vous y a prêté une intrigue avec une haute dame. Mais à la vérité, si cette dame est celle qu'il a dit, je ne le crois pas. Elle pourrait être quasiment ma mère et vous seriez un bien étrange gentilhomme si, m'aimant comme vous en faites profession, vous aviez appétit à ces frimas.

« Enfin, pour revenir à mon père et à nos desseins auxquels il est si contraire, je ne peux que m'en remettre à la grâce de Dieu et prier pour notre conjonction, dans l'espérance de laquelle je vous prie de me croire, Monsieur, votre fidèle et affectionnée servante.

« Angelina. »

Cette lettre me rendit mon Angelina si présente qu'à peu que je ne rêvasse, en tenant sa lettre, la tenir de sa personne en mes bras amoureux. Hélas, le prétendant défait, rien n'était fait encore ! Elle demeurait à Barbentane tout aussi inaccessible que l'épouse du Grand Turc, étant gardée par ce père inflexible que j'avais sauvé du couteau des caïmans et que l'éloquence de son confesseur menait par le bout de son nez rassotté.

A comparer mon sort à celui de mes frères, je trouvais là matière à quelque amertume, laquelle m'eût tout à plein gâté si je ne m'en étais défendu. Passe encore pour mon Samson de marier sa Gertrude puisque ce mariage, je m'applique à l'aiser, encore que n'y allant que d'une fesse, y voyant pour mon bien-aimé frère, à l'usance, quelque incommodité. Mais François ! Celui-là, pour avoir son rôt, il n'aura pas eu à courre les chemins ni encontrer périls ! Bien le rebours ! Demeurant quiet au logis, toutes cailles lui choient dans le bec ! En tuant le Baron-brigand de Fontenac, j'ai rôti les châtaignes qu'il n'a eu qu'à gloutir, mariant sa Diane, ménageant Fontenac à compte et demi avec Puymartin, et au surplus — Dieu veuille le plus tard possible ! —

baron de Mespech! Et moi qui ai tant galopé, aventuré, pâti, me voici cadet comme devant, sans l'ombre d'un établissement, et ma grande amour contrariée.

Cependant, je n'écris pas ceci pour faire le pleurard et le lamenteur. Ma complexion ne m'y porte pas et point davantage ma philosophie. Si le sage prétend qu'à chaque épreuve, il se sait plus sage et plus triste, je ne me sens point, après ce qui se passa en Paris, augmenté en malenconie et non plus, s'il faut tout dire, fort accru en sagesse. Mais quand en Mespech, ma Barberine vient à l'aurore me réveiller dans mon lit — l'apparessante Gavachette le nez foui en son oreiller espérant le coup de midi — je m'ococoule dans les beaux tétins de ma nourrice et me laisse poutouner et calinou-caliner en oc tout le temps qu'il me faut pour que mes yeux déclosent. Et lecteur! Pour ne te rien celer, je trouve fort à mon goût le monde qu'ils aperçoivent à ce déclosement. Fi donc des mornes et molles plaintes! Est-ce pas rien que vivre? Je remercie tous les jours le Seigneur de m'avoir en Paris gardé entier et en santé, pour qu'à la vie je puisse mordre encore à dents aiguës et gorge sèche! Sanguienne! Que mon aîné soit baron de Mespech et demi-baron de Fontenac, peux-je dire sans trop me paonner que j'aime mieux toutefois être moi que lui, préférant mon être à son avoir! J'ai dans mon escarcelle, bague et collier en moins, les deux cents écus du duc d'Anjou et les trois cents écus de la vente de mes perles. C'est petit pécune. Et petit bagage aussi mon bonnet carré de médecin et au bout de mon épée, ma botte de Jarnac. Mais Giacomi et Miroul ne sont pas petits compagnons, non plus que mon bon Suisse de Berne dont je ne sais s'il voudra demeurer sa vie durant en Mespech, tant il jase de ses batailles. Et à parler à langue franche, il est des jours aussi où je ne me vois point établi médecin en Périgueux, moins encore en Sarlat, tant me démangent les mollets de presser derechef les flancs de ma Pompée sur les grands chemins du royaume.

Ce ne sont ce jour d'hui que rêves, et ce qu'il adviendra de ces rêves, « c'est une autre paire de manches », comme dit notre ami et allié Brantôme : expression bizarre que je n'ai jamais ouïe que de sa bouche ni lue que sous sa plume, étant manifeste qu'on ne sait pas du diable ce que vient faire là cette « autre paire », la première n'étant pas en question. Toutefois, si manches il y a, comme le veut notre cousin de Bourdeilles, il se peut que je les couse un jour à cette vêture de mes jours anciens que je vais tissant, pour peu que Dieu consente à y prêter la main et me maintienne gaillard le temps qu'il y faudra.

GLOSSAIRE
DES MOTS ANCIENS OU OCCITANS
UTILISÉS DANS CE ROMAN

A

acagnarder (s') : paresser.

acaprissat (oc) : têtu (chèvre).

accoiser (s') : se taire (voir *coi*).

accommoder : mal traiter, ou bien traiter, selon le contexte.

accommoder à (s') : s'entendre avec.

affiquet : parure.

affronter : tenir tête, braver.

agrader (oc) : faire plaisir.

aigremoine : plante de la famille des rosacées, que l'on rencontre à l'orée des bois, et qui était utilisée pour guérir l'ulcère de la cornée.

alberguière : aubergiste.

algarde : attaque, mauvais tour.

alloure (oc) : allure.

alpargate (oc) : espadrille.

amalir (s') (oc) : faire le méchant.

amour (une) : amour. Féminin au XVIᵉ siècle.

anusim (les) (hébr.) : les convertis de force.

apaqueter : mettre en paquet.

apazimer (oc) : apaiser.

apostume : abcès.

apparesser (s') : paresser.

appéter : désirer.

appétit (à) : désir, besoin de (ex. appétit à vomir).

arder : brûler de ses rayons (le soleil).

aspé (e) : renforcé (en parlant d'une porte).

assouager : calmer.

à'steure, à s'teure : tantôt... tantôt.

atendrézi (oc) : attendri.

attentement (de meurtrerie) : tentative (de meurtre).

aucuns (d') : certains.

avette : abeille.

aviat (oc) : vite.

B

bachelette : jeune fille.

bagasse (oc) : putain.

bagues : bagages (vies et bagues sauves).

se bander : s'unir (en parlant des ouvriers) contre les patrons (voir *tric*).

banque rompue : banqueroute.

baragouiner : parler d'une façon barbare et incorrecte. Selon Littré et Hatzfeld, le mot daterait de la Révolution française, les prisonniers bretons de la chouannerie réclamant sans cesse du pain, *bara*, et du vin, *gwin*. Je suis bien confus d'avoir à apporter le démenti à d'aussi savants linguistes, mais le mot baragouin est *antérieur* à la Révolution, et se rencontre dans de nombreux textes du xvie siècle (Montaigne : « *Ce livre est bâti d'un espagnol baragouiné* »).

barguigner : trafiquer, marchander (qui a survécu dans l'anglais *bargain*). *Barguin* ou *bargouin* : marché.

bas de poil : couard.

bastidou (oc) : petit manoir.

batellerie : imposture, charlatanerie.

bec jaune : jeunet (par comparaison avec un jeune oiseau, dont le bec est encore jaune). Plus tard : béjaune. *Bec* : bouche (voir gueule). *Prendre par le bec* : moucher quelqu'un qui a proféré une sottise ou une parole imprudente.

bénignité : bonté.

bestiole : peut désigner un chien aussi bien qu'un insecte.

billes vezées : billevesées.

biscotter : peloter.

blèze : bégayant.

de blic et de bloc : de bric et de broc.

bonnetade : salut.

bordailla (oc) : désordre.

bordeau : bordel.

bougre : homosexuel.

bourguignotte : casque de guerre.

branler : ce mot, qui s'est depuis spécialisé, désignait alors toute espèce de mouvement.

brassée : accolade.

braverie (faire une) : défier, provoquer.

braveté (oc) : bonté.

brides (à brides avalées) : nous dirions : à bride abattue. Le cavalier « abat » la bride (les rênes) pour laisser galoper à fond le cheval.

buffe : coup, soufflet (français moderne : baffe).

C

caillette : voir *sotte*.

caïman : de « *quémant* » : mendiant devenu voleur de grand chemin.

calel (oc) : petit récipient de cuivre contenant de l'huile et une mèche.

caque : petit baril.

caquetade : bavardage.

carreau : coussin.

cas : sexe féminin.

casse-gueule : amuse-gueule.

catarrhe : rhume.

céans : ici.

chabrol : rasade de vin versée dans le reste de la soupe et bue à même l'écuelle.

chacun en sa chacunière : chacun en sa maison.

chaffourrer : barbouiller.

chair, charnier, charnure : *chair*, au XVIᵉ siècle, désigne la viande. Les « *viandes* » désignent les mets. *Charnier* : pièce d'une maison où l'on gardait la « chair salée ». *Charnure* : les contours d'un corps de femme.

chamaillis : combat, le plus souvent avec les armes.

chanlatte : échelle grossièrement faite.

chattemite : hypocrite.

chatterie, chatonie : friponnerie.

chaude (à la) : dans le feu de l'action.

chiche-face : avare (voir *pleure-pain*).

chicheté : avarice.

chié chanté (c'est) : c'est réussi ou c'est bien dit.

circonder : entourer.

clabauder : bavarder. *Clabauderie* : bavardage.

de clic et de clac : complètement.

clicailles : argent.

coi : silencieux (*s'accoiser* : se taire).

col : cou.

colloquer : conférer, donner (colloquer en mariage).

colombin(e) : blanc, pur, innocent.

combe : vallée étroite entre deux collines. « *Par pechs et combes* » : par monts et vaux.

combien que : bien que.

commodité : agrément. Faujanet (sur le mariage) : « La commodité est bien courte et le souci bien long. »

compain : camarade (celui avec qui on partage le pain).

conséquence (de grande ou de petite) : importance (de grande ou de petite importance).

constant : vrai.

coquardeau : sot, vaniteux.

coquarts : coquins.

coquefredouille : voir *sotte*.

coqueliquer : faire l'amour.

corps de ville : la municipalité.

en correr (oc) : en courant.

cotel (oc) : couteau.

côtel : côté (d'un autre *côtel*).

courre : courir.

courtaud : petit cheval de chétive apparence.

686

cramer : brûler (ex : putain cramante).
cuider : croire.

D

dam, dol : dommage.
déconforter : désoler.
déconnu : inconnu.
déduit : jeu amoureux.
dégonder : déboîter.
délayer : retarder.
demoiselle : une demoiselle est une femme noble, et ce titre se
  donne aussi bien aux femmes mariées qu'à celles qui ne le
  sont pas.
dépêcher : tuer.
dépit (substantif pris adjectivement) : courroucé.
déporter (se), *déportement* : se comporter, comportement.
dépriser, déprisement, dépris : mépriser, mépris.
dérober : enlever sa robe à.
désoccupé : sans travail.
dévergogné : sans pudeur.
diagnostique : l'usage, au XVIᵉ siècle, était de l'employer au
  féminin.
domestique (le) : l'ensemble des domestiques, hommes et
  femmes. S'agissant d'un prince, le « domestique » peut
  inclure les gentilshommes.
doutance : doute.
driller : briller.
drola ou drolette (oc) : fille.
drolasse : mauvaise fille (oc).
drole (oc) (sans accent circonflexe, comme Jean-Charles a
  bien voulu me le rappeler) : garçon.
drolissou (oc) : gamin.

E

embéguinée : voir *sotte*.
embufer (oc) : contrarier, braver.
emburlucoquer : embrouiller (emburlucoquer une embûche).

émerveillable : admirable.

émeuvement : agitation, émoi.

emmistoyer (s') (marrane) : faire l'amour avec.

émotion (une émotion populaire) : émeute. On dit aussi un « tumulte ».

esbouffer (s') à rire : éclater de rire.

escalabrous (oc) : emporté.

escambiller (s') (oc) : ouvrir voluptueusement les jambes.

escopetterie : coups d'arquebuse tirés en même temps.

escouillé (oc) : châtré.

escumer (s') (oc) : transpirer.

espincher (oc) : lorgner.

estéquit (oc) : malingre.

esteuf : balle ou jeu de paume.

estranciner : s'éloigner de.

estrapade : supplice qui se donnait pour fin la dislocation des épaules.

étoffé (des bourgeois étoffés) : riche.

évangiles : le mot s'emploie au féminin. Ex. : « leurs belles évangiles » (François de Guise).

évicter : faire sortir.

F

fallace : tromperie.

fault (ne vous) : ne vous fait défaut.

fendant (l'air assez) : fier.

fétot (oc) : espiègle.

fiance : confiance.

fils : « Il n'y avait fils de bonne mère qui n'en voulû tâter » : Il n'y avait personne qui... (la connotation favorable s'étant perdue).

folieuse : prostituée.

for (en son) : en lui-même.

forcer : violer, *forcement* : viol.

fortune (la fortune de France) : le sort ou le destin de la France.

friandise (par) : par avidité. Ce mot est aujourd'hui passé du mangeur au mangé, le mangeur gardant « friand ».

frisquette : vive.

front (à... de) : en face de.

G

galapian (oc) : gamin.

galimafrée : ragoût.

gambette : jambe.

garce : fille (sans connotation défavorable).

gargamel (le ou la) : gorge.

gausser (se) : plaisanter, avec une nuance de moquerie (d'où gausserie).

un gautier, un guillaume : un homme.

geler le bec : clouer le bec.

gens mécaniques : ouvriers.

godrons : gros plis ronds empesés d'une fraise. Il y avait fraise et fraise, et celles des huguenots étaient austèrement et chichement plissées à petits plis.

goguelu(e) : plaisant, gaillard.

gouge : prostituée.

gripperie : avarice.

grouette : terrain caillouteux.

gueule : rire à gueule bec : rire à gorge déployée. *Baiser à gueule bec :* embrasser à bouche que veux-tu. *Etre bien fendu de la gueule :* avoir la langue bien pendue.

guilleri : verge.

H

haquenée : monture particulièrement facile qu'on peut monter en amazone.

harenguier : marchand de poissons.

hart : la corde du gibet.

haut à la main : impétueux.

heur (l') : le bonheur.

hucher : hurler (Colette emploie plusieurs fois le mot dans ses « *Claudine* »).

hurlade : hurlement.

I

immutable : fidèle, immuable.
incontinent : immédiatement.
intempérie : maladie.
ire : colère.
irréfragable : qu'on ne peut pas briser.

J

jaser : parler, bavarder.

L

labour, labourer : travail, travailler.
lachère : qui donne beaucoup de lait.
lancegaye : lance petite et fine.
langue (bien jouer du plat de la) : avoir le verbe facile.
lauze : pierre taillée plate dont on fait des toitures en Périgord
    et dans les provinces voisines.
lécher le morveau (péjoratif) : baiser les lèvres.
lecture : le cours d'un professeur.
léthal : mortel.
loche : branlant.
louba (oc) : louve.
loudière : putain (de *loud :* matelas).

M

malhoneste (oc) : mal élevé.
marmiteux : triste.
maroufle, maraud : personne mal apprise.
mazelier, mazelerie : boucher, boucherie.

membrature : membres et muscles.

ménage : la direction et gestion (d'une maison, d'un domaine). L'anglais use encore de ce mot dans son sens français ancien *management*.

ménine (oc) : vieille femme.

mentulle : verge.

mérangeoises : méninges (?).

merveilleux, merveilleusement : extraordinaire. La connotation n'est pas nécessairement favorable. Ex. : « L'Eglise romaine est merveilleusement corrompue d'infinis abus » (La Boétie).

meshui : aujourd'hui.

mie : pas du tout.

mignarder : voir *mignonner.*

mignonner : caresser.

mignote : jeune fille (ou mignotte).

milliase : millier (dans un sens péjoratif : un milliasse d'injures).

miserere : appendicite.

mitouard : hypocrite.

montoir (mettre au) : saillir ou faire saillir.

morguer : le prendre de haut avec.

morion : casque de guerre.

moussu (oc) : monsieur.

muguet : galant, jeune homme à la mode.

mugueter : faire la cour.

musarde : flâneuse, rêveuse.

N

navrer : blesser.

navrement, navrure : blessure.

nephliseth (hébr.) : verge.

niquedouille : voir *sotte.*

O

occire : tuer.

ococouler (s') (oc) : se blottir.

oncques : jamais.

orde : sale.

oreilles étourdies (à) : à tue-tête.

osculation : baiser.

oublieux : marchand de gaufres.

outrecuidé : qui s'en croit trop.

P

paillarder : faire l'amour (probablement de « paille », par allusion aux amours rustiques).

paillardise : lubricité.

paonner (se) : se pavaner.

Paris : le nom est féminin au XVIᵉ siècle.

parladure (oc) : jargon.

parpal (oc) : sein.

pasquil : épigramme, pamphlet.

pastisser (oc) : peloter.

pastourelle : bergère.

pâtiment : souffrance.

patota (oc) : poupée (Espoumel dit : *peteta*).

paume : jeu de balle qui se jouait d'abord à mains nues mais qui, au XVIᵉ siècle, incluait déjà l'usage du filet et de la raquette (ronde ou carrée).

pauvre (mon) : emprunte à *paure* (oc) son sens affectueux.

pech (oc) : colline, le plus souvent colline pierreuse.

pécune : argent.

pécunieux : riche (cf. français moderne : *impécunieux* : pauvre).

pensamor (oc) : pensée amoureuse.

pensement (oc) : pensée (dans le sens de : penser à quelqu'un).

périgordin : employé dans cette chronique de préférence à périgourdin.

peux-je ? : n'avait pas encore été vaincu par *puis-je ?*

piaffe (la) : étalage vaniteux. *Piaffard* : faiseur d'embarras.

picanier (oc) : taquiner, quereller. *Picanierie* : querelle, taquinerie.

picorée : butin.

pile et croix (à) : pile ou face.

pimplader (se) (oc) : se farder.

pimplocher (se) : même sens.

piperie : tromperie.

pique (la pique du jour) : l'aube.

pisser (n'en pas pisser plus roide) : n'y avoir aucun avantage.

pitchoune (oc) : enfant.

pitre (oc) : poitrine.

platissade : coup de plat d'une épée.

plat pays : campagne.

pleure-pain : avare.

plier (oc) : envelopper (la tête pliée : la tête enveloppée).

ploros (oc) : pleurnicheur.

ployable : souple, flexible.

poilon : poêlon.

pointille : affaire de peu d'importance.

pouitrer (oc) : pétrir.

poutoune (oc) : baiser.

prédicament : situation.

prendre sans vert : prendre au dépourvu.

proditoirement : traîtreusement.

prou : beaucoup (peu ou prou).

provende : provision.

Q

quand (quand et quand) : souvent.

quenouillante : qui file la quenouille.

quia (mettre à, réduire à) : détruire, anéantir.

quiet : tranquille (quiétude).

quinaud : penaud.

R

ramentevoir (se) : se rappeler.

raquer (oc) : vomir.

rassotté : sot, gâteux.

ratelée (dire sa) : donner son opinion ou raconter une histoire.

rebelute : à contrecœur.

rebiquer, rebéquer (se) : se rebeller.

rebiscoulé (oc) : rétabli (après une maladie).

rebours : hérissé, revêche.

réganier : repousser.

religionnaires (les) : les réformés.

remochiner (se) (oc) : bouder.

remparer : fortifier.

remuements : manœuvres, intrigues.

reyot, ou *reyet* (oc) : (de *rey,* roi). Petit roi, dans un sens
   péjoratif. Charles IX, après la Saint-Barthélemy, devint,
   pour les réformés du Midi, « ce petit reyet de merde ».

rhabiller (un abus) : porter remède à un abus.

ribaude : putain.

rober : voler.

robeur : voleur.

rompre : briser (les images et statues catholiques).

rompre les friches : labourer les friches.

rufe (oc) : rude, mal dégrossi.

S

saillie : plaisanterie.

saillir : sortir.

sanguienne : juron (sang de Dieu).

sarre (impératif) : fermez. Ex. : Sarre boutiques !

serrer : garder prisonnier.

sotte : les insultes courantes à l'époque, surtout lorsqu'elles
   s'adressaient aux femmes, mettaient l'accent sur la niaiserie
   et l'ignorance plus encore que sur la sottise. Ex. : sotte
   caillette, sotte embéguinée, niquedouille, coquefredouille,
   etc.

soulas : contentement.

strident : aiguisé, vorace *(l'appétit le plus strident).*

sueux : suant.

T

tabuster : chahuter.

tant (tant et tant) : tellement.

tantaliser : faire subir le supplice de Tantale.

tas (à) : en grande quantité.

testonner : peigner.

téton : le mot « sein » est rare dans la langue du XVIᵉ siècle du moins au sens féminin du mot. On dit aussi *tétin*.

tire-laine : larron spécialisé dans le vol des manteaux.

tirer (vers, en) : aller dans la direction de.

tortognoner : biaiser, hésiter.

touchant : en ce qui concerne.

toussir : tousser.

tout à plat (refuser) : refuser catégoriquement.

tout à plein : complètement.

tout à trac : tout à fait.

tout de gob : tout de go.

trait (de risée) : plaisanterie.

trantoler (se) (oc) : flâner.

travaillé (de) : subir ou souffrir (la guerre dont la France était durement travaillée).

trestous : tous.

tric : l'arrêt de travail concerté (puni alors des plus lourdes peines).

de tric et de trac : complètement.

truchement : interprète.

tympaniser : assourdir de ses cris, et aussi mettre en tutelle (au son du tambour : *tympane*).

U

ugonau (oc) : huguenot.

usance : usage.

V

vanterie : vantardise.

vauderoute (mettre à) : mettre en déroute.

vaunéant : vaurien.

ventrouiller (se) : se vautrer.

viandes (les) : voir *chair*.

vif : vivant.
vilité : mode de vie bas et vil (ribaude vivant en vilité).
vit : verge.
volerie : chasse fauconnière.

TABLE

DU MÊME AUTEUR

ROMANS

FORTUNE DE FRANCE
Fortune de France, Plon, 1977.
En nos vertes années, Plon, 1979.
Paris ma bonne ville, Plon, 1980.
Le Prince que voilà, Plon, 1982.
La Violente Amour, Plon, 1983.
La Pique du jour, Plon, 1985.
La Volte des Vertugadins, Editions de Fallois, 1989.

Tome I : *Fortune de France, En nos vertes années*, Editions de Fallois, 1992.
Tome II : *Paris ma bonne ville, Le Prince que voilà*, Editions de Fallois, 1992.
Tome III : *La Violente Amour, La Pique du jour*, Editions de Fallois, 1992.

Week-end à Zuydcoote, NRF, Prix Goncourt, 1949.
La mort est mon métier, NRF, 1952.
L'Ile, NRF, 1967.
Un animal doué de raison, NRF, 1967.
Derrière la vitre, NRF, 1970.
Malevil, NRF, 1972.
Les Hommes protégés, NRF, 1974.
Madrapour, Le Seuil, 1976.
Le jour ne se lève pas pour nous, Plon, 1986.
L'Idole, Plon, 1987.
Le Propre de l'Homme, Editions de Fallois, 1989.

HISTOIRE CONTEMPORAINE

Moncada, premier combat de Fidel Castro, Laffont, 1965, épuisé.
Ahmed Ben Bella, NRF, 1985.

THEATRE

Tome I : *Sisyphe et la mort, Flamineo, Les Sonderling*, NRF, 1950.
Tome II : *Nouveau Sisyphe, Justice à Miramar, L'Assemblée des femmes*, NRF, 1957.
Tome III : *Le Mort et le Vif, Nanterre la Folie*, Editions de Fallois, 1992.

BIOGRAPHIE

Vittoria, princesse Orsini, Editions mondiales, 1959.

ESSAIS

Oscar Wilde ou la « destinée » de l'homosexuel, NRF, 1955.
Oscar Wilde, Perrin, 1984.

TRADUCTIONS

John WEBSTER, *Le Démon blanc*, Aubier, 1945.
Erskine CALDWELL, *Les Voies du Seigneur*, NRF, 1950.
Jonathan SWIFT, *Voyages de Gulliver (Lilliput, Brobdingnag, Houyhnhnms)*, EFR, 1956-1960.
EN COLLABORATION AVEC MAGALI MERLE
Ernesto « CHE » GUEVARA, *Souvenirs de la Guerre révolutionnaire*, Maspero, 1967.
Ralph ELLISON, *Homme invisible*, Grasset, 1969.
P. COLLIER et D. HOROWITZ, *Les Rockefeller*, Le Seuil, 1976.

Le Livre de Poche Biblio

Extrait du catalogue

Sherwood ANDERSON
Pauvre Blanc

Guillaume APOLLINAIRE
L'Hérésiarque et Cie

Miguel Angel ASTURIAS
Le Pape vert

Djuna BARNES
La Passion

Adolfo BIOY CASARES
Journal de la guerre au cochon

Karen BLIXEN
Sept contes gothiques

Mikhail BOULGAKOV
La Garde blanche
Le Maître et Marguerite
J'ai tué
Les Œufs fatidiques

Ivan BOUNINE
Les Allées sombres

André BRETON
Anthologie de l'humour noir
Arcane 17

Erskine CALDWELL
Les Braves Gens du Tennessee

Italo CALVINO
Le Vicomte pourfendu

Elias CANETTI
Histoire d'une jeunesse (1905-1921) -
La langue sauvée
Histoire d'une vie (1921-1931) -
Le flambeau dans l'oreille
Histoire d'une vie (1931-1937) -
Jeux de regard
Les Voix de Marrakech

Raymond CARVER
Les Vitamines du bonheur
Parlez-moi d'amour
Tais-toi, je t'en prie

Camillo José CELA
Le Joli Crime du carabinier

Blaise CENDRARS
Rhum

Varlam CHALAMOV
La Nuit
Quai de l'enfer

Jacques CHARDONNE
Les Destinées sentimentales
L'Amour c'est beaucoup plus que
l'amour

Jerome CHARYN
Frog

Bruce CHATWIN
Le Chant des pistes

Hugo CLAUS
Honte

Carlo COCCIOLI
Le Ciel et la Terre
Le Caillou blanc

Jean COCTEAU
La Difficulté d'être

Cyril CONNOLLY
Le Tombeau de Palinure

Joseph CONRAD
A set of six

**Joseph CONRAD
et Ford MADOX FORD**
L'Aventure

René CREVEL
La Mort difficile
Mon corps et moi

Alfred DÖBLIN
Le Tigre bleu
L'Empoisonnement

Lawrence DURRELL
Cefalù
Vénus et la mer
L'Ile de Prospero
Citrons acides

Friedrich DÜRRENMATT
La Panne
La Visite de la vieille dame
La Mission

J.G. FARRELL
Le Siège de Krishnapur

Paula FOX
Pauvre Georges !
Personnages désespérés

Jean GIONO
Mort d'un personnage
Le Serpent d'étoiles
Triomphe de la vie
Les Vraies Richesses

Jean GIRAUDOUX
Combat avec l'ange
Choix des élues

Vassili GROSSMAN
Tout passe

Dans Le Livre de Poche

(Extrait du catalogue)

Biographies, études...

Badinter Elisabeth
Emilie, Emilie. L'ambition féminine.
au XVIIIe siècle (*vies de Mme du Châtelet, compagne de Voltaire, et de Mme d'Epinay, amie de Grimm*).

Badinter Elisabeth et Robert
Condorcet.

Borer Alain
Un sieur Rimbaud.

Bourin Jeanne
La Dame de Beauté (*vie d'Agnès Sorel*).
Très sage Héloïse.

Bramly Serge
Léonard de Vinci.

Bredin Jean-Denis
Sieyès, la clé de la Révolution française.

Caldwell Erskine
La Force de vivre.

Chalon Jean
Chère George Sand.

Champion Jeanne
Suzanne Valadon ou la recherche de la vérité.
La Hurlevent (*vie d'Emily Brontë*).

Charles-Roux Edmonde
L'Irrégulière (*vie de Coco Chanel*).
Un désir d'Orient (*jeunesse d'Isabelle Eberhardt, 1877-1899*).

Chase-Riboud Barbara
La Virginienne (*vie de la maîtresse de Jefferson*).

Chauvel Geneviève
Saladin, rassembleur de l'Islam.

Clément Catherine
Vies et légendes de Jacques Lacan.
Claude Lévi-Strauss ou la structure et le malheur.

Contrucci Jean
  Emma Calvé, la diva du siècle.

Cordier Daniel
  Jean Moulin.

Dalaï-Lama
  Au loin la liberté.

Delbée Anne
  Une femme (*vie de Camille Claudel*).

Desanti Dominique
  Sacha Guitry, cinquante ans de spectacle.

Dormann Geneviève
  Amoureuse Colette.

Eribon Didier
  Michel Foucault.

Frank Anne
  Journal.

Girard René
  Shakespeare – Les feux de l'envie.

Giroud Françoise
  Une femme honorable (*vie de Marie Curie*).

Goubert Pierre
  Mazarin.

Kafka Franz
  Journal.

Kremer-Marietti Angèle
  Michel Foucault - Archéologie et généalogie.

Lacouture Jean
  Champollion. Une vie de lumières.

Lange Monique
  Cocteau, prince sans royaume.

Levenson Claude B.
  Ainsi parle le Dalaï-Lama.

Loriot Nicole
  Irène Joliot-Curie.

Michelet Jules
  Portraits de la Révolution française.

Monnet Jean
  Mémoires.

Orieux Jean
  Voltaire ou la royauté de l'esprit.
Pernoud Régine
  Aliénor d'Aquitaine.
Perruchot Henri
  La Vie de Toulouse-Lautrec.
Prévost Jean
  La Vie de Montaigne.
Renan Ernest
  Marc Aurèle ou la fin du monde antique.
  Souvenirs d'enfance et de jeunesse.
Rey Frédéric
  L'Homme Michel-Ange.
Roger Philippe
  Roland Barthes, roman.
Séguin Philippe
  Louis-Napoléon le Grand.
Sipriot Pierre
  Montherlant sans masque.
Stassinopoulos Huffington Arianna
  Picasso, créateur et destructeur.
Sweetman David
  Une vie de Vincent Van Gogh.
Thurman Judith
  Karen Blixen.
Troyat Henri
  Ivan le Terrible.
  Maupassant.
  Flaubert.
  Zola.
Zweig Stefan
  Trois Poètes de leur vie (*Stendhal, Casanova, Tolstoï*).

Dans la collection « Lettres gothiques » :

  Journal d'un bourgeois de Paris (*écrit entre 1405 et 1449 par un Parisien anonyme*).

Composition réalisée par EURONUMÉRIQUE

IMPRIMÉ EN FRANCE PAR BRODARD ET TAUPIN
Usine de La Flèche (Sarthe).
LIBRAIRIE GÉNÉRALE FRANÇAISE - 6, rue Pierre-Sarrazin - 75006 Paris.
ISBN : 2 - 253 - 13550 - X   ✣ 31/3550/6